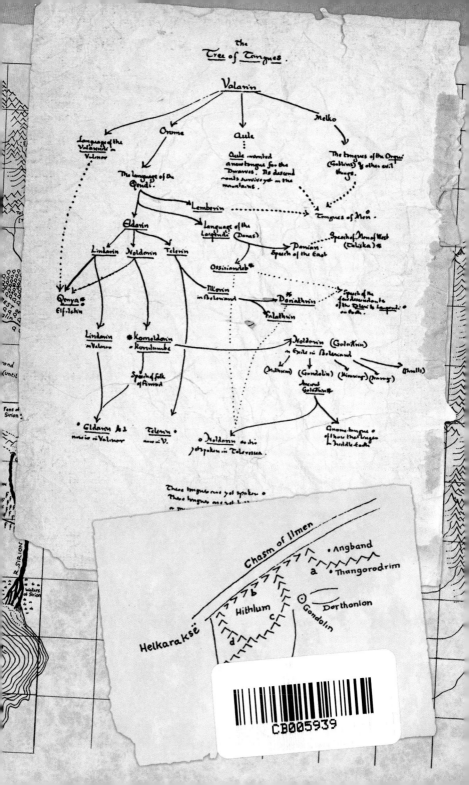

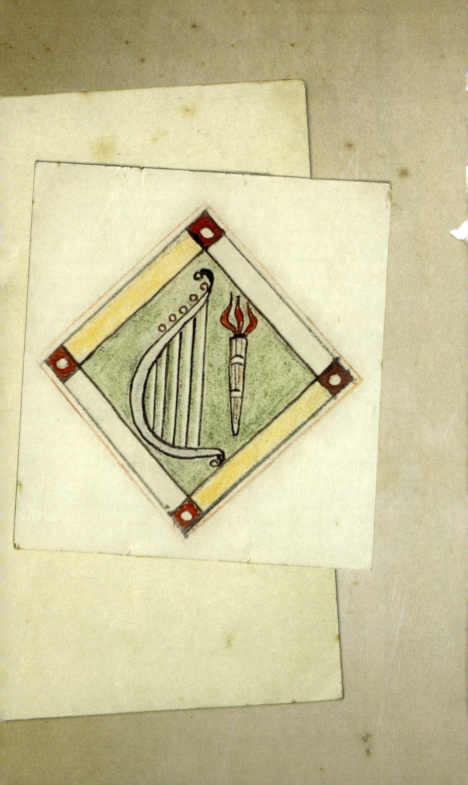

A HISTÓRIA
DA TERRA-MÉDIA
V
A ESTRADA
PERDIDA
E OUTROS ESCRITOS

J.R.R. TOLKIEN

A HISTÓRIA DA TERRA-MÉDIA

V

A ESTRADA PERDIDA
E OUTROS ESCRITOS

Editado por CHRISTOPHER TOLKIEN

Tradução de
GABRIEL OLIVA BRUM

Rio de Janeiro, 2023

Título original: *The Lost Road and Other Writings*
Copyright© The Tolkien Trust e C.R. Tolkien, 1987
Edição original por George Allen & Unwin, 1986
Todos os direitos reservados à HarperCollins *Publishers*.
Copyright de tradução© Casa dos Livros Editora LTDA., 2023

Esta edição é baseada na edição revisada publicada pela primeira vez em 2015.

Os pontos de vista desta obra são de responsabilidade de seus autores, não refletindo necessariamente a posição da HarperCollins Brasil, da HarperCollins *Publishers* ou de sua equipe editorial.

®️ e TOLKIEN® são marcas registradas da The Tolkien Estate Limited.

Publisher	*Samuel Coto*
Editora	*Brunna Prado*
Assistente editorial	*Camila Reis*
Estagiárias editoriais	*Bruna Cavalieri, Giovanna Staggmeier* e *Renata Litz*
Produção gráfica	*Lúcio Nöthlich Pimentel*
Preparação de texto	*Jaqueline Lopes*
Revisão	*Gabriel Oliva Brum* e *Letícia Oliveira*
Diagramação	*Sonia Peticov*
Capa	*Alexandre Azevedo*

Dados Internacionais de Catalogação na Publicação (CIP)
(BENITEZ Catalogação Ass. Editorial, MS, Brasil)

T589f Tolkien, J.R.R.(John Ronald Reuel), 1892-1973
1. ed.   A Estrada Perdida e Outros Escritos / J.R.R. Tolkien; tradução
Gabriel Oliva Brum. 1. ed. – Rio de Janeiro: Harper Collins Brasil, 2023.
– (A História da Terra-média 5)
544 p.; il.; 13,5 x 20,8 cm.

Título original: *The Lost Road and Other Writings*

ISBN: 978-65-5511-463-8

1. Ficção inglesa. 2. Tolkien, J.R.R. I. Brum, Gabriel Oliva. II. Título.
III. Série.

04-2023/71   CDD: 823

Índice para catálogo sistemático:
1. Ficção: Literatura inglesa 823

Bibliotecária: Aline Graziele Benitez CRB-1/3129

HarperCollins Brasil é uma marca licenciada à Casa dos Livros Editora LTDA.
Todos os direitos reservados à Casa dos Livros Editora LTDA.
Rua da Quitanda, 86, sala 218 — Centro
Rio de Janeiro — RJ — CEP 20091-005
Tel.: (21) 3175-1030
www.harpercollins.com.br

SUMÁRIO

Prefácio	7

PARTE UM: A QUEDA DE NÚMENOR E A ESTRADA PERDIDA

1. A História Inicial da Lenda ... 13
2. *A Queda de Númenor* ... 18
   - i. O resumo original ... 18
   - ii. A primeira versão de *A Queda de Númenor* ... 21
   - iii. A segunda versão de *A Queda de Númenor* ... 34
   - iv. O desenvolvimento adicional de *A Queda de Númenor* ... 43
3. *A Estrada Perdida* ... 48
   - i. Os capítulos iniciais ... 48
   - ii. Os capítulos númenóreanos ... 72
   - iii. Os capítulos não escritos ... 94

PARTE DOIS: VALINOR E A TERRA-MÉDIA ANTES DE O SENHOR DOS ANÉIS

1. Os Textos e Suas Relações ... 131
2. *Os Anais Tardios de Valinor* ... 133
3. *Os Anais Tardios de Beleriand* ... 150
4. *O Ainulindalë* ... 185
5. *O Lhammas* ... 197
6. *O Quenta Silmarillion* ... 235

PARTE TRÊS

As Etimologias ... 409

Apêndice
   I. As genealogias   491
   II. A lista de nomes   492
   III. O segundo mapa do "Silmarillion"   497
Índice Remissivo   505
Poemas Originais   535

Prefácio

Este quinto volume de *A História da Terra-média* conclui a apresentação e a análise dos escritos de meu pai acerca do tema da Primeira Era que vão até o final de 1937 e o início de 1938, quando os deixou de lado por um longo tempo. O livro fornece todas as evidências de que tenho conhecimento para a compreensão de seus conceitos sobre muitas questões essenciais à época em que *O Senhor dos Anéis* foi iniciado; e, a partir dos *Anais de Valinor*, dos *Anais de Beleriand*, do *Ainulindalë* e do *Quenta Silmarillion* aqui apresentados, é possível determinar com bastante precisão quais elementos no *Silmarillion* publicado remontam à essa época e quais foram inseridos posteriormente. A fim de tornar esta uma obra de referência satisfatória para esses propósitos, pensei ser essencial fornecer os textos do final da década de 1930 na íntegra, ainda que em partes dos *Anais* o desenvolvimento a partir das versões antecedentes não tenha sido grande; pois as relações curiosas entre os *Anais* e o *Quenta Silmarillion* são uma característica fundamental da história e já aparecem aqui, e é claramente melhor ter todos os textos relacionados entre as mesmas capas. Somente no caso da forma em prosa do conto de Beren e Lúthien eu não agi dessa maneira, uma vez que a história foi preservada com pouquíssimas alterações no *Silmarillion* publicado; aqui me limitei a notas acerca das mudanças de que foram feitas editorialmente.

Não posso, ou pelo menos ainda não, tentar editar os escritos estrita ou praticamente linguísticos de meu pai em vista de sua complexidade e dificuldade extraordinárias; mas incluo neste livro o ensaio geral chamado *O Lhammas*, ou Relato de Línguas, e também as *Etimologias*, ambos pertencentes a esse período. Este último, uma espécie de dicionário etimológico, fornece explicações históricas para um número muito grande de palavras e nomes, e aumenta enormemente os vocabulários conhecidos das línguas élficas — tal

PREFÁCIO

como existiam naquela época, pois, como tudo mais, os idiomas continuaram a evoluir com o passar dos anos. Também até agora desconhecida, exceto por alusões, é a história abandonada de meu pai de "viagem no tempo", *A Estrada Perdida*, que leva primeiro a Númenor, mas também à história e às lendas do norte e do oeste da Europa, com os poemas associados *A Canção de Ælfwine* (na métrica do poema *Pérola*) e *Rei Feixe* (em verso aliterante). Em relação estreita com *A Estrada Perdida* havia as formas iniciais da lenda da Submersão de Númenor, que também estão incluídas no livro, e os primeiros vislumbres da história da Última Aliança de Elfos e Homens.

No inevitável *Apêndice*, coloquei três obras que não são apresentadas na íntegra: as *Genealogias*, a *Lista de Nomes* e o segundo Mapa do "Silmarillion", todas as quais pertencem, em suas formas originais, ao início da década de 1930. As *Genealogias* só vieram à luz recentemente, mas na verdade pouco acrescentam ao que se sabe dos textos narrativos. A *Lista de Nomes* poderia ter sido incluída de maneira mais satisfatória no Vol. IV, mas esta é mais uma vez uma obra que de referência que fornece muito pouco material novo, e foi mais conveniente postergá-la e então apresentar somente aqueles poucos verbetes que oferecem novos detalhes. O segundo Mapa é um caso diferente. Esse foi o único mapa de meu pai do "Silmarillion" por cerca de quarenta anos, e o redesenhei aqui para mostrá-lo como era quando foi criado, omitindo todas as camadas sobre camadas de acréscimos e alterações posteriores. O *Conto dos Anos* e o *Conto das Batalhas*, listados em folhas de rosto de *O Silmarillion* como elementos naquela obra (ver p. 239), não foram incluídos, uma vez que eram contemporâneos aos *Anais* tardios e nada acrescentam ao material encontrado neles; subsequentes alterações de nomes e datas também foram realizadas de maneira muito similar.

A discussão detalhada da datação pode parecer excessiva em determinados momentos, mas visto que a cronologia das obras de meu pai, tanto "interna" como "externa", é extremamente difícil de ser determinada e as evidências estão repletas de armadilhas, e visto que a história pode dessa forma ser muito facilmente e muito seriamente falsificada por deduções errôneas, almejei tornar o mais claras possível as razões para as minhas afirmações.

Introduzi numeração de parágrafos em alguns dos textos. Isso foi feito na crença de tal medida fornecerá um método de referência

A ESTRADA PERDIDA E OUTROS ESCRITOS

mais preciso e, portanto, mais rápido em um livro onde a discussão de sua natureza move-se constantemente de um lado ao outro do texto.

Tal como em volumes anteriores, padronizei em certa medida o uso de certos nomes: assim, por exemplo, grafo *Deuses*, *Elfos*, *Orques*, *Terra-média* etc. com iniciais maiúsculas, e *Kôr*, *Tûn*, *Eärendel*, *númenóreano* etc. para os frequentes *Kór*, *Tún*, *Earendel*, *numen*óreano dos manuscritos.

Os volumes anteriores da série são referidos como I (*O Livro dos Contos Perdidos 1*), II (*O Livro dos Contos Perdidos 2*), III (*As Baladas de Beleriand*) e IV (*A Formação da Terra-média*). O sexto volume, agora em preparação, tratará da evolução de *O Senhor dos Anéis*.

As tabelas que ilustram *O Lhammas* são reproduzidas com a permissão da Biblioteca Bodleiana, Oxford, que gentilmente forneceu fotografias.

Listo aqui por conveniência as abreviaturas usadas no livro em referência a várias obras (para um relato mais amplo, ver pp. 131–32).

Textos no Vol. IV:
Esb O *Esboço da Mitologia* ou "a primeira versão do Silmarillion".
Q O *Quenta* ("*Quenta Noldorinwa*"), a segunda versão de "O Silmarillion".
AV 1 A primeira versão dos *Anais de Valinor*.
AB 1 A primeira versão dos *Anais de Beleriand* (em duas versões, a segunda abandonada pouco depois de ser iniciada).

Textos no Vol. V:
QdN *A Queda de Númenor* (**QdN I** e **QdN II** referem-se ao primeiro e segundo textos).
AV 2 A segunda versão dos *Anais de Valinor*.
AB 2 A segunda versão (ou, mais exatamente, a terceira) dos *Anais de Beleriand*.
QS O *Quenta Silmarillion*, a terceira versão de "O Silmarillion", próximo de ser concluído ao final de 1937.

Outras obras (*Ambarkanta*, *Ainulindalë*, *Lhammas*, *A Estrada Perdida*) não são mencionadas por abreviaturas.

Por fim, aproveito esta oportunidade para mencionar e explicar a representação errônea da Expansão a Oeste do primeiro Mapa

PREFÁCIO

do "Silmarillion" no volume anterior (*A Formação da Terra-média*, p. 271). É possível ver que esse mapa apresenta uma aparência notavelmente diferente daquela da Expansão a Leste na p. 275. Esses dois mapas, por serem extremamente tênues, mostraram-se impossíveis de serem reproduzidos a partir de fotografias fornecidas pela Biblioteca Bodleiana, e foi tentado um "reforço" experimental (em vez de serem redesenhados) de uma cópia da Expansão a Oeste. Rejeitei esse reforço, e então se percebeu que minhas fotocópias dos originais apresentavam um resultado suficientemente nítido para o que era pretendido. Infelizmente, a fotocópia acabou sendo substituída pela versão "reforçada" rejeitada do mapa da Extensão a Oeste. (Também foram usadas fotocópias para o diagrama III na p. 291 e para o mapa V na p. 295, onde os originais a lápis estão tênues.)

PARTE UM

A QUEDA
DE NÚMENOR

E

A ESTRADA PERDIDA

1

A História Inicial da Lenda

Em fevereiro de 1967, meu pai endereçou um comentário aos autores de um artigo sobre ele (*As Cartas de J.R.R. Tolkien*, n. 294). No decorrer da carta, ele registrou que "um dia" C.S. Lewis lhe disse que, uma vez que "há muito pouco do que realmente gostamos nas histórias", eles mesmos teriam de tentar escrever algumas. Ele prosseguiu:

> Concordamos que ele deveria tentar uma "viagem espacial" e eu deveria tentar uma "viagem no tempo". O resultado dele é bem conhecido. Minha tentativa, após alguns capítulos promissores, esgotou-se: era um desvio demasiado grande para o que eu realmente queria fazer, uma nova versão da lenda de Atlântida. A cena final sobrevive como *A Queda de Númenor*.*

Alguns anos antes, em uma carta de julho de 1964 (*Cartas*, n. 257), ele relatou um pouco de seu livro, *A Estrada Perdida*:

> Quando C.S. Lewis e eu jogamos cara ou coroa, e ele ficou de escrever sobre uma viagem espacial e eu sobre uma viagem no tempo, comecei um livro abortivo de viagem no tempo cujo final seria a presença de meu herói na submersão de Atlântida. Esta seria chamada *Númenor*, a Terra no Oeste. O fio da história seria a ocorrência repetidas vezes em famílias humanas (como Durin entre os Anões) de um pai e um filho chamados por nomes que poderiam ser interpretados como Amigo-da-Bem--aventurança e Amigo-dos-Elfos. Descobre-se no final que esses

---

* Esse é o *Akallabêth*, *A Queda de Númenor*, publicado postumamente em *O Silmarillion*, pp. 339–69.

A HISTÓRIA INICIAL DA LENDA

nomes não mais compreendidos referem-se à situação atlante--númenóreana e significam "aquele leal aos Valar, satisfeito com a bem-aventurança e a prosperidade dentro dos limites estabelecidos" e "aquele leal à amizade com os Altos-elfos". Começava com uma afinidade de pai e filho entre Edwin e Elwin do presente e deveria retornar à época lendária através de um Eädwine e Ælfwine por volta de 918 d.C., e Audoin e Alboin das lendas lombardas, e assim para as tradições do Mar do Norte a respeito da chegada do trigo e heróis da cultura, ancestrais de linhagens de reis, em barcos (e sua partida em navios funerários). Um certo Sheaf [Feixe], ou Shield Sheafing [Escudo, filho de Feixe], pode de fato ser considerado como um dos ancestrais distantes da nossa atual Rainha. Em minha história chegaríamos por fim a Amandil e Elendil, líderes do partido leal em Númenor, quando esta caiu sob o domínio de Sauron. Elendil "Amigo-dos-Elfos" foi o fundador dos reinos Exilados em Arnor e Gondor. Mas vi que meu verdadeiro interesse estava apenas no final, o *Akallabêth* ou *Atalantie** ("Queda" em númenóreano e quenya), de modo que relacionei todo o material que havia escrito sobre as originalmente não relacionadas lendas de Númenor com a mitologia principal.

Não sei se existem evidências que poderiam datar a conversa que levou à composição de *Além do Planeta Silencioso* e *A Estrada Perdida*, mas o primeiro foi concluído no outono de 1937, e o segundo foi enviado, até o ponto em que se encontrava, para a Allen & Unwin em novembro daquele ano (ver III. 423).

O significado da última frase na passagem recém-citada não está inteiramente claro. Quando meu pai disse "Mas vi que meu verdadeiro interesse estava apenas no final, o *Akallabêth* ou *Atalantie*", ele sem dúvida quis dizer que não se inspirara a escrever as partes "intermediárias", nas quais o pai e o filho apareceriam e reapareceriam em fases cada vez mais antigas das lendas germânicas; e, de

---

* É um acaso curioso que o radical *talat*, usado em q[uenya] para "escorregar, deslizar, cair", do qual *atalantie* é uma formação substantiva normal (em quen.), pareça-se tanto com Atlântida. [Nota de rodapé da carta.] — Ver as *Etimologias*, radical TALÁT. O dicionário élfico mais antigo descrito em I. 297 possui um verbo *talte* "inclinar (transitivo), declinar, sacudir as fundações, fazer cambalear etc." e um adjetivo *talta* "trêmulo, oscilante, cambaleante – inclinado, enviesado".

A ESTRADA PERDIDA E OUTROS ESCRITOS

fato, *A Estrada Perdida* é interrompida após os capítulos introdutórios e só é retomada com a história númenóreana que viria ao final. Muito pouco daquilo que esteja planejado para se situar no meio da história foi escrito. Mas qual é o significado de *"de modo que* relacionei todo o material que havia escrito sobre *as originalmente não relacionadas lendas de Númenor* com a mitologia principal"? Meu pai parece estar dizendo que, tendo visto que só queria escrever acerca de Númenor, ele consequentemente, e só então (abandonando *A Estrada Perdida*), anexou o material númenóreano à "mitologia principal", inaugurando assim a Segunda Era do Mundo. Mas o que era esse material? Ele não podia estar se referindo às porções númenóreanas contidas na própria *A Estrada Perdida*, uma vez que elas já se relacionavam plenamente à "mitologia principal". Portanto, devia ser outra coisa, que já existia quando *A Estrada Perdida* foi iniciada, como supõe Humphrey Carpenter em sua *Biografia* (p. 233): "A lenda de Tolkien sobre Númenor... provavelmente foi composta algum tempo antes de 'A Estrada Perdida', no fim dos anos 20 ou no início dos anos 30." Mas, na verdade, parece-me inescapável a conclusão de que meu pai se enganou quando disse isso.

Os rascunhos originais de *A Estrada Perdida* foram preservados, mas são muito rudimentares e não formam um texto contínuo. Há um manuscrito completo, ele próprio muito rudimentar e bastante emendado em diferentes estágios; e um texto datilografado profissional que foi feito quando praticamente todas as alterações haviam sido feitas no manuscrito.* O texto datilografado foi interrompido muito antes do ponto em que o manuscrito termina, e as emendas de meu pai ao texto foram em grande parte correções de erros do datilógrafo, que compreensivelmente foram muitos; dessa forma, o texto datilografado possui apenas um pequeno valor textual, e o manuscrito é essencialmente o texto primário.

A Estrada Perdida é interrompida por fim em meio a uma conversa durante os últimos dias de Númenor entre Elendil e seu filho

---

* Esse texto datilografado foi feito na Allen & Unwin, como parece de acordo com uma carta de Stanley Unwin datada de 30 de novembro de 1937: "*A Estrada Perdida*: Datilografamos o texto e estamos devolvendo o original por meio desta. A cópia datilografada será enviada assim que tivermos tido uma oportunidade de lê-la". Ver mais na pp. 89–90, nota 14.

Herendil; e nessa conversa Elendil fala detalhadamente da história antiga: das guerras contra Morgoth, de Eärendel, da fundação de Númenor e da chegada de Sauron à ilha. Portanto, como eu disse, *A Estrada Perdida* está inteiramente integrada à "mitologia principal" — e isso se vê já nos rascunhos preliminares.

Tal como os papéis foram encontrados, após a última página de *A Estrada Perdida* segue-se imediatamente um outro manuscrito com uma nova paginação, mas sem título. Mesmo sem levar em consideração a sua localização, esse texto dá uma forte impressão física de pertencer à mesma época de *A Estrada Perdida*; e é de estreita associação em conteúdo com a última parte de *A Estrada Perdida*, pois conta a história de Númenor e sua queda — embora esse segundo texto tenha sido escrito com um propósito diferente, o de ser uma história completa, ainda que muito breve: é de fato o primeiro rascunho plenamente redigido da narrativa que veio a se tornar o *Akallabêth*. Mas ele é anterior à *Estrada Perdida*; pois onde este texto possui *Sauron* e *Tarkalion*, aquele possui *Sûr* e *Angor*.

Um segundo manuscrito mais completo dessa história de Númenor vem a seguir, com o título (inserido posteriormente) *O Último Conto: A Queda de Númenor*. Esse manuscrito possui várias passagens que pouco diferem de passagens em *A Estrada Perdida*, mas parece ser dificilmente possível demonstrar com certeza qual veio antes e qual veio depois, a não ser que a evidência citada na p. 91, nota 25, seja decisiva para que a segunda versão de *A Queda de Númenor* seja a segunda das duas; de qualquer modo, uma passagem reescrita muito próximo da época da composição original dessa versão certamente é posterior à *Estrada Perdida*, pois apresenta uma forma tardia da história da chegada de Sauron a Númenor (ver pp. 37–8).

Portanto, está claro que as duas obras estão intimamente relacionadas; elas surgiram na mesma época e a partir do mesmo impulso, e meu pai trabalhou em ambas ao mesmo tempo. Mas ainda mais notável é a existência de uma página individual que só pode ser o "esquema" original para *A Queda de Númenor*, o primeiro registro por escrito de fato da ideia. O próprio nome *Númenor* encontra-se aqui apenas em processo de surgimento. Ainda assim, nessa forma primitiva da história o termo *Terra-média* é usado, como nunca o foi no *Quenta*: ele não apareceu antes dos *Anais de Valinor* e do *Ambarkanta*. Além disso, a forma *Ilmen* ocorre, o que sugere que esse "esquema" foi posterior à própria composição do *Ambarkanta*, onde *Ilmen* era uma emenda de *Ilma* (anteriormente *Silma*): IV. 284, nota 3.

Concluo, portanto, que "Númenor" (como um conceito distinto e formalizado, qualquer que fosse a "assombração de Atlântida", como meu pai a chamou, que houvesse por trás) surgiu no próprio contexto de suas discussões com C.S. Lewis em (como parece provável) 1936. Pode-se considerar que uma passagem na carta de 1964 diz precisamente isso: "comecei um livro abortivo de viagem no tempo cujo final seria a presença de meu herói na submersão de Atlântida. Esta seria chamada *Númenor*, a Terra no Oeste". Além disso, "Númenor" foi desde o início concebida em plena associação com "O Silmarillion"; nunca houve uma época em que as lendas de Númenor eram "não relacionadas com a mitologia principal". Meu pai enganou-se ao se recordar (ou expressou-se de maneira obscura, querendo dizer outra coisa); a carta citada acima de fato foi escrita quase trinta anos mais tarde.

2

A Queda de Númenor

(i)

O resumo original

O texto do "esquema" original da lenda, mencionado no capítulo anterior, foi escrito com tal velocidade que em um ponto ou outro não é possível interpretar palavras com certeza. Próximo ao início ele é interrompido por um esboço muito rudimentar e apressado, que mostra um globo central, marcado como *Ambar*, com dois círculos ao seu redor; a área interna assim descrita está marcada como *Ilmen* e a externa como *Vaiya*. Há uma linha reta que percorre o alto de *Ambar* e atravessa as zonas de *Ilmen* e *Vaiya*, estendendo-se até o círculo exterior em ambas as direções. Esse deve ser o precursor do diagrama do Mundo Tornado Redondo que acompanha o *Ambarkanta*, IV. 291. A primeira frase do texto, acerca de Agaldor (a respeito do qual ver pp. 96–7), foi escrita separadamente do resto, como se fosse um começo abortado, ou o início de um resumo distinto.

Agaldor, chefe de um povo que vive na margem N.O. do Mar do Oeste.

A última batalha dos Deuses. Os Homens em sua maioria ficam do lado de Morgoth. Após a vitória os Deuses entram em concílio. Os Elfos são convocados a Valinor. [*Riscado*: Homens fiéis habitam nas Terras.]

Muitos homens não haviam entrado nas antigas Histórias. Eles ainda andam livremente pela terra. Os Pais de Homens recebem uma terra para habitar, erguida por Ossë e Aulë no grande Mar do Oeste. O Reino do Oeste cresce. *Atalantë*. [*Acrescentado à margem*: As lendas assim o nomearam mais tarde (o antigo nome era *Númar* ou *Númenos*) *Atalantë* = A Cadente.] Seu povo grandes

A ESTRADA PERDIDA E OUTROS ESCRITOS

marinheiros, e homens de grande engenho e sabedoria. Navegam entre Tol-eressëa e as costas da Terra-média. Sua aparição ocasional entre os Homens Selvagens, onde Homens Infiéis também [?vagavam corrompendo-os]. Alguns tornam-se senhores no Leste. Mas os Deuses não permitirão que desembarquem em Valinor, e embora se tornem longevos por muitos terem se banhado na radiância de Valinor a partir de Tol-eressëa, eles são mortais e suas vidas breves. Murmuram contra esse decreto. Thû chega a Atalantë, anunciado [*ler* anunciando] a aproximação de Morgoth, Mas Morgoth não pode vir exceto como um espírito, por estar condenado a *habitar* fora das Muralhas da Noite. Os Atalanteanos caem e se rebelam. Erigem um templo a Thû-Morgoth. Constroem um armamento e atacam as costas dos Deuses com trovões.

Os Deuses, portanto, separaram Valinor da terra, e uma fenda terrível apareceu, pela qual a água verteu e o armamento de Atalantë foi submerso. Eles deram forma de globo à toda terra, de modo que por mais longe que um homem navegasse, ele jamais tornaria a alcançar o Oeste, voltando então ao ponto de partida. Assim novas terras surgiram sob o Velho Mundo; e o Leste e o Oeste foram curvados e [?a água fluía por toda a redonda] superfície da terra e houve uma época de dilúvio. Mas Atalantë, por estar próxima da fenda, foi derrubada por completo e submergiu. O remanescente dos [*riscado à época da composição*: Númen, os Lie-númen] Númenóreanos em seus navios foge para o Leste e desembarca na Terra-média [*Riscado*: Morgoth induz muitos a acreditarem que esse é um cataclismo natural.]

O [?anseio] dos Númenóreanos. Seu anseio pela vida na terra. Seus sepultamentos navais e suas grandes tumbas. Alguns maus e alguns bons. Muitos dos bons se assentam na costa ocidental. Esses também vão em busca dos Elfos Minguantes. Como [*riscado à época da composição*: Agaldor] Amroth lutou com Thû e o empurrou para o centro a Terra e a Floresta-de-ferro.

O antigo alinho das terras perdurou como uma planície de ar sobre a qual apenas os Deuses podiam caminhar, e os Eldar, que feneciam à medida que os Homens usurpavam o sol. Mas muitos dos Númanórië podiam vê-la ou tenuamente discerni-la; e tentaram inventar navios para navegar nela. Porém, o que obtiveram foram apenas navios que navegavam em Wilwa, ou ar inferior. Ao passo que a Planície dos Deuses cortava e atravessava Ilmen [no]

A QUEDA DE NÚMENOR

qual mesmo aves não podem voar, salvo pelas águia e falcões de Manwë. No entanto, as frotas dos Númórië navegavam ao redor do mundo; e os Homens os tomavam por deuses. Alguns ficaram contentes que assim se desse.

Como eu disse, esse texto notável documenta o início da lenda de Númenor, e a ampliação de "O Silmarillion" a uma Segunda Era do Mundo. Aqui a ideia do Mundo Tornado Redondo e do Caminho Reto foi pela primeira vez posta no papel, e aqui aparece o germe da história da Última Aliança, nas palavras "Esses também vão em busca dos Elfos Minguantes. Como [> Agaldor] Amroth lutou com Thû e o empurrou para o centro a Terra" (no início do texto Agaldor é mencionado como o chefe de um povo que vivia nas costas noroestes da Terra-média). A longevidade dos Númenóreanos já está presente, mas (mesmo levando em consideração a concisão e distorção inerentes em tais "resumos" de meu pai, nos quais ele tentava colocar às pressas no papel novas ideias efervescentes) parece possuir muito menos importância do que viria a obter; e é atribuída, estranhamente, à "radiância de Valinor", na qual os marinheiros de Númenor eram "banhados" durante suas visitas a Tol-eressëa, para onde tinham permissão de navegar. Cf. o *Quenta*, IV. 116: "Ainda, portanto, é a luz de Valinor maior e mais bela do que a de outras terras, porque lá o Sol e a Lua juntos descansam por um tempo antes de seguirem em sua jornada sombria sob o mundo"; mas essa não parece ser uma explicação suficiente ou satisfatória para a ideia (ver mais na p. 29). A cultura mortuária dos Númenóreanos de fato aparece, mas ela surgiu entre os sobreviventes de Númenor na Terra-média, após a Queda; e ela permaneceu nas formas mais desenvolvidas da lenda, assim como a ideia dos navios voadores que os exilados construíram, visando navegar no Caminho Reto através de *Ilmen*, mas conseguindo apenas voar pelo ar inferior, *Wilwa*.[*]

A frase "Thû chega a Atalantë, anuncia[n]do a aproximação de Morgoth" certamente significa que Thû *profetizou* o retorno de Morgoth, como em textos subsequentes. O significado de "Mas Morgoth não pode vir exceto como um espírito" é tornado um pouco mais claro na versão seguinte, §5.

---

[*] Embora esse texto possua a forma *Ilmen*, além de *Silma* > *Ilma* > *Ilmen* no *Ambarkanta*, *Wilwa* foi substituído no *Ambarkanta* por *Vista*.

(ii)

A primeira versão de A Queda de Númenor

O resumo preliminar foi um precursor imediato de uma primeira narrativa completa — o manuscrito descrito acima (p. 16), colocado junto com *A Estrada Perdida*. Seguiram-se versões adicionais, e irei me referir à obra como um todo (distinta do *Akallabêth*, no qual se transformou posteriormente) como *A Queda de Númenor*, abreviada "QdN"; o primeiro texto não possui título, mas irei chamá-lo "QdN I".

O QdN I é rudimentar e apressado, e repleto de correções feitas à época da composição; também há muitas outras, em sua maioria menores, feitas posteriormente e indo na direção do QdN II. Apresento-o como foi escrito, sem a segunda camada de emendas (exceto na medida em essas se tornam pequenas correções necessárias para o esclarecimento de sentido). Como explicado no Prefácio, aqui, como em outros lugares, introduzi números de parágrafos no texto para facilitar referências e comparações subsequentes. Ao final há um comentário, que segue a paragrafação do texto.

§1 Na Grande Batalha, quando Fionwë, filho de Manwë, sobrepujou Morgoth e resgatou os Gnomos e os Pais de Homens, muitos Homens mortais tomaram o partido de Morgoth. Destes, os que não foram destruídos fugiram para o Leste e para o Sul do Mundo, e os serviçais de Morgoth que escaparam foram até eles e os guiaram; e eles se tornaram malignos, e levaram o mal a muitos lugares onde Homens selvagens habitavam livremente nas terras vazias. Mas após a vitória deles, quando Morgoth e muitos de seus capitães foram aprisionados, e Morgoth foi mais uma vez lançado na Escuridão de Fora, os Deuses reuniram-se em conselho. Os Elfos foram convocados a Valinor, como foi contado, e muitos obedeceram, mas não todos. Mas os Pais de Homens, que haviam servido os Eldar, e lutado contra Morgoth, foram grandemente recompensados. Pois Fionwë, filho de Manwë, veio no meio deles e os ensinou, e lhes deu sabedoria, poder e vida mais resistente que os que quaisquer outros da Segunda Gente.

§2 E uma grande terra foi feita para eles para que nela habitassem, nem parte da Terra-média, nem por completo separada dela. Foi erguida por Ossë das profundezas de Belegar, o Grande Mar, e estabelecida por Aulë, e enriquecida por Yavanna. Ela foi chamada de Númenor, que é Ociente, e de Andúnië, ou a Terra do Sol Poente, e a sua principal cidade no centro de suas costas ocidentais era naqueles dias de seu poderio chamada Númar ou Númenos; mas, após a sua queda, ela foi chamada nas lendas de Atalantë, a Ruína.

§3 Pois em Númenórë um grande povo surgiu, em todas as coisas mais semelhante à Primeira Gente do que todas as outras raças de Homens que já existiram, porém menos belo e sábio que os Elfos, ainda que maior de corpo. E, acima de todas as suas artes, o povo de Númenor cultivava a construção de navios e a navegação, e se tornaram marinheiros cuja semelhança nunca mais há de existir desde que o mundo diminuiu. Navegavam entre Tol-eressëa, onde por muitas eras ainda mantiveram colóquio e trato com os Gnomos, e as costas da Terra-média, e velejavam ao Norte e ao Sul, e vislumbravam de suas proas elevadas os Portões da Manhã no Leste. E apareciam entre os Homens selvagens, e os enchiam de assombro e também de medo. Pois muitos os tomavam por Deuses ou filhos de Deuses vindos do Oeste, e homens malignos haviam lhes contado mentiras acerca dos Senhores do Oeste. Mas os Númenóreanos ainda não se demoravam na Terra-média, pois seus corações ansiavam sempre em direção ao Oeste pela ventura de Valinor. E eram inquietos e importunados pelo desejo mesmo no auge de sua glória.

§4 Mas os Deuses os proibiram de velejar para além da Ilha Solitária, e não permitiam que ninguém, exceto seus reis (uma vez na vida de cada um, antes de ser coroado), desembarcasse em Valinor. Pois eles eram Homens mortais, e não fazia parte do poder e do direito de Manwë alterar a sina deles. Assim, embora o povo possuísse vida longa, uma vez que sua terra era mais próxima do que qualquer outra terra de Valinor, e muitos tivessem contemplado por muito tempo a radiância dos Deuses que chegava tênue a Tol-eressëa, eles permaneciam mortais, mesmo os seus reis, e o tempo de suas vidas, breve, aos olhos dos Eldar. E murmuravam contra esse decreto. E um grande descontentamento cresceu entre eles; e seus mestres de saber buscavam incessantemente pelos segredos que deveriam prolongar suas vidas, e enviaram espiões para procurá-los em Valinor. E os Deuses se enraiveceram.

§5 E, naquele tempo, veio a se dar que Sûr (a quem os Gnomos chamavam de Thû) chegou na semelhança de uma grande ave a Númenor e pregou uma mensagem de libertação, e profetizou a segunda vinda de Morgoth. Mas Morgoth não vinha em pessoa, e sim somente em espírito e como uma sombra sobre a mente e o coração, pois os Deuses o encerraram além das Muralhas do Mundo. Mas Sûr falou a Angor, o rei, e a Istar, sua rainha, e prometeu-lhes vida imortal e o senhorio da Terra. E eles acreditaram nele e caíram sob a sombra, e a maior parte do povo de Númenor os seguiu. Angor erigiu um grande templo a Morgoth na região central da terra, e Sûr habitava lá.

§6 Mas com a passagem dos anos Angor sentiu a velhice se avizinhar, e ficou perturbado; e Sûr disse que as dádivas de Morgoth eram vedadas pelos Deuses, e que para obter a plenitude do poder e a vida imortal ele devia ser mestre do Oeste. Donde os Númenóreanos construíram um grande armamento; e o seu poderio e engenho tinham naqueles dias se tornado sobremaneira grandes, e, ademais, tiveram o auxílio de Sûr. As frotas dos Númenóreanos eram como uma grande terra de muitas ilhas, e seus mastros como uma floresta de árvores montanhosas, e suas bandeiras como os raios de uma tempestade, e suas velas eram negras. E avançaram lentamente para o Oeste, pois todos os ventos haviam cessado e o mundo estava em silêncio no medo daquela hora. E passaram por Tol-eressëa, e é dito que os Elfos estavam em luto e ficaram enfermos, pois a luz de Valinor foi tapada pela nuvem dos Númenóreanos. Mas Angor atacou as costas dos Deuses, e lançou raios e trovões, e caiu fogo sobre as encostas de Taniquetil.

§7 Mas os Deuses estavam em silêncio. Pesar e agonia havia no coração de Manwë, e ele falou a Ilúvatar, e recebeu poder e conselho do Senhor de Tudo; e o destino e feitio do mundo foi mudado. Pois o silêncio dos Deuses foi quebrado de súbito, e Valinor foi separada da terra, e uma fenda apareceu no meio de Belegar a leste de Tol-eressëa, e nesse abismo os grandes mares se derramaram, e o barulho das águas em queda ressoou por toda a terra e o vapor das cataratas subiu acima dos topos das montanhas sempiternas. Mas todos os navios de Númenor que estavam a oeste de Tol-eressëa foram puxados para o grande abismo e eles se afogaram, e Angor, o magno, e Istar, sua rainha, caíram como estrelas na escuridão, e desapareceram de todo o conhecimento. E os guerreiros mortais que tinham posto pé na terra dos Deuses foram enterrados sob colinas desabadas, onde diz a lenda que jazem aprisionados nas Cavernas Esquecidas até o dia do Juízo e a Última Batalha. E os Elfos de Tol-eressëa atravessaram os portões da morte, e se reuniram com sua gente na terra dos Deuses, e se tornaram como eles; e a Ilha Solitária permaneceu apenas como uma imagem do passado.

§8 Mas Ilúvatar deu poder aos Deuses, e eles curvaram as bordas da Terra-média, e a tornaram um globo, de maneira que, por mais longe que um homem velejasse, jamais tornaria a chegar ao verdadeiro Oeste, e retornava, cansado, enfim, ao lugar de onde tinha começado. Assim, Novas Terras surgiram sob o Velho Mundo, e todas eram equidistantes do centro da terra redonda; e houve dilúvio e grande confusão de águas, e mares cobriram o que outrora havia sido seco, e terras apareceram onde haviam existido mares profundos. Assim também o ar pesado soprou ao redor da terra naquele tempo, acima das águas; e as nascentes de todas as águas ficaram separadas das estrelas.

§9 Mas Númenor, estando perto do Leste da grande fenda, foi derrubada por completo e submergida no mar, e sua glória pereceu. Mas um remanescente dos Númenóreanos escapou da ruína desta maneira. Em parte pelo engenho de Angor, e em parte por suas próprias vontades (pois reverenciavam ainda os Senhores do Oeste e desconfiavam de Sûr), muitos haviam habitado em navios na costa leste de sua terra, para o caso de o resultado da guerra ser ruinoso. Donde, protegidos por algum tempo pela terra, evitaram o arrasto do mar, e um grande vento se levantou da fenda, e partiram velozes para o Leste e chegaram, por fim, às costas da Terra-média nos dias de ruína.

§10 Lá se tornaram senhores e reis de Homens, e alguns eram malignos e alguns eram de boa vontade. Mas todos estavam de igual maneira tomados pelo desejo de vida longa sobre a terra, e o pensamento da Morte pesava sobre eles; e seus pés

A ESTRADA PERDIDA E OUTROS ESCRITOS

se voltaram para o leste, mas seus corações, para o oeste. E construíam casas mais magnas para os seus mortos do que para os seus vivos, e dotavam seus reis sepultos com tesouros inúteis. Pois seus sábios esperaram sempre descobrir o segredo do prolongamento da vida e, quiçá, de sua revogação. Mas se diz que o tempo de suas vidas, que outrora fora maior do que o das raças menores, minguava lentamente, e alcançaram somente a arte de preservar incorrupta por muitas eras a carne morta dos homens. Donde os reinos nas costas ocidentais do Velho Mundo tornaram-se um lugar de tumbas, e repleto de fantasmas. E, na fantasia de seus corações, e na confusão de lendas parcialmente esquecidas acerca do que fora, criaram em seus pensamentos uma terra de sombras, repleta dos espectros das coisas da terra mortal. E muitos julgavam que essa terra ficava no Oeste, e era governada pelos Deuses, e em sombras os mortos, portando as sombras de suas posses, haveriam de ir até lá, que não mais podiam encontrar o verdadeiro Oeste em seus corpos. Por tal razão, em dias que vieram depois muitos de seus descendentes, ou homens ensinados por eles, sepultavam seus mortos em navios e os lançavam com pompa ao mar das costas ocidentais do Velho Mundo.

§11 Pois o sangue dos Númenóreanos estava mormente entre os homens daquelas terras e costas, e a memória do mundo primevo permanecia mais fortemente ali, de onde os antigos caminhos para o Oeste outrora partiam da Terra-média. E o feitiço que jazia lá não era de todo em vão. Pois o antigo alinho do mundo permanecia na mente dos Deuses e na memória do mundo como uma forma e um plano que foi mudado, mas que perdura. E foi comparado a uma planície de ar, ou a uma visão reta que não se curva à curvatura oculta da terra, ou a uma ponte plana que se eleva de modo imperceptível, mas constante, acima do ar pesado da terra. E outrora muitos dos Númenóreanos podiam ver, ou entrever, os caminhos para o Verdadeiro Oeste, e acreditavam que por vezes, de um lugar elevado, podiam divisar os picos de Taniquetil no final da rota reta, muito acima do mundo.

§12 Mas a maioria, que não conseguia ver essa estrada, escarnecia deles, e confiava em navios sobre a água. Mas eles chegavam somente às terras do Novo Mundo, e viam que eram como aquelas do Velho; e relatavam que o mundo era redondo. Mas na rota reta apenas os Deuses e os Elfos desaparecidos podiam caminhar, ou aqueles que os Deuses convocavam dos Elfos minguantes da terra redonda, que se tornavam diminuídos conforme os Homens usurpavam o sol. Pois a Planície dos Deuses, sendo reta, enquanto a superfície do mundo era curva, e os mares que jaziam sobre ela, e os ares pesados situados acima, cortava o ar de alento e voo, e atravessava Ilmen, que carne alguma pode suportar. E se diz que mesmo aqueles dentre os Númenóreanos de outrora que possuíam a visão reta não a compreendiam de todo, e tentaram inventar navios que se ergueriam acima das águas do mundo e singrariam os mares imaginados. Mas obtiveram apenas navios que navegavam no ar de alento. E esses navios, ao voarem, chegaram também às terras do Novo Mundo e ao Leste do Velho Mundo; e relataram que o mundo era redondo. E muitos abandonaram os Deuses, e os afastaram de suas lendas, e mesmo de seus sonhos. Mas os Homens da Terra-média os contemplavam com assombro e grande medo, e os tomavam por deuses; e muitos ficaram contentes que assim se desse.

§13 Mas nem todos os corações dos Númenóreanos eram deturpados; e o saber dos dias antigos que vinha dos Pais de Homens, e dos Amigos-dos-Elfos, e daqueles instruídos por Fionwë, foi preservado entre alguns. E eles sabiam que o fado dos Homens não estava contido pelo caminho redondo do mundo, nem destinado ao caminho reto. Pois o redondo é curvo e não tem fim, mas nenhuma saída; e o reto é verdadeiro, mas possui um fim dentro do mundo, e esse é o fado dos Elfos. Mas o fado dos Homens, diziam, não é redondo nem encerrado, e não se encontra dentro do mundo. E eles se lembravam de onde a ruína veio, e da retirada dos Homens de sua justa parte do caminho reto; e evitavam a sombra de Morgoth de acordo com o poder que tinham, e odiavam Thû. E eles atacaram os seus templos e seus serviçais, e houve guerras de aliança entre os poderosos deste mundo, das quais apenas ecos restam.

§14 Mas persiste ainda uma lenda de Beleriand: pois aquela terra no Oeste do Velho Mundo, apesar de mudada e partida, mantinha ainda nos dias antigos o nome que tinha nos dias dos Gnomos. E se diz que Amroth era Rei de Beleriand; e ele se aconselhava com Elrond, filho de Eärendel, e com aqueles dos Elfos que permaneciam no Oeste; e eles atravessaram as montanhas e entraram nas terras internas longe do mar, e atacaram a fortaleza de Thû. E Amroth lutou com Thû e foi morto; mas Thû foi subjugado, e seus serviçais foram dispersados; e os povos de Beleriand destruíram as habitações dele, e o expulsaram, e ele fugiu para uma floresta sombria, e escondeu-se. E se diz que a guerra com Thû acelerou o desvanecer dos Eldar, pois ele tinha um poder além da medida deles, como Felagund, Rei de Nargothrond, descobrira nos dias mais antigos; e os Eldar despenderam sua força e substância no ataque a ele. E esse foi o último dos serviços da raça mais velha aos Homens, e é tido como o último dos feitos de aliança antes do desvanecer dos Elfos e desavença das Duas Gentes. E aqui a história do mundo antigo, tal como os Elfos a preservam, chega ao fim.

Comentário à primeira versão de A Queda de Númenor

§1 Tal como Q §18 foi escrito inicialmente (IV. 179), Fionwë decretou que "com os Elfos apenas àqueles da raça de Hador e Bëor seria permitido partir, se quisessem. Mas desses apenas Elrond agora restava...". A respeito dessa passagem extremamente intrigante, ver o comentário, IV. 231, onde sugeri que, por mais obscura que seja, ela representa "o primeiro germe da história da partida dos Amigos-dos-Elfos para Númenor". Ela foi removida na reescrita, Q II §18, onde aparece uma referência a Homens de Hithlum que "arrependidos de sua servidão maligna, operaram feitos de valor, além de muitos Homens recém-saídos do Leste", mas agora não há menção dos Amigos-dos-Elfos. Uma revisão final apressada da passagem (IV. 184–85, notas 2 e 3) afirmava o seguinte:

> E se diz que *todos os que restavam das três Casas dos Pais de Homens* lutaram por Fionwë, e a eles se uniram alguns dos Homens de Hithlum que, arrependidos de sua servidão maligna, operaram feitos de valor... Mas a maioria dos Homens, e especialmente aqueles que tinham acabado de sair do Leste, ficou do lado do Inimigo.

A QUEDA DE NÚMENOR

Esse trecho segue de muito perto e sem dúvida pertence de fato à mesma época que a passagem correspondente na versão seguinte de "O Silmarillion" (QS,* p. 394, §16), que, no entanto, omite a referência aos Homens de Hithlum. Tenho poucas dúvidas de que esse desenvolvimento ocorreu com o surgimento de Númenor.

§2 Aqui aparecem pela primeira vez os nomes *Andúnië* (mas como um nome da ilha, traduzido com "a Terra do Sol Poente") e o próprio *Númenor* (que não ocorre no resumo preliminar, embora o povo seja chamado lá de *Númenórië* e *Númenóreanos*). A principal cidade é chamada *Númar* ou *Númenos*, que no resumo eram os nomes da terra. O nome *Belegar* foi emendado posteriormente, aqui em §7, para *Belegaer*.

Após as palavras *enriquecida por Yavanna*, a passagem acerca dos nomes foi substituída logo de início pela seguinte:

Ela foi chamada pelos deuses de Andor, a Terra da Dádiva, mas por seu próprio povo de Vinya, a Jovem; mas quando os homens daquela terra falaram dela aos homens da Terra-média, chamaram-na Númenor, que é Ociente, pois ficava a oeste de todas as terras habitadas por mortais. No entanto, não era o verdadeiro Oeste, pois lá ficava a terra dos Deuses. A principal cidade de Númenor ficava no centro de suas costas ocidentais, e nos dias de seu poderio era chamada Andúnië, pois era voltada para o poente; mas, após a sua queda, ela foi chamada nas lendas daqueles que escaparam dela de Atalantë, a Queda.

Aqui aparecem pela primeira vez *Andor*, Terra da Dádiva, e também o nome dado à terra pelos Númenóreanos, *Vinya*, a Jovem, que não foi preservado na lenda tardia (cf. *Vinyamar*, *Vinyalondë*, Índice Remissivo de *Contos Inacabados*); *Andúnië* agora se torna o nome da principal cidade. No texto como escrito originalmente, o nome *Atalantë* podia se referir tanto à terra como à cidade, mas na reescrita só pode se referir à cidade. Parece improvável que essa tenha sido a intenção de meu pai; ver a passagem correspondente no QdN II e no comentário.

---

* No decorrer deste livro, a abreviatura "QS" (*Quenta Silmarillion*) é usada para a versão interrompida por volta do final de 1937; ver pp. 131–32.

A ESTRADA PERDIDA E OUTROS ESCRITOS

§3 A permissão dada aos Númenóreanos de velejar para o oeste até Tol-eressëa, já encontrada no resumo original, contrasta com o *Akallabêth* (p. 345), onde é contado que eles foram proibidos "de velejar no rumo oeste a uma distância em que as costas de Númenor não mais pudessem ser vistas", e somente os de olhos mais aguçados entre eles podiam divisar ao longe a torre de Avallónë na Ilha Solitária.

Os *Portões da Manhã* reaparecem, notavelmente, dos *Contos Perdidos* (I. 260). No mito astronômico original, o Sol passava para a Escuridão de Fora pela Porta da Noite e tornava a entrar pelos Portões da Manhã; mas com a transformação radical do mito que foi inserida com o *Esboço da Mitologia* (ver IV. 60), e que é encontrada no *Quenta* e no *Ambarkanta*, na qual o Sol é puxado por serviçais de Ulmo por baixo das raízes da Terra, a Porta da Noite adquiriu uma importância diferente e os Portões da Manhã não mais aparecem (ver IV. 296, 300). Não sei dizer como a referência a eles aqui (que foi preservada no *Akallabêth*, p. 346) deve ser compreendia.

Nesse parágrafo há a primeira ocorrência da expressão *Os Senhores do Oeste*.

§4 As palavras *exceto seus reis (uma vez na vida de cada um, antes de ser coroado)* foram colocadas logo de início entre colchetes. Na conclusão do QS (pp. 391–92, §§8–9), a proibição parece ser absoluta, não se podendo fazer exceção a qualquer mortal; lá Mandos diz sobre Eärendel "Agora ele decerto há de morrer, pois pisou nas *costas proibidas*", e Manwë diz "Sobre Eärendel anulo *a interdição*, e o perigo que ele tomou sobre si". Posteriormente (como mencionado em §3 acima), a Interdição se estendeu também, e inevitavelmente, a Tol-eressëa ("a mais oriental das Terras Imortais", o *Akallabêth*, p. 346).

A atribuição da longevidade dos Númenóreanos à luz de Valinor já havia aparecido no resumo original, e citei (p. 20) a passagem do Quenta onde se diz que a luz de Valinor era maior e mais bela do que nas outras terras "porque lá o Sol e a Lua juntos descansam por um tempo". Porém, o fraseado aqui, "a radiância dos Deuses que chegava tênue a Tol-eressëa", certamente sugere uma luz de uma natureza diferente daquela do Sol e da Lua (que iluminam o mundo inteiro). A ideia posterior que aparece na passagem correspondente no QS (§79) está concebivelmente presente aqui: "ademais os Valar guardam a radiância do Sol em muitas vasilhas, e em tonéis e lagos para seu conforto em tempos de escuridão". A passagem foi mais tarde colocada entre colchetes e não aparece no QdN II; mas em um ponto subsequente da narrativa (§6), os Elfos de Tol-eressëa estavam em luto "pois a luz de Valinor foi tapada pela nuvem dos Númenóreanos", e esse trecho não foi rejeitado. Cf. o *Akallabêth* (p. 365): "os Eldar estavam em luto, pois *a luz do sol poente* tinha sido tapada pela nuvem dos Númenóreanos".

§5 Com o que é dito aqui sobre Morgoth não retornar "em pessoa", pois fora encerrado além das Muralhas do Mundo, "e sim somente em espírito e como uma sombra sobre a mente e o coração", cf. o *Quenta* (IV. 186): Alguns dizem também que Morgoth, por vezes, secretamente como uma nuvem que não pode ser vista nem sentida... insinua-se, escalando as Muralhas e visita o mundo" (uma passagem que foi preservada no QS, p. 399, §30).

§7 A frase final acerca dos Elfos de Tol-eressëa foi um acréscimo, mas um que parece como se pertencesse à composição do texto. É muito difícil interpretá-la. A fenda no Grande Mar apareceu a *leste* de Tol-eressëa, mas os navios que estavam a *oeste* da ilha foram puxados para o abismo; e, partir disso, é possível concluir que Tol-eressëa também foi engolida e desapareceu: de modo que os Elfos que habitavam lá "atravessaram os portões da morte, e se reuniram com sua gente na terra dos Deuses", e "a Ilha Solitária permaneceu apenas como uma imagem do passado". Mas isso seria muito estranho, pois sugeriria o abandono da história inteira da viagem de Ælfwine a Tol-eressëa eras mais tarde; no entanto, Ælfwine como registrador e pupilo ainda estava presente nos escritos de meu pai após a conclusão de *O Senhor dos Anéis*. No diagrama do Mundo Tornado Redondo que acompanha o *Ambarkanta* (IV. 291), Tol-eressëa está marcada como um ponto no Caminho Reto. Além disso, muito mais tarde, no *Akallabêth* (pp. 365–66), o mesmo é dito acerca do grande abismo: ele se abriu "entre Númenor e as Terra Sem-Morte", e todas as frotas dos Númenóreanos (que haviam seguido para Aman e, dessa forma, estavam a oeste de Tol-eressëa) foram puxadas para dentro dele; mas "Valinor e Eressëa foram tiradas [do mundo] e levadas ao reino das coisas ocultas".

§8 A frase final ("Assim também o ar pesado...") é um acréscimo marginal que parece certamente pertencer ao texto original. Ela não possui qualquer marca de inserção, mas sem dúvida seu lugar é aqui.

§10 O desejo de prolongar a vida já era uma marca dos Númenóreanos (§4), mas o retrato sombrio no *Akallabêth* (p. 350) de uma terra de tumbas e embalsamamento, de um povo obcecado pela morte, não estava presente. Neste estágio da evolução da lenda, assim como já no resumo preliminar, a cultura tumular surgiu entre os Númenóreanos que escaparam da Queda e fundaram reinos no "Velho Mundo": quer de boa, quer de má índole, "todos estavam de igual maneira tomados pelo desejo de vida longa sobre a terra, e o pensamento da Morte pesava sobre eles"; e foi o tempo de vida dos Exilados, ao que parece, que mingou lentamente. Há ecos da presente passagem no relato do *Akallabêth* de Númenor após a Sombra cair sobre a ilha nos dias de Tar-Atanamir (cf. *Contos Inacabados*, p. 301); mas no contexto muito diferente da história original, quando essa cultura surgiu entre os sobreviventes do Cataclismo e seus descendentes, outros elementos estavam presentes: pois os Deuses agora haviam sido removidos para o reino do desconhecido e do invisível, e se tornaram a "explicação" para o mistério da morte, e seu lugar de habitação no extremo Oeste, a região para a qual os mortos passavam com suas posses.

Em "O Silmarillion" os Deuses estão "fisicamente" presentes, pois (qualquer que seja o modo de sua própria existência) eles habitam o mesmo mundo físico, o reino do "visível"; se, após a Ocultação de Valinor, eles não puderam ser alcançados pelas viagens enviadas em vão por Turgon de Gondolin, ainda assim foram alcançados por Eärendel, que viajou da Terra-média em seu navio Wingelot, e a intervenção física de armas deles mudou o mundo para sempre através da destruição física do poder de Morgoth. Assim, é possível dizer que em "O Silmarillion" não há nenhuma "religião", pois o Divino está presente e não foi "destituído"; mas, com a remoção física do Divino do Mundo Tornado Redondo, surgiu uma religião (como surgira em Númenor com os ensinamentos de Thû acerca de Morgoth, o deus banido e ausente), e os mortos eram despachados, por razões religiosas, em navios funerários nas costas do Grande Mar.

A QUEDA DE NÚMENOR

§12 "Mas na rota reta apenas os Deuses e os Elfos desaparecidos podiam caminhar, ou aqueles que os Deuses convocavam dos Elfos minguantes da terra redonda, que se tornavam diminuídos conforme os Homens usurpavam o sol." Cf. o *Quenta*, IV. 119, conforme emendado (uma passagem que remonta ao *Esboço da Mitologia*, IV. 29):

> Nos dias que vieram depois, quando, por causa dos triunfos de Morgoth, Elfos e Homens alhearam-se uns dos outros, como ele tanto desejara, aqueles dos Eldalië que viviam ainda no mundo feneceram, e os Homens usurparam a luz do Sol. Então os Eldar vagaram nos lugares mais solitários das Terras de Fora, e preferiam a luz da Lua e das estrelas, e as matas e as cavernas, e se tornavam como sombras, espectros e lembranças, de modo que não zarpavam para o Oeste e desapareciam do mundo.

Essa passagem foi preservada com poucas alterações no QS (§87).

Creio que a história dos navios voadores construídos pelos Númenóreanos exilados, já encontrada no resumo preliminar (p. 19), é a única introdução de veículos aéreos em todas as obras de meu pai. Não é dada nenhuma indicação acerca dos meios pelos quais se elevavam e eram impulsionados; e a passagem não foi preservada na lenda tardia.

§13 É uma característica curiosa da história original de Númenor que não há menção ao que aconteceu com Thû na Queda (cf. o *Akallabêth*, pp. 367–68); mas ele reaparece aqui como um mestre de templos (cf. a *Balada de Leithian*, versos 2064–067), habitando em uma fortaleza (§14), um objeto de ódio àqueles dos sobreviventes de Númenor que preservavam algo do antigo conhecimento.

§14 No *Quenta* (IV. 182) é contado que na Grande Batalha

> as regiões do Norte do Mundo Ocidental foram rasgadas e quebradas, e o mar rugiu para dentro de muitos abismos, e houve confusão e grande barulho; e os rios pereceram ou acharam novos leitos, e os vales foram elevados, e os montes, derrubados; e Sirion não existia mais. Então os Homens fugiram... e muito tardou antes que voltassem pelas montanhas onde Beleriand existira antes.

A ESTRADA PERDIDA E OUTROS ESCRITOS

As últimas palavras da primeira versão dos *Anais de Beleriand* (IV. 362) são "Assim terminou a Primeira Era do Mundo e Beleriand não mais existia". Também é dito no *Quenta* (IV. 184) que, após o término da Guerra, "houve uma grande armação de navios nas costas do Mar do Oeste, e especialmente nas grandes ilhas, as quais, na ruptura do mundo do Norte, foram formadas a partir da antiga Beleriand".

No QdN, é sugerida uma concepção bem diferente. Embora Beleriand tenha sido "mudada e partida", ela é mencionada como "aquela terra", ainda era chamada de *Beleriand* e era povoada por Homens e Elfos, capazes de formar uma aliança contra Thû. Eu sugeriria (ainda que de forma hesitante) que com o surgimento, vislumbrado aqui pela primeira vez, de uma Segunda Era da Terra-média resultante da lenda de Númenor, a completa devastação de Beleriand, adequada à finalidade da conclusão da concepção mais antiga, havia sido diminuída.* Além disso, parece que nessa época meu pai não concebeu nenhuma destruição adicional de Beleriand na época da Queda de Númenor, como viria a fazer mais tarde (ver pp. 44–5).

Neste estágio não há menção de um primeiro rei fundador de Númenor. Elrond ainda era o único filho de Eärendel e Elwing; seu irmão Elros aparecera somente em acréscimos tardios ao texto do Q (IV. 177), que foram inseridos após a lenda númenóreana ter começado a se desenvolver. Na concepção mais antiga no *Esboço da Mitologia* (IV. 46), Elrond "preso à sua metade mortal, escolhe ficar na terra" (isto é, nas Grandes Terras), e no Q (IV. 179) ele "escolheu permanecer, estando unido por seu sangue mortal em amor àqueles da raça mais jovem; ver os meus comentários acerca da Escolha dos Meio-Elfos, IV. 86. Elrond é aqui, ao que parece, um líder dos Elfos de Beleriand, aliado a Amroth, predecessor de Elendil. A Última Aliança que leva à derrota de Thû é vista como a última intervenção dos Elfos nos assuntos do Mundo dos Homens, por si só acelerando o seu desvanecer inevitável. A "floresta sombria" para onde Thû fugiu (cf. a "Floresta-de-ferro" no resumo original) sem dúvida é Trevamata. Em *O Hobbit*, tudo o que se

---

* As passagens citadas aqui do Q foram mantidas de modo um tanto surpreendente quase que inalteradas no QS: ver p. 404.

disse acerca do Necromante era que ele habitava em uma torre sombria no sul de Trevamata.*

(iii)
A segunda versão de A Queda de Númenor

O QdN II é um manuscrito claro, feito por meu pai com o QdN I diante de si e provavelmente logo após terminá-lo. O documento possui muitas emendas feitas durante a composição, e nenhuma que pareça ter sido feita após qualquer intervalo significativo, afora o título, que foi inserido posteriormente a lápis, e a rejeição de uma frase em §7. Em contraste com a tendência costumeira de meu pai de começar um novo texto seguindo de perto o antecedente, mas então divergindo cada vez mais conforme prosseguia, neste caso a parte mais antiga foi muito mudada e expandida, enquanto a posterior praticamente não foi alterada, exceto por aprimoramentos muito pequenos na fluidez de frases, até chegar ao final. Portanto, não é necessário apresentar o QdN II na íntegra. Mantendo a numeração dos parágrafos do QdN I, apresento §§1–5 e 14 na íntegra, e do restante somente as passagens curtas que sofreram alterações significativas.

O ÚLTIMO CONTO: A QUEDA DE NÚMENOR

§1 Na Grande Batalha, quando Fionwë, filho de Manwë, sobrepujou Morgoth e resgatou os Exilados, as três casas dos Homens de Beleriand lutaram contra Morgoth. Mas a maioria dos Homens era aliada do Inimigo; e, após a vitória dos Senhores do Oeste, aqueles que não foram destruídos fugiram rumo ao leste para a Terra-média; e os serviçais de Morgoth que escaparam foram até eles, e os escravizaram. Pois os Deuses abandonaram por um tempo os Homens da Terra-média, pois estes haviam desobedecido suas convocações e dado ouvidos ao Inimigo. E os Homens foram atormentados por muitas coisas malignas que Morgoth fizera

---

* Cf. *Cartas*, nº 257, com referência a *O Hobbit*: a "referência (originalmente) deveras casual ao Necromante, cuja função dificilmente era mais do que fornecer uma razão para Gandalf ir embora e deixar Bilbo e os Anãos para se defenderem sozinhos, o que foi necessário para a história".

nos dias de seu domínio: demônios e dragões e monstros, e Orques, que são arremedos das criaturas de Ilúvatar; e era infeliz a sorte deles. Mas Manwë lançou fora a Morgoth e o encerrou além do mundo, no Vazio fora dele; e ele não pode retornar de novo ao mundo, presente e visível, enquanto os Senhores estiverem em seus tronos. Contudo, sua Vontade perdura, e guia seus serviçais; e os induz sempre a buscar a derrota dos Deuses e o mal àqueles que os obedecem.

Mas quando Morgoth foi lançado para fora, os Deuses se reuniram em concílio. Os Elfos foram convocados a retornar ao Oeste, e os que obedeceram habitaram novamente em Eressëa, a Ilha Solitária, que foi renomeada Avallon: pois fica perto de Valinor. Mas os Homens das três casas fiéis e aqueles que se uniram a eles foram ricamente recompensados. Pois Fionwë, filho de Manwë, veio no meio deles e os ensinou, e lhes deu sabedoria, poder e vida mais resistente do que quaisquer outros têm da raça mortal.

§2 E uma grande terra foi feita para eles para que nela habitassem, nem parte da Terra-média, nem por completo separada dela. Foi erguida por Ossë das profundezas do Grande Mar, e estabelecida por Aulë e enriquecida por Yavanna; e os Eldar trouxeram para lá flores e fontes de Avallon e fizeram jardins lá de grande beleza, nos quais os próprios Deuses por vezes caminhavam. Essa terra foi chamada pelos Valar de Andor, a Terra da Dádiva, e por seu próprio povo de Vinya, a Jovem; mas, nos dias do orgulho da ilha, chamaram-na Númenor, que é Ociente, pois ficava a oeste de todas as terras habitadas por mortais; no entanto, ficava distante do verdadeiro Oeste, pois este é Valinor, a terra dos Deuses. Mas sua glória cessou e o seu nome pereceu; pois após sua ruína ela foi chamada nas lendas daqueles que dela fugiram de Atalantë, a Decaída. Desde o começo, sua principal cidade e porto ficava no meio de suas costas ocidentais, e era chamada de Andúnië, porque estava voltada para o poente. Mas o lugar elevado de seu rei ficava em Númenos, no coração da terra. Ele foi construído por Elrond, filho de Eärendel, a quem os Deuses e os Elfos escolheram para ser o senhor daquela terra; pois nele o sangue das casas de Hador e Bëor estava misturado, e com ele alguma parte daquele dos Eldar e Valar, que tinha através de Idril e de Lúthien. Mas Elrond e todo o seu povo eram mortais; pois os Valar não podem retirar a dádiva da morte, que vem aos Homens da parte de Ilúvatar. Contudo, eles adotaram a fala dos Elfos do Reino Abençoado, como era e é em Eressëa, e mantinham colóquio com os Elfos, e olhavam ao longe para Valinor; pois seus navios tinham permissão para navegar até Avallon e seu marinheiros habitavam lá por um tempo.

§3 E, no desgastar do tempo, o povo de Númenor tornou-se grande e glorioso, em todas as coisas mais semelhante aos Primogênitos do que todas as outras raças de Homens que já existiram; porém menos belo e sábio que os Elfos, ainda que maior em estatura. Pois os Númenóreanos eram mais altos até mesmo do que os mais altos filhos de Homens da Terra-média. Acima de todas as suas artes cultivavam a construção de navios e a navegação, e se tornaram marinheiros cuja semelhança nunca mais há de existir desde que o mundo foi diminuído. Navegavam entre Eressëa no Oeste e as costas da Terra-média, e chegaram até mesmo aos mares de dentro; e velejavam ao Norte e ao Sul, e vislumbravam de suas proas elevadas os Portões da Manhã no Leste. E apareceram entre os Homens selvagens e os encheram de assombro e temor, e alguns os tomavam por Deuses ou os filhos de Deuses vindos do Oeste; e os Homens da Terra-média os temiam, pois estavam sob a sombra de Morgoth, e acreditavam que os Deuses eram terríveis e cruéis. Os Númenóreanos lhes ensinaram o que podiam entender da verdade, mas esta se tornou apenas um rumor distante pouco compreendido; pois até então os Númenóreanos raramente iam à Terra-média e não se demoravam lá. Seus corações estavam voltados para o Oeste, e começaram a ansiar pela ventura imortal de Valinor; e eram inquietos e importunados pelo desejo à medida que seu poder e glória cresciam.

§4 Pois os Deuses os proibiram de velejar além da Ilha Solitária, e não permitiam que ninguém desembarcasse em Valinor, pois os Númenóreanos eram mortais; e embora os Senhores os tivessem recompensado com vida longa, não podiam tirar deles o cansaço do mundo que chega afinal; e eles morriam, até mesmo seus reis da semente de Eärendel, e seu tempo era breve aos olhos dos Elfos. E eles começaram a murmurar

A ESTRADA PERDIDA E OUTROS ESCRITOS

contra esse decreto; e um grande descontentamento cresceu entre eles. Seus mestres de conhecimento buscavam incessantemente pelos segredos que deveriam prolongar suas vidas; e enviaram espiões para procurar o saber proibido em Avallon. Mas os Deuses se enraiveceram.

§5 E veio a se dar que Sauron, serviçal de Morgoth, cresceu em poder na Terra-média; e os marinheiros de Númenor traziam rumores acerca dele. Alguns diziam que ele era um rei maior do que o Rei de Númenor; alguns diziam que era um dos Deuses ou de seus filhos, enviado para governar a Terra-média. Alguns relatavam que ele era um espírito maligno, quiçá o próprio Morgoth retornado. Mas isso era considerado apenas como uma fábula tola dos Homens selvagens. Tar-kalion era Rei de Númenor naqueles dias, e era soberbo; e, crendo que os Deuses haviam entregado o domínio da terra aos Númenóreanos, não toleraria um rei mais magno do que ele próprio em qualquer terra. Portanto, pretendia enviar seus serviçais a fim de convocar Sauron a Númenor, para que este lhe prestasse reverência. Os Senhores enviaram mensageiros ao rei e falaram através das bocas de sábios e o aconselharam, opondo-se a essa missão; pois disseram que Sauron obraria o mal caso viesse; porém, ele não podia vir a Númenor a não ser convocado e guiado pelos mensageiros do rei. Mas Tar-kalion em sua soberba não deu ouvidos ao conselho, e enviou muitos navios.

Ora, rumores do poder de Númenor e de sua lealdade aos Deuses chegaram também a Sauron, e ele temia que os Homens do Oeste resgatassem os da Terra-média da Sombra; e, sendo astuto e cheio de malícia, tramou em seu coração destruir Númenor, e (se pudesse) levar pesar aos Deuses. Portanto, humilhou-se diante dos mensageiros, e chegou de navio a Númenor. Mas, conforme os navios da embaixada aproximavam-se da terra, uma agitação tomou conta do mar, e ele se ergueu como uma montanha e lançou os navios terra adentro; e o navio no qual Sauron se encontrava foi colocado sobre uma colina. E Sauron se postou na colina e pregou uma mensagem de libertação da morte aos Númenóreanos; e ele os iludiu com sinais e portentos. E, pouco a pouco, voltou os corações deles a Morgoth, seu mestre; e profetizou que em breve ele retornaria ao mundo. E Sauron falou a Tar-kalion, o rei, e a Tar-ilien, sua

A QUEDA DE NÚMENOR

rainha, e prometeu-lhes vida eterna e o domínio da terra, caso se voltassem para Morgoth. E eles acreditaram nele e caíram sob a Sombra, e a maior parte de seu povo os seguiu. E Tar-kalion erigiu um grande templo a Morgoth sobre a Montanha de Ilúvatar na região central da terra; e Sauron habitava lá e toda Númenor estava sob sua vigilância.

[A maior parte de §5 foi substituída pela seguinte versão mais curta:]

E veio a se dar que Sauron, serviçal de Morgoth, cresceu em poderio na Terra-média; e soube do poder e glória dos Númenóreanos, e de sua lealdade aos Deuses, e temia que, ao chegarem, arrancariam dele o domínio do Leste e resgatariam os Homens da Terra-média da Sombra. E o rei ouviu rumores acerca de Sauron; e dizia-se que ele era um rei maior do que o Rei de Númenor. Donde, contrário ao conselho dos Deuses, o rei enviou os seus serviçais a Sauron, e mandou que este viesse e lhe prestasse reverência. E Sauron, estando cheio de astúcia e malícia, humilhou-se e veio; e ele iludiu os Númenóreanos com sinais e portentos. Mas, pouco a pouco, Sauron voltou os corações deles a Morgoth; e profetizou que em breve ele retornaria ao mundo. E Sauron falou a Tar-kalion, Rei de Númenor, e a Tar-ilien, sua rainha…

Quanto ao restante do QdN II, até o último parágrafo, ressalto aqui somente as poucas diferenças para o QdN I que possuem alguma significância. As alterações de *Sûr*, *Angor* e *Istar* para *Sauron*, *Tar-kalion* e *Tar-ilien* não foram destacadas.

§6 "E passaram por Tol-eressëa" > "E cercaram Avallon"; "caiu fogo sobre as encostas de Taniquetil" > "caiu fogo sobre Kôr e fumaças se ergueram ao redor de Taniquetil".

§7 No QdN II, o parágrafo começa: "Mas os Deuses não responderam. Então muitos dos Númenóreanos pisaram nas costas proibidas, e acamparam em poderio nas divisas de Valinor".

"Angor, o magno, e Istar, sua rainha" > "Tar-kalion, o dourado, e a luzente Ilien, sua rainha"; "as Cavernas Esquecidas" > "as Cavernas dos Esquecidos".

A misteriosa frase final acerca dos Elfos de Eressëa (ver o comentário ao QdN I) foi mantida, mas riscada posteriormente a lápis.

38

§8 A frase final não aparece; ver o comentário ao QdN I.

§9 "Em parte pelo [desejo >] comando de Tar-kalion, e em parte por suas próprias vontades (pois alguns ainda reverenciavam os Deuses e iriam com guerra ao Oeste), muitos ficaram para trás, e permaneceram sentados em seus navios…"

Agora não há menção do grande vento que se levantou.

§10 O parágrafo agora começa: "Lá, embora desprovidos de seu antigo poderio, e fossem poucos em número e dispersos, posteriormente se tornaram senhores e reis de Homens. Alguns eram malignos e não renunciaram a Sauron em seus corações; e alguns eram de boa vontade e preservavam os Deuses na memória. Mas todos estavam…"

Em "o tempo de suas vidas, que outrora fora maior do que o das raças menores", as palavras "maior do que" > "três vezes".

A frase final diz o seguinte: "Por tal razão, em dias que vieram depois eles sepultavam seus mortos em navios, ou os lançavam com pompa…"

§11 "E o feitiço que jazia lá não era de todo em vão" > "E isso não de todo fantasia", mas isso foi riscado.

"Pois o antigo alinho do mundo permanecia na mente de Ilúvatar e no pensamento dos Deuses, e na memória do mundo…"

Ao final do parágrafo foi acrescentado: "Portanto, eles construíram torres altíssimas naqueles dias".

§12 O parágrafo agora começa: "Mas a maioria, que não conseguia ver essa estrada, escarnecia dos construtores de torres, e confiava em navios que velejavam na água. Mas eles chegaram somente às terras do Novo Mundo, e viam que eram como aquelas do Velho, e sujeitas à morte; e relataram que o mundo era redondo. Mas na Rota Reta apenas os Deuses podiam caminhar, e somente os navios dos Elfos de Avallon podiam viajar. Pois a Rota, sendo reta, enquanto a superfície da terra era curva…"

O parágrafo termina da seguinte forma: "Portanto, muitos abandonaram os Deuses, e os afastaram de suas lendas. Mas os Homens da Terra-média os contemplavam com assombro e grande medo, pois eles desciam do ar; e tomavam os Númenóreanos por Deuses, e alguns ficaram contentes que assim se desse".

§13 O parágrafo começa: "Mas nem todos os corações dos Númenóreanos eram deturpados; e o conhecimento dos dias antes da ruína, que vinha de seus antepassados e dos Amigos-dos-Elfos, e daqueles que mantinham colóquio com os Deuses, foi por muito tempo preservado entre os sábios. E diziam que o fado dos Homens..."

"Mas o fado dos Homens... não é completo dentro do mundo".

"houve guerras de fé entre os poderosos da Terra-média"

§14 Mas persiste ainda uma lenda de Beleriand: pois aquela terra no Oeste do Norte do Velho Mundo, onde Morgoth foi subjugado, era ainda em certa medida abençoada e livre de sua sombra; e muitos dos exilados de Númenor haviam ido para lá. Embora mudada e partida, preservava ainda nos dias antigos o nome que tinha nos dias dos Gnomos. E se diz que em Beleriand surgiu um rei, que era da raça númenóreana, e era chamado Elendil, que é Amigo-dos-Elfos. E ele se aconselhava com os Elfos que permaneciam na Terra-média (e estes habitavam mormente em Beleriand); e ele fez uma aliança com Gil-galad, o Rei-élfico que descendia de Fëanor. E seus exércitos se uniram, e atravessaram as montanhas e entraram nas terras interiores longe do Mar. E chegaram por fim a Mordor, o País Negro, onde Sauron, que é na língua gnômica chamado Thû, reconstruíra suas fortalezas. E eles cercaram a praça-forte, até que Thû veio em pessoa, e Elendil e Gil-galad lutaram com ele; e ambos foram mortos. Mas Thû foi derrubado, e sua forma corpórea, destruída, e seu serviçais foram dispersados, e a hoste de Beleriand destruiu sua habitação; mas o espírito de Thû fugiu para longe, e ficou escondido em lugares desolados, e não tornou a assumir uma forma por muitas eras. Mas é cantado tristemente pelos Elfos que a guerra com Thû acelerou o desvanecer dos Eldar, decretado pelos Deuses; pois Thû tinha um poder além da medida deles, como Felagund, Rei de Nargothrond, descobrira outrora; e os Elfos despenderam sua força e substância no ataque a ele. E esse foi o último dos serviços dos Primogênitos aos Homens, e é tido como o último dos feitos de aliança antes do desvanecer dos Elfos e da desavença das Duas Gentes. E aqui termina a história do mundo antigo, tal como é conhecida pelos Elfos.

Comentário à segunda versão de A Queda de Númenor

§1 Quanto a "Orques, que são arremedos das criaturas de Ilúvatar", ver QS §18 e o comentário. — Foi dito em QdN I §5 que Morgoth "não vinha em pessoa, e sim somente em espírito e como uma sombra sobre a mente e o coração". Agora a ideia

A ESTRADA PERDIDA E OUTROS ESCRITOS

de seu "retorno" em qualquer sentido parece ser negada; mas aparece o conceito de sua Vontade malevolente e guiadora, que sempre permanece no mundo.

"os que obedeceram habitaram novamente em Eressëa": no QdN I, "os Elfos foram convocados a Valinor, como foi contado, e muitos obedeceram, mas não todos". No *Quenta* (IV. 184), "os Gnomos e Elfos-escuros habitaram de novo, em sua maior parte, na Ilha Solitária... Mas alguns retornaram até mesmo a Valinor, como todos eram livres para fazer se desejassem" (mantido no QS, pp. 397–98, §27). O nome Avallon ("pois fica perto de Valinor") aparece, mas como um novo nome para Tol Eressëa; posteriormente, na forma *Avallónë* ("pois é de todas as cidades a mais próxima a Valinor"), ele se tornou o nome de um porto na ilha: *Akallabêth*, p. 342.

§2 De início meu pai preservou exatamente a reescrita do QdN I apresentada no comentário a QdN I §2, na qual *Atalantë* é o nome da cidade *Andúnië* após a Queda. Sugeri que essa na verdade não era a sua intenção; seja como for, ele o corrigiu aqui, de modo que *Atalantë* mais uma vez se torna o nome de Númenor submergida. *Númenos* agora reaparece de QdN I §2 como escrito originalmente, onde era o nome da cidade ocidental, mas se torna o nome do lugar elevado do rei no centro da terra (posteriormente *Armenelos*).

Elrond (ver o comentário a QdN I §14) agora se torna o primeiro Rei de Númenor e o construtor de Númenos; seu irmão Elros ainda não havia aparecido.

A afirmação aqui de que os Númenóreanos "adotaram a fala dos Elfos do Reino Abençoado, como era e é em Eressëa" sugere que eles abandonaram a sua própria língua dos homens; e o fato de que é esse o significado é demonstrado em *A Estrada Perdida* (p. 85). No *Lhammas* é dito (p. 210) que "já mesmo nos dias [do pai de Húrin] os Homens de Beleriand abandonaram o uso diário de sua própria língua e falavam e davam até mesmo nomes para seus filhos no idioma dos Gnomos". As palavras "como era e é em Eressëa" contradiriam qualquer ideia de que a Ilha Solitária tivesse sido destruída na Queda (ver o comentário a QdN I §7). Mas a passagem difícil que sugere tal ocorrência foi preservada no presente texto, §7 (embora tenha sido subsequentemente riscada).

41

A QUEDA DE NÚMENOR

§4 A associação da longevidade dos Númenóreanos com a radiância de Valinor (ver o comentário a QdN I §4) foi abandonada, e
a vida longa é atribuída unicamente à dádiva dos Valar.

§5 É muito provável que o nome *Sauron* (em substituição a *Sûr* do
QdN I) ocorre pela primeira vez aqui ou na passagem de estreita
relação em *A Estrada Perdida* (p. 83). Sua primeira ocorrência na
tradição do "Silmarillion" é em QS §143. A história da chegada
de Sauron a Númenor foi alterada a partir daquela no QdN I,
e está explícito que ele não poderia ter ido se não tivesse sido
convocado. A história tal como contada na primeira versão, na
qual os navios, ao retornarem da Terra-média, foram lançados
Númenor adentro por uma grande onda, e Sauron se postou em
uma colina e "pregou uma mensagem de libertação", é contada
com mais detalhes em *A Estrada Perdida*; mas a segunda versão
no QdN II, que omite o elemento da grande onda, parece ter
substituído a primeira quase que de imediato (quanto ao significado de tal alteração, ver p. 16).

O templo a Morgoth é agora erigido sobre a Montanha de
Ilúvatar na região central da terra, e esta (ou em *A Estrada Perdida*)
é a primeira aparição do Meneltarma. A história foi rejeitada mais
tarde: no *Akallabêth*, "nem mesmo Sauron ousasse profanar o lugar
alto", e o templo foi construído em Armenelos (pp. 358–59).

§11 O acréscimo no QdN II, "Portanto, eles construíram torres altíssimas naqueles dias", deve ser a primeira referência
às Torres Brancas em Emyn Beraid, as Colinas das Torres.
Cf. *O Senhor dos Anéis*, Apêndice A (I. iii), onde é contado
acerca da palantír das *Emyn Beraid* que "Elendil a colocou ali
para poder olhar de volta, com 'visão reta', e ver Eressëa no Oeste
desaparecido; mas os mares curvos abaixo cobriram Númenor
para sempre". Cf. também *Dos Anéis de Poder* em *O Silmarillion*,
p. 382. Mas, quando o presente texto foi escrito, as *palantíri*
ainda não haviam sido concebidas (até onde se sabe).

§14 A reescrita da passagem acerca de Beleriand reforça a sugestão
no QdN I de que ela permaneceu uma região menos destruída
após a Grande Batalha do que é descrita nos outros textos: ela
era "ainda em certa medida abençoada" — e, além disso, os Elfos
que permaneciam na Terra-média "habitavam mormente em
Beleriand". Aqui Elendil "Amigo-dos-Elfos" aparece, tomando
o lugar de Amroth do QdN I. Seria possível de se pensar pelas

palavras "em Beleriand surgiu um rei, que era da raça númenóreana" que ele não era um sobrevivente da Queda; mas esse claramente não é o caso. Em *A Estrada Perdida*, de estreita relação com o QdN II, Elendil (o pai na encarnação númenóreana de "Elwin-Edwin") é um inimigo resoluto de Sauron e de seu domínio em Númenor; e embora *A Estrada Perdida* seja interrompido antes de a frota de Tar-kalion zarpar, Elendil devia estar entre aqueles que "permaneceram sentados em seus navios na costa leste da terra" (QdN §9) e, dessa forma, escapou da Queda.

Aqui há certamente a primeira aparição de Gil-galad, o Rei-élfico em Beleriand, descendente de Fëanor (seria interessante saber o seu parentesco), e a história da Última Aliança avança um estágio; e parece não haver dúvidas de que foi neste manuscrito que o nome *Mordor*, o País Negro, surgiu pela primeira vez na narrativa.

(iv)
O desenvolvimento adicional de A Queda de Númenor

O QdN II foi seguido por um texto datilografado na máquina de escrever de meu pai nesse período, mas que não foi datilografado por ele. Isso se vê pelo fato de ser uma cópia exata do QdN II após todas as correções ao texto terem sido feitas, e por duas ou três leituras errôneas do manuscrito. Não tenho dúvida de que o texto datilografado foi feito pouco tempo depois. Por si só ele não possui valor textual, mas meu pai o usou como a base para certas alterações adicionais.

Existe uma página manuscrita solta associada a ele que possui passagens que se relacionam de perto com alterações feitas no texto datilografado. Há aqui um desenvolvimento textual que possui uma relevância importante na datação em geral.

Duas passagens estão em questão: a primeira diz respeito a §8 (que permaneceu inalterado do QdN I, afora a omissão no QdN II da frase final). A página solta possui aqui duas formas de uma nova versão do parágrafo, cuja primeira, que foi riscada, diz o seguinte:

Então Ilúvatar lançou para trás o Grande Mar a oeste da Terra-média e a Terra Estéril a leste da Terra-média, e fez novas terras e novos mares onde outrora nada existira além dos caminhos do Sol e da Lua. E o mundo ficou diminuído; pois Valinor e Eressëa

A QUEDA DE NÚMENOR

foram levadas ao Reino das Coisas Ocultas, e por mais longe que um homem velejasse, jamais tornaria a chegar ao Verdadeiro Oeste. Pois todas as terras, antigas e novas, eram equidistantes do centro da terra. Houve [dilúvio e grande confusão de águas, e mares cobriram o que outrora fora seco, e terras apareceram onde haviam existido mares profundos,] e Beleriand caiu no mar naquela época, salvo a terra onde Beren e Lúthien haviam habitado por um tempo, a terra de Lindon sob os sopés das [*riscado*: Ered] Lunoronti.

(A seção entre colchetes está representada no manuscrito por uma marca de omissão, obviamente com o significado de que o texto existente seria seguido.) Aqui as palavras "[os Deuses] curvaram as bordas da Terra-média" desapareceram; é o Grande Mar no Oeste e "a Terra Estéril" no Leste que são "lançados para trás" por Ilúvatar. Agora é dito que as novas terras e os novos mares surgiram "onde outrora nada existira além dos caminhos do Sol e da Lua" (isto é, as raízes do mundo, ver os diagramas do *Ambarkanta*, IV. 287, 289). Esse trecho, por sua vez, se perdeu na reescrita adicional (abaixo), onde se chega à afirmação final e muito breve encontrada no *Akallabêth* (p. 366).

Essa passagem é muito notável, visto que a submersão de toda Beleriand a oeste de Lindon é aqui atribuída ao cataclismo da Queda de Númenor; ver os comentários a QdN I e II, §14. O nome *Lunoronti* para as Montanhas Azuis não ocorrera anteriormente (mas ver as *Etimologias*, radical lug²); e essa é talvez a primeira ocorrência do nome *Lindon* para a antiga Ossiriand, ou para aquela parte dela que permaneceu acima do mar (ver o comentário a QS §108).

A segunda forma dessa versão revisada de §8 segue imediatamente no manuscrito:

Então Ilúvatar lançou para trás o Grande Mar a oeste da Terra--média, e a Terra Vazia a leste dela, e novas terras e novos mares foram feitos; e o mundo ficou diminuído, pois Valinor e Eressëa foram tiradas dele e levadas ao reino das coisas ocultas. E, dali em diante, por mais que um homem velejasse, jamais tornaria a chegar ao verdadeiro Oeste, e retornaria, cansado, enfim, ao lugar de onde tinha começado; pois todas as terras e mares eram equidistantes do centro da terra, e todas as rotas estavam curvadas. Houve dilúvio e grande confusão de águas naquele tempo, e o mar cobriu muito do que nos Dias Antigos havia sido seco, tanto no Oeste como no Leste da Terra-média.

44

A ESTRADA PERDIDA E OUTROS ESCRITOS

Assim, a passagem acerca da submersão de Beleriand na época do cataclismo númenóreano e da preservação de Lindon foi mais uma vez removida. Meu pai então copiou o trecho nessa forma para o texto datilografado, com a alteração de *Terra Vazia* para *Terras Vazias*. (Se essa região, chamada na primeira versão de *a Terra Estéril*, está relacionada com o mapa V do *Ambarkanta* (IV. 295), ela deve ser o que lá é chamado de *the Burnt Land of the Sun* [a Terra Queimada do Sol]; talvez também *the Dark Land* [a Terra Sombria], que lá é mostrada como um novo continente, formada pela parte meridional de *Pelmar*, ou Terra-média (mapa IV), após a vasta expansão do antigo mar interior de Ringil na época da destruição de Utumno). — A expressão *Dias Antigos* não é encontrada em nenhum escrito de meu pai antes deste.

A segunda passagem é o parágrafo final no QdN II §14, acerca de Beleriand e da Última Aliança. Aqui algumas alterações a lápis foram feitas no texto datilografado: *Thû* foi alterado para *Sauron*, exceto na frase "que é na língua gnômica chamado Thû", onde *Thû > Gorthû* (ver p. 406); "em Beleriand surgiu um rei" > "em Lindon..."; e Gil-galad descende de Finrod, não de Fëanor. A passagem no texto datilografado foi então riscada, com uma indicação para que uma substituta fosse introduzida. Essa passagem substituta é encontrada no verso da página solta que fornece as duas formas da reescrita de §8, e foi obviamente escrita na mesma época que elas. A passagem diz o seguinte:

Mas persiste uma lenda de Beleriand. Ora, aquela terra foi partida na Grande Batalha com Morgoth; e com a queda de Númenor e a mudança do feitio do mundo ela pereceu; pois o mar cobriu tudo o que restou, salvo algumas das montanhas que permaneceram como ilhas, chegando até os sopés das Eredlindon. Mas aquela terra onde Lúthien habitara perdurou, e foi chamada Lindon. Um golfo do mar a adentrava, e uma fenda foi feita nas Montanhas, através da qual o Rio Lhûn corria. Mas na terra que restou ao norte e ao sul do golfo os Elfos permaneceram, e Gil-galad, filho de Felagund, filho de Finrod, era seu rei. E eles construíram Portos no Golfo de Lhûn, de onde qualquer um de seu povo, ou qualquer um dos Elfos que fugiam da escuridão e pesar da Terra-média, podia zarpar para o Verdadeiro

45

Oeste e não mais retornar. Em Lindon Sauron ainda não detinha domínio. E se diz que os irmãos de Elendil e Valandil, escapando da queda de Númenor, chegaram por fim às fozes dos rios que corriam até o Mar do Oeste. E Elendil (que é Amigo-dos-Elfos), que outrora amara o povo de Eressëa, chegou a Lindon e habitou lá por um tempo, e entrou na Terra-média e estabeleceu um reino no Norte. Mas Valandil subiu o Grande Rio Anduin e estabeleceu outro reino ao longe no Sul. Mas Sauron habitava em Mordor, o País Negro, e essa terra não ficava muito distante de Ondor, o reino de Valandil; e Sauron fez guerra contra todos os Elfos e todos os Homens de Ociente ou outros que os auxiliavam, e Valandil se viu em grande aperto. Portanto, Elendil e Gil-galad, vendo que a não ser que alguma resistência fosse feita Sauron se tornaria senhor de [?toda a] Terra-média, reuniram-se em conselho, e fizeram uma grande liga. E Gil-galad e Elendil marcharam Terra-média adentro [?e congregaram uma força de Homens e Elfos, e eles se reuniram em Imladrist].

Perto do fim o texto passa ser escrito com uma letra menos nítida e as palavras finais são um pouco duvidosas. Caso o nome *Imladrist* tenha sido interpretado de forma correta, há certamente mais uma letra após o *s*, que deve ser um *t*. Cf. *O Conto dos Anos* em *O Senhor dos Anéis* (Apêndice B): 3431 da Segunda Era, "Gil-galad e Elendil marcham para o leste, rumo a Imladris".

Por sua vez, toda essa passagem foi riscada e não foi copiada para o texto datilografado. É possível ver que isso insere o novo material acerca de Beleriand e Lindon que apareceu na primeira forma da revisão de §8, mas que depois foi removido (pp. 43–4); e, além disso, muitos elementos novos importantes foram introduzidos. Gil-galad é o filho de Felagund; agora está explícito que Elendil era um dos sobreviventes de Númenor, e ele tem um irmão chamado Valandil (o nome de seu pai em *A Estrada Perdida*); o rio Lhûn aparece, e o seu golfo, e a fenda nas Montanhas Azuis através da qual ele corria; os Elfos de Lindon construíram portos no Golfo de Lhûn; Elendil estabeleceu um reino no Norte, a leste das montanhas, e Valandil, subindo o Anduin, fundou o seu reino de Ondor não muito longe de Mordor.

Não há dúvidas agora de que o todo o conceito de Gondor surgiu no decorrer da composição de *O Senhor dos Anéis*. Além disso, meu pai fez as seguintes anotações (também riscadas) a lápis no final do texto datilografado:

A ESTRADA PERDIDA E OUTROS ESCRITOS

Mais a respeito disso é contado em *O Senhor dos Anéis*
A única alteração que precisa ser feita é esta:
1. Muitos Elfos ficaram para trás
2. Beleriand afundou por completo, com exceção de algumas ilhas = montanhas, e parte de Ossiriand (chamada Lindon), onde Gil-galad habitava.
3. Elrond permaneceu Gil-galad. Ou então velejou de volta à Terra-média. O Meio-Elfo.

A segunda dessas anotações é decisiva, uma vez que a passagem apresentada por último claramente contém uma elaboração dessa anotação; e está claro que todas as reescritas da segunda versão de *A Queda de Númenor* consideradas aqui têm sua origem vários anos mais tarde. O QdN II representa a forma da obra à época em que *O Senhor dos Anéis* foi iniciado. Por outro lado, essas revisões são de uma época em que o livro estava longe de ser concluído, como se vê pela forma *Ondor* e pelos irmãos Elendil e Valandil, fundadores dos reinos númenóreanos na Terra-média.

Afora essas passagens significativas de revisão, algumas outras alterações foram feitas na cópia datilografada do QdN II, e foram muito pequenas, salvo pela substituição de *Elrond* por *Elros* em ambas as ocorrências em §2. Essa substituição pertence ao período pré-*Senhor dos Anéis*, como se vê pela aparição de Elros na conclusão do QS (ver pp. 404–05, comentário a §28).*

Meu pai escreveu a seguir um belo novo manuscrito incorporando as alterações feitas no texto datilografado do QdN II — mas agora omitindo por completo a passagem final (§14) acerca de Beleriand e da Última Aliança, e encerrando com as palavras "houve guerras entre os poderosos da Terra-média", das quais permanecem agora apenas os ecos. Essa versão, aprimorada e alterada em detalhes, exibe, no entanto, pouquíssimos avanços adicionais em substância narrativa, e claramente pertence ao mesmo período das revisões examinadas nessa seção

---

* A terceira "alteração" necessária (nas anotações do texto datilografado do QdN II), de que "Elrond permaneceu Gil-galad, ou então velejou de volta à Terra-média", presumivelmente leva em consideração essa mudança, e significa que meu pai ainda não havia determinado se Elrond originalmente tinha ido ou não para Númenor com seu irmão Elros.

~ 3 ~

A Estrada Perdida

(i)
Os capítulos iniciais

Quanto aos textos de *A Estrada Perdida* e sua relação com *A Queda de Númenor*, ver pp. 15–6. Apresento aqui os dois capítulos completos no início da obra, seguidos por um breve comentário.

Capítulo I
Um avanço. O jovem Alboin[*]

"Alboin! Alboin!"

Não houve resposta. Não havia ninguém na sala de jogos.

"Alboin!" Oswin Errol parou na porta e gritou na direção do pequeno jardim elevado nos fundos de sua casa. Por fim uma voz jovem respondeu, soando distante e como a resposta de alguém adormecido ou que acabara de acordar.

"Sim?"

"Onde você está?"

"Aqui!"

"Onde é 'aqui'?"

"Aqui: em cima do muro, pai."

Oswin desceu depressa os degraus da porta até o jardim e seguiu ao longo do caminho ladeado por flores. Após uma curva, o caminho levava a um muro baixo de pedra, escondido da casa por uma sebe. Do outro lado do muro de pedra havia um pequeno espaço gramado, e depois a beira de um penhasco, além do qual se estendia, e agora reluzia num calmo entardecer, o mar ocidental. Sobre o muro Oswin encontrou o filho, um garoto de seus doze anos, deitado olhando para o mar com o queixo apoiado nas mãos.

---

[*] O título foi colocado posteriormente, assim como o do Capítulo II; ver p. 96.

"Então aí está você!", disse ele. "É preciso chamá-lo um bom número de vezes. Não me ouviu?"

"Não antes do momento em que respondi", disse Alboin.

"Bem, você deve estar surdo ou sonhando", disse seu pai.

"Sonhando, ao que parece. Está quase na hora de dormir; então, se quiser ouvir alguma história hoje, teremos de começar de imediato."

"Desculpe, pai, mas eu estava pensando."

"Sobre o quê?"

"Ah, várias coisas misturadas: o mar, e o mundo, e Alboin."

"Alboin?"

"Sim. Estava me perguntando por que Alboin. Por que me chamo Alboin? Costumam me perguntar 'Por que Alboin?' na escola, e me chamam de Albino. Mas não sou, sou?"

"Você às vezes fica um pouco pálido, garoto; mas você não é albino, felizmente. Receio que eu tenha chamado você de Alboin, e é por isso que você é chamado assim. Desculpe-me: nunca foi minha intenção que isso lhe incomodasse."

"Mas é um nome real, não é?", perguntou Alboin com avidez. "Quero dizer, ele significa alguma coisa, e *homens* foram chamados por esse nome? Não foi só inventado?"

"É claro que não. É tão real e tão bom quanto Oswin; e pertence à mesma família, se poderia dizer. Mas nunca me incomodaram por causa de Oswin. Embora eu costumasse ser chamado de Oswald por engano. Eu me lembro de como isso costumava me irritar, apesar de não conseguir imaginar por quê. Eu era bastante criterioso no que dizia respeito ao meu nome."

Eles permaneceram conversando no muro que dava para o mar; e não voltaram para o jardim, ou para a casa, até a hora de dormir. A conversa deles, como acontecia com frequência, voltou-se para a contação de histórias; e Oswin contou ao filho a história de Alboíno, também conhecido como Alboin, filho de Audoíno, o rei lombardo; e da grande batalha dos lombardos e dos gépidas, lembrados como terríveis mesmo no cruel século VI; e dos reis Turisindo e Cunimundo, e de Rosamunda. "Não é uma boa história perto da hora de dormir", disse ele, terminando de súbito com Alboíno bebendo do crânio enfeitado com joias de Cunimundo.

"Não gosto muito daquele Alboíno", disse o garoto. "Gosto mais dos gépidas, e do Rei Turisindo. Queria que eles tivessem ganhado. Por que você não me chamou de Turisindo ou Turismodo?"

"Bem, sua mãe na verdade queria chamá-lo de Rosamund, mas você acabou saindo um menino. E você sabe que ela não viveu para me ajudar a escolher outro nome. Então peguei um daquela história, porque ele parecia apropriado. Quero dizer, o nome não pertence somente àquela história, ele é muito mais antigo. Preferiria ter sido chamado de Amigo-dos-Elfos? Pois é isso o que o nome significa."

"N-não", disse Alboin, incerto. "Gosto que nomes signifiquem algo, mas não que digam algo."

"Bem, eu poderia tê-lo chamado de Ælfwine, é claro; essa é a forma em inglês antigo do nome. Eu poderia tê-lo chamado assim, não só em homenagem ao Ælfwine da Itália, mas a todos os Amigos-dos-Elfos de antigamente; em homenagem a Elfwine, neto do Rei Alfredo, que tombou na grande vitória em 937, e Elfwine, que tombou na famosa derrota em Maldon, e muitos outros ingleses e nortistas na longa linhagem dos Amigos-dos-Elfos. Mas eu lhe dei uma forma latinizada. Acho que essa é a melhor. Os dias antigos do Norte já estão além da memória, exceto na medida em que foram moldados na forma de coisas que conhecemos, na cristandade. Então escolhi Alboin; pois não é latim e não é setentrional, e esse é o jeito da maioria dos nomes no Ocidente, e também dos homens que os levam. Eu poderia ter escolhido Albinus, pois é nisso que às vezes transformavam o nome; mas isso teria feito os seus amigos se lembrarem de albino. Porém, essa forma é latina demais, e significa algo em latim. E você não é branco ou claro, garoto, mas moreno. Então é Alboin. E não há mais nada a se fazer, a não ser ir para a cama." E eles entraram.

Contudo, Alboin olhou pela janela antes de se deitar; e podia ver o mar além da beira do penhasco. Era um pôr do sol tardio, pois era verão. O sol baixou lentamente no mar e mergulhou vermelho além do horizonte. A luz e a cor desapareceram depressa da água; um vento gelado soprou do Oeste, e sobre a borda do pôr do sol grandes nuvens escuras avançavam, estendendo asas imensas ao sul e ao norte, ameaçando a terra.

"Elas parecem as águias do Senhor do Oeste chegando sobre Númenor", disse Alboin em voz alta, e se perguntou por quê. Embora não lhe parecesse muito estranho. Naqueles dias ele com frequência inventava nomes. Olhando para uma colina familiar, ele de repente a via situada em alguma outra época e história: "as faldas verdes de *Amon-ereb*", dizia. "As ondas são ruidosas nas costas de *Beleriand*", disse ele certo dia, quando uma tempestade despejava água no sopé do penhasco abaixo da casa.

Alguns desses nomes eram de fato inventados, para deleitar-se com o seu som (ou assim pensava); mas outros pareciam "reais", como se não tivessem sido ditos pela primeira vez por ele. E assim se deu com *Númenor*. "Gosto desse nome", disse a si mesmo. "Eu poderia pensar numa longa história sobre a terra de *Númenor*."

Mas, deitado na cama, ele percebeu que a história não seria pensada. E ele logo esqueceu o nome; e outros pensamentos se insinuaram, em parte devido às palavras de seu pai, e em parte aos seus próprios devaneios de antes.

"Alboin, o Moreno", pensou ele. "Imagino se existe algo de latino em mim. Não muito, acho. Amo as costas ocidentais e o *verdadeiro* mar — é muito diferente do Mediterrâneo, mesmo em histórias. Gostaria que ele não tivesse outro lado. Havia povos de cabelos escuros que não eram latinos. Os portugueses são latinos? O que é latino? Pergunto-me que tipo de povo vivia em Portugal e na Espanha e na Irlanda e na Grã-Bretanha antigamente, muito antigamente, antes dos romanos, ou dos cartagineses. Antes de todos os outros. Pergunto-me que pensou o primeiro homem a ver o mar ocidental."

Então ele adormeceu, e sonhou. Porém, quando despertou, o sonho desapareceu para além da lembrança, e não deixou história ou imagem para trás, somente a sensação que essas coisas haviam causado: um tipo de sensação que Alboin relacionava a longos nomes estranhos. E ele se levantou. E o verão passou, e ele foi para a escola e continuou a aprender latim.

Também aprendeu grego. E mais tarde, quando tinha seus quinze anos, começou a aprender outros idiomas, especialmente aqueles do Norte: inglês antigo, nórdico, galês, irlandês. Isso não era muito encorajado — nem mesmo por seu pai, que era historiador. Pareciam pensar que latim e grego eram o suficiente para qualquer pessoa; e bastante antiquados, sendo que havia tantos idiomas modernos bem-sucedidos (falados por milhões de pessoas); sem mencionar a matemática e todas as outras ciências.

Mas Alboin gostava do sabor dos idiomas setentrionais mais antigos, tanto quanto gostava de algumas das coisas escritas neles.

A ESTRADA PERDIDA

Ele veio a saber um pouco sobre história linguística, é claro; descobriu que isso, de qualquer forma, era-lhe empurrado pelos escritores de gramáticas de idiomas "não clássicos". Não que ele fizesse alguma objeção: mudanças sonoras eram um passatempo seu, numa idade em que outros garotos estavam aprendendo sobre as entranhas de automóveis. No entanto, embora Alboin tivesse alguma ideia de quais deveriam ser as relações de idiomas europeus, isso não lhe parecia ser a história completa. Os idiomas de que ele gostava possuíam um sabor definido — e, de certa forma, tinham um sabor similar. Esse sabor também parecia estar de algum modo relacionado à atmosfera das lendas e mitos contados nos idiomas.

Certo dia, quando tinha quase dezoito anos, Alboin se encontrava sentado no estúdio com seu pai. Era outono, e o fim de férias de verão passadas em sua maior parte ao ar livre. As lareiras estavam voltando a ser acesas. De todo o ano, era a época em que o saber livresco era mais atraente (àqueles que de fato realmente gostavam dele). Eles estavam conversando sobre "idiomas". Pois Errol encorajava o filho a falar sobre qualquer coisa em que estivesse interessado; embora secretamente viesse se perguntando há algum tempo se línguas e lendas nórdicas não estavam tomando mais tempo e energia do que o seu valor prático num mundo árduo justificava. "Mas é melhor eu saber o que está se passando, tanto quanto um pai pode saber", pensava ele. "Ele vai seguir em frente, de qualquer forma, se tiver mesmo uma inclinação — e é melhor que não seja inclinada para dentro."

Alboin estava tentando explicar o que sentia a respeito de uma "atmosfera linguística". "Há ecos que chegam, entende", disse ele, "em palavras estranhas aqui e ali — em geral palavras muito comuns em seus próprios idiomas, mas sem qualquer explicação dos etimologistas; e na forma e som gerais de todas as palavras, de alguma maneira; como se algo estivesse espiando bem abaixo da superfície."

"Não sou filólogo, é claro", disse seu pai; "mas é do meu entendimento que nunca houve muita evidência em favor de se atribuir mudanças linguísticas a um *substrato*. Embora eu suponha que ingredientes subjacentes exerçam uma influência, ainda que não seja fácil de defini-la, na mistura final no caso de povos como um todo, diferentes talentos e temperamentos nacionais, e esse tipo de coisa. Mas raças, e culturas, são diferentes de idiomas."

52

"Sim", disse Alboin; "mas muito misturados, todos os três uns com os outros. E, afinal, idiomas remontam ao passado através de uma tradição contínua, tanto quanto os outros dois elementos. Com frequência penso que se conhecêssemos os rostos vivos dos ancestrais de qualquer homem, ao longo de um vasto período de tempo, poderíamos descobrir coisas peculiares. Poderíamos descobrir que ele muito claramente tem o nariz, digamos, do bisavô de sua mãe; e, ainda assim, algo sobre o seu nariz, sua expressão ou formato ou como quiser chamá-lo, na verdade vem de muito antes, do, digamos, tataravô de seu pai, ou de alguém ainda mais anterior. Enfim, gosto de voltar ao passado — e não só com raça, ou cultura, ou idioma; mas com todos os três. Gostaria de poder voltar com os três que estão misturados em nós, pai; apenas os simples Errols, com uma casinha na Cornualha no verão. Fico pensando o que se poderia ver."

"Depende do quão longe você voltasse no tempo", disse o Errol mais velho. "Se voltasse ainda antes das Eras Glaciais, imagino que você não encontraria nada por estas bandas; ou, em qualquer caso, uma raça bastante bestial e desgraciosa, e uma cultura de unhas e dentes, e um idioma repulsivo que não lhe ofereceria eco algum, exceto aqueles de barulhos ao se comer."

"Não encontraria?", indagou Alboin. "É o que me pergunto."

"Seja como for, você não pode voltar", disse seu pai; "salvo dentro dos limites prescritos a nós mortais. Você pode voltar de certa forma através do estudo genuíno, do trabalho longo e paciente. É melhor você seguir para a arqueologia assim como para a filologia: devem combinar o suficiente, embora não se unam com muita frequência."

"Boa ideia", disse Alboin. "Mas se lembra que, há muito tempo, você disse que eu não era *albino*. Bem, também quero um pouco de mitologia. Quero mitos, não só ossos brancos e pedras."

"Bem, você pode tê-los! Encare o que vier pela frente!", disse seu pai, rindo. "Mas, enquanto isso, você tem um trabalho menor com que lidar. O seu latim precisa melhorar (ou foi o que me disseram) para os propósitos escolares. E bolsas de estudo são úteis de diversas maneiras, especialmente para gente como você e eu, que se dedica a assuntos antiquados. Lembre-se que a sua primeira tentativa é neste inverno."

"Queria que a prosa latina não fosse tão importante", disse Alboin. "Sou muito melhor com versos."

"Não vá colocar trechos do seu *eressëano*, ou *latim-élfico*, ou seja lá como o chame, nos seus versos em Oxford. Podem passar pela escansão, mas não passariam na seleção."

"É claro que não!", disse o garoto, corando. O assunto era particular demais, mesmo para piadas privadas. "E não vá dar com a língua nos dentes sobre o *eressëano* fora da parceria", implorou ele; "ou vou desejar nunca ter tocado no assunto."

"Bem, você se saiu muito bem. Acho que eu jamais teria ficado sabendo do idioma se você não tivesse deixado os seus cadernos no meu estúdio. Ainda assim, não sei muito sobre ele. Mas, meu caro rapaz, eu não sonharia em dar com a língua nos dentes, mesmo que soubesse. Apenas não desperdice tempo demais com ele. Receio que eu esteja ansioso por causa daquela bol[sa], e não apenas pelos motivos mais elevados. O dinheiro não está muito abundante."

"Ah, faz muito tempo que não faço nada do tipo, ou praticamente nada", disse Alboin.

"Não está indo muito bem, então?"

"Não recentemente. Muitas outras coisas para fazer, acho. Mas recebi várias palavras novas agradáveis há alguns dias: tenho certeza de que *lōmelindë* significa *rouxinol*, por exemplo, e certamente *lōmë* é *noite* (embora não *escuridão*). O verbo ainda não possui muitos detalhes. Mas—". Ele hesitou. A reticência (e uma consciência desassossegada) estavam em pé de guerra com o seu hábito daquilo que chamava de "parceria com o pai", e o seu desejo de revelar o segredo de qualquer forma. "Porém, a dificuldade real é que outro idioma também está chegando. Parece estar relacionado, apesar de ser bastante diferente, muito mais — mais setentrional. *Alda* era uma árvore (uma palavra que recebi há muito tempo); no novo idioma é *galadh*, e *orn*. O Sol e a Lua parecem ter nomes similares em ambos: *Anar* e *Isil* ao lado de *Anor* e *Ithil*. Gosto primeiro de um, depois do outro, com ânimos diferentes. O *beleriândico* é muito atraente; mas complica as coisas."

"Meu Deus!", disse seu pai, "Isso é sério! Respeitarei segredos não solicitados. Mas tenha uma consciência além de um coração, e — ânimos. Ou arranje um ânimo para latim e grego!"

"Eu arranjo. Tive um por uma semana, e estou com um agora; felizmente um para o latim, e para Virgílio em particular. Então aqui nos separamos." Ele se levantou. "Vou ler um pouco. Venho fazer uma visita quando achar que você deve ir dormir." Ele fechou a porta com uma bufada do pai.

Na verdade, Errol não gostou da despedida. A afeição contida nela o enternecia e entristecia. Um casamento tardio o deixara agora à beira da aposentadoria de um pequeno salário como professor rumo a uma pensão menor, justamente quando Alboin estava chegando à idade de ir para a universidade. E ele também era (começara a sentir, e este ano a admitir em seu coração) um homem cansado. Nunca fora um homem forte. Teria gostado de acompanhar Alboin por muito mais tempo naquele caminho, como um pai mais jovem provavelmente teria feito; mas de certo modo achava que não iria muito mais longe. "Maldição", disse a si mesmo, "um garoto dessa idade não deveria pensar nessas coisas, preocupado se o seu pai está descansando o suficiente ou não. Onde está o meu livro?"

Alboin, na antiga sala de jogos, transformada em estúdio secundário, olhava para o escuro lá fora. Não se voltou para os livros por um longo tempo. "Queria que a vida não fosse tão curta", pensou. "Idiomas demandam muito tempo, assim como todas as coisas que queremos saber. E o pater, ele está parecendo cansado. Eu o quero por aqui por muitos anos. Se ele vivesse até os cem anos, eu teria praticamente a idade que ele tem agora, e eu ainda iria querê-lo. Mas ele não viverá até lá. Queria que pudéssemos parar de envelhecer. O pater poderia continuar trabalhando e escrevendo aquele livro sobre o qual costumava falar, a respeito da Cornualha; e poderíamos continuar conversando. Sempre se dispõe, mesmo que não concorde ou compreenda. Raio de *eressëano*. Queria que ele não o tivesse mencionado. Tenho certeza de que sonharei esta noite; e é tão emocionante. O ânimo para o latim vai desaparecer. Ele é muito gentil ao falar do assunto, embora ache que eu esteja inventando tudo isso. Se estivesse, eu pararia para agradá-lo. Mas as palavras me veem, e simplesmente não posso deixá-las escapulir quando isso acontece. Agora há o beleriândico."

Ao longe, no oeste, a lua montava em nuvens esfarrapadas. O mar brilhava pálido em meio à escuridão, vasto, plano, seguindo até a borda do mundo. "Malditos sejam, sonhos!", disse Alboin. "Deixem-me em paz e me deixem fazer um pouco de trabalho paciente pelo menos até dezembro. Uma bolsa serviria de arrimo ao pater."

Ele encontrou o pai adormecido em sua cadeira às dez e meia. Subiram juntos para irem dormir. Alboin deitou-se e dormiu sem a menor sombra de um sonho. O ânimo para o latim estava a pleno vapor após o café da manhã; e o tempo se aliou à virtude e enviou uma chuva torrencial.

Capítulo II

Alboin e Audoin

Por muito tempo Alboin lembrou-se daquela noite, que marcara a estranha e súbita cessação dos Sonhos. Havia conseguido uma bolsa de estudos (no ano seguinte) e "arrimara o pater". Comportara-se moderadamente bem na universidade — sem muitos assuntos paralelos (pelo menos não o que ele chamava de muitos); embora nem o ânimo para o latim nem o para o grego tenha permanecido constante para sustentá-lo ao longo das "Honour Mods". Os ânimos voltaram, é claro, assim que os exames acabaram. Como era esperado. Ainda assim, ele havia mudado para história, e mais uma vez "arrimara o pater" com uma "primeira classe". E o pater precisara de arrimo. A aposentadoria acabou se mostrando bem diferente de umas férias: ele simplesmente pareceu minguar aos poucos. Ele aguentou apenas o suficiente para ver Alboin em seu primeiro emprego: como professor assistente em uma universidade.

De maneira um tanto desconcertante, os Sonhos recomeçaram pouco antes das "Schools", e foram extraordinariamente intensos nas férias seguintes — as últimas que ele e seu pai passaram juntos na Cornualha. Mas naquela época os Sonhos tomaram um novo rumo durante algum tempo.

Alboin se lembrava de uma das últimas conversas do velho tipo agradável que fora capaz de ter com o pai. Ela lhe vinha claramente à mente agora.

"Como vai o latim-élfico eressëano, garoto?", perguntou seu pai, sorrindo, nitidamente como uma piada, como alguém que se refere de forma jocosa a tolices juvenis há muito expiadas.

"É estranho, mas não tem chegado muito dele ultimamente", respondeu. "Recebi várias coisas diferentes. Algumas ainda não compreendo. Algumas podem ser celtas, de certa forma. Algumas parecem uma forma muito antiga de germânico; pré-rúnico, ou não me chamo Alboin."

O velho sorriu e quase deu uma risada. "Terreno mais seguro, garoto, terreno mais seguro para um historiador. Mas você vai se meter em apuros se revelar os seus segredos entre os filólogos — a não ser, é claro, que corroborem as autoridades já consagradas."

"Na verdade, acho que corroboram", disse ele.

"Conte-me a respeito, se puder fazê-lo sem os seus cadernos", disse seu pai, em tom de provocação.

"*Westra lage wegas rehtas, nu isti sa wraithas.*" Ele mencionou essa frase porque não lhe saíra da cabeça, embora não a compreendesse. É claro, o sentido simples era bastante evidente: *uma rota reta há a oeste, agora está curvada.* Alboin lembrava-se de despertar e ter a sensação de que ela de alguma maneira era muito significativa. "Na verdade, recebi um pouco de anglo-saxão simples na noite passada", prosseguiu. Achou que o anglo-saxão agradaria o pai; era um idioma histórico real, do qual o velho antigamente sabia bastante. Além disso, o trecho estava muito claro em sua mente, e era o mais longo e mais interligado que recebera até então. Naquela mesma manhã ele acordara tarde, após uma noite repleta de sonhos, e viu-se dizendo os versos. Ele os anotou de pronto, ou teriam desaparecido (como de costume) na hora do café da manhã, mesmo estando em um idioma que ele conhecia. Agora a memória desperta os tinha a salvo.

> "Thus cwæth Ælfwine Wídlást:
> Fela bith on Westwegum werum uncúthra
> wundra and wihta, wlitescéne land,
> eardgeard elfa, and ésa bliss.
> Lýt ænig wát hwylc his longath síe
> thám the eftsíthes eldo getwæfeth."

Seu pai ergueu os olhos e sorriu ao ouvir o nome Ælfwine. Alboin lhe traduziu as linhas; provavelmente não era necessário, mas o velho havia esquecido muitas outras coisas sobre as quais soubera muito mais do que anglo-saxão.

"Assim disse Ælfwine, o mui viajado: 'Há muitas coisas nas regiões do Oeste desconhecidas dos homens, maravilhas e seres estranhos, uma terra bela e agradável, a pátria dos Elfos, e a ventura dos Deuses. Pouco qualquer homem sabe o que é a saudade daquele cuja velhice lhe impede o retorno'."

Arrependeu-se de súbito de ter traduzido os dois últimos versos. Seu pai olhou para cima com uma expressão estranha. "Os velhos

sabem", disse ele. "Mas a idade não no impede de partir, de...
de *forthsith*. Não há *eftsith*: não podemos voltar. Não precisa me
dizer isso. Mas que bom para Ælfwine-Alboin. Você sempre soube
compor versos."

Maldição — como se ele pudesse inventar algo daquele tipo, e
para acabar contando ao pai, praticamente em seu leito de morte.
De fato, seu pai havia morrido durante o inverno seguinte.

De modo geral, ele fora mais afortunado do que o pai; de muitas
maneiras, com exceção de uma. Conseguira uma cátedra de história razoavelmente cedo; mas perdera a esposa, como seu pai havia
perdido, e fora deixado com um único filho quando tinha apenas
vinte e oito anos.

Comparado a outros, talvez fosse um professor muito bom. Apenas em uma pequena universidade do sul, é claro, e ele não achava
que seria transferido. Seja como for, ele não estava cansado de ser
um; e história, e até mesmo ensiná-la, ainda parecia interessante (e
razoavelmente importante). Ele cumpria o seu dever, pelo menos,
ou esperava que sim. Os limites eram um pouco vagos. Pois, é claro,
ele continuara com as outras coisas, lendas e idiomas — um tanto
estranhas para um professor de história. Porém, era essa a situação:
ele era razoavelmente versado nesses saberes livrescos, embora boa
parte deles se encontrasse além das fronteiras profissionais.

E os Sonhos. Eles iam e vinham. Contudo, ultimamente
vinham ficando mais frequentes, e mais — absorventes. Mas ainda
eram provocantemente linguísticos. Nenhuma história, nenhuma
imagem recordada; somente a sensação de que vira e ouvira coisas
que queria ver, muitíssimo, e de que daria tudo para ver e ouvir de
novo — e esses fragmentos de palavras, frases e versos. O eressëano,
como ele chamava o idioma quando era garoto — embora não
conseguisse lembrar por que tinha certeza de que aquele era o
nome apropriado —, estava se tornando bastante completo. Também recebera muito beleriândico, e estava começando a com-
preendê-lo e a sua relação com o eressëano. E recebera diversos
fragmentos inclassificáveis, cujo significado em muitos casos ele
desconhecia, por se esquecer de anotá-lo enquanto sabia. E trechos em idiomas reconhecíveis. Estes podiam ser interpretados,
é claro. Mas, mesmo assim, nada podia ser feito a respeito deles:
nenhuma publicação ou algo do tipo. Ele tinha uma estranha sensação de que não eram essenciais: apenas lapsos de esquecimento

ocasionais que assumiam uma forma linguística devido a alguma peculiaridade de seu feitio mental. O ponto era a sensação que os Sonhos traziam com insistência cada vez maior, e que se fortalecia com uma aliança com as ocupações profissionais ordinárias de sua mente. Ao examinar os últimos trinta anos, ele sentia que podia dizer que o seu ânimo mais permanente, ainda que com frequência encoberto ou suprimido, fora desde a infância o desejo de *voltar*. De caminhar pelo Tempo, talvez, como homens caminham por longas estradas; ou de examiná-lo, como homens podem ver o mundo de uma montanha, ou a terra como um mapa vivo abaixo de uma aeronave. Mas, em todo caso, de ver com olhos e ouvir com ouvidos: de ver a disposição de terras antigas e até mesmo esquecidas, de contemplar homens antigos caminhando, e de ouvir seus idiomas ao serem falados, nos dias antes dos dias, quando línguas de linhagens esquecidas eram ouvidas em reinos há muito caídos às margens do Atlântico.

No entanto, tampouco algo podia ser feito a acerca desse desejo. Muitos anos antes, ele costumava ser capaz de falar a respeito, um pouco e sem muita seriedade, com seu pai. Mas por um longo tempo ele não teve com quem conversar a respeito desse tipo de coisa. Porém, agora havia Audoin. Ele estava crescendo. Tinha dezesseis anos.

Ele havia dado ao filho o nome de Audoin, revertendo a ordem lombarda. Parecia apropriado. Seja como for, o nome pertencia à mesma família, e combinava com o seu próprio nome. E era um tributo à memória de seu pai — outra razão para abrir mão do anglo-saxão Eadwine, ou mesmo do comum Edwin. Audoin tornara-se notavelmente similar a Alboin, até onde podia se lembrar do jovem Alboin, ou penetrar o exterior do jovem Audoin. Seja como for, ele parecia interessado nas mesmas coisas, e fazia as mesmas perguntas; embora com muito menos inclinação para palavras e nomes, e mais para coisas e descrições. Ao contrário do pai, ele sabia desenhar, mas não era bom com "versos". Ainda assim, é claro, ele enfim acabou perguntando por que fora chamado de Audoin. Parecia feliz por ter escapado de Edwin. Mas a questão do significado não fora tão fácil de ser respondida. Amigo da fortuna, não? Ou do destino, da sorte, da riqueza, da ventura? Qual?

"Gosto de *Aud*", dissera o jovem Audoin — tinha então treze anos —, "se significa tudo isso. Um bom início para um nome. Fico pensando como eram os lombardos. Todos tinham longas barbas?"

Alboin espalhara histórias e lendas por toda a infância de Audoin, como que demarcando uma trilha, embora não tivesse certeza de que trilha ou para onde levava. Audoin era um ouvinte voraz, assim como (recentemente) um leitor. Alboin ficava muito tentado a compartilhar seus próprios segredos linguísticos com o garoto. Eles podiam ao menos ter alguma diversão particular. Porém, ele conseguia se solidarizar com o próprio pai agora — havia um limite para o tempo. Garotos tinham muito a fazer.

Enfim, pensando em coisas felizes, Audoin voltaria de escola no dia seguinte. As provas já haviam quase terminado naquele ano para ambos. O lado dos que tinham que fazer as correções sem dúvida era o mais complicado (pensava o professor), mas ele finalmente estava quase se vendo livre. Pai e filho partiriam para o litoral em alguns dias, juntos.

Certa noite, Alboin estava mais uma vez deitado em um quadro numa casa à beira-mar: não a casinha de sua juventude, mas era o mesmo mar. Era uma noite tranquila, e a água jazia como uma vasta planície de pedras lascadas e polidas, petrificada sob a luz fria da Lua. O caminho do luar ia da praia até o limite da visão.

Ele não conseguia dormir, embora ansiasse pelo sono. Não para descansar — não estava cansado; mas por causa do Sonho da noite passada. Alboin esperava completar um fragmento que chegara vividamente aquela madrugada. Ele o tinha à mão em um caderno ao lado da cama; não que fosse provável que esquecesse o fragmento depois de tê-lo anotado.

arsaurontūlenahamna...   *lantierturkildi*
e ? veio ? ...   caíram ?

unuhuine ...   tarkalionohtakārevalannar ...
sob-Sombra ... ? guerra-fez aos-Poderes ...

herunūmenilu terhante ...   ilūvatāren ...   ëari
Senhor-do-Oestemundo partiu ...   de-Ilúvatar ...   mares

ullier   kilyanna ...   nūmenōreataltane ...
verteram   em-Abismo ...   Númenor caiu ...

A ESTRADA PERDIDA E OUTROS ESCRITOS

Então parecera haver uma longa lacuna.

| ... malle | tēra | lendenūmenna | ilya | sī maller |
| ... rota | reta | ia para Oeste | todas | agora rotas |

raikar	*turkildi rōmenna* ...	*nuruhuine mel-lumna*
curvadas ..... ?	para leste ...	sombra-da-Morte
		nos-é-pesada

... *vahāya sin atalante.*
... distante agora?

Havia uma ou duas palavras aqui, das quais queria descobrir o significado: escapara-lhe antes que pudesse anotá-lo naquela manhã. Provavelmente eram nomes: *tarkalion* era quase certamente o nome de um rei, pois *tār* era comum em nomes régios. Era curiosa a frequência com que os trechos lembrados repisavam o tema de uma "rota reta". O que era *atalante*? Parecia significar *ruína* ou *queda*, mas também parecia ser um nome.

Alboin sentia-se inquieto. Saiu da cama e foi até a janela. Lá permaneceu por muito tempo, olhando para o mar; e, de pé ali, sentiu um vento gelado soprar do Oeste. Lentamente, por sobre a borda sombria onde o céu encontrava-se com o mar, nuvens ergueram suas imensas cabeças, e assomavam-se estendendo vastas asas, ao sul e ao norte.

"Elas parecem as águias do Senhor do Oeste chegando sobre Númenor", disse em voz alta, e sobressaltou-se. Não tivera a intenção de dizer palavra alguma. Por um momento ele sentira a aproximação de um grande desastre há muito previsto. Agora a lembrança se agitava, mas não podia ser apreendida. Alboin estremeceu. Voltou para a cama e deitou-se, pensativo. Foi tomado de repente pelo velho desejo. Vinha crescendo de novo por um longo tempo, mas não o sentira daquela forma, uma sensação tão vívida quanto a fome ou a sede, há anos, não desde que tinha por volta da idade de Audoin.

"Queria que existisse uma 'Máquina-do-tempo'", disse em voz alta. "Mas o Tempo não será conquistado por máquinas. E eu deveria voltar, não ir adiante; e creio que para trás seria mais possível."

As nuvens tomaram o céu, e o vento soprou mais forte; e em seus ouvidos, ao enfim adormecer, havia um rugido nas folhas de muitas árvores, e um rugido de longas ondas sobre a costa. "A tempestade está chegando a Númenor!", disse ele, e partiu do mundo desperto.

Num amplo lugar sombrio, ele ouviu uma voz.

"Elendil!", disse a voz. "Alboin, aonde vagas?"

"Quem é você?", respondeu ele. "E onde está?"

Uma figura sombria apareceu, como que descendo uma escada invisível em sua direção. Por um momento, ocorreu a Alboin que aquele rosto, que mal podia ver, lembrava-lhe o de seu pai.

"Estou contigo. Eu era de Númenor, o pai de muitos pais antes de ti. Sou Elendil, que é em eressëano "Amigo-dos-Elfos", e muitos foram assim chamados desde então. Podes realizar o teu desejo."

"Que desejo?"

"Aquele há muito oculto e sussurrado: o de voltar."

"Mas não é possível, mesmo que eu assim o queira. É contra a lei."

"É contra a *regra*. Leis são ordens sobre a vontade e são obrigatórias. Regras são condições; elas podem possuir exceções."

"Mas há mesmo uma exceção que seja?"

"Regras podem ser rígidas, porém são os meios, e não fins, da governança. Há exceções; pois há aquilo que governa e está acima das regras. Vê, é pelas fendas na muralha que a luz atravessa, donde os homens tomam ciência da luz e nela percebem a muralha e como ela se ergue. O véu é urdido, e cada fio segue um curso designado, delineando um padrão; contudo, o tecido não é impenetrável, ou o padrão não poderia ser adivinhado; e se o padrão não fosse adivinhado, o véu não seria percebido, e tudo jazeria nas trevas. Mas essas são antigas parábolas, e não vim para falar de tais coisas. O mundo não é uma máquina que faz outras máquinas à maneira de Sauron. A cada um sob a regra algum destino único é concedido, e ele é eximido daquilo que é uma regra para outros. Pergunto se gostarias de realizar teu desejo."

"Eu gostaria."

"Não perguntas como ou sob quais condições."

"Não creio que eu compreendesse como, e não me parece necessário. Em regra, seguimos adiante, mas não sabemos como. Mas quais são as condições?"

"De que a rota e as paradas são prescritas. De que não podes retornar por tua própria vontade, mas somente (caso ocorra) conforme possa ser determinado. Pois não serás como alguém ao ler um livro ou ao se olhar num espelho, mas como alguém ao caminhar em meio a um perigo real. Ademais, não hás de te aventurar sozinho."

"Então não me aconselha a aceitar? Quer que eu recuse por medo?"

"Não aconselho, nem sim, nem não. Não sou um conselheiro. Sou um mensageiro, uma voz permitida. O desejo e a escolha cabem a ti."

"Mas não compreendo as condições, pelo menos não a última. Preciso compreender todas com clareza."

"Deves, se escolheres voltar, levar contigo Herendil, que é em outra língua Audoin, teu filho; pois és os ouvidos e ele é os olhos. Mas não podes pedir que ele seja protegido das consequências da tua escolha, salvo como tua própria vontade e coragem possam obrar."

"Mas posso pedir a ele, se ele estiver disposto?"

"Ele diria sim, pois te ama e é destemido; mas isso não determinaria a tua escolha."

"E quando eu, ou nós, podemos voltar?"

"Quando tiveres feito a tua escolha."

A figura ascendeu e recuou. Ouviu-se um rugido como o de mares caindo de uma grande altura. Alboin ainda podia ouvir o tumulto ao longe, mesmo após os seus olhos despertos terem percorrido o quarto na luz cinzenta da manhã. Soprava uma ventania vinda do oeste. As cortinas da janela aberta estavam encharcadas, e o quarto estava repleto de vento.

Ele se sentou em silêncio à mesa do café da manhã. Seus olhos iam seguidamente para o rosto do filho, observando as suas expressões. Perguntou-se de Audoin já tivera quaisquer Sonhos. Nada que deixasse alguma lembrança, aparentemente. Audoin parecia estar animado, e sua própria conversa lhe foi suficiente, durante algum tempo. Porém, ele acabou notando o silêncio do pai, incomum mesmo no café da manhã.

"Você parece abatido, pai", disse ele. "Há algum problema complicado lhe incomodando?"

"Sim — bem, não, não de verdade", respondeu Alboin. "Acho que eu estava pensando, entre outras coisas, que era um dia sombrio, e um fim não muito bom para as férias. O que você vai fazer?"

"Ora essa!", exclamou Audoin. "Pensei que você adorava o vento. Eu adoro. Especialmente um bom e velho vento do Oeste. Vou caminhar na praia."

"Algum motivo?"

"Não, nada especial — apenas o vento."

"Bem, e o que tem esse vento maldito?", disse Alboin, inexplicavelmente irritado.

O garoto ficou acabrunhado. "Não sei", disse ele. "Mas gosto de ficar nele, especialmente à beira-mar; e achei que você gostava." Fez-se silêncio.

Passado algum tempo, Audoin voltou a falar, um tanto hesitante. "Você se lembra daquele dia nos rochedos perto de Predannack, quando aquelas nuvens estranhas surgiram ao entardecer e o vento começou a soprar?"

"Sim", respondeu Alboin, num tom desencorajador.

"Bem, você disse quando chegamos em casa que pareciam lhe lembrar de algo, e que o vento parecia soprar através de você, como, como, uma lenda que não consegue agarrar. E você sentiu, de volta à quietude, como se tivesse escutado uma longa história, que o deixou empolgado, apesar de tê-lo deixado absolutamente sem *qualquer* imagem dela."

"Senti?", perguntou Alboin. "Consigo me lembrar de sentir muito frio, e de ficar feliz de voltar para uma lareira." Ele se arrependeu de imediato do que disse, e sentiu-se envergonhado. Pois Audoin nada mais disse, embora tivesse certeza de que o garoto estivera criando uma abertura para dizer algo mais, algo em que vinha pensando. Mas não pôde evitar. Ele não conseguiria falar a respeito de tais coisas naquele dia. Alboin estava com frio. Queria paz, não vento.

Logo após o café da manhã Audoin saiu, anunciando que faria uma caminhada longa, e que não estaria de volta antes da hora do chá. Alboin não foi junto. Durante todo o dia a visão da noite passada permaneceu com ele, algo diferente da classe usual de sonhos. Além disso, era (para ele) curiosamente não linguística — embora estivesse claramente relacionada, pelo nome Númenor, aos seus sonhos de idiomas. Não sabia dizer se conversara com Elendil em eressëano ou em inglês.

Andava inquieto pela casa. Livros não eram lidos, e cachimbos não eram fumados. O dia escapuliu de suas mãos, sendo desperdiçado sem nenhum propósito. Não viu o filho, que sequer apareceu para o chá, como prometera em parte. Parecia que estava escurecendo cedo demais.

Ao final da tarde, Alboin sentou-se em sua poltrona junto à lareira. "Temo essa escolha", disse a si mesmo. Não tenho dúvidas de que havia de fato uma escolha a ser feita. Ele teria de escolher, de um jeito ou de outro, não importando como representasse o fato a si mesmo. Mesmo que repudiasse o Sonho como o que é chamado de "um mero sonho", seria uma escolha — uma escolha equivalente a *não*.

"Não consigo me decidir pelo *não*", pensou ele. "Acho, tenho quase certeza, de que Audoin diria *sim*. E ele saberá de minha escolha mais cedo ou mais tarde. Está ficando cada vez mais difícil esconder dele meus pensamentos: somos parecidos demais, de muitas maneiras além do sangue, para segredos. O segredo se tornaria insuportável, caso eu tentasse mantê-lo. Meu desejo seria intensificado pela sensação de *eu poderia ter feito*, e se tornaria intolerável. E Audoin provavelmente sentiria que eu teria lhe privado por medo.

"Mas é perigoso, temerário ao extremo — ou assim fui advertido. Não me preocupo comigo. Mas com Audoin. Porém, o perigo é maior do que a paternidade deixa antever? É temerário vir ao mundo em qualquer ponto do Tempo. No entanto, sinto a sombra desse perigo pesar ainda mais. Por quê? Porque é uma exceção às regras? Ou estou experimentando uma escolha já feita: o perigo da paternidade repetida? Ser pai duas vezes da mesma pessoa daria o que pensar. Talvez eu já esteja voltando. Não sei. É o que me pergunto. A paternidade é uma escolha e, no entanto, não é de todo pela vontade de um homem. Talvez esse perigo seja minha escolha, e talvez também esteja além da minha vontade. Não sei. Está escurecendo. Como o vento está fazendo barulho. Há uma tempestade sobre Númenor." Alboin adormeceu na poltrona.

Ele estava subindo degraus, cada vez mais alto numa montanha elevada. Sentia, e achava que podia ouvir, Audoin seguindo-o, subindo atrás dele. Deteve-se, pois de alguma forma parecia que ele estava mais uma vez no mesmo lugar da noite anterior, embora não conseguisse enxergar figura alguma.

"Escolhi", disse ele. "Voltarei com Herendil."

Então ele se deitou, como que para descansar. "Boa noite!", murmurou, virando-se um pouco. "Durma bem, Herendil! Partiremos quando a convocação chegar."

"Escolheste", disse uma voz acima dele. "A convocação está próxima."

Então Alboin pareceu cair numa treva e num silêncio, profundos e absolutos. Era como se tivesse deixado o mundo por completo, onde todo silêncio encontra-se às margens do som, e é repleto de ecos, e onde todo descanso é somente o repouso de algum movimento maior. Ele havia deixado o mundo e ido para fora. Estava calado e inerte: um ponto.

Ele estava suspenso; mas lhe estava claro que bastaria desejar e ele se moveria.

"Para onde?" Ele teve ciência da pergunta, mas não como uma voz vinda de fora, nem como uma dentro de si mesmo.

"Para qualquer lugar que seja designado. Onde está Herendil?"

"Esperando. O movimento é teu."

"Vamos em frente!"

Audoin caminhava, mantendo o mar à vista tanto quanto possível. Almoçou em uma estalagem, e então seguiu caminhando, para mais longe do que pretendera. Desfrutava o vento e a chuva, mas ainda assim estava tomado por uma curiosa inquietação. Havia algo de estranho com seu pai naquela manhã.

"Que decepcionante", disse a si mesmo. "Eu particularmente queria fazer uma longa caminhada com ele hoje. Conversamos melhor caminhando, e realmente preciso ter uma chance de lhe contar sobre os Sonhos. Consigo falar sobre esse tipo de coisa com meu pai, se os dois ficarem dispostos juntos. Não que em geral ele seja difícil — mas é raro ficar como hoje. Ele costuma tratar a pessoa da maneira como ela age: com gracejos ou a sério; não mistura as duas coisas, nem ri nos momentos inapropriados. Nunca o vi tão indiferente."

Ele seguiu caminhando. "Sonhos", pensou ele. "Mas não do tipo comum, e sim bem diferentes: muito vívidos; e embora nunca se repitam de fato, todos se encaixam gradualmente em uma história. Porém, num tipo de história-fantasma sem explicação. Apenas imagens, mas sem nenhum som, nenhuma palavra. Navios chegando à terra. Torres no litoral. Batalhas, com espadas cintilantes, mas silenciosas. E há aquela imagem ominosa: o grande templo na montanha, fumegando como um vulcão. E aquela visão terrível do abismo nos mares, uma terra inteira deslizando de lado, montanhas rolando; navios escuros escapando para dentro das trevas.

Quero contar a alguém sobre essas imagens, e dar algum tipo de sentido a elas. O pai ajudaria: poderíamos criar uma boa história juntos baseada nisso. Se eu soubesse ao menos o nome do lugar, o pesadelo se transformaria em uma história."

A escuridão começou a descer muito antes de ele voltar para casa. "Espero que o pai tenha tido tempo suficiente consigo mesmo e esteja conversador esta noite", pensou ele. "Fora uma caminhada, o melhor lugar para discutir sonhos é junto à lareira." Já era noite quando ele subiu o caminho e avistou a luz na sala de estar.

Encontrou o pai sentado junto ao fogo. A sala parecia muito parada e silenciosa — e quente demais após um dia ao ar livre. Alboin estava sentado, com a cabeça apoiada num braço. Seus olhos estavam fechados. Ele parecia adormecido. Não fez qualquer sinal.

Audoin estava saindo em silêncio da sala, tomado de desapontamento. Não havia nada a ser feito além de ir mais cedo para a cama, e talvez ter mais sorte do dia seguinte. Ao chegar na porta, pensou ter ouvido a poltrona ranger, e então a voz do pai (muito distante e num tom um tanto estranho) murmurar algo: soava como *herendil*.

Ele estava acostumado a palavras e nomes estranhos escapulirem de seu pai em murmúrios. Por vezes seu pai contava uma longa história em torno deles. Ele se voltou, esperançoso.

"Boa noite!", disse Alboin. "Durma bem, Herendil! Partiremos quando a convocação chegar." Então encostou a cabeça na poltrona.

"Sonhando", pensou Audoin. "Boa noite!"

E ele saiu, adentrando uma escuridão súbita.

Comentário aos Capítulos I e II

A biografia de Alboin esboçada nesses capítulos é em muitos aspectos baseada na própria vida de meu pai — embora Alboin não fosse um órfão, e meu pai não fosse viúvo. Datas escritas a lápis na folha de rosto do manuscrito reforçam o elemento altamente biográfico: Alboin nasceu em 4 de fevereiro de (1891 >) 1890, dois anos antes de meu pai. Audoin nasceu em setembro de 1918.

"Honour Mods." (isto é, As "Honour Moderations"), mencionada no início do Capítulo II, é o primeiro dos dois exames aplicados em Letras Clássicas em Oxford, após dois anos (ver Humphrey Carpenter, *Biografia*, p. 90); "Schools", na mesma passagem, é um nome do exame final de Oxford em todas as matérias.

A ESTRADA PERDIDA

O nome do pai de Alboin, *Oswin*, é "significativo": ós "deus" e *wine* "amigo" (ver IV. 241, 247); o pai de Elendil era *Valandil* (p. 76). Deve-se permitir que haja uma possibilidade de que *Errol* esteja associado de alguma maneira a *Eriol* (o nome dos Elfos para Ælfwine, o marinheiro, IV. 206).*

A lenda lombarda

Os lombardos ("longas-barbas": latim *Langobardi*, inglês antigo *Long-beardan*) eram um povo germânico renomado por sua ferocidade. De seus lares ancestrais na Escandinávia eles rumaram para o sul, mas se sabe muito pouco acerca de sua história antes de meados do século VI. Naquela época, o seu rei era *Audoin* [Audoíno], a forma de seu nome na *Historia Langobardorum*, escrita pelo erudito Paulo, o Diácono, que morreu por volta de 790. *Audoin* e o nome em inglês antigo Éadwine (posteriormente *Edwin*) apresentam uma correspondência exata, são historicamente o mesmo nome (o inglês antigo ēa derivou do ditongo original *au*). Quanto ao significado de ēad, ver p. 59, e cf. Éadwine como um nome para os Noldor em inglês antigo, IV. 246–47.

O filho de Audoin era *Alboin* [Alboíno], que mais uma vez corresponde exatamente ao inglês antigo *Ælfwine* (*Elwin*). A história que Oswin Errol contou ao filho (p. 49) é conhecida pela obra de Paulo, o Diácono. Na grande batalha entre os lombardos e outro povo germânico, os gépidas, Alboíno, filho de Audoíno, matou Turismodo, filho do rei gépida Turisindo, em combate singular; e quando os lombardos retornaram para casa após a vitória, pediram a Audoíno que desse ao filho a distinção de um companheiro de sua mesa, visto que fora pelo valor dele que saíram vitoriosos. Mas isso Audoíno não quis fazer, pois, disse ele, "não é o costume entre nós que o filho do rei se sente com o pai antes de primeiro ter recebido armas do rei de algum outro povo". Quando Alboíno ouviu isso, partiu com quarenta jovens dos lombardos e foi até o rei Turisindo para lhe pedir esta honraria. Turisindo o recebeu, convidou-o para o banquete e o sentou à sua direita, onde seu finado filho Turismodo costumava sentar-se.

---

* Cabe mencionar que não há intenção de sugerir um tom professoral de distância no modo frequente de Oswin Errol dirigir-se a Alboin como "garoto". Meu pai frequentemente usava a palavra com os filhos como um termo de amizade e afeto.

Porém, no decorrer do banquete, Turisindo começou a pensar na morte do filho e, vendo Alboíno, seu assassino, no mesmo lugar, seu pesar veio à tona em palavras: "Muito me é agradável o assento", disse ele, "mas difícil é olhar para aquele que se senta nele". Instigado por essas palavras, o segundo filho do rei, Cunimundo, começou a injuriar os convidados lombardos; insultos foram trocados de ambos os lados, e espadas foram agarradas. No entanto, quando estavam quase chegando às vias de fato, Turisindo saltou da mesa, colocou-se entre os gépidas e os lombardos e ameaçou punir o primeiro homem que começasse a luta. Assim, ele acalmou a querela; e, tomando as armas de seu finado filho, entregou-as a Alboíno, e o enviou de volta em segurança ao reino de seu pai.

Há um consenso de que por trás dessa história em prosa latina de Paulo, o Diácono, assim como também por trás de sua história da morte de Alboíno, há uma balada heroica: o vestígio mais antigo desse tipo de poesia germânica que possuímos.

Audoíno morreu cerca de dez anos após a batalha, e Alboíno tornou-se rei dos lombardos em 565. Uma segunda batalha foi travada contra os gépidas, na qual Alboíno matou o rei deles, Cunimundo, e fez da filha deste, Rosamunda, prisioneira. Na Páscoa de 568, Alboíno partiu visando conquistar a Itália; e em 572 foi assassinado. Na história contada por Paulo, o Diácono, em um banquete em Verona Alboíno deu à sua rainha Rosamunda vinho para beber em uma taça feita do crânio do rei Cunimundo, e a convidou para beber alegremente com o seu pai ("e se isso parecer a alguém impossível", escreveu Paulo, "afirmo que falo a verdade em Cristo: vi o príncipe [Radgisl] com essa mesma taça na mão em um dia de festividade e a mostrando àqueles sentados à mesa com ele").

Aqui Oswin Errol encerrou a história, e não contou ao filho como Rosamunda se vingou. O resultado de suas maquinações foi que Alboíno foi assassinado em sua cama, e seu corpo foi enterrado "na subida da escadaria que fica próxima ao palácio", em meio a grande lamentação por parte dos lombardos. Seu túmulo foi aberto na época de Paulo, o Diácono, por Gilberto *dux Veronensium*, que tomou a espada de Alboíno e outros petrechos que foram enterrados com ele; "donde costumava gabar-se ao ignorante com sua vanidade de que vira Alboíno face a face".

A fama desse rei formidável era tamanha que, nas palavras de Paulo, "mesmo em nossos dias, entre os bávaros e os saxões e

A ESTRADA PERDIDA

outros povos de fala afim, sua generosidade e renome, seu sucesso e coragem na guerra são celebrados nas canções deles". Uma evidência extraordinária desse fato encontra-se no antigo poema inglês *Widsith*, onde ocorrem os seguintes versos:

> Swylce ic wæs on Eatule mid Ælfwine:
> se hæfde moncynnes mine gefræge
> leohteste hond lofes to wyrcenne,
> heortan unhneaweste hringa gedales,
> beorhta beaga, beam Eadwines.

(Eu estava na Itália com Alboíno: de todos os homens de quem já ouvi falar ele tinha a mão mais prestes para feitos de louvor, o coração menos avaro ao presentear anéis, braceletes reluzentes, o filho de Audoíno.)[*]

Na carta de meu pai de 1964 (citada nas pp. 13–4), ele escreveu como se tivesse sido sua intenção encontrar uma das primeiras encarnações do pai e do filho na história lombarda: "Começava com uma afinidade de pai e filho entre Edwin e Elwin do presente e deveria retornar à época lendária através de um Eädwine e Ælfwine por volta de 918 d.C., *e Audoin e Alboin das lendas lombardas...*". Mas não há indicação de que na época essa era mais do que uma ideia passageira; ver abaixo, pp. 94–5.

Os dois ingleses chamados Ælfwine (p. 50). O filho mais novo do Rei Alfredo era chamado Etelverdo [Æthelweard], e foi registrado no século XII pelo historiador Guilherme de Malmesbury que os filhos de Etelverdo, Elfwine [Ælfwine] e Etelwine [Æthelwine], tombaram na batalha de Brunanburh em 937.

---

[*] O coração generoso de Alboíno, a mão prestes para feitos de louvor, causaram uma impressão diferente na população afetada da Itália no século VI. Das muralhas de Roma, o Papa Gregório, o Grande, observou homens sendo levados pelos "inefáveis lombardos", amarrados juntos pelo pescoço para serem vendidos como escravos; e em uma de suas cartas ele recebeu de bom grado o advento da peste bubônica, pois "quando levamos em consideração o modo como outros homens morreram, encontramos consolo ao refletirmos sobre a forma de morte que nos ameaça. Que mutilações, que crueldades vimos infligidas sobre homens, para as quais a morte é a única cura, e em meio às quais a vida é uma tortura!"

A ESTRADA PERDIDA E OUTROS ESCRITOS

Anos mais tarde, meu pai celebrou o Ælfwine que morreu em Maldon em *O Regresso de Beorhtnoth*, onde Torhthelm e Tídwald encontram o seu corpo entre os mortos: "E Ælfwine está aqui: barba que mal brota e não se bate mais".

A referência de Oswin Errol a um "substrato" (p. 52). Colocado de maneira muito simples, a teoria do substrato atribui grande importância, como uma explicação para as mudanças linguísticas, à influência exercida em uma língua quando um povo abandona a sua própria fala e adota outra; pois tal povo mantém os seus modos habituais de articulação e os transfere para a nova língua, criando assim um substrato subjacente. Logo, diferentes substratos que atuam sobre uma língua muito difundida em diferentes áreas são considerados uma causa fundamental de mudanças fonéticas divergentes.

Os versos em inglês antigo de Ælfwine Wídlást (p. 57). Esses versos, em forma idêntica, a não ser por certas características da grafia, foram usados nas folhas de rosto do *Quenta Silmarillion* (p. 240); ver também p. 127.

Nomes e palavras em idiomas élficos. No decorrer de todo o texto, o termo *eressëano* foi uma substituição de *númenóreano*. Compare-se talvez QdN II, §2: "Contudo, eles [os Númenóreanos] adotaram a fala dos Elfos do Reino Abençoado, como era e é em Eressëa". O termo "latim-élfico", aplicado por Alboin ao "eressëano" (pp. 54, 56), é encontrado no *Lhammas* (p. 203). Lá ele se refere à fala arcaica da Primeira Gente dos Elfos (os Lindar), que "se tornou fixa cedo... como um idioma de alta fala e de escrita, e como uma fala comum entre todos os Elfos; e todo o povo de Valinor aprendia e sabia esse idioma". Era chamada de *qenya*, a língua élfica, *tarquesta*, alta-fala, e *parmalambë*, a língua dos livros. Mas não é explicado em *A Estrada Perdida* por que Alboin deveria ter chamado o idioma que lhe "chegara" por esse termo.

Amon-ereb (p. 51): o rascunho dessa passagem possuía *Amon Gwareth*, alterado mais de uma vez e terminando com *Amon Thoros*. *Amon Ereb* (o Monte Solitário) é encontrado nos *Anais de Beleriand* (p. 171, anal 340) e em QS §113.

"Nas costas de *Beleriand*" (p. 51): o rascunho possui aqui "nas rochas da *Falassë*". A forma *Falassë* ocorre no mapa IV do *Ambarkanta* (IV. 293).

A ESTRADA PERDIDA

"*Alda* era uma árvore (uma palavra que recebi há muito tempo)" (p. 54). *Alda* "árvore" é encontrada no "dicionário" mais antigo (I. 301), onde também ocorre a palavra *lómë*, que Alboin também menciona aqui, com os significados de "ocaso, treva, escuridão" (I. 308).

Anar, Isil e *Anor, Ithil* (p. 54): em QS §75, os nomes do Sol e da Lua dados pelos Deuses são Úrin e *Isil* e, pelos Elfos, *Anar* e *Rana* (ver o comentário àquela passagem).

O fragmento eressëano acerca da Queda de Númenor e da Rota Reta (pp. 60–1) é um pouco diferente no texto do rascunho:

> *Ar Sauron lende nūmenorenna... lantie nu huine... ohtakárie valannar... manwe ilu terhante. eari lantier kilyanna nūmenor atalante... malle tēra lende nūmenna, ilya si maller raikar. Turkildi rómenna... nuruhuine me lumna.*
>
> *E Sauron chegou a-Númenor... caiu sob Sombra... guerra-fez aos-
> -Poderes... ? ? partiu. mares caíram no-Abismo. Númenor tombou. rota reta ia para oeste, todas agora rotas curvadas. ? para leste. Sombra-da-morte nos é-pesada.*

O nome *Tar-kalion* não está presente aqui, mas *Sauron* sim (ver p. 9), e é interpretado como sendo um nome. De forma mais notável, essa versão possui *manwe* (que Alboin não conseguiu interpretar) no lugar de *herunūmen* "Senhor-do-Oeste" da posterior; ver a respeito na p. 92.

Quanto ao nome *Herendil* (= Audoin, Eadwine), ver as *Etimologias*, radical KHER.

(ii)

Os capítulos númenóreanos

Meu pai disse em sua carta de 1964 sobre o assunto que "em minha *história chegaríamos por fim* a Amandil e Elendil, líderes do partido leal em Númenor, quando esta caiu sob o domínio de Sauron". No entanto, está claro que ele só chegou a esse conceito *após* a narrativa existente em sua maior parte estar escrita, ou mesmo levada até o ponto em que foi abandonada. No final do Capítulo II, a história númenóreana obviamente está prestes a começar, e os capítulos númenóreanos foram originalmente numerados de forma contínua com os de abertura. Por outro lado, a decisão de adiar Númenor e torná-la a conclusão e o clímax do livro já havia sido tomada quando *A Estrada Perdida* foi para a Allen & Unwin em novembro de 1937.

Como o episódio númenóreano foi deixado inacabado, este é um ponto conveniente para mencionar uma anotação que meu pai presumivelmente fez enquanto a história estava em andamento. A anotação diz que, quando a primeira "aventura" (isto é, Númenor) acaba, "Alboin ainda se encontra precisamente em sua poltrona, e Audoin está acabando de fechar a porta".

Com o adiamento de Númenor, os números dos capítulos foram alterados, mas isso não tem importância e, portanto, numero estes como "III" e "IV"; eles não possuem títulos. Neste caso achei mais conveniente anotar o texto com notas numeradas.

Capítulo III

Elendil estava caminhando em seu jardim, mas não para admirar a beleza deste à luz do entardecer. Ele estava preocupado e sua mente estava voltada para dentro. Sua casa, com sua torre branca e telhado dourado, brilhava às suas costas ao pôr do sol, mas seus olhos estavam no caminho diante de seus pés. Ele estava descendo até a praia, para banhar-se nas lagoas azuis da angra além de onde terminava o jardim, como era o seu costume naquela hora. E também esperava encontrar seu filho Herendil lá. Era chegada a hora em que deveria falar com ele.

Chegou por fim à grande sebe de *lavaralda*[1] que cercava o jardim em sua extremidade inferior, a oeste. Era uma visão familiar, mas os anos não podiam lhe diminuir a beleza. Fazia sete dozenas de anos[2] ou mais desde que a plantara pessoalmente ao planejar o seu jardim antes do casamento; e ele agradecera a sua boa sorte. Pois as sementes tinham vindo de Eressëa no Oeste distante, de onde navios chegavam raras vezes já naqueles dias, e agora não vinham mais. Mas o espírito daquela terra abençoada e de seu belo povo ainda permanecia nas árvores que haviam crescido daquelas sementes: suas longas folhas verdes eram douradas na parte de baixo, e quando uma brisa vinda da água as agitava, elas sussurravam com um som de muitas vozes baixas, e reluziam como raios de sol nas ondas encrespadas. As flores eram claras com um resplendor amarelo, densamente agrupadas nos galhos como neve iluminada pelo sol; e seu odor tomava conta de todo o jardim inferior, tênue, mas distinto. Marinheiros antigamente diziam que o perfume da *lavaralda* podia ser sentido no ar muito antes de a terra de Eressëa ser avistada, e que ele causava um desejo de descanso e grande contentamento. Elendil vira as árvores em flor dia após dia, pois elas deixavam de florir apenas muito raramente. Mas agora, de repente, ao passar, o perfume o atingiu com uma fragrância potente, ao mesmo tempo conhecida e totalmente estranha. Pareceu por um momento jamais tê-la sentido: penetrou as preocupações de sua mente, desconcertante, trazendo não um contentamento familiar, mas uma nova inquietação.

"Eressëa, Eressëa!", disse ele. "Queria estar lá; e não ter sido destinado a habitar em Númenor[3] a meio caminho entre os mundos. E menos ainda nestes dias de perplexidade!"

Ele passou por baixo de um arco de folhas brilhantes, e desceu depressa os degraus talhados nas rochas até a praia branca. Elendil olhou à sua volta, mas não conseguia ver o filho. Uma imagem surgiu em sua mente do corpo branco de Herendil, forte e belo no início da idade adulta, cortando a água, ou deitado na areia reluzindo ao sol. Mas Herendil não estava ali, e a praia parecia estranhamente vazia.

Elendil lá ficou e divisou a angra e suas paredes rochosas mais uma vez; e, enquanto olhava, seus olhos se ergueram por acaso até a própria casa entre árvores e flores nas encostas acima da praia, branca e dourada, brilhando ao pôr do sol. Deteve-se e contemplou: pois, de repente, lá se encontrava uma casa, como algo ao mesmo tempo real e visionário, como algo em algum outro tempo e história, belo, amado, porém estranho, despertando um desejo como se fosse parte de um mistério que ainda estava oculto. Elendil não conseguia interpretar a sensação.

Ele suspirou. "Creio que seja a ameaça de guerra que me faz olhar para coisas belas com tamanha inquietação", pensou. "A sombra do medo está entre nós e o sol, e todas as coisas se parecem como se já estivessem perdidas. Contudo, são estranhamente belas vistas assim. Não sei. Fico me questionando. A Númenórë! Espero que as árvores floresçam em teus montes nos anos por vir como florescem agora; e suas torres hão de se erguer brancas à Lua e fulvas ao Sol. Quisera não fosse esperança, mas certeza — aquela certeza que costumávamos ter antes da Sombra. Mas onde está

A ESTRADA PERDIDA E OUTROS ESCRITOS

Herendil? Preciso vê-lo e lhe falar, mais claramente do que falei até então. Antes que seja tarde demais. O tempo urge."

"Herendil!", chamou ele, e sua voz ecoou ao longo da costa baixa acima do som suave do cair das ondas. "Herendil!"

E mesmo ao chamá-lo, parecia ouvir a própria voz, e notar que ela era forte e curiosamente melodiosa. "Herendil!", tornou a chamar.

Por fim houve uma resposta: uma voz jovem muito nítida vinda de certa distância dali — como um sino do fundo de uma caverna. *"Man-ie, atto, man-ie?"*

Por um breve momento, a Elendil as palavras pareceram estranhas. *"Man-ie, atto?* O que é, pai?" Então a sensação passou.

"Onde estás?"

"Aqui!"

"Não consigo te ver."

"Estou no alto da muralha, olhando para ti."

Elendil olhou para cima; e então subiu depressa outra escadaria de degraus de pedra na extremidade norte da angra. Chegou a um ponto aplanado e nivelado no topo da escarpa saliente de rocha. Ali havia espaço para deitar-se ao sol, ou para sentar-se em um amplo assento de pedra encostado no penhasco, de cuja face descia uma cascata de talos rastejantes repletos de grinaldas de flores azuis e prateadas. Deitado na pedra com as mãos no queixo havia um jovem. Ele olhava para o mar, e não virou a cabeça quando seu pai se aproximou e sentou-se no assento.

"Com o que sonhas, Herendil, que teus ouvidos não ouvem?"

"Estou pensando, não sonhando. Não sou mais uma criança."

"Sei que não és", disse Elendil; "e por essa razão eu queria te encontrar e falar contigo. Amiúde estás fora e ao largo, e é tão raro ter-te em casa nestes dias."

Ele olhou para o corpo branco diante de si. Era-lhe caro, e belo. Herendil estava nu, pois estivera mergulhando do ponto elevado, mergulhador destemido que era e orgulhoso de sua habilidade. Pareceu de súbito a Elendil que o rapaz crescera da noite para o dia, quase sem ser percebido.

"Como cresceste", disse ele. "Tens o feitio de um homem poderoso, e quase terminou a feitura."

"Por que zombas de mim?", perguntou o garoto. "Sabes que sou moreno, e menor do que a maioria dos outros de minha idade. E isso é um incômodo para mim. Mal chego aos ombros de Almáriel, cujos cabelos são de ouro brilhante, e ela é uma donzela, e da minha idade. Afirmamos que somos do sangue de reis, mas te digo que os filhos dos teus amigos zombam de mim e me chamam de Terendul[4] — delgado e moreno; e dizem que tenho sangue eressëano, ou que sou meio-Noldo. E isso não é dito com amor nestes dias. É só um passo de ser chamado de meio-Gnomo para ser chamado de temente a Deuses; e isso é perigoso."[5]

Elendil suspirou. "Então deve ter se tornado perigoso ser o filho daquele que é chamado *elendil*; pois isso leva a *Valandil*, Amigo--dos-Deuses, que foi o pai de teu pai."[6]

Fez-se silêncio. Por fim Herendil tornou a falar: "De quem dizes que nosso rei, Tarkalion, descende?"

"De Eärendel, o marinheiro, filho de Tuor, o magno, que se perdeu nestes mares."[7]

"Por que então não pode o rei fazer como Eärendel, de quem veio? Dizem que ele deveria segui-lo e terminar o trabalho dele."

"O que achas que querem dizer com isso? Para onde ele haveria de ir, e completar qual obra?"

"Tu sabes. Eärendel não viajou ao extremo Oeste e pisou naquela terra que nos é proibida? Ele não morre, ou assim dizem as canções."

"O que chamas de Morte? Ele não retornou. Ele abandonou todos a quem amava, antes de pisar naquela costa.[8] Ele salvou sua gente ao perdê-los."

"Os Deuses se iraram com ele?"

"Quem há de saber? Pois ele não voltou. Mas ele não ousou aquele feito para servir Melko, e sim para derrotá-lo; para libertar os homens de Melko, não dos Senhores; para nos conquistar a terra, não a plaga dos Senhores. E os Senhores ouviram o seu rogo e levantaram-se contra Melko. E a terra é nossa."

"Dizem agora que a história foi alterada pelos Eressëanos, que são escravos dos Senhores: que, em verdade, Eärendel era um aventureiro, e nos mostrou o caminho, e que os Senhores o tomaram como prisioneiro por essa razão; e que a obra dele encontra-se forçosamente inacabada. Portanto, o filho de Eärendel, nosso rei, deveria terminá-la. Eles desejam levar a cabo o que há muito foi deixado incompleto."

"E o que é?"

"Tu sabes: pisar no extremo Oeste, e não recuar. Conquistar novos reinos para a nossa raça, e aliviar a pressão desta ilha povoada, onde cada estrada é por demais trilhada, e cada árvore e folha de grama, contadas. Serem livres, e mestres do mundo. Escapar da sombra da uniformidade, e do término. Faríamos de nosso rei o Senhor do Oeste: *Nuaran Númenóren*.[9] A morte aqui chega lenta e raramente; porém, chega. A terra é apenas uma gaiola adornada para se parecer com o Paraíso."

"Sim, assim ouvi outros dizerem", disse Elendil. "Mas o que sabes tu do Paraíso? Vê, nossas palavras errantes chegaram sem guia ao ponto do meu propósito. Mas me aflige descobrir que teu ânimo é dessa sorte, embora eu temesse que assim pudesse ser. Tu és meu único filho varão, e meu filho mais querido, e gostaria que estivéssemos de acordo em todas as nossas escolhas. Mas escolher devemos, tu assim como eu — pois no teu último aniversário te tornaste sujeito a armas e ao serviço do rei. Devemos escolher entre Sauron e os Senhores (ou Aquele Mais Elevado). Tu sabes, suponho, que nem todos os corações em Númenor se voltam para Sauron?"

"Sim. Há tolos mesmo em Númenor", disse Herendil, em voz baixa. "Mas por que falas de tais coisas neste lugar aberto? Desejas me causar mal?"

"Não causo mal algum", disse Elendil. "Isto nos é imposto: a escolha entre dois males — os primeiros frutos da guerra. Mas vê, Herendil! A nossa é uma casa de sabedoria e cauto saber; e por muito tempo foi venerada por isso. Segui meu pai, como pude. Tu me segues? Que sabes da história do mundo ou de Númenor? Tens apenas quatro dozenas,[10] e eras apenas um menino quando Sauron chegou. Não compreendes como eram os dias antes disso. Não podes escolher em ignorância."

"Mas outros de mais idade e conhecimento do que os meus — ou os teus — escolheram", replicou Herendil. "E eles dizem que a história os confirma, e que Sauron lançou uma nova luz sobre a história. Sauron conhece a história, toda a história."

"Sauron conhece, de fato; mas ele distorce o conhecimento. Sauron é um mentiroso!" A raiva crescente fez com que Elendil erguesse a voz à medida que falava. As palavras ressoaram como um desafio.

"Estás louco", disse seu filho, virando-se por fim de lado e encarando Elendil, com horror e medo nos olhos. "Não me diga tais coisas! Eles podem, podem..."

"Quem são *eles*, e o que poderiam fazer?", perguntou Elendil, mas um medo gélido passou dos olhos do filho ao seu próprio coração.

"Não perguntes! E não fales — tão alto!" Herendil virou-se, e ficou deitado com o rosto enfiado nas mãos. "Sabes que é perigoso — para todos nós. O que quer que seja, Sauron é poderoso, e tem ouvidos. Temo as masmorras. E te amo, eu te amo. *Atarinya tye-meláne.*"

Atarinya tye-meláne, meu pai, eu te amo: as palavras soaram estranhas, mas doces — atingiram o coração de Elendil. "*A yonya inye tye-méla*: e eu também, meu filho, te amo", disse ele, sentindo cada sílaba estranha, mas vívida, ao dizê-las. "Mas entremos! É tarde demais para banhar-se. O sol quase se pôs. Brilha lá para o Oeste nos jardins dos Deuses. Mas o crepúsculo e a escuridão estão chegando aqui, e a escuridão não mais é salubre nesta terra. Vamos para casa. Preciso contar-te e pedir-te muito esta noite — detrás de portas fechadas, onde talvez te sintas mais seguro." Ele olhou para o mar, que amava, ansiando por banhar o corpo nele, como que para lavar o cansaço e a preocupação. Mas a noite estava chegando.

O sol baixara, e mergulhava depressa no mar. Fez-se fogo nas ondas distantes, mas esvanecia quase que de pronto ao acender-se. Um vento gélido soprou de súbito do Oeste agitando a água amarela longe da costa. Acima da borda iluminada pelo fogo nuvens escuras se ergueram; estenderam grandes asas, ao norte e ao sul, e pareciam ameaçar a terra.

Elendil estremeceu. "Vê, as águias do Senhor do Oeste estão vindo com uma ameaça a Númenor", murmurou ele.

"O que dizes?", perguntou Herendil. "Não foi decretado que o rei de Númenor há de ser chamado Senhor do Oeste?"

"Foi decretado pelo rei; mas isso não faz que assim seja de fato", respondeu Elendil. "Mas eu não pretendia dar voz ao agouro de meu coração. Vamos!"

A luz desaparecia depressa enquanto subiam os caminhos do jardim entre flores pálidas e luminosas no crepúsculo. As árvores exalavam doces perfumes noturnos. Um *lómelindë* começou a gorjear à beira de uma lagoa.

Acima deles erguia-se a casa. As paredes brancas cintilavam como se o luar estivesse aprisionado em sua substância; mas ainda não havia lua, somente uma luz fria, difusa e sem sombra. Através do céu límpido como vidro frágil pequenas estrelas fincavam suas chamas brancas. Uma voz vinda de uma janela alta desceu como prata até a lagoa de crepúsculo onde caminhavam. Elendil conhecia a voz: ela a voz de Fíriel, uma donzela de sua casa, filha de Orontor. Seu coração pesou, pois Fíriel estava habitando em sua casa porque Orontor havia partido. Os homens diziam que ele estava numa longa viagem. Outros diziam que fugira do desprazer do rei. Elendil sabia que ele se encontrava em uma missão da qual poderia jamais retornar, ou retornar tarde demais.[11] E ele amava Orontor e Fíriel era bela.

Agora voz dela cantava uma canção de anoitecer na língua eressëana, mas composta por homens, há muito tempo. O rouxinol se calou. Elendil parou para escutar; e as palavras lhe chegaram, distantes e estranhas, como alguma melodia numa fala arcaica cantada com pesar num crepúsculo esquecido nos primórdios da jornada do homem pelo mundo.

> *Ilu Ilúvatar EN káre eldain a fírimoin*
> *ar antaróta mannar Valion: númessier. . . . .*

O Pai fez o Mundo para elfos e mortais, e o entregou nas mãos dos Senhores, que estão no Oeste.

Assim cantou Fíriel no alto, até sua voz baixar com tristeza à pergunta com a qual a canção terminava: "*man táre antáva nin Ilúvatar, Ilúvatar, enyáre tar i tyel íre Anarinya qeluva?* O que há Ilúvatar, ó Ilúvatar, de me dar naquele dia além do fim, quando meu Sol findar?"[12]

"*E man antaváro?* O que ele há de dar realmente?", disse Elendil; e ficou a remoer pensamentos sombrios.

"Ela não deveria cantar aquela canção de uma janela", disse Herendil, rompendo o silêncio. "Cantam de outro modo agora. Melko retorna, dizem, e o rei há de nos dar o Sol para sempre."

"Sei o que dizem", disse Elendil. "Não o digas ao teu pai, nem na casa dele." Ele entrou por uma porta escura, e Herendil, encolhendo os ombros, seguiu-o.

Capítulo IV

Herendil estava deitado no chão, estendido aos pés do pai sobre um tapete tecido com um padrão de aves douradas e plantas entrelaçadas com flores azuis. Tinha a cabeça apoiada nas mãos. Seu pai estava sentado em sua cadeira de pedra com as mãos inertes sobre os braços, os olhos voltados para o fogo que ardia na lareira. Não estava frio, mas o fogo que era chamado de "o coração da casa" (*hon-maren*)[13] queimava sempre naquele recinto. Era ademais uma proteção contra a noite, que homens já começavam a temer.

Mas entrava um ar fresco pela janela, doce e com o perfume de flores. Através dela podia ser visto, para além das espiras de árvores inertes, o oceano ocidental, prateado sob a Lua, que agora ligeiro seguia o Sol até os jardins dos Deuses. No silêncio da noite, as palavras de Elendil soavam baixas. Enquanto falava, ele ouvia, como se outro contasse uma história há muito esquecida.[14]

"Há[15] Ilúvatar, o Uno; e há os Poderes, dos quais o mais velho no pensamento de Ilúvatar era Alkar, o Radiante;[16] e há os Primogênitos da Terra, os Eldar, que não perecem enquanto o Mundo dura; e há também os Nascidos-depois, Homens mortais, que são os filhos de Ilúvatar, e, no entanto, encontram-se sob a governança dos Senhores. Ilúvatar concebeu o Mundo, e revelou o seu desígnio aos Poderes; e, destes, alguns ele apontou para serem Valar, Senhores do Mundo e governantes das coisas que lá existem. Mas Alkar, que viajara sozinho pelo Vazio antes do Mundo, buscando ser livre, desejava que o Mundo fosse um reino seu. Portanto, ele desceu ao mundo como um fogo cadente; e fez guerra aos Senhores, seus irmãos. Mas eles estabeleceram suas mansões no Oeste, em Valinor, e o encerraram para fora; e o enfrentaram em batalha no Norte, e o prenderam, e o Mundo teve paz e tornou-se por demais belo.

"Após uma grande era, veio a se dar que Alkar suplicou perdão; e submeteu-se a Manwë, senhor dos Poderes, e foi libertado. Mas ele tramou contra seus irmãos, e enganou os Primogênitos que habitavam em Valinor, de maneira que muitos se rebelaram e foram exilados do Reino Abençoado. E Alkar destruiu as luzes de Valinor e fugiu para a noite; e ele se tornou um espírito sombrio e terrível, e foi chamado de Morgoth, e estabeleceu o seu domínio na Terra-média. Mas os Valar fizeram a Lua para os Primogênitos e o Sol para os Homens para pôr em confusão a Escuridão do Inimigo. E naquele tempo, ao surgir do Sol, os Nascidos-depois, que são os Homens, surgiram no Leste do mundo; mas eles caíram sob a sombra do Inimigo. Naqueles dias, os exilados dos Primogênitos fizeram guerra a Morgoth; e três casas dos Pais de Homens juntaram-se aos Primogênitos: a casa de Bëor, e a casa de Haleth, e a casa de Hador. Pois essas casas não eram sujeitas a Morgoth. Porém Morgoth teve a vitória, e tudo arruinou.

"Eärendel era o filho de Tuor, filho de Huor, filho de Gumlin, filho de Hador; e sua mãe era dos Primogênitos, filha de Turgon, último rei dos Exilados. Ele partiu por sobre o Grande Mar, e chegou por fim ao reino dos Senhores, e às montanhas do Oeste. E ele renunciou a todos que amava, sua esposa e seu filho, e toda a sua gente, quer dos Primogênitos, quer dos Homens; e desnudou--se.[17] E entregou-se a Manwë, Senhor do Oeste; e submeteu-se a ele e lhe suplicou. E ele foi levado e nunca mais veio ter entre os Homens. Mas os Senhores se apiedaram, e enviaram o seu poder, e a guerra foi retomada no Norte, e a terra foi partida; mas Morgoth foi sobrepujado. E os Senhores o mandaram para o Vazio exterior.

"E eles chamaram os Exilados dos Primogênitos e os perdoaram; e aqueles que retornaram habitam desde então em ventura em Eressëa, a Ilha Solitária, que é Avallon, pois está à vista de Valinor e da luz do Reino Abençoado. E para os homens das Três Casas eles fizeram Vinya, a Nova Terra, a oeste da Terra-média no meio do Grande Mar, e a chamaram de Andor, a Terra da Dádiva; e dotaram a terra e todos que lá viveram depois de um bem maior do que de outras terras dos mortais. Mas na Terra-média habitavam homens menores, que não conheciam os Senhores nem os Primogênitos, exceto por rumores; e entre eles havia alguns que serviram Morgoth outrora, e eram amaldiçoados. E havia seres malignos sobre a terra, feitos por Morgoth nos dias de seu domínio, demônios e dragões e arremedos das criaturas de Ilúvatar.[18] E lá também se esconderam muitos de seus serviçais, espíritos de mal, que sua vontade ainda governava embora sua presença não mais estivesse entre eles. E desses Sauron era o principal, e seu poder cresceu. Donde a sorte dos homens na Terra-média era má, pois os Primogênitos que permaneceram entre eles minguaram ou partiram para o Oeste, e sua gente, os homens de Númenor, estavam distantes e iam apenas às costas em navios que atravessavam o Grande Mar. Mas Sauron tomou conhecimento dos navios de Andor, e os temia, com receio de que homens livres se tornassem senhores da Terra-média e libertassem sua gente; e, movido pela vontade de Morgoth, ele tramou destruir Andor, e arruinar (se pudesse) Avallon e Valinor.[19]

"Mas por que haveríamos de ser enganados, e nos tornar os instrumentos de sua vontade? Não foi ele, mas sim Manwë, o belo, Senhor do Oeste, que nos dotou com nossas riquezas. Nossa sabedoria vem dos Senhores, e dos Primogênitos que os veem face a face; e nos tornamos altivos e maiores do que outros de nossa raça — aqueles que serviram Morgoth outrora. Temos conhecimento, poder e vida mais resistente do que eles. Ainda não caímos. Donde o domínio do mundo é nosso, e haverá de ser, desde Eressëa até o Leste. Mais que isso nenhum mortal pode ter."

"Exceto escapar da Morte", disse Herendil, erguendo o rosto para o do pai. "E da uniformidade. Dizem que Valinor, onde os Senhores habitam, não possui limites."

"Não dizem a verdade. Pois todas as coisas no mundo possuem um fim, uma vez que o próprio mundo é contido, para que não possa ser Vazio. Mas a Morte não é decretada pelos Senhores: ela é a dádiva do Uno, e uma dádiva que no desgastar do tempo mesmo os Senhores do Oeste hão de invejar.[20] Assim os sábios de outrora disseram. E embora talvez não possamos mais compreender aquela palavra, ao menos possuímos sabedoria suficiente para saber que não podemos escapar, a não ser para um destino pior."

"Mas o decreto de que nós de Númenor não podemos pisar nas praias dos Imortais, ou andar por sua terra — é apenas um decreto de Manwë e seus irmãos. Por que não haveríamos de fazer isso? O ar lá dá vida duradoura, dizem."

"Talvez dê", disse Elendil; "e talvez seja apenas o ar que precisem aqueles já que possuem vida duradoura. Para nós talvez seja a morte, ou a loucura."

"Mas por que não haveríamos de experimentá-lo? Os Eressëanos vão para lá, e ainda assim nossos marinheiros de outrora costumavam se demorar em Eressëa sem prejuízo."

"Os Eressëanos não são como nós. Eles não possuem a dádiva da morte. Mas de que serve discutir a governança do mundo? Toda certeza está perdida. Não é cantado que a terra foi feita para nós, mas que não podemos desfazê-la? E quer gostemos ou não, podemos nos lembrar que haveremos de deixá-la. Os Primogênitos não nos chamam de Hóspedes? Vê o que esse espírito de desassossego já causou. Aqui, quando eu era jovem, não havia males da mente. A Morte chegava tarde e sem outra dor além do cansaço. Dos Eressëanos obtivemos tantas coisas de beleza que nossa terra tornou-se quase tão bela quanto a deles; e talvez mais bela a corações mortais. Diz-se que outrora os próprios Senhores por vezes caminhavam nos jardins que nomeamos em homenagem a eles.

A ESTRADA PERDIDA E OUTROS ESCRITOS

Lá pusemos suas efígies, feitas pelos Eressëanos que os contemplaram, como os retratos de amigos amados.

"Não havia templos nesta terra. Mas na Montanha falávamos ao Uno, que não possui efígie. Era um local sacro, intocado por artes mortais. Então Sauron veio. Por muito tempo ouvimos rumores sobre ele dos marinheiros que retornavam do Leste. As histórias diferiam: alguns diziam que ele era um rei maior do que o rei de Númenor; alguns diziam que era um dos Poderes, ou de sua prole, enviado para governar a Terra-média. Alguns relatavam que ele era um espírito maligno, quiçá o próprio Morgoth retornado; mas ríamos desses.[21]

"Parece que rumores também lhe chegaram sobre nós. Não faz muitos anos — três dozenas e oito[22] —, mas parecem muitos desde que ele aqui chegou. Tu eras apenas um menino, e não sabia então o que acontecia no leste desta terra, longe de nosso lar no oeste. Tarkalion, o rei, foi persuadido por rumores sobre Sauron, e enviou uma missão para descobrir que verdade havia nos contos dos marinheiros. Muitos conselheiros o dissuadiram. Meu pai me contou, e ele era um deles, que aqueles que eram mais sábios e tinha maior conhecimento do Oeste receberam mensagens dos Senhores advertindo-os a terem cuidado. Pois os Senhores disseram que Sauron obraria o mal; mas ele não poderia vir para cá a não ser que fosse convocado.[23] Tarkalion tornou-se soberbo, e não aceitava poder algum na Terra-média maior do que o seu próprio. Portanto, os navios foram enviados, e Sauron foi convocado a lhe render homenagens.

"Vigias foram colocados no porto de Moriondë no leste da terra,[24] onde as rochas são escuras, aguardando por ordem do rei sem cessar o retorno dos navios. Era noite, mas havia uma Lua brilhante. Avistaram navios ao longe, e pareciam rumar para oeste a uma velocidade maior do que a tempestade, embora houvesse pouco vento. De repente, o mar ficou agitado; ergueu-se até se tornar como uma montanha, e rolou por sobre a terra. Os navios foram erguidos, e lançados terra adentro, e pousaram nos campos. Naquele navio que foi lançado mais alto e desceu seco sobre uma colina havia um homem, ou alguém na forma de um homem, mas maior do que qualquer um mesmo da raça de Númenor em estatura.

"Pôs-se de pé na rocha[25] e disse: 'Isso foi feito como um sinal de poder. Pois sou Sauron, o magno, serviçal do Forte' (e assim falou sombriamente). 'Aqui cheguei. Alegrai-vos, homens de Númenor, pois tomarei vosso rei para ser meu rei, e o mundo há de ser entregue na mão dele.'

"E pareceu aos homens que Sauron era grande; embora temessem a luz em seus olhos. A muitos ele pareceu belo, a outros, terrível; porém, a alguns, maligno. Mas o levaram ao rei, e ele se humilhou diante de Tarkalion.

"E vê o que aconteceu desde então, passo a passo. A princípio ele revelou apenas segredos de ofícios, e ensinou a feitura de muitas coisas poderosas e maravilhosas; e elas pareceram boas. Nossos navios agora navegam sem o vento, e muitos são feitos de metal que percorre rochas ocultas, e não afundam na calmaria ou na tempestade; mas não são mais belos de aparência. Nossas torres ficam cada vez mais resistentes e mais elevadas, mas a beleza elas deixam para trás no solo. Nós que não temos inimigos estamos preparados para o combate com fortalezas inexpugnáveis — e a maioria no Oeste. Nossas armas se multiplicam como que para uma guerra perene, e os homens estão deixando de dar amor ou atenção à feitura de outras coisas para serem usadas ou desfrutadas. Mas nossos escudos são impenetráveis, nossas espadas não podem ser resistidas, nossos dardos são como trovão e atravessam milhas certeiros. Onde estão nossos inimigos? Começamos a matar uns aos outros. Pois Númenor agora parece exígua, ela que antes era tão grande. Os homens cobiçam, portanto, as terras que outras famílias possuem há muito tempo. Eles se afligem como homens a ferros.

"Donde Sauron tem pregado libertação; diz ao nosso rei para que estenda a sua mão em direção ao Império. Ontem era sobre o Leste. Amanhã — será sobre o Oeste.

"Não tínhamos templos. Mas agora a Montanha foi despojada. Suas árvores foram derrubadas, e encontra-se desnuda; e em seu cume há um Templo. É feito de mármore, e de ouro, e de vidro e aço, e é notável, porém terrível. Homem algum ora lá. O Templo aguarda. Por muito tempo Sauron não nomeou seu mestre pelo nome que desde antigamente é maldito aqui. Falava a princípio do Forte, do Poder Mais Antigo, do Mestre. Mas agora ele fala abertamente de Alkar,[26] de Morgoth. Profetizou o seu retorno. O Templo há se ser sua morada. Númenor há de ser o centro do domínio do mundo. Enquanto isso, Sauron lá habita. Ele divisa a nossa terra da Montanha, e está acima do rei, o próprio orgulhoso Tarkalion, da linhagem escolhida pelos Senhores, a semente de Eärendel.

"Ainda assim, Morgoth não vem. Mas sua sombra veio; ela jaz sobre os corações e mentes dos homens. Está entre eles e o Sol, e tudo o que se encontra abaixo dele."

"Há uma sombra?", perguntou Herendil. "Não a vi. Mas ouvi outros falarem dela; e dizem que é a sombra da Morte. Porém, Sauron não a trouxe; ele promete que há de nos salvar dela."

"Há uma sombra, mas é a sombra do medo da Morte, e a sombra da cobiça. Mas há também uma sombra de mal mais sombrio. Não mais vemos o nosso rei. Seu desprazer recai sobre homens, e eles partem; estão lá à noite, e pela manhã já não se encontram. O ar livre não é seguro; paredes são perigosas. Mesmo junto ao coração da casa espiões podem se sentar. E há prisões, e câmaras subterrâneas. Há tormentos; e há ritos malignos. As matas à noite, que outrora eram belas — homens vagavam e dormiam lá por prazer, quando tu eras criança —, estão repletas agora de horror. Mesmo os nossos jardins não ficam completamente imaculados, após o sol se pôr. E agora mesmo durante o dia fumaça sobe do templo: flores e relva murcham onde ela baixa. As canções antigas estão esquecidas ou alteradas; distorcidas em outros significados."

"Sim: as que se aprende dia a dia", disse Herendil. "Mas algumas das novas canções são vigorosas e encorajadoras. Contudo, sei agora que alguns nos aconselham a abandonar a língua antiga. Dizem que devemos deixar o eressëano e reviver a fala ancestral dos Homens. Sauron a ensina. Com isso, ao menos, creio que ele não faz bem."

"Sauron nos engana duplamente. Pois os homens aprenderam línguas com os Primogênitos, e, portanto, se de fato voltássemos aos primórdios, encontraríamos não os dialetos maljeitosos dos homens selvagens, nem a fala simples de nossos pais, mas sim a língua dos Primogênitos. Mas o eressëano é de todas as línguas dos Primogênitos a mais bela, e eles a usam em colóquio com os Senhores, e ela une suas variadas gentes umas às outras, e eles a nós. Se abandonarmos a língua, ficaremos separados deles, e empobrecidos.[27] Sem dúvida é isso o que ele pretende. Mas a malícia dele não tem fim. Escuta agora, Herendil, e atenta. Aproxima-se a hora em que todo esse mal dará um fruto amargo, caso não seja podado. Havemos de esperar que o fruto esteja maduro, ou de cortar a árvore e lançá-la ao fogo?"

Herendil levantou-se de súbito, e foi até a janela. "Está frio, pai", disse ele; "e a Lua se foi. Acredito que o jardim esteja vazio.

As árvores crescem perto demais da casa." Ele puxou um pesado pano bordado de um lado ao outro da janela e então retornou, agachando-se ao lado do fogo, como que acometido por um calafrio repentino.

Elendil inclinou-se para frente na cadeira, e continuou em voz baixa. "O rei e a rainha estão envelhecendo, embora nem todos saibam, pois são vistos raras vezes. Perguntam onde está a vida eterna que Sauron lhes prometeu caso construíssem o Templo para Morgoth. O Templo está construído, mas eles estão envelhecidos. Porém, Sauron previu isso, e ouvi dizer (já se espalhou o sussurro) que ele afirma que a mercê de Morgoth é retida pelos Senhores, e não pode ser cumprida enquanto eles barrarem o caminho. Para conquistar a vida, Tarkalion deve conquistar o Oeste.[28] Vemos agora o propósito das torres e das armas. Já se fala da guerra — apesar de não darem nome ao inimigo. Mas te digo: é sabido por muitos a guerra irá para oeste até Eressëa — e além. Percebes a extremidade de nosso perigo, e da loucura do rei? Contudo, essa sina aproxima-se ligeira. Nossos navios são chamados de volta dos [?cantos] da terra. Não notaste e te espantaste por tantos estarem ausentes, especialmente os da gente mais jovem, e por no Sul e no Oeste de nossa terra tanto obras como passatempos definham? Num porto secreto no Norte há construções e forjaduras que me foram relatadas por mensageiros de confiança."

"Relatadas a ti? Que queres dizer, pai?", perguntou Herendil, como que temeroso.

"Exatamente o que disse. Por que me olhas com tamanha estranheza? Pensavas que o filho de Valandil, principal dos sábios de Númenor, seria enganado pelas mentiras de um serviçal de Morgoth? Eu não faltaria com fidelidade ao rei, nem proponho algo que lhe cause mal. A casa de Eärendel tem a minha lealdade enquanto eu viver. Mas se devo escolher entre Sauron e Manwë, então tudo mais deve vir depois. Não me curvarei a Sauron, nem ao seu mestre."

"Mas falas como se tu fosses um líder nessa questão — ai de mim, pois te amo; e embora tenhas jurado lealdade, ela não te salvará do perigo de traição. Até mesmo desaprovar Sauron é considerado rebeldia."

"Sou um líder, meu filho. E tenho em conta o perigo tanto para mim como para ti e para todos a quem amo. Faço o que é

A ESTRADA PERDIDA E OUTROS ESCRITOS

certo e meu direito de fazer, mas não posso mais ocultar de ti. Deves escolher entre teu pai e Sauron. Mas te dou liberdade de escolha e não imponho sobre ti qualquer obediência para com um pai, caso eu não tenha convencido tua mente e teu coração. Hás de ser livre para ficar ou ir, sim, mesmo relatar como te parecer bom tudo o que eu disse. Mas se ficares e aprenderes mais, o que envolverá conselhos mais secretos e outros [?nomes] além do meu, então ficarás obrigado por honra a manter-te quedo, aconteça o que acontecer. Ficarás?"

"*Atarinya tye-meláne*", disse Herendil de súbito, e, agarrando os joelhos do pai, deitou a [?cabeça ali] e chorou. "É uma hora maligna que [?impôs] tal escolha sobre ti", disse seu pai, colocando uma mão na cabeça do filho. "Mas o destino logo chama alguns a serem homens. Que dizes?"

"Eu fico, pai."

A narrativa termina aqui. Não há razão para pensar que algo mais tenha sido escrito. O manuscrito, que se torna cada vez mais rápido perto do fim, termina em rabiscos.

Notas sobre os capítulos Númenóreanos de A Estrada Perdida

1 *Lavaralda* (em substituição a *lavarin*) não é mencionada em *Uma Descrição da Ilha de Númenor* (*Contos Inacabados*, p. 232) entre as árvores trazidas pelos Eldar de Tol-eressëa.

2 *sete dozenas de anos* é uma emenda de *quatro vintenas de anos* (escrito inicialmente *três vintenas de anos*); ver nota 10.

3 *Vinya* foi escrita acima de *Númenor* no manuscrito; ela ocorre novamente em uma parte do texto que foi reescrita (p. 81), traduzida como "a Nova Terra". O nome apareceu pela primeira vez em uma emenda de QdN I (p. 28, §2).

4 Quanto a *Terendul*, ver as *Etimologias*, radical TER, TERES.

5 Tal como o texto foi originalmente escrito, a seguir vinha o seguinte trecho:

Poldor me chamou de *Eärendel* ontem."

Elendil suspirou. "Mas esse é um belo nome. Amo essa história acima de todas; de fato escolhi teu nome porque lembrava o dele. Mas não tive a presunção de dar o nome dele mesmo a ti, nem de me comparar a Tuor, o magno, que dos Homens foi o primeiro a navegar estes mares. Ao menos podes responder teus amigos tolos que Eärendel foi o principal dos marinheiros, e por certo isso ainda é considerado digno de honra em Númenor, não?"

"Mas eles não se importam com Eärendel. E nem eu. Desejamos levar a cabo o que foi deixado incompleto."

"Que querer dizer?"

"Tu sabes: pisar no extremo Oeste..." (etc. como na p. 77).

A ESTRADA PERDIDA

[6] Essa é a primeira aparição de um Númenóreano chamado *Valandil*. Numa reescrita posterior de QdN II, Valandil é irmão de Elendil, e eles são os fundadores dos reinos númenóreanos na Terra-média (pp. 46–7). O nome mais tarde foi dado tanto a um Númenóreano mais antigo (o primeiro Senhor de Andúnië) como a um posterior (o filho mais novo de Isildur e terceiro Rei de Arnor): Índice Remissivo de *Contos Inacabados*, verbetes *Valandil* e referências.

[7] No *Quenta* (IV. 173) não é contado que Tuor se "perdeu". Quando sentiu a velhice insinuar-se nele, ele "construiu um grande navio, Eärámë, Ala de Águia, e com Idril içou vela na direção do pôr do sol e do Oeste, e não constou mais de qualquer história ou canção". Posteriormente o seguinte trecho foi acrescentado (IV. 177): "Mas Tuor apenas, entre os homens Mortais, foi contado entre a raça mais antiga e unido aos Noldoli, a quem amava, e depois disso habitava ainda, ou assim se diz, em seu navio, viajando pelos mares das Terras-élficas, ou descansando por um tempo nos portos dos Gnomos de Tol Eressëa; e seu destino foi separado do destino dos Homens".

[8] Essa é a forma final no *Quenta* do desembarque de Eärendel em Valinor, onde em emendas feitas no segundo texto Q II (IV. 177) Eärendel "disse adeus a todos que amava na última costa, e foi apartado deles para sempre", e "Elwing pranteou Eärendel; contudo, nunca mais o achou, e eles estão separados até que o mundo finde". Posteriormente, Elendil retoma de forma mais completa o assunto (p. 80). No QS a história é mais uma vez alterada, fazendo com que Elwing entrasse em Valinor (ver pp. 389–90, §§1–2, e comentário).

[9] *Nuaran Númenóren*: as letras ór foram riscadas (somente) no texto datilografado.

[10] *Tens apenas quatro dozenas* substituiu *Mal tens duas vintenas e dez*. Como na alteração registrada na nota 2, uma contagem duodecimal substitui uma decimal; mas em ambos os casos o número de anos é muito estranho. Pois Herendil foi chamado de "garoto", "rapaz" e "jovem", e ele se encontra "no início da idade adulta" (p. 74); como, então, ele pode ter quarenta e oito anos? Mas a sua idade é dada de forma inequívoca, e, além disso, Elendil diz depois (p. 83) que faz 44 anos desde que Sauron chegou e que Herendil na época era um menino; portanto, podemos apenas concluir que nessa época a longevidade dos Númenóreanos implicava que eles cresciam e envelheciam numa velocidade diferente daquela de outros homens, e não se tornavam completamente adultos antes de por volta dos cinquenta anos. Cf. *Contos Inacabados*, pp. 305–06.

[11] A missão de Orontor, da qual ele pode jamais retornar, parece uma premonição da viagem de Amandil ao Oeste, da qual ele jamais retornou (*Akallabêth*, pp. 361–62).

[12] O manuscrito (seguido do texto datilografado) é confuso aqui, uma vez que, além do texto como impresso, a canção inteira que Fíriel cantou também é apresentada, com uma tradução; assim, os dois versos iniciais e os dois finais e suas traduções são repetidos. No entanto, está claro por marcações a lápis no manuscrito que meu pai passou de imediato a uma segunda versão (omitindo a maior parte da canção) sem riscar a primeira.

O texto da canção foi emendado em três estágios. Alterações feitas muito próximo à época da composição foram *Valion númenyaron* (traduzido "dos Senhores do Oeste") > *Valion: númessier* no verso 2, e *hondo-ninya* > *indo-ninya* no verso 9; *Vinya* foi escrita acima de *Númenor* como uma alternativa no verso 8 (cf. nota 3). Antes das emendas tardias, o texto era o seguinte:

A ESTRADA PERDIDA E OUTROS ESCRITOS

Ilu Ilúvatar EN kárẹ eldain a fírimoin
ar antaróta mannar Valion: númessier.
Toi aina, mána, meldielto – enga morion:
talantie. Mardello Melko lende: márie.
Eldain EN kárier Isil, NAN hildin Úr-anar.
Toi írimar. Ilqainen antar annar lestanen
Ilúvatáren. Ilu vanya, fanya, eari,
i-mar, ar ilqa ímen. Írima ye Númenor.
Nan úye sére indo-ninya símen, ullume;
ten sí ye tyelma, yéva tyel ar i-narqelion,
írẹ ilqa yéva nótina, hostainiéva, yallume:
ananta úva táre fárea, ufárea!
Man táre antáva nin Ilúvatar, Ilúvatar
enyárẹ tar i tyel, írẹ Anarinya qeluva?

O Pai fez o Mundo para Elfos e Mortais, e o entregou nas mãos dos Senhores.
Eles estão no Oeste. São sacros, abençoados, e amados: salvo pelo sombrio. Ele
é caído. Melko partiu da Terra: isso é bom. Para os Elfos eles fizeram a Lua,
mas, para os Homens, o Sol vermelho; que são belos. A todos eles deram em
medida as dádivas de Ilúvatar. O Mundo é belo, o céu, os mares, a terra, e tudo
o que há neles. Encantadora é Númenor. Mas meu coração não descansa aqui
para sempre; pois aqui há término, e haverá um fim e o Desvanecer, quando
tudo estiver contado, e tudo estiver enumerado enfim, mas ainda assim não
será suficiente, não o bastante. O que há o Pai, ó Pai, de me dar naquele dia
além do fim, quando meu Sol findar?

Subsequentemente, *Mardello Melko* no verso 4 foi alterado para *Melko
Mardello*, e os versos 5–6 tornaram-se

En kárielto eldain Isil, hildin Úr-anar.
Toi írimar. Ilyain antalto annar lestanen

Então, após o texto datilografado ter sido feito, *Melko* foi alterado para *Alkar*
no texto e na tradução; ver nota 15.

A ideia dos versos 5–6 da canção reaparece nas palavras de Elendil a
Herendil posteriormente (p. 80): "Mas os Valar fizeram a Lua para os Primogênitos e o Sol para os Homens para pôr em confusão a Escuridão do Inimigo". Cf. QS §75 (*O Silmarillion*, p. 145): "Pois o Sol foi disposto como um
sinal do despertar dos Homens e do esvanecer dos Elfos, mas a Lua acalenta a
memória deles".

[13] Quanto a *hon-maren* "coração da casa", ver as *Etimologias*, radical KHO-N.

[14] Aqui o texto datilografado feito na Allen & Unwin (p. 14, nota de rodapé)
termina. O leitor da editora (ver p. 120) disse que "somente os dois capítulos
preliminares... e um dos últimos capítulos... foram escritos". Pode-se supor
que o texto datilografado terminava naquele ponto porque nada mais havia
sido escrito naquela época, mas não acho que foi essa a razão. No ponto em que
o texto datilografado é interrompido (no meio de uma página manuscrita) não
há nenhum indício de qualquer interrupção na composição, e parece muito
mais provável que o datilógrafo simplesmente desistiu, pois o manuscrito aqui
se torna confuso e difícil pelas reescritas e substituições.

A ESTRADA PERDIDA

Nas partes anteriores de *A Estrada Perdida*, apliquei todas as correções no manuscrito, por mais ligeiras e leves que tenham sido feitas, visto que todas aparecem no texto datilografado. A partir desse ponto não há evidências externas para indicar quando as emendas a lápis foram feitas; contudo, continuo a aplicá-las no texto como antes.

[15] A longa narrativa contada por Elendil a Herendil sobre a história antiga, desde "Há Ilúvatar, o Uno" até "e arruinar (se pudesse) Avallon e Valinor" na p. 81, é uma substituição da passagem original muito mais breve. O texto substituto deve ser posterior ao envio de *A Estrada Perdida* à Allen & Unwin, pois Morgoth é chamado aqui de *Alkar* conforme o texto foi escrito inicialmente, não de *Melko*, enquanto na canção cantada por Fíriel no capítulo anterior *Melko* só foi alterado a lápis para *Alkar*, e essa mudança não foi aplicada ao texto datilografado. A passagem original diz o seguinte:

> Ele falou da rebelião de Melko [*posteriormente* > Alkar *e subsequentemente*], mais magno dos Poderes, que teve início na feitura do Mundo; e de sua rejeição pelos Senhores do Oeste após ter obrado o mal no Reino Abençoado e causado o exílio dos Eldar, os primogênitos da terra, que habitavam agora em Eressëa. Contou da tirania de Melko na Terra-média, e como ele escravizara os Homens; das guerras que os Eldar travaram com ele, e foram derrotados, e dos Pais de Homens que os auxiliaram; como Eärendel levou a súplica deles aos Senhores, e Melko foi sobrepujado e empurrado para além dos confins do Mundo.
>
> Elendil fez uma pausa e olhou para Herendil. Ele não se mexeu, nem fez qualquer sinal. Portanto, Elendil prosseguiu. "Não percebes então, Herendil, que Morgoth é um causador de males, e que levou o pesar aos nossos pais? Não lhe devemos lealdade, exceto pelo medo. Pois de seu quinhão da governança do Mundo ele foi despojado há muito tempo. Tampouco necessitamos de ter esperança nele: os pais de nossa raça eram seus inimigos; donde não podemos esperar amor dele ou de quaisquer de seus serviçais. Morgoth não perdoa. Mas ele não pode retornar ao Mundo em presentes poder e forma enquanto os Senhores estiverem em seus tronos. Ele está no Vazio, embora sua Vontade permaneça e guie seus serviçais. E sua vontade é sobrepujar os Senhores, e retornar, e reter domínio, e vingar-se daqueles que obedecem aos Senhores.
>
> "Mas por que haveríamos de ser enganados..." (etc. como na p. 81).

As últimas frases ("Mas ele não pode retornar ao Mundo...") ecoam de perto, ou talvez sejam ecoadas de perto, por (ver nota 25) uma passagem em QdN II (§1).

[16] Em QS §10, é dito que Melko era "coevo de Manwë". Creio que o nome *Alkar*, "o Radiante", para Melko não ocorra em nenhum outro lugar fora desse texto.

[17] Ver nota 8. A referência ao *filho* de Eärendel indica que Elros ainda não havia surgido, tal como não havia surgido em QdN II (p. 47).

[18] "arremedos das criaturas de Ilúvatar": cf. QdN II §1 e comentário.

[19] Aqui a longa passagem substituta termina (ver nota 15), embora tal como escrita ela continuasse com basicamente as mesmas palavras da forma anterior ("Pois Morgoth não pode retornar ao Mundo enquanto os Senhores estiverem em seus tronos..."); essa passagem foi posteriormente riscada.

90

A ESTRADA PERDIDA E OUTROS ESCRITOS

[20] As palavras "uma dádiva que no desgastar do tempo mesmo os Senhores do Oeste hão de invejar" foram um acréscimo a lápis ao texto, e são a primeira aparição dessa ideia: uma expressão bastante similar encontra-se em um texto do *Ainulindalë* escrito anos depois (cf. *O Silmarillion*, p. 72: "A morte é sua sina, o dom de Ilúvatar, o qual, conforme se desgasta o Tempo, até os Poderes hão de invejar").

[21] Cf. QdN II, §5: "Alguns diziam que ele era um rei maior do que o Rei de Númenor; alguns diziam que era um dos Deuses ou de seus filhos, enviado para governar a Terra-média. Alguns relatavam que ele era um espírito maligno, quiçá o próprio Morgoth retornado. Mas isso era considerado apenas como uma fábula tola dos Homens selvagens".

[22] Esse cálculo duodecimal encontra-se no texto conforme escrito; ver nota 10.

[23] Cf. QdN II §5: "pois [os Senhores] disseram que Sauron obraria o mal caso viesse; porém, ele não podia vir a Númenor a não ser convocado e guiado pelos mensageiros do rei".

[24] Creio que o nome *Moriondë* não ocorre em nenhum outro lugar. O porto no leste sem dúvida é o precursor de Rómenna.

[25] Essa é a história da chegada de Sauron a Númenor encontrada em QdN II §5, que foi substituída logo após por uma versão na qual o içamento dos navios por uma grande onda e seu lançamento terra adentro foram removidos; ver pp. 16, 37–8. Na primeira versão de QdN II, o mar ergueu-se como uma *montanha*, o navio que levava Sauron foi colocado sobre uma *colina*, e Sauron postou-se na colina para pregar a sua mensagem aos Númenóreanos. Em *A Estrada Perdida*, o mar ergueu-se como uma *colina*, alterada a lápis para *montanha*, o navio de Sauron foi lançado sobre uma *rocha elevada*, alterada a lápis para *colina*, e Sauron falou de pé na rocha (que permaneceu inalterada). Vejo essas como as melhores evidências de que, dessas duas obras associadas (ver notas 15, 21 e 23), *A Estrada Perdida* foi escrita primeiro.

[26] *Alkar*: alteração a lápis de *Melko*: ver nota 15.

[27] Quanto ao eressëano ("latim-élfico", qenya), a fala comum de todos os Elfos, ver p. 71. A presente passagem é a primeira aparição da ideia de um componente linguístico no ataque do "governo" númenóreano à cultura e influência eressëanas; cf. *A Linhagem de Elros* em *Contos Inacabados* (pp. 302–03), a respeito de Ar-Adûnakhôr, o vigésimo governante de Númenor: "Foi o primeiro Rei a assumir o cetro com um título na língua adûnaica... Nesse reinado, as línguas-élficas não foram mais usadas, nem se permitiu que fossem ensinadas, mas foram mantidas em segredo pelos Fiéis"; e a respeito de Ar-Gimilzôr, o vigésimo terceiro governante: "Proibiu totalmente o uso das línguas eldarin" (de maneira muito similar no *Akallabêth*, p. 352). Mas, é claro, na época de *A Estrada Perdida* a ideia do adûnaico como um dos idiomas de Númenor não havia surgido, e a proposta é apenas de que "a fala ancestral dos Homens" devia ser "revivida".

[28] Isso remonta a QdN I §6: "Sûr disse que as dádivas de Morgoth eram vedadas pelos Deuses, e que para obter a plenitude do poder e a vida imortal ele [o rei Angor] devia ser mestre do Oeste".

A ESTRADA PERDIDA

Existem várias páginas de anotações que dão alguma ideia dos pensamentos de meu pai — em determinado estágio — para a continuação da história além do ponto em que ele a abandonou. Essas em alguns pontos são bastante ilegíveis e, em todo caso, eram concomitantes a ideias que mudavam rapidamente: são os vestígios de pensamentos, não afirmações de conceitos formulados. E, ainda mais importante, pelo menos algumas dessas anotações claramente precederam a narrativa que foi de fato escrita e foram empregadas nela, ou substituídas por algo diferente, e é bem possível que isso se aplique a todas elas, mesmo aquelas que se referem à parte posterior da história que nunca foi escrita. Mas elas deixam bem claro que meu pai estava preocupado acima de tudo com a relação entre o pai e o filho, que era fundamental. Em Númenor, ele engendrara uma situação em que havia o potencial de conflito angustiante entre eles, totalmente incompatível com a harmonia pacífica com que os Errols começavam — ou terminavam. O relacionamento de Elendil e Herendil foi sujeitado a uma profunda ameaça. Esse conflito poderia ter muitos problemas narrativos dentro da estrutura do evento conhecido, o ataque a Valinor e a Queda de Númenor, e nessas anotações meu pai estava simplesmente esboçando algumas soluções, nenhuma das quais ele desenvolveu ou a elas retornou.

Uma questão aparentemente secundária era as palavras "as Águias do Senhor do Oeste": o que significavam, e como se encaixavam na história? Parece que ele estava tão intrigado por elas quanto Alboin Errol ao usá-las (pp. 50, 61). Ele indaga se "Senhor do Oeste" significa o Rei de Númenor, ou Manwë, ou se é o título propriamente de Manwë, mas tomado à sua revelia pelo Rei; e conclui: "provavelmente este último". Segue-se um "cenário" no qual Sorontur, Rei das Águias, é enviado por Manwë, e Sorontur, voando conta o sol, lança uma grande sombra sobre o solo. Foi então que Elendil pronunciou a frase, mas as palavras foram escutadas, relatadas, e ele foi levado diante de Tarkalion, que declarou que o título era seu. Na história tal como escrita de fato, Elendil fala as palavras a Herendil (p. 78) quando vê as nuvens erguendo-se do Oeste no céu do entardecer e estendendo "grandes asas" — o mesmo espetáculo que fez Alboin Errol dizê-las, e os homens de Númenor no *Akallabêth* (p. 363); e Herendil responde que se decretou que o título pertence ao Rei. O resultado da prisão de Elendil não está claro nas anotações, mas é dito que Herendil recebeu o comando de

A ESTRADA PERDIDA E OUTROS ESCRITOS

um dos navios, que o próprio Elendil juntou-se à grande expedição porque seguiu Herendil, que quando chegaram à Valinor Tarkalion manteve Elendil como refém no navio de seu filho, e que quando desembarcaram nas praias Herendil foi derrubado. Elendil o resgatou e o levou a bordo, e, "perseguidos pelos raios de Tarkalion", velejaram de volta para o leste. "Ao se aproximarem de Númenor, o mundo se curva; e veem a terra deslizar na direção deles"; e Elendil cai nas profundezas e se afoga.* Esse conjunto de anotações termina com referências à chegada dos Númenóreanos à Terra-média, e às "histórias posteriores"; "os navios voadores", "as cavernas pintadas", "como Amigo-dos-Elfos andou pela Rota Reta".

Outras anotações referem-se a planos elaborados pelos "antissaurianos" para um ataque ao Templo, planos revelados por Herendil "com a condição de que Elendil seja poupado"; o ataque é frustrado e Elendil, capturado. Associado a esse tópico ou distinto dele está uma sugestão de que Herendil é detido e aprisionado nas masmorras de Sauron, e de que Elendil renuncia aos Deuses para salvar o filho.

Meu palpite é de que tudo isso foi rejeitado quando a narrativa em si foi escrita, e que as palavras de Herendil que a concluem demonstram que meu pai na ocasião tinha em mente uma solução bastante distinta, na qual Elendil e seu filho permaneciam unidos diante de quaisquer eventos que se abatessem sobre eles.†

Nas narrativas mais antigas não há indícios da duração do reino de Númenor desde sua fundação até a sua ruína; e apenas um rei é nomeado. Em sua conversa com Herendil, Elendil atribui todos os males que ocorreram à chegada de Sauron: eles surgiram, portanto, dentro de pouco tempo (quarenta e quatro anos, p. 83); enquanto no *Akallabêth*, quando uma grande extensão da história

---

* Seria interessante saber se uma anotação provocantemente obscura, escrita de forma isolada, refere-se a essa história vagamente vislumbrada: "Se um falhar com o outro, eles perecem e não retornam. Assim, no último momento Elendil deve prevalecer sobre Herendil para detê-lo, senão teriam perecido. Naquele instante ele se vê como Alboin: e percebe que Elendil e Herendil pereceram".
† Sugeri (pp. 42–3) que, uma vez que Elendil de Númenor aparece em QdN II (§14) como rei em Beleriand, ele devia estar entre aqueles que não participaram da expedição de Tar-kalion e que "permaneceram sentados em seus navios na costa leste da terra" (QdN §9).

93

A ESTRADA PERDIDA

númenóreana já havia transcorrido, esses males começaram muito antes, e são na verdade traçados até o décimo segundo governante, Tar-Ciryatan, o Construtor de Navios, que tomou o cetro quase um milênio e meio antes da Queda (*Akallabêth*, p. 349, *Contos Inacabados*, p. 300).

Das palavras de Elendil no final de *A Estrada Perdida* um cenário sinistro vem à tona: o afastamento do rei transtornado e envelhecido da vista do público, o desaparecimento inexplicado de pessoas impopulares com o "governo", informantes, prisões, torturas, segredos, medo da noite; propaganda na forma da "reescrita da história" (como exemplificada pelas palavras de Herendil acerca do que agora era dito a respeito de Eärendel, p. 76); a multiplicação de armas de guerra, cujo propósito é ocultado, porém é adivinhado; e, por trás de tudo, a terrível figura de Sauron, o verdadeiro poder, divisando toda a terra do alto da Montanha de Númenor. Os ensinamentos de Sauron levaram à invenção de navios de metal que cruzam os mares sem velas, mas que são hediondos aos olhos daqueles que não abandonaram ou não se esqueceram de Tol-eressëa; à construção de fortalezas sombrias e torres desgraciosas; e a mísseis que passam com um barulho como o de trovões e atingem seus alvos a muitas milhas de distância. Além disso, Númenor é vista pelos jovens como superpopulosa, entediante, "conhecida demais": "cada árvore e folha de grama contadas", nas palavras de Herendil; e aparentemente essa causa de descontentamento é usada por Sauron para promover a política de expansão e ambição "imperiais" que ele força sobre o rei. Nessa época, quando meu pai voltou ao mundo do primeiro homem a carregar o nome "Amigo-dos-Elfos", ele encontrou lá uma imagem daquilo que mais condenava e temia no seu próprio mundo.

(iii)

Os capítulos não escritos

Não há como demonstrar se meu pai decidiu alterar a estrutura do livro ao transferir a história númenóreana para o final antes de abandonar o quarto capítulo nas palavras "Eu fico, pai" de Herendil; mas parece perfeitamente possível que a decisão de fato tenha levado ao abandono. Seja como for, em uma folha

94

separada ele escreveu: *"Seguir para trás* até Númenor e torná-la a última", acrescentando uma proposta de que em cada história um homem deveria dizer as palavras sobre as Águias do Senhor do Oeste, mas somente no fim se descobriria o que elas significavam (ver pp. 92–3). Essa frase é seguida por uma rápida anotação de ideias para as histórias que se situariam entre Alboin e Audoin do século XX e Elendil e Herendil em Númenor, mas essas são espantosamente concisas: "História lombarda?"; "uma história nórdica de barco funerário (Vinlândia)"; "uma história inglesa — do homem que entrou na Rota Reta?"; "uma história dos Tuatha-de-Danaan, ou de Tir-NAN-Og" (sobre os quais ver pp. 99–102); uma história a respeito de "cavernas pintadas"; "a Era do Gelo — grandes figuras em gelo", e "Antes da Era do Gelo: a história de Galdor"; "pós--Beleriand e a história do ataque de Elendil e Gil-galad a Thû"; e, por fim, "a história de Númenor". A uma dessas, a "história inglesa do homem que entrou na Rota Reta", foi anexada uma anotação mais extensa, escrita muito rapidamente:

> Mas ela serviria melhor como introdução aos Contos Perdidos: Como Ælfwine navegou pela Rota Reta. Eles seguiram navegando por sobre o mar; e ficou muito claro e muito calmo — sem nuvens, sem vento. A água parecia tênue e branca abaixo deles. Olhando para baixo, Ælfwine de repente avistou terras e mt (*isto é*, montanhas *ou* uma montanha] na água brilhando ao sol. Suas dificuldades de respirar. Seus companheiros pulam no mar um por um. Ælfwine cai desacordado quando sente uma maravilhosa fragrância como de uma terra e de flores. Ao despertar, depara-se com o navio sendo puxado por pessoas que caminham na água. Contam-lhe que pouquíssimos homens em mil anos conseguem respirar o ar de Eressëa (que é Avallon), mas *nenhum* o de mais além. Assim, ele chega à Eressëa e lhe são contados os Contos Perdidos.

As palavras "História de Sceaf e Scyld" foram escritas a lápis junto a essa anotação; e creio que foi apenas aqui que surgiu a ideia do episódio anglo-saxão (e essa foi a única de todas essas projeções que chegou perto de ser levada adiante).

Essa anotação é de particular interesse por mostrar meu pai combinando a antiga história da viagem de Ælfwine a Tol-eressëa

A ESTRADA PERDIDA

e a contação dos *Contos Perdidos* com a ideia do Mundo Tornado Redondo e o Caminho Reto, que foi inserida nessa época. Com as palavras acerca da dificuldade de respirar, cf. QdN §12, onde é dito que o Caminho Reto "cortava o ar de alento e voo [Wilwa, Vista], e atravessava Ilmen, que carne alguma pode suportar".

Meu pai então (como creio) esboçou um resumo para a estrutura do livro como agora o antevia. O Capítulo III se chamaria *Um passo para trás: Ælfwine e Eadwine** — a encarnação anglo-saxã do pai e do filho, e com a incorporação da lenda do Rei Feixe; o Capítulo IV, "a lenda irlandesa dos Tuatha-de-Danaan — e o homem mais velho do mundo"; o Capítulo V, "O Norte Pré-histórico: antigos reis encontrados enterrados no gelo"; o Capítulo VI, "Beleriand"; o Capítulo VIII (presumivelmente um deslize para VII), "Elendil e Herendil em Númenor". É interessante ver que agora não há qualquer referência à lenda lombarda como um componente: ver p. 70.

Essa estrutura do resumo foi enviada à Allen & Unwin com o manuscrito e foi incorporada ao texto datilografado feito lá.

Fora o episódio anglo-saxão, o único resquício de material relacionado para alguma das histórias sugeridas é um fragmento extremamente obscuro e rabiscado que parece ser uma parte da "história de Galdor" (p. 95). Nesse fragmento, um certo Agaldor encontra-se numa costa rochosa ao entardecer e vê grandes nuvens aproximando--se, "como as próprias águias do Senhor do Oeste". Ele é tomado por um presságio indefinível ao avistar essas nuvens; e ele se vira e sobe a praia, passando por trás da muralha de terra e indo até as casas, onde luzes já estão acesas. Ele é olhado com desconfiança por homens sentados a uma porta, e, depois que Agaldor se vai, eles falam dele.

"Lá vai Agaldor de novo, vindo de sua conversa com o mar: mais cedo do que de costume", disse um. "Ele tem ido às praias mais do que nunca nos últimos tempos." "Logo há de falar, e profetizar coisas estranhas", disse outro; "e que os Senhores do Oeste ponham palavras mais consoladoras em sua boca do que antes." "Os Senhores do Oeste nada hão de lhe dizer",

---

* Acredito ser quase certo que os títulos dos Capítulos I e II foram inseridos nessa época: quando o manuscrito foi escrito, eles não possuíam títulos.

96

disse um terceiro. "Se alguma vez estiveram na terra ou no mar, eles já partiram desta terra, e o homem é o seu próprio mestre daqui até o nascente. Por que haveríamos de ser incomodados pelos sonhos de um caminhante do crepúsculo? Sua cabeça está cheia deles, e que lá fiquem. Seria de se pensar ao ouvi-lo falar que o mundo terminou na última era, e não que um novo começou, e que estamos vivendo nas ruínas."

"Ele é um da gente antiga, e praticamente o último dos de vida longa nestas regiões", disse outro. "Aqueles que conheceram os Eldar e viram até mesmo os Filhos dos Deuses possuíam uma sabedoria que esquecemos." "Sabedoria eu não sei", disse o outro, "mas pesares certamente em abundância, se alguma das histórias for verdadeira. Não sei (embora duvide). Mas dá-me o Sol. Isso é glória… Gostaria que a vida longa de Agaldor pudesse ser encurtada. É ele que se mantém [??próximo] dessa beira-mar — perto demais da água pesarosa. Gostaria que tivéssemos um líder que nos levasse para o Leste ou para o Sul. Dizem que a terra é dourada nos [??domínios] do Sol."

Aqui o fragmento termina. Agaldor apareceu no resumo original de *A Queda de Númenor*: "Agaldor, chefe de um povo que vive na margem N.O. do Mar do Oeste" (p. 18), e posteriormente naquele texto foi Agaldor que lutou com Thû, embora o nome lá tenha sido alterado à época da composição para Amroth (p. 19). Um trecho parcialmente ilegível rabiscado a lápis no alto da página, onde *Galdor* aparece, parece demonstrar que esse é um fragmento da "história de Galdor"; mas a história aqui é muito diferente.

Galdor é um bom homem [?entre] os exilados (não é um Númenóreano) — não é dos de vida longa, mas sim um profeta. Ele profetiza [??a chegada] dos Númenóreanos e [??a salvação] dos homens. Por isso mantém seus homens à beira-mar. Essa passagem pressagiadora anuncia a Ruína e o Dilúvio. Como ele escapa no dilúvio . . . . . da terra. Os Númenóreanos chegam — mas não aparecem mais como bons, e sim como em rebeldia aos Deuses. Matam Galdor e assumem a chefia.

Há muito pouco sobre o que elucubrar aqui, e não farei quaisquer especulações. A história foi abandonada sem revelar como o elemento Ælfwine-Eadwine seria inserido.

Seguindo agora para "a história de Ælfwine", há várias páginas de anotações muito descuidadas e começos abandonados. Uma dessas páginas consiste em anotações abreviadas feitas com rapidez crescente, como a seguinte:

Ælfwine e Eadwine vivem na época de Eduardo, o Velho, em North Somerset. Ælfwine é arruinado pelas incursões dos dinamarqueses. A cena começa com o ataque (c. 915) a *Portloca* (Portlock) e *Wæced*. Ælfwine aguarda o retorno de Eadwine à noite. (O ataque na verdade historicamente ocorreu no outono, *œt hærfest*).

Conversa de Ælfwine e Eadwine. Eadwine está cansado de tudo aquilo. Ele diz que os dinamarqueses têm mais juízo; sempre seguindo em frente. Eles vão para o *oeste*. Seguem para a Irlanda; enquanto os ingleses ficam sentados como *Wealas* aguardando para serem escravizados.

Eadwine diz que ouviu histórias estranhas acerca da Irlanda. Uma terra no Noroeste repleta de gelo, mas na qual homens podem habitar — eremitas santos foram expulsos por nórdicos. Ælfwine tem objeções cristãs. Eadwine diz que Brandão, o santo, assim o fez séculos antes — e muitos outros, [como] Maelduin. E eles retornaram — não que ele próprio queira retornar. *Insula Deliciarum* — até mesmo o Paraíso.

Ælfwine contesta ao dizer que não se pode chegar ao Paraíso de navio — há águas mais profundas entre nós do que o Garsecg. *As rotas são curvadas*: no fim, volta-se ao lugar de partida. Não há como escapar de navio.

Eadwine diz que não acha que seja verdade — e espera que não seja. Seja como for, os ancestrais deles conquistaram novas terras de navio. Cita a história de *Sceaf*.

Acabam partindo com dez vizinhos. Perseguidos por vikings ao largo de Lundy. O vento os leva para alto-mar, e persiste. Eadwine adoece e diz coisas estranhas. Ælfwine também sonha. Mares revoltosos.

A Rota Reta . . . . . água (ilha dos Açores?) . . . . . ao longe. Ælfwine [?cura ?contém] Eadwine. Crê ser uma visão do delírio. A visão de Eressëa e o som de vozes. Resigna-se a morrer, mas ora por Eadwine. Sensação de estar caindo. Baixam para o mar [?real] e o vento oeste os sopra de volta. Acabam na Irlanda (a implicação é de que eles se *estabelecem* lá, e isso leva a Finntan).

A ESTRADA PERDIDA E OUTROS ESCRITOS

Acrescento algumas anotações a esse resumo abrangente. Eduardo, o Velho, filho mais velho do Rei Alfredo, reinou de 900 a 924. No ano 914, uma grande frota viking, vinda da Bretanha, apareceu no Canal de Bristol, e começou a saquear as terras além do Severn. De acordo com a *Crônica Anglo-Saxã*, os líderes eram dois *jarls* ("duques"), chamados Ohtor e Hroald. Os dinamarqueses foram derrotados em Archenfield (inglês antigo *Ircingafeld*) em Herefordshire e forçados a entregar reféns como garantia de sua partida. O Rei Eduardo pegou em armas com as forças de Wessex no lado sul do estuário do Severn, "de maneira que", nas palavras da *Crônica*, "eles não ousaram atacar a terra em nenhum ponto daquele lado. Ainda assim, por duas vezes avançaram furtivamente por terra à noite, numa ocasião a leste de Watchet, e noutra em Porlock (*æt oprum cierre be eastan Wæced, and æt oprum cierre æt Portlocan*). Foram atacados ambas as vezes, e só escaparam aqueles que nadaram até os navios; e depois disso permaneceram na ilha de Steepholme, até quase não terem o que comer, e muitos morreram de fome. De lá foram para Dyfed [sul de Gales], e de lá para a Irlanda; e isso se deu no outono (*and þis wæs on hærfest*)".

Porlock e Watchet ficam na costa norte de Somerset; a ilha de Steepholme situa-se a nordeste, na foz do Severn. Meu pai manteve esse cenário histórico no rascunho de uma breve narrativa de "Ælfwine" apresentada abaixo, pp. 102–03, e anos mais tarde em *Os Documentos do Club Notion* (1945).

Wealas: os britãos (como distintos dos ingleses ou anglo-saxões); em inglês moderno, *Wales* [Gales], o nome do povo tendo se tornado o nome da terra.

"Uma terra no Noroeste repleta de gelo, mas na qual homens podem habitar — eremitas santos foram expulsos por nórdicos." É certo que, ao final do século VIII (e o quão antes não é possível dizer), viajantes irlandeses haviam chegado à Islândia, em viagens espantosas realizadas em seus barcos chamados *curachs*, feitos de couro sobre uma estrutura de madeira. Esse fato é conhecido pela obra de um monge irlandês chamado Dicuil, que em seu livro *Liber de Mensura Orbis Terrae* (escrito em 825) registrou que

Faz agora trinta anos desde que certos sacerdotes que viviam naquela ilha do primeiro dia de fevereiro ao primeiro dia de agosto me contaram que não apenas no solstício de verão, como também nos dias antes e depois, o sol poente ao entardecer oculta-se como que detrás de uma pequena colina, de maneira que não escurece mesmo pelo mais curto período de tempo, e qualquer tarefa que um homem deseje realizar, mesmo catar piolhos de sua camisa, ele a pode fazer como se estivesse à luz do dia.

Quando os primeiros nórdicos chegaram à Islândia (por volta de 860), havia eremitas irlandeses vivendo lá. Isso foi registrado pelo historiador islandês Ari, o Sábio (1067–1148), que escreveu:

Naquela época, homens cristãos que os nórdicos chamam de *papar* habitavam aqui; mas posteriormente se foram, pois não queriam viver aqui junto com pagãos, e deixaram para trás livros, sinos e crossas irlandeses; donde se podia ver que eram irlandeses.

Muitos locais no sul da Islândia, como Papafjörðr e a ilha de Papey, ainda possuem nomes derivados do irlandês *papar*. Mas nada se sabe acerca de seu destino: eles fugiram, e deixaram para trás seus bens preciosos.

Brendan; Maelduin; Insula Deliciarum. O conceito de uma "terra abençoada" ou de "ilhas venturosas" no Oceano do Oeste é uma característica proeminente das antigas lendas irlandesas: *Tir-NAN-Og*, a terra da juventude; *Hy Bresail*, a ilha venturosa; *Insula Deliciosa*; etc. *Tir-NAN-Og* é mencionada como uma possível história para *A Estrada Perdida*, p. 95.

Brandão, o santo é São Brandão, chamado de o Navegador, fundador da Abadia de Clonfert em Galway, e tema da mais famosa das histórias de viagens marinhas (*imrama*) contadas sobre os primeiros santos irlandeses. Outra é a *Imram Maelduin*, na qual Maelduin e seus companheiros partem da Irlanda em um *curach* e chegam em sua viagem a muitas ilhas em sequência, onde encontram maravilha após maravilha, assim como São Brandão.

O poema *Imram* de meu pai, no qual São Brandão ao final de sua vida recorda as três coisas de que se lembra de sua viagem, foi publicado em 1955, mas originalmente formava uma parte de *Os Documentos do Club Notion*. Muitos antes anos, ele havia escrito um poema (*A Terra Sem Nome*) cujo tema era uma terra paradisíaca "além do Mar Sombrio", no qual Brandão é mencionado. Esse poema e suas formas posteriores são apresentados em uma nota ao final deste capítulo, pp. 121 ss.; à versão final foi anexada uma anotação em prosa acerca da viagem de Ælfwine que possui estreita relação com o final do presente resumo.

Garsecg: o Oceano. Ver II. 377 e nota 19; também o Índice Remissivo do Vol. IV, verbete *Belegar*.

Sceaf: ver pp. 14, 95, 104–05 ss.

Lundy: uma ilha ao largo da costa oeste de Devon.

É lamentável que a última parte desse resumo seja tão ilegível. As palavras após "A Rota Reta" poderiam ser interpretadas como "um mundo como água". Após a misteriosa referência a Açores, a primeira palavra é um substantivo ou nome no plural, e talvez seja seguida por "impelidos".

Finntan: Uma anotação isolada em outro lugar entre esses papéis diz o seguinte: "Ver Lit. Celt. p. 137. Homem mais velho do mundo *Finntann* (*Narkil* Fogo Branco)". A referência vem a ser a uma obra intitulada *The Literature of the Celts* [A Literatura dos Celtas], de Magnus Maclean (1906). Na passagem à qual meu pai se refere, o autor escreveu sobre a história da Irlanda de acordo com cronistas irlandeses medievais:

> Quarenta dias antes do Dilúvio, a Senhora Cæsair, sobrinha ou neta de Noé — é irrelevante qual — com cinquenta moças e três homens chegaram à Irlanda. Essa, somos levados a crer, foi a primeira invasão ou conquista daquela terra. Todos esses se afogaram no Dilúvio, exceto Finntan, o marido da senhora, que escapou ao ser lançado num sono profundo, no qual continuou por um ano, e quando despertou encontrou-se em sua própria casa em Dun Tulcha. . . . Em Dun Tulcha ele viveu por muitas dinastias até o século VI de nossa era, quando ele aparece pela última vez com dezoito companhias de seus descendentes engajado na resolução de uma disputa de fronteiras. Por ser o homem mais velho do mundo, ele era, *ipso facto*, o mais bem informado acerca de antigos marcos.
>
> Após o Dilúvio, uma sucessão de vários povos subiu ao palco da história irlandesa. Primeiro os Partólamos, depois os Nemedianos, Firbolgs, Tuatha Dé Danaan e, por último, os Milesianos,

levando assim a cronologia até a época de Cristo. Desde a chegada dos primeiros desses colonizadores, os Fomorianos ou "Piratas" são representados enfrentando e atormentando o povo. Por vezes ao lado da peste, em outras ao lado dos Firbolgs e Gaileoin e Fir-Domnann, eles arrasavam a terra. Os Partólamos e os Nemedianos não tardaram a serem liquidados. E então surgiram do norte da Europa, ou do céu, como diz um autor, os Tuatha Dé Danann, que na grande batalha de Moytura Sul sobrepujaram os Firbolgs, dispersando-os às ilhas de Aran, Islay, Rathlin e Hébridas, e posteriormente derrotaram os Fomorianos em Moytura Norte, obtendo assim a posse plena da terra.

Os Tuatha Dé Danann são mencionados duas vezes (pp. 95–6) como um possível elemento narrativo em *A Estrada Perdida*.

A única narrativa propriamente dita acerca de Ælfwine dessa época (fora alguns começos abandonados após algumas linhas) é breve e escrita de forma quase ilegível; mas a intenção era usá-la mais tarde, e em alguns pontos foi seguida de perto, em *Os Documentos do Club Notion*.

Ælfwine despertou sobressaltado — estivera dormitando num banco encostado em uma coluna. As vozes o engolfaram como uma torrente. Sentiu que estivera sonhando; e por um momento a fala inglesa ao seu redor soou estranha, embora em sua maior parte fosse a fala suave do oeste de Wessex. Aqui e ali havia homens das Marcas, e alguns falavam de modo singular, usando palavras estranhas à maneira daqueles entre os quais os dinamarqueses habitavam nas terras do leste. Ele olhou para o salão, procurando por seu filho Eadwine. Estava para ter licença da frota, mas ele ainda não havia chegado.

Havia uma grande multidão no salão, pois o Rei Eduardo estava ali. A frota estava no mar de Severn, e a costa sul estava em armas. Os jarls haviam sido derrotados muito ao norte em Irchenfield, mas os navios dinamarqueses ainda se encontravam livres na costa galesa; e os homens de Somerset e Devon estavam alertas.

Ælfwine olhou para o salão. Os rostos dos homens, alguns velhos e cansados, outros jovens e ávidos, estavam obscurecidos, não somente porque a luz das tochas bruxuleava e as velas na mesa elevada derretiam. Ele olhou para além deles. Um vento soprava ao redor da casa; vigas rangiam. O som lhe trouxe de volta antigos anseios que pensava há muito estarem enterrados. Ele nascera no ano em que os dinamarqueses invernaram em Sheppey, e navegara por muitos mares e ouvira muitos ventos desde então. O som do vento oeste e da quebra de mares nas praias sempre lhe foram uma música provocadora. Especialmente na primavera. Mas agora era outono, e, além disso, ele estava envelhecendo. E os mares eram vastos, estando além do poder do homem atravessá-los — a costas desconhecidas: vastos e perigosos. Os rostos dos homens ao seu redor desapareceram e o clamor das vozes mudou. Ele ouviu ondas quebrando nos penhascos negros e as aves marinhas mergulhando e gritando; e neve e granizo caíam. Então os mares se abriram pálidos e vastos; o sol brilhava sobre a terra e o som e cheiro dela ficaram para trás. Ele estava sozinho, seguindo para oeste em direção ao sol poente, com medo e anseio no coração, atraído contra a sua vontade.

Seu sonho foi interrompido por chamados pelo menestrel. "Que Ælfwine cante!", homens gritavam. O rei ordenara que cantasse algo. Ele ergueu a voz e entoou alto, mas como alguém falando apenas consigo próprio:

> Monað modes lust mid mereflode
> forð to feran, þæt ic feor heonan
> ofer hean holmas, ofer hwæles eðel
> elþeodigra eard gesece.
> Nis me to hearpan hyge ne to hringþege
> ne to wife wyn ne to worulde hyht
> ne ymb owiht elles nefne ymb yða gewealc.

"O desejo do meu espírito me urge a sair em jornada por sobre o mar undante, para que longe daqui, através dos morros d'água e do país da baleia, eu possa buscar a terra de estranhos. Não tenho interesse pela harpa, nem por prenda de anel, nem deleite por mulheres, nem alegria no mundo, nem ânsia por nada mais que não o rolar das ondas."

Então se deteve de súbito. Houve algum riso, e alguns escárnios, embora muitos estivessem em silêncio, como que sentindo que as palavras não foram faladas para os seus ouvidos — antigas e

A ESTRADA PERDIDA

familiares como eram, palavras dos antigos poetas que a maioria dos homens ouvira com frequência. "Se ele não tem interesse pela harpa, não precisa esperar [?paga]", disse um. "Há algum mortal aqui que tenha interesse?" "Estamos fartos do mar", disse outro. "Uma temporada de caça de dinamarqueses remediaria o amor da maioria dos homens por ele." "Deixai-o rolar sobre as ondas", disse outro. "Não é preciso muito vela até a... terra galesa, onde o povo é estranho o bastante — e aos dinamarqueses com os quais conversar."

"Paz!", disse um velho sentado perto da soleira da porta. "Ælfwine navegou por mais mares do que vós ouvistes falar; e a língua galesa não lhe é estranha . . . . . Sua esposa era da Cornualha. Ele esteve na Irlanda e no Norte, e, dizem alguns, no mais distante oeste de todas as terras viventes. Deixai-o dizer o que seu ânimo pede." Fez-se um breve silêncio.

O texto termina aqui. A situação histórica é levemente preenchida, com a menção aos *jarls* vikings e sua derrota em *Irchenfield* (Archenfield), sobre a qual ver p. 99. Ælfwine "nascera no ano em que os dinamarqueses invernaram em Sheppey" (a ilha de Sheppey ao largo da costa norte de Kent). A *Crônica Anglo-Saxã* registra no ano 855: *Her hæþne men ærest on Sceapige ofer winter sætun* (Neste ano os pagãos pela primeira vez permaneceram em Sheppey ["Ilha-das-ovelhas"] durante o inverno); mas uma invernada anterior em Thanet foi registrada no ano de 851. Essas invernadas vikings eram um presságio do que estava por vir, um sinal da transição de incursões isoladas seguidas por uma rápida partida para as grandes invasões na época de Etelredo e Alfredo. — Ælfwine, portanto, estava com quase sessenta anos nessa época.

Os versos que Ælfwine entoou foram derivados do poema em inglês antigo conhecido como *The Seafarer* [O Navegante], com a omissão de cinco versos do original após o verso 4, e algumas alterações de fraseado. O terceiro verso é um acréscimo (e tanto em inglês antigo como na tradução está entre colchetes no manuscrito).

Com a referência à esposa de Ælfwine que veio da Cornualha, cf. o antigo conto de *Ælfwine da Inglaterra*, onde sua mãe vinha "do Oeste, de Lionesse" (II. 378).

Parece-me certo que o que viria imediatamente a seguir após o fim dessa breve narrativa seria a lenda do *Rei Feixe*, que em um dos

A ESTRADA PERDIDA E OUTROS ESCRITOS

três textos é colocada na boca de Ælfwine (e que se segue aqui em *Os Documentos do Clube Notion*, embora lá não seja atribuída a Ælfwine). Há tanto uma versão em prosa como uma em verso de *Rei Feixe*; e é bem possível que a versão em prosa, que apresento primeiro, esteja intimamente relacionada com a narrativa de Ælfwine; não há uma ligação real entre elas, mas os dois manuscritos são muito similares.

À praia o navio chegou e avançou pela areia, rangendo sobre o cascalho partido. No crepúsculo, enquanto o sol se punha, homens desceram até ele, e olharam dentro. Um menino jazia ali, adormecido. Era belo de rosto e membros, de cabelos escuros e pele branca, mas trajado em ouro. As partes internas do barco eram adornadas de ouro, uma vasilha de ouro cheia de água límpida estava ao seu lado, [*acrescentado*: à sua direita havia uma harpa,] abaixo de sua cabeça havia um feixe de trigo, cujas hastes e espigas reluziam como ouro no crepúsculo. Os homens não sabiam o que era aquilo. Espantados, puxaram o barco para o alto da praia, e ergueram o menino e o carregaram, e o deitaram adormecido em uma casa de madeira em seu burgo. Eles colocaram guardas ao redor da porta.

Pela manhã, o quarto estava vazio. Mas numa rocha elevada os homens viram o menino de pé. Tinha o feixe nos braços. Quando o sol nascido brilhou, ele começou a cantar numa língua estranha, e ficaram cheios de assombro. Pois eles ainda não haviam ouvido canto, nem visto tamanha beleza. E não tinham rei entre eles, pois seus reis haviam morrido, e não tinham senhor e nem guia. Portanto, tomaram o menino como rei, e o chamaram *Feixe*; e assim é o seu nome lembrado em canção. Pois o seu verdadeiro nome estava oculto e foi esquecido. Contudo, ele ensinou aos homens muitas palavras, e a fala deles foi enriquecida. O ofício das canções e dos versos ele lhes ensinou, e o das runas, e a lavrar a terra e a criar animais, e a feitura de muitas coisas; e em seu tempo as florestas sombrias recuaram e houve abundância, e o trigo cresceu na terra; e as casas entalhadas dos homens ficaram repletas de ouro e tapeçarias ornamentadas. A glória do Rei Feixe espalhou-se por toda parte nas ilhas do Norte. Seus filhos foram muitos e belos, e é cantado que deles vieram os reis de homens dos dinamarqueses do norte e dos dinamarqueses do oeste, dos anglos do sul e dos godos do leste. E no tempo dos Senhores-de-Feixe houve paz nas

A ESTRADA PERDIDA

ilhas, e navios iam desarmados de terra em terra levando tesouros e ricas mercadorias. E um homem podia lançar um anel de ouro na estrada e lá a joia permaneceria até que ele a recolhesse.

Aqueles dias as canções chamam de anos dourados, enquanto o grande moinho de Feixe ainda era guardado na ilha-santuário do Norte; e do moinho vinham grãos dourados, e não havia necessidade em todos os reinos.

Mas veio acontecer, após longos anos, que Feixe convocou seus amigos e conselheiros, e lhes disse que iria partir. Pois a sombra da velhice havia caído sobre ele (vinda do Leste) e ele retornaria para o lugar de onde viera. Então houve grande lamentação. Mas Feixe deitou-se em seu leito dourado, e ficou como alguém em sono profundo; e seus senhores, obedecendo-lhe as ordens enquanto ele ainda governava e tinha comando da fala, colocaram-no em um navio. Foi deitado ao lado do mastro, que era alto, e as velas eram douradas. Tesouros de ouro e de gemas e finas vestimentas e bens valiosos foram dispostos ao lado dele. Sua bandeira dourada esvoaçava-lhe sobre a cabeça. Dessa maneira ele foi vestido mais ricamente do que quando veio ter entre eles; e o empurraram para o mar, e o mar o recebeu, e o navio o levou sem guia para longe até o extremo Oeste, fora da vista ou do pensamento dos homens. Tampouco se sabe quem o recebeu em que porto ao final de sua jornada. Alguns dizem que aquele navio encontrou a Rota Reta. Mas nenhum dos filhos de Feixe seguiu aquele caminho, e muitos no início viveram até uma grande idade, mas, sob a sombra do Leste, foram enterrados em grandes tumbas de pedra ou em montes como colinas verdes; e a maioria desses ficava às margens do mar ocidental, altos e amplos nos ombros terra, de onde os homens podem divisá-los ao conduzir seus navios em meio às sombras do mar.

Esse é um primeiro rascunho, escrito com rapidez e em linhas gerais; mas a forma em verso aliterante é bem-acabada, até onde ela se estende (não vai além da partida de Feixe, e não foi continuada para sua inclusão em *Os Documentos do Club Notion*). Há dois textos da forma em verso: (i) um manuscrito claro no qual o poema foi escrito como prosa, e (ii) um texto mais apressado no qual foi escrito em versos. É difícil concluir qual dos dois foi feito primeiro, mas, seja como for, o poema é quase idêntico nas duas versões, que são obviamente de estreita contemporaneidade. Publico-o aqui em versos,* com as quebras introduzidas a partir dos parágrafos da versão em "prosa". A versão (i) possui um título formal, *Rei Feixe*; a (ii) possui uma narrativa curta de abertura, que poderia muito bem vir após as palavras "Fez-se um breve silêncio" na p. 104.

De repente, Ælfwine fez soar uma nota em sua harpa. "Vede!", gritou, em alto e bom som, e os homens empertigaram-se atentos. "Vede!", gritou ele, e começou a entoar uma história antiga, porém tinha certa ciência de que a estava contando mais uma vez, acrescentando e alterando palavras, não tanto por improvisação como por após uma longa ponderação oculta de si mesmo, agarrando-se aos fragmentos de sonhos e visões.

> Em dias de outrora deu o Oceano
> aos Longobardos, na bela terra
> que em antanho tinham nas nortistas ilhas,
> um barco que passava, com brilho no madeiro,
> sem remo ou mastro, no rumo do leste.
> O sol detrás dele, descendo a oeste,
> com fogo inflamou as faldas da água.
> Subia o vento.   Nas bordas do mundo,
> nuvens grisalhas em anéis se alçavam,
> 10   asas abertas, bastas ondejando,
> qual águias magnas que se movem rumo
> à Terra no leste e trazem agouro.
> Espantaram-se os homens, postados na bruma
> das escuras ilhas nas cavas do tempo:
> riso não tinham, nem arrimo nem luz;
> cobria-lhes a sombra, e abismos e montanhas
> cercavam-nos então, atrozes e sem vida,
> de maligna face.   O Leste era sombrio.
>
> Veio o navio, levado à costa,
> 20   e aportou na praia, até que a proa
> descansou na areia.   O sol se pôs.
> As nuvens cobriram a noite que chegava.

---

* A tradução dos 153 versos de *Rei Feixe* neste volume é de Reinaldo José Lopes [N.E.]

A ESTRADA PERDIDA

Em temor e assombro, à margem d'água
tristes homens trotando vieram
às praias quebradas, buscando o barco
de claro madeiro no ocaso cinzento.
Olharam dentro dele, e ali, dormindo,
um garoto viram a respirar suave:
de faces belas, de forma amável,
30   membros de alabastro, cabelos negros,
tranças com ouro.   Entalhes banhados
com engenho incrível cercavam-no todo.
Em vasilha d'ouro luzente água
ao seu lado havia; lira dourada
com cordas de prata posta em sua mão;
cabeça dormente no abrigo gentil
dum feixe de trigo, fogo pálido
como o ouro fulvo de um país distante
a oeste de Angol.   O êxtase os tomou.

40   O barco puxaram, e à beira da praia
firmaram-no bem, suas mãos erguendo
da nau seu fardo. O menino dormia.
No leito o levaram a seus lares tristes,
de escuras cercas, nas sombras da terra
entre o ermo e o mar.   No alto havia,
em desleixo, vazio, um salão de madeira,
acima das casas.   Ficara tanto assim,
sem sinal de ruído, à noite ou de manhã,
sem ver a luz. Ali o deitaram,
50   com tranca à porta, em repouso sozinho
na vazia treva.   Postaram-se às portas.
A noite se foi, veio novo dia,
a manhã de sempre que assoma na terra;
aos poucos vinha a aurora.   As portas se abriram.
Entraram os homens, mas os deteve o assombro;
com medo, admirados, pararam os vigias.
Vazia estava a casa, deserto o salão;
pessoa não se via no solo deitada,
mas luzente, à cama, a vasilha deixada,
60   seca, sem água, a sós na poeira.

O estranho não estava.   A tristeza os tomou.
Em pesar o buscaram, e no zênite o sol,
no alto firmamento, aos humanos lares
a luz foi trazendo.   Olharam para cima
e, no alto de um monte, alvo e desnudo,
o estranho divisaram; reluzia o ouro
em sua cabeleira, a lira em suas mãos;
a seus pés posta a planta dourada,
o feixe de trigo.   Fez-se ouvir sua voz,
começou a canção, de doçura celeste,
trovas com música de estranho tecido
em uma língua ignota.   Silentes as árvores,
os homens, imóveis, o murmúrio ouviram.

A Terra-média, por muitas eras,
canções não conhecera; nem feição tão bela
os mortais viam desde que a terra surgira,
quando estavam despertos no triste país
em que deixados foram.   Chefes não tinham,
nem rei, nem conselho, mas o horror frio
que habita o deserto, as bastas sombras
que os montes rondam e as matas grises.
O temor era mestre.   Mudos e escuros,
longos anos ao léu cobriam
o salão dos reis, em desleixo a casa
sem fogo ou refeição.

                    Enfim vêm os homens
das escuras casas.   Franqueiam-se as portas,
sem trancas os portões.   A tristeza finda.
Ao monte se encaminham e, assomando as cabeças,
observam o estranho.   Os com cinza nas barbas
curvam-se e bençãos proferem então,
veem cura a seus anos; pequenos e moças,
moços e mulheres acolhida lhe dão.
A canção termina.   Está mudo, de pé,
fitando-os a todos.   Torna-se seu senhor;
é de rei que o chamam, os raios d'ouro
da trigueira coroa, as gaias vestes,

a lira por cetro.   Acende em sua casa
o fogo pros famintos; é sem medo e sábio.
Fez-se homem, com força e saber.

100   De Feixe o chamam, que o forte mar trouxe,
um nome renomado no Norte antigo
em glória e canção;   mas segredos há
que escondem seu nome na obscura língua
de remoto país, onde os mares cadentes
banham costas d'oeste, ocultas dos homens
no declínio do mundo.   Está muda a palavra
e não vale o nome.

                    Salvou-lhes a vida,
renovando leis e votos esquecidos.
Palavras ensinou, lestas e amáveis —
110   maduraram-se as línguas ao alento de Feixe
com graça e canção.   Segredos mostrou,
runas revelando.   Ricos os fez,
com labutas bem-pagas, bastos confortos
da terra tirados, arando alqueires,
sempre a plantar na estação certa,
em celeiro juntando loura colheita
para arrimo dos homens.   A rija floresta
em seus dias volveu às vastas montanhas;
cedia a sombra e, resplandecendo, o grão,
120   as espigas de trigo, suspiros soltavam
onde ermidas houvera.   As matas tremiam.

Moradias e paços de madeira feitos,
torres de pedra estreitas e altas,
parapeitos dourados, pôs na cidade,
de tetos os cobriu.   Seu trono cercou
de belos entalhes, trabalho de artista;
tão várias as cores, lavrados com prata,
com ouro e escarlate, qual lumes pendurados,
histórias contando de estranhos países,
130   que os sábios de engenho, conhecendo as lendas,
podiam seguir.   Sua grei a seus pés

tinha bom conselho e são conforto,
julgamentos justos.   De mão aberta
vinham seus dons.   Elevou-se sua glória.
Sua fama se fez pelas fulvas águas,
pelo Norte imenso o renome ecoou
do fulgurante rei, poderoso Feixe.

Ao final de (ii) ocorrem oito versos que parecem ter sido acrescentados ao texto; eles também foram inseridos a lápis no texto (i) em "prosa", aqui escritos em linhas de versos, seguidos por outros oito versos (a passagem inteira de dezesseis versos foi riscada, mas foi usada posteriormente em *Os Documentos do Club Notion*, na forma de um acréscimo ao poema propriamente dito).

Sete filhos gerou, fortes príncipes,
homens de ânimo, de alto espírito
140   e poderoso braço.   De sua raça vem
a semente dos reis, começo das canções,
pais de todo pai, que em priscas eras
nos Antigos Anos a terra governaram,
aos reinos do Norte seu nome deram,
de sua gente escudo; gera-os Feixe:
daneses e godos, nórdicos e suecos,
francos e frísios, confrades das ilhas,
anglos e suabos, ávidos saxões,
e os Longobardos, que em brava luta,
150   além de Myrcwudu, magno reino e rico
tomaram para si nas marcas galesas,
onde Ælfwine, de Eadwine filho,
da Itália foi rei.   Isso tudo passou.[A]

Notas sobre Rei Feixe

Referências nas notas abaixo são feitas aos versos do poema.

1–3   Quanto à associação de Feixe com os Longobardos (lombardos), ver p. 114.

7   A palavra *fallow* ("dourado, fulvo") é usada várias vezes nesse poema para a água e uma para o ouro (38); o feixe de trigo é dourado (68). Ver III. 430.

8–12   As nuvens semelhantes a "águias magnas" que precedem a chegada de Feixe no poema não aparecem na versão em prosa.

39   *Angol*: o antigo lar dos ingleses antes de sua migração cruzar o mar do Norte. Ver I. 36, 305 (verbete *Eriol*).

A ESTRADA PERDIDA

142–43 Não sei dizer ao que esses versos se referem, onde os "pais de todo pai" que fundaram reinos no Norte, os descendentes de Feixe, "que em priscas eras / nos Antigos Anos a terra governaram".*

148 No original, a passagem traz o nome *Swordmen*, "Espadachins". Fica evidente que esse deveria ser o nome de um povo, mas para mim não está claro que povo seria esse. É concebível que meu pai tivesse em mente os *Brondingas*, governados por Breca, oponente de Beowulf no desafio de nado, pois uma das interpretações desse nome é que ele contém a palavra *brond* (*brand*), "espada".

Suabos: parece não haver dúvida quanto a essa palavra (*suábios* em *Os Documentos do Clube Notion*). A forma em inglês antigo era *Swæfe*: assim, no poema *Widsith*, aparecem as expressões *Engle ond Swæfe* e *Mid Englum ic wæs ond mid Swæfum*. São os *Suevi* dos historiadores romanos, um termo usado de forma ampla que abrangia muitas tribos germânicas, mas que aqui é evidentemente usado, como em *Widsith*, para se referir de forma específica aos suábios que habitavam o Norte e eram vizinhos dos anglos.

150 *Myrcwudu* (inglês antigo): "Trevamata". Trata-se de um antigo nome lendário germânico que designava uma grande floresta escura nas fronteiras, que pode ser encontrado com várias aplicações bastante diferentes entre si. A referência aqui é aos Alpes Orientais (ver nota ao verso 151).

151 *galesas*: "estrangeiras" (romanas). Meu pai usou a palavra em seu sentido antigo aqui. A antiga palavra germânica *walhoz* significava "estrangeiro celta ou romano". É daí que vem o plural *Walas* em inglês antigo (em inglês moderno *Wales*, o País de Gales), usado para designar os celtas da Grã-Bretanha. Assim, em *Widsith*, os romanos são chamados de *Rūm-walas*, e diz-se que César era senhor das cidades e riquezas do *Wala rice*, o reino dos *Walas*. Um verso de *Rei Feixe* rejeitado em favor de 150-1 diz *Conquistaram reinos além das Montanhas Galesas*, o que é uma referência aos Alpes. O sentido antigo sobrevive na palavra inglesa *walnut*, a noz-persa, "noz das terras romanas"; e também no sobrenome *Wallace* e na palavra *Walloon* ("valão", em português).†

152–53 Ver pp. 69–70.

As raízes de *Rei Feixe* encontram-se no passado distante das lendas germânicas setentrionais. Há três fontes primárias: *Beowulf*, e as declarações de dois cronistas posteriores que escreveram em latim, Etelvardo (que morreu por volta do ano 1000), e Guilherme de Malmesbury (que morreu em 1143). Apresento primeiro as dos historiadores.

Na Crônica de Etelvardo, a genealogia dos reis ingleses termina com os nomes *Beo – Scyld – Scef* (que significam Cevada, Escudo e Feixe; inglês antigo *sc* = "sh"); e acerca de *Scef* ele diz:

---

* No original, a referência é ao trecho "*before the change* in the Elder Years" [antes da mudança nos Anos Antigos]; Christopher Tolkien não sabe dizer o que foi essa "mudança nos Anos Antigos" mencionada no verso em inglês. [N.T.]

† Referente aos valões, população de língua francesa na Bélgica. [N.T.]

112

Esse Scef chegou num barco veloz, cercado por armas, a uma ilha do oceano chamada Scani, e ele era um menino muito novo, e desconhecido do povo daquele país; mas foi acolhido por eles, e zelaram por ele como alguém de sua própria gente, e mais tarde o escolheram como rei.

Guilherme de Malmesbury (um escritor notável pelo seu uso de histórias e canções populares) da mesma forma tem em sua genealogia as três figuras *Beowius* – *Sceldius* – *Sceaf*, e diz o seguinte acerca de *Sceaf*:

> Ele, como dizem, foi levado em criança num barco sem remadores até Scandza, uma certa ilha da Germânia. . . . Ele estava adormecido, e ao lado de sua cabeça havia sido colocado um punhado de trigo, razão pela qual foi chamado "Feixe". Era considerado um prodígio pelo povo daquele país, e criado com todo obséquio; quando adulto, governou naquela vila que na época era chamada Slaswic, mas que agora se chama Haithebi. Aquela região é chamada Antiga Ânglia, de onde os Anglos vieram à Bretanha.

Apresento abaixo o prólogo, ou, como meu pai o chamava, o *exórdio* de *Beowulf*, tirado de sua tradução do poema.

> Eis aí! Da glória dos reis da gente dos Daneses de Lança nos dias de antanho ouvimos contar como esses príncipes fizeram feitos valorosos. Muitas vezes Scyld Scefing roubou às hostes dos inimigos, muitas gentes, os assentos onde bebiam seu hidromel, lançou o medo nos homens, ele que outrora foi encontrado abandonado; viveu para disso conhecer o consolo, tornou-se poderoso sob o céu, prosperou em honra, até todos os que perto habitavam, por sobre o mar onde anda a baleia, lhe deverem obediência e lhe entregarem tributo – um bom rei foi ele!
>
> Depois nasceu-lhe um herdeiro, uma criancinha em seus domínios, que Deus mandou para o consolo da gente ao perceber a grave privação que muito tempo sofreram antes por não terem príncipe. A ele, portanto, o Senhor da Vida, que reina em glória, concedeu honra entre os homens: Beowulf era renomado – em toda parte brotava sua glória –, o herdeiro de Scyld em Scedeland. Assim um jovem faz acontecer com bons feitos e

nobres dádivas, enquanto mora nos domínios do pai, e ao qual, mais tarde, quando é mais velho, se unem cavaleiros leais de sua mesa, e a gente o apoia quando a guerra vem. Os feitos valorosos enobrecem o homem em todos os povos.

Então, em sua hora azada, o valente Scyld passou à guarda do Senhor; e ao mar fluente seus caros camaradas o levaram, como ele próprio lhes pedira enquanto ainda, como seu príncipe, governava os Scyldings com suas palavras: amado senhor da terra, por muito tempo foi mestre. Ali no porto demorava-se, com proa anelada e gelo pendente, ávida por partir, a barca do príncipe; então deitaram seu amado rei, doador de anéis, no seio do navio, em glória junto ao mastro. Para ali muitas coisas preciosas e tesouros foram trazidos de regiões muito distantes; nem ouvi dizer que jamais os homens tenham arranjado um barco mais lindamente com armas de guerra e arneses de batalha; em seu colo jaziam tesouros amontoados, que agora deviam acompanhá-lo ao longe, no domínio do mar. Não o adornaram com presentes nem um pouco menos valiosos, com tesouros daquela gente, do que aqueles que no começo o haviam enviado sozinho por sobre as ondas, ainda criancinha. Ademais, puseram no alto, sobre sua cabeça, um estandarte dourado e o deram ao Oceano, deixando que o mar o carregasse. Tristes estavam seus corações e havia luto em suas almas. Ninguém pode relatar, nem os senhores em seus salões, nem homens poderosos sob o céu, quem realmente recebeu aquela carga.

Também há uma referência a um rei chamado Sheaf [Feixe] (*Sceafa*) em *Widsith*, onde em uma lista de governantes e povos por eles governados ocorre *Sceafa* [*weold*] *Longbeardum*, "Feixe governou os lombardos"; no início do poema *Rei Feixe*, é aos lombardos que chega o barco levando a criança.

Este obviamente não é o lugar para começar uma discussão elaborada de um assunto tão complexo quanto o de *Scyld Scefing*: "um emaranhado dos mais espantosos", meu pai o chamou. Suas aulas em Oxford durante esses anos dedicam muitas páginas à análise refinada das evidências, e das teorias concorrentes acerca delas. O argumento há muito debatido acerca do significado de "Shield Shefing" em *Beowulf* — "Shefing" significa "com um feixe" ou "filho de Feixe", e é "Escudo" ou "Feixe" o ancestral original? — podia na opinião de meu pai ser resolvido com alguma certeza. Em uma declaração resumida de suas opiniões em outra aula (aqui com mínima edição), ele disse:

> *Scyld* é o ancestral epônimo dos *Scyldingas*, a casa real danesa à qual pertence Hrothgar, rei dos daneses desse poema. Seu nome é simplesmente "Escudo", e trata-se de uma "ficção", isto é, um nome deduzido do nome familiar "heráldico" *Scyldingas* depois que estes se tornaram famosos. Esse processo foi auxiliado pelo fato de que a desinência do inglês antigo (e germânico) *-ing*, que podia significar "conectado com, associado a, provido de" etc., também era a desinência patronímica usual. A invenção desse "Escudo" epônimo foi provavelmente danesa, isto é, de fato obra dos historiadores dinásticos daneses (*þylas*) e de poetas aliterantes (*scopas*) durante a vida dos reis dos quais ouvimos falar em *Beowulf*, certamente os históricos Healfdene e Hrothgar.
>
> Quanto a *Scēfing*, pode, como vemos, significar "provido de um feixe", "conectado de algum modo com um feixe de trigo", ou filho de um vulto chamado Sheaf. A favor desta última hipótese está o fato de que existem tradições inglesas sobre um ancestral *mítico* (o que não é o mesmo que epônimo ou fictício) chamado *Sceaf* ou *Sceafa*, pertencente a antigos mitos culturais do norte, e sobre suas associações especiais com os daneses. A favor da primeira hipótese está o fato de que Scyld provém do desconhecido, como bebê, e o nome de seu pai, se é que tinha um, não podia ser conhecido por ele nem pelos daneses que o receberam. Mas tais assuntos poéticos não são estritamente lógicos. Apenas em *Beowulf* se fundem desse modo as duas tradições divergentes sobre os daneses, a heráldica e a mítica. Penso que o poeta queria dizer (Shield) Sheafing como patronímico. Estava mesclando a glória belicosa, vaga e fictícia do ancestral epônimo da casa conquistadora com o mito mais misterioso, muito mais antigo e mais poético da misteriosa chegada do bebê, do deus do trigo ou do herói cultural, seu descendente, no começo da história de um povo, e acrescentando-lhe uma misteriosa partida arthuriana, *de volta ao desconhecido*, enriquecida por tradições de sepultamentos navais no passado pagão, não muito remoto — para fazer um magnífico e sugestivo *exórdio* e um pano de fundo de seu relato.

Beowulf, filho de Scyld Scefing, que aparece no exórdio (para a confusão de todos os leitores, visto que ele não possui qualquer ligação com o herói do poema), meu pai considerava ser uma corruptela de *Beow* ("Cevada") — que é o nome encontrado nas genealogias (p. 112).

Na minha opinião, é muitíssimo mais provável [ele escreveu] que o nome *Beowulf* propriamente dito pertença *apenas* à história do menino-urso (que é a de Beowulf, o Geata); e esse é um nome de conto de fadas, na verdade um "kenning" para *urso*: "Bee-wolf" [Lobelho], isto é, "caçador-de-mel". Seria muito improvável que tal nome ser transferido à linhagem Scylding pelo poeta, ou em qualquer época em que as histórias e lendas que são a estrutura principal do poema possuíam alguma existência independente dele. Creio que *Beow* foi transformado em *Beowulf* após a época do poeta, no processo de tradição escrita, quer de maneira deliberada (e infeliz), quer de maneira meramente casual e errônea.

Em outro lugar ele escreveu:

Uma explicação completa e totalmente satisfatória das peculiaridades do exórdio naturalmente nunca foi dada. Eis aqui o que me parece ser a ideia mais provável.

O exórdio é poesia, não história (em propósito). Foi composto para o seu presente lugar, e o seu principal propósito era glorificar Scyld e sua família, e, assim, realçar o pano de fundo sobre o qual o conflito entre Grendel e Beowulf ocorre. Portanto, a escolha de uma lenda maravilhosa em vez de uma mera invenção dinástica foi natural. A retenção do patronímico *Scefing* demonstra que o nosso autor estava trabalhando principalmente na forma combinada: *Beow < Scyld < Sceaf* [encontrada nas genealogias, ver p. 112]. Esse título de fato tem pouco sentido em sua versão, e certamente não teria aparecido se o autor realmente tivesse se baseado em uma história na qual *Scyld* era quem chegava num barco; enquanto certos pontos em seu relato (a criancinha desamparada) claramente pertencem às lendas de Feixe-Cevada.

Por que, então, ele tornou *Scyld* a criança no barco? — nitidamente sua própria criação: esse elemento não ocorre em nenhum outro lugar. Eis aqui algumas prováveis razões:

A ESTRADA PERDIDA E OUTROS ESCRITOS

a. Ele estava concentrando toda a fascinação em *Scyld* e no nome *Scylding*.

b. Uma partida por sobre o mar — um sepultamento naval — já era associada a chefes nortistas em poemas e saberes antigos, possivelmente já com o nome de Scyld. Há um ganho considerável de poder e caráter sugestivo, se o mesmo herói chega e parte em um barco. A grande estatura alcançada por Scyld também é enfatizada (explicitamente) pelo contraste assim feito com a sua chegada desamparada.

c. Tradições mais antigas e ainda mais misteriosas podiam muito bem ainda serem correntes acerca das origens dinamarquesas: a lenda de Ing, que chegou e voltou por sobre as ondas [ver II. 368]. O *Scyld* de nosso poeta substituiu (por assim dizer) *Ing*.

Afinal, Feixe e Cevada originalmente eram apenas lendas rústicas sem grande esplendor. Mas a lenda deles aqui possui ecos de tradições heroicas do Norte que remontam a um passado remoto, ao que filólogos chamariam de tempos germânicos primitivos, e, ao mesmo tempo, são marcados pelas glórias marciais da Casa do Escudo. Dessa forma, o poeta consegue prover os senhores do salão dourado de Hart com uma glória e mistérios, mais arcaicos e simples, mas dificilmente menos magníficos do que aqueles que adornam o rei de Camelot, Arthur, filho de Uther. Esse é o método do nosso poeta no decorrer da obra, visto especialmente na exaltação entre os grandes heróis que ele obteve para o Menino-urso do antigo conto de fadas, que se torna em seu poema Beowulf, último rei dos geatas.

Apresento abaixo uma citação final das aulas de meu pai sobre esse assunto, onde ao discutir os versos de encerramento do exórdio ele escreveu sobre

sugestão – é pouco mais do que isso. O poeta não é explícito, e é provável que a ideia de que Scyld retornou a alguma terra misteriosa de onde viera não estivesse plenamente formada em sua mente. Ele veio do Desconhecido além do Grande Mar, e voltou para lá. Uma intrusão milagrosa na história, que mesmo assim produziu efeitos históricos reais: uma nova Dinamarca e os herdeiros de Scyld em Scedeland. Essa deve ter sido a sua ideia.

117

A ESTRADA PERDIDA

Nos últimos versos: "Os homens não podem fazer relato seguro dos portos onde aquele navio foi descarregado", percebemos um eco do "humor" dos tempos pagãos, quando o sepultamento naval era praticado. Um humor no qual o *simbolismo* (que chamaríamos de *ritual*) de partida por um mar cuja margem oposta era desconhecida e a crença real em uma terra mágica ou outro mundo localizado "além do mar" mal podem ser distinguidos, e para nenhum desses elementos ou motivos o simbolismo consciente ou a crença efetiva são verdadeiros. Era um *murnende mōd* repleto de dúvida e trevas.

Resta mencionar um elemento da lenda de Feixe de meu pai que não derivou das tradições inglesas. Encontra-se somente na versão em prosa (p. 106), onde no relato da grande paz nas ilhas do Norte na época dos "Senhores-de-feixe" (uma paz tão profunda que um anel de ouro caído na estrada permaneceria intocado) ele escreveu sobre "o grande moinho de Feixe", que "ainda era guardado na ilha-santuário do Norte". Nisso ele estava se inspirando (e transformando) nas tradições escandinavas acerca de Freyr, o deus da fertilidade, e do Rei Fróthi, o Dinamarquês.

Cito aqui a história contada pelo islandês Snorri Sturluson (c. 1179–1241) em sua obra conhecida como a *Edda em Prosa*, que é apresentada para explicar o significado do "kenning" *mjöl Fróða* ("refeição de Fróthi") para "ouro". De acordo com Snorri, Fróthi era o neto de *Skjöldr* (correspondente ao inglês antigo *Scyld*).

Fróthi sucedeu ao reino após seu pai, na época em que Augusto César impôs paz ao mundo inteiro; naquela época Cristo nasceu. Mas porque Fróthi era o mais poderoso de todos os reis nas Terras do Norte, a paz recebeu o seu nome onde quer que a língua danesa fosse falada, e os homens a chamam de Paz de Fróthi. Homem algum feria outro, mesmo que se encontrasse face a face com o assassino de seu pai ou de seu irmão, livre ou em servidão; e não havia ladrão ou salteador naqueles dias, de maneira que um anel de ouro jazia por longo tempo em *Ialangrsheiði* [na Jutlândia]. O Rei Fróthi compareceu a um banquete na Suécia na corte de um rei chamado Fjölnir. Lá ele comprou duas servas chamadas Fenia e Menia; elas eram grandes e fortes. Naquela época havia na Dinamarca duas mós tão imensas que homem

118

A ESTRADA PERDIDA E OUTROS ESCRITOS

algum era forte o bastante para girá-las; e a natureza dessas pedras era tal que o que quer que aquele que as girasse pedisse era moído pelo moinho. Esse moinho era chamado Grótti. O Rei Fróthi fez com que as servas fossem levadas até o moinho e lhes ordenou que moessem ouro; e elas assim fizeram, e a princípio elas moeram ouro e paz e felicidade para Fróthi. Então ele não lhes deu descanso ou sono mais longo do que o silêncio do cuco ou do que uma canção pudesse ser cantada. Diz-se que elas cantaram a canção que é chamada de a Balada de Grótti, e este é o seu começo:

Ora, chegam à casa do rei
As duas previdentes, Fenia e Menia;
São por Fróthi, filho de Frithleif,
As magnas donzelas, como servas mantidas.

E antes de terminarem a canção elas moeram uma hoste contra Fróthi, de modo que naquela mesma noite o rei-marinho chamado Mýsing chegou, e matou Fróthi, e tomou muito butim; e então a Paz de Fróthi chegou ao fim.

Em outro lugar é dito que, enquanto os dinamarqueses atribuíam a paz a Fróthi, os suecos a atribuíam a Freyr; e há estreitos paralelos entre eles. Freyr (que por si só significa "o Senhor") era chamado *inn Fróði*, que quase certamente significa "o Fecundo". A lenda da grande paz, que na obra de meu pai é atribuída à época de Feixe e seus filhos, remonta a origens muito antigas na adoração de uma divindade de fertilidade nos grandes santuários do Norte: a de Freyr, o Senhor Fecundo, no grande templo de Uppsala, e (de acordo com uma teoria extremamente plausível) naquele da ilha da Zelândia (Sjælland). Uma discussão desse tópico iria muito longe e levaria a evidências muito complexas para o propósito deste livro, mas ao menos é possível dizer que parece não haver dúvidas de que Heorot, salão dos reis dinamarqueses em *Beowulf*, ficava onde agora se situa a vila de Lejre, cerca de cinco quilômetros do mar na costa norte da Zelândia. Em Lejre há por toda parte imensos montes tumulares; e de acordo com um cronista do século XI, Thietmar de Merseburg, a cada nove anos era realizado em Lejre (assim como em Uppsala) um grande encontro, no qual muitos homens e animais eram sacrificados. Há boas razões para se supor que o famoso santuário descrito por Tácito em sua *Germânia* (escrita perto do

A ESTRADA PERDIDA

final do século I d.C.), onde a deusa Nerto, ou *Mater Terra*, era adorada "em uma ilha no oceano", ficava de fato na Zelândia. Quando Nerto estava presente em seu santuário, era uma época de júbilo e paz, quando "todas as armas eram postas de lado".[*]

Na lenda de Feixe de meu pai, esses ecos antigos são usados de novas maneiras e com novos significados; e quando Feixe partiu em sua última viagem, seu navio (como alguns haviam dito) encontrou a Rota Reta para o Oeste desaparecido.

Um relatório breve, porém perceptivo, sobre *A Estrada Perdida*, datado de 17 de dezembro de 1937, foi apresentado por uma pessoa desconhecida convidada pela Allen & Unwin para ler o texto. É preciso lembrar que o texto datilografado que foi feito estendia-se apenas ao início do quarto capítulo (pp. 89–90, nota 14) — e, é claro, também que nessa época nada acerca da história da Terra-média, dos Valar e de Valinor havia sido publicado. O leitor descreveu a história como "imensamente interessante como uma revelação dos entusiasmos pessoais de uma mente muito incomum", com "passagens de bela prosa descritiva"; mas achou "difícil imaginar que esse romance quando concluído receberá qualquer tipo de reconhecimento, exceto em círculos acadêmicos". Stanley Unwin, ao escrever para meu pai em 20 de dezembro de 1937, disse com gentileza não ter dúvida de que a obra era um *succès d'estime*, mas embora fosse "sem dúvida querer publicá-la" quando estivesse terminada, ele não podia "ter qualquer esperança de sucesso comercial como motivo de persuasão para que o senhor dê à conclusão dela a prioridade de seu tempo". Ele escreveu isso no dia seguinte a meu pai ter escrito que havia terminado o primeiro capítulo de "uma nova história sobre Hobbits" (ver III. 426).

Com a inserção nessa época das ideias fundamentais da Queda de Númenor, do Mundo Tornado Redondo e da Rota Reta na concepção da "Terra-média", e com a ideia de uma história de "viagem no tempo" onde a figura muito importante do Ælfwine anglo-saxão seria tanto "estendida" ao futuro, ao século XX, como "estendida" também a uma passado de muitas camadas, meu pai

---

[*] Na mitologia nórdica, o nome da deusa Nerto foi preservado no do deus Njörth, pai de Freyr. Njörth era especialmente associado a navios e ao mar; e nos primeiros escritos de meu pai, *Neorth* aparece brevemente no lugar de Ulmo (II. 441, verbete *Neorth*).

120

A ESTRADA PERDIDA E OUTROS ESCRITOS

estava vislumbrando um elo explícito e amplo de suas próprias lendas com aquelas de muitos outros lugares e épocas: todas lidando com as histórias e os sonhos de povos que habitavam as costas do grande Mar do Oeste. Tudo isso foi deixado de lado durante o período da composição de *O Senhor dos Anéis*, mas não abandonado: pois em 1945, antes mesmo de *O Senhor dos Anéis* ser terminado, ele retornou a esses temas no inacabado *Documentos do Club Notion*. O que ele esboçou para essas partes de *A Estrada Perdida* encontra-se, na minha opinião, entre as mais interessantes e instrutivas de suas obras inacabadas.

Nota sobre o poema "A Terra Sem Nome" e sua forma tardia

A Terra Sem Nome[*] foi escrito na forma do poema medieval *Pérola*, tanto com rima e aliteração como com repetição parcial do último verso de uma estrofe no início da seguinte. Apresento o poema aqui na forma em que foi publicado; no lugar de *Tir-NAN-Og*, os textos datilografados possuem *Tír na nÓg*.

A TERRA SEM NOME[†]

É lá que as luzes douradas jazem
    Em verde relvado não visto aqui,
Em árvores altas que o céu invadem,
    Folhas de prata farfalham ali:
Por mágica orvalhadas, não morrem
    No infindo ano que não foge de si,
Onde as tardes eternas transcorrem
    Sobre monte e mata e margem silente.
Não se sente a sombra perto da tarde
    Quando as vozes vêm em coral velado
Ou agudas gritam como nunca vi.
    E a mata enxameia com fogo espalhado.

---

[*] *A Terra Sem Nome* foi publicado em *Realities: an Anthology of Verse*, editado por G.S. Tancred (Leeds, Swan Press; Londres, Gay and Hancock Ltd.; 1927). Uma anotação em um dos textos datilografados afirma que o poema foi escrito em maio de 1924 na casa em Darnley Road, Leeds (Carpenter, *Biografia*, p. 151), e que foi "inspirado pela leitura de *Pérola* para propósitos relacionados a exames".
[†] Tradução de Reinaldo José Lopes. [N.E.]

O fogo espalhado inflama a floresta,
  Na folhagem sempre-verde vai rebrilhar,
Em cavernas há orvalho em cada fresta,
  Veem-se as mais finas flores a vicejar.
Lá há melodias de doce seresta
  E fontes frescas em fluxo a cantar,
E as águas claras que correm na encosta
  Em busca do mar, da brisa a soprar.
  Suas vozes enchem os vales a soar,
    Onde passam ferozes no pasto vergado
  Os ventos d'além do mundo a vagar
    e ferem com chama, com fogo espalhado.

Tal fogo espalhado fala na chama
  De cores inquietas que requebra a luzir
Sobre a terra sem nome, e a tudo inflama,
  Onde a força humana jamais há de vir.
A agonia do escuro luz alguma proclama,
  Na noite sem lua nada há a discernir,
Águas ávidas com força insana,
  Um mar que imensos muros vão cingir.
  Mil léguas, tão longe dista daqui,
    E a espuma plana por cima do mar
  Sob encostas de cristal, escarpas claras,
    Nas praias luzentes livre a flutuar.

Livres lá a flutuar, cabeleiras sem trança
  Misturam-se à luz da lua e do sol,
E na trama de beleza que leve balança
  Brilham ouro e prata em um único rol.
Lá alvos pés, no compasso da dança,
  Descalços acorrem a bailes de escol;
Portar vestes de ar, de vento é a usança —
  Beleza tão lépida jamais contemplou
  Nem Bran nem Brendan, nunca observou
    A espuma que paira muito além do mar
  Longínquo, que se ajunta atrás do sol
    Em ventos celestes livre a velejar.

A ESTRADA PERDIDA E OUTROS ESCRITOS

Mais que Tir-NAN-Og és livre e linda,
   Mais que o Paraíso estás distante,
Oh! meta que no Mar de Sombras finda,
   Oh! terra que trazes o perdido adiante,
Oh! montes que humano algum viu ainda!
   Marés solenes, com lesta corrente,
Além do mundo comandam minha vinda;
   Em sonho pressinto estrela hesitante,
   Mais bela que faróis e mais brilhante
      Que, tênues contra o céu, torres de Gondobar
   Em colinas que ao longe estão silentes,
   Onde as luzes da saudade vão cessar.[B]

Meu pai retornou mais tarde a *A Terra Sem Nome*, e alterou o título primeiro para *A Canção de Ælfwine em rogo a Eärendel*, e depois para *A Canção de Ælfwine (ao ver o alçamento de Eärendel)*. Há muitos textos, tanto manuscritos como datilografados, de *A Canção de Ælfwine*, que formam um desenvolvimento contínuo. Tenho certeza de que esse desenvolvimento não fez parte de todo à mesma época, mas parece impossível relacionar os diferentes estágios a qualquer coisa externa ao poema. No terceiro texto, meu pai escreveu mais tarde "Versão Intermediária", e o apresento aqui; meu palpite — mas não é mais do que um palpite — é de que pertença por volta da época de *A Estrada Perdida*. Depois dele há dois outros textos que mudam alguns versos cada, e então uma versão final com mudanças mais substanciais (inclusive a perda de uma estrofe inteira) e uma nota em prosa extremamente interessante sobre a viagem de Ælfwine. Essa com certeza é relativamente tardia: provavelmente dos anos após *O Senhor dos Anéis*, embora possa estar associada a *Os Documentos do Club Notion* de 1945 — com o quinto verso da última estrofe (um verso que foi inserido somente nessa última versão) "Voam as aves; a Árvore a florar com brio!", compare-se os versos no poema *Imram* (ver pp. 100–01), da Árvore repleta de pássaros que São Brandão viu:

Tremeu a árvore da raiz ao céu;
   as folhas dos ramos voaram
feito alvas aves deixando o leito,
   e nus os galhos ficaram.[C]

123

A ESTRADA PERDIDA

Seja como for, as *imrama* de Brandão e Ælfwine obviamente são de estreita associação. — Seguem-se abaixo os textos das versões "intermediária" e final.

A CANÇÃO DE ÆLFWINE[*]
(ao ver o alçamento de Eärendel)

É lá que inda as luzes douradas jazem
    em verde relvado não visto aqui,
Em árvores altas que o céu invadem,
    com folhas de prata que farfalham ali.
Enquanto o mundo dura, não morrem
    em seu infindo ano que não foge de si,
Onde as manhãs sem medida transcorrem
    sobre monte e mata e margem silente.
Quando a tarde sem fim se achega ali,
    sobre harpa e canto um coro ocultado
de voz repentina ouve-se a surgir
    e na mata enxameia o Fogo Espalhado.

O Fogo Espalhado inflama a floresta,
    na folhagem sempre-verde vai rebrilhar,
Em cavernas há orvalho em cada fresta
    e a Flor em segredo, forte a vicejar.
Lá murmura a música em seresta
    de fonte fresca em fluxo a cantar,
E as águas claras que saltam na encosta
    em busca do Mar, da brisa a soprar.
Seu canto os vales luzentes encontra
    onde passa feroz no pasto vergado
O vento d'além do mundo a vagar,
    a avivar a flama do Fogo Espalhado.

O Fogo Espalhado que fala na chama
    tão claro acorre, põe-se a luzir
Na terra sem nome e as folhas inflama:
    ali a gente humana jamais há de vir;

---

[*] Tradução de Reinaldo José Lopes. [N.E.]

A ESTRADA PERDIDA E OUTROS ESCRITOS

Ali estrela alguma a trilha proclama,
  pois a ínfera Noite não pode discernir,
Nem enfrenta as águas de força insana
  e as costas cercadas de escuro porvir.
São léguas sem conta, tão longe daqui,
  onde a espuma floresce por cima do Mar
Nas encostas de cristal, escarpas claras,
  por praias luzentes livre a flutuar.

Livres lá a flutuar, cabeleiras sem trança
  luzem com os raios da Lua e do Sol,
E na rede tão linda que leve balança
  brilham ouro e prata em um único rol.
Alvos e lépidos, no auge da dança,
  veem-se pés descalços em bailes de escol,
Braços chamejam na brisa qual faiança:
  beleza tão lépida nunca contemplou
O homem mortal, jamais a ganhou
  ao passar pela espuma além do mar
distante, ou a buscou detrás do Sol
  por ventos celestes livre a viajar.

Oh! meta além do Mar Sombrio!
  Oh! terra onde os Edhil vão morar!
Oh! porto pelo qual sempre porfio!
  as ondas que ouço contra ti quebrar
Ecoam para sempre em cicio
  quando o anseio leva longe o meu pensar,
E a oeste do Oeste, em desafio,
  vejo a Estrela viandante a se alçar,
mais forte que os faróis em Gondobar
  em brilho e alvor, mais bela e altiva:
Oh! Estrela que a sombra não há de empanar,
  e que, malgrado a treva, inda estás viva![D]

Na versão final do poema que se segue agora baixo, a nota em prosa
acerca da viagem de Ælfwine está ligada por um asterisco ao nome
Ælfwine no título.

125

A CANÇÃO DE ÆLFWINE*
ao ver o alçamento de Eärendil

Eressëa! Eressëa!

É lá que inda as luzes-élficas jazem
    Em verde relvado não visto aqui,
Em árvores altas que o céu invadem,
    Com folhas de prata que farfalham ali.
Enquanto o mundo dura, não morrem
    Em seu infindo ano que não foge de si,
Onde as manhãs sem medida transcorrem
    Sobre monte e mata e margem silente.
Quando a tarde sem fim se achega ali,
    Sobre harpa e canto um coro ocultado
De voz repentina ouve-se a surgir
    E na mata enxameia o fogo espalhado.

Com fogo espalhado se inflama a floresta,
    Na folhagem sempre-verde vai rebrilhar;
Numa cava sonha a niphredil quieta
    Até que vem subindo o brilho estelar,
E há murmúrio de música em cada fresta,
    Pois ali há fontes de imortal jorrar:
Suas águas alvas descem a encosta,
    Por escadas de prata põem-se a deslizar
Rumo à rosa que se abre sem cessar,
    Onde passa soprando no prado iluminado
O vento d'além do mundo a vagar,
    A avivar a flama do fogo espalhado.

O fogo espalhado, de chama escorreita,
    Sua luz vivente lança adiante
Na terra que mortal algum espreita,
    Além da sombra que assoma imponente
E da água que nau jamais aceita.
    Ali homem nenhum ancora rente,

---

* Tradução de Reinaldo José Lopes. [N.E.]

Ninguém perto do porto nunca deita
o leme em noite de breu desnorteante.
Léguas incontáveis jaz distante:
No vento da praia livre a soprar
Sob encosta de cristal de entalhe imponente
A espuma se espraia e floresce no Mar.

Oh! meta além do Mar Sombrio!
Oh! terra onde os Edhil vão morar!
Oh! porto pelo qual sempre porfio!
As ondas ouço contra ti quebrar,
Voam as aves; a Árvore a florar com brio!
Diviso-os todos longe a cintilar
E a oeste do Oeste, em desafio,
Vejo a Estrela viandante a se alçar,
Mais forte que os faróis em Gondobar
Em alvor e brilho, mais bela e altiva.
Oh! Estrela que a sombra não há de empanar,
E que, malgrado a treva, inda estás viva![E]

Ælfwine (Amigo-dos-Elfos) era um marinheiro da Inglaterra de outrora que, ao ser impelido ao mar da costa de Erin [*antigo nome da Irlanda*], adentrou as águas profundas do Oeste e, de acordo com as lendas, por algum acaso ou graça estranhos, encontrou a "rota reta" da Gente-élfica e chegou por fim à Ilha de Eressëa em Casadelfos. Ou talvez, como dizem alguns, sozinho nas águas, faminto e sedento, ele tenha caído num transe e lhe foi concedida uma visão daquela ilha como havia sido outrora, antes que um vento do Oeste soprasse e o empurrasse de volta à Terra-média. Sobre nenhum outro homem relata-se que alguma vez tenha contemplado Eressëa, a bela. Ælfwine nunca mais foi capaz de descansar por muito tempo em terra, e navegou pelos mares ocidentais até sua morte. Alguns dizem que seu navio naufragou nas cotas ocidentais de Erin e que lá seu corpo jaz; outros dizem que no final da vida ele partiu sozinho para as águas profundas mais uma vez e jamais retornou.

Relata-se que antes de partir em sua última viagem ele falou estes versos:

A ESTRADA PERDIDA

Fela bið on Westwegum werum uncúðra
wundra and wihta, wlitescýne lond,
eardgeard Ylfa and Ésa bliss.
Lýt ænig wát hwylc his longað sý
þám þe eftsíðes yldu getwǽfeð.

"Muitas coisas há nas regióes do Oeste desconhecidas dos
Homens, muitas maravilhas e muitas criaturas: uma terra agradável de se ver, a pátria dos Elfos, e a ventura dos Valar. Pouco
qualquer homem compreende o que a saudade pode ser daquele
cuja velhice lhe impede de retornar para lá."

Aqui reaparece a ideia vista no final do resumo para a história de
Ælfwine em *A Estrada Perdida* (p. 98), de que ao ter uma visão de
Eressëa ele foi soprado de volta por um vento vindo do Oeste. Na
época em que o resumo foi escrito, a história de que Ælfwine de
fato chegou a Tol-eressëa e lá lhe contaram "os Contos Perdidos"
também estava presente (p. 95), e, da mesma forma, parece pela presente passagem que havia as duas histórias. A ideia de que Ælfwine
jamais chegou de fato à Ilha Solitária encontra-se em uma versão do
antigo conto de *Ælfwine da Inglaterra*, onde ele não pulou no mar e
retornou para o leste com seus companheiros (II. 399–400).

Os versos que ele falou antes de sua viagem são aqueles que
Alboin Errol falou e traduziu para seu pai em *A Estrada Perdida*
(p. 57), e que também foram usados nas folhas de rosto do *Quenta
Silmarillion* (p. 203).

A retenção do nome Gondobar diretamente de *A Terra Sem
Nome* é notável. Ele se encontra na versão tardia do poema *Os
Felizes Marinheiros*, que meu pai posteriormente datou "1940?"
(II. 330–31): "Ó felizes marinheiros a navegar / Por cinzentas ilhas,
por Gondobar". Fora isso, *Gondobar* "Cidade de Pedra", é um dos
Sete Nomes de Gondolin (II. 193, 210; III. 177–78).

PARTE DOIS

VALINOR E A TERRA-MÉDIA
ANTES DE O SENHOR DOS ANÉIS

1

Os Textos e Suas Relações

No quarto volume desta História, foram apresentados o *Quenta Noldorinwa* (**Q**), ou História dos Gnomos, que pode ser atribuído ao ano de 1930 (IV. 201–03); a primeira versão dos *Anais de Beleriand* (**AB**), que veio após o Q, mas que por si só não se pode datar a um ano específico, e o início de uma nova versão (AB II); a primeira versão dos Anais de Valinor (**AV**), que veio após a primeira versão dos AB, mas que antecedeu a segunda (IV. 384); e o *Ambarkanta*, ou Forma do Mundo. *A Balada de Leithian*, apresentada no Vol. III, foi abandonada quando já ia bem avançada em 1931.

Descrevi em III. 423 ss. como em novembro de 1937 uma nova, porém inacabada versão de "O Silmarillion" foi entregue a Allen & Unwin; enquanto o primeiro rascunho do primeiro capítulo de *O Senhor dos Anéis* foi escrito entre 16 e 19 de dezembro de 1937. Entre 1930 e o final de 1937 devem ser colocados os textos que se seguem ao Q no Vol. IV, e, ademais, estes outros que são apresentados neste livro (assim como *A Queda de Númenor* e *A Estrada Perdida*):

1. *Ainulindalë*, uma nova versão do "Conto Perdido" original de *A Música dos Ainur*. Esse texto é certamente posterior aos AV, visto que nele a Primeira Gente dos Elfos é chamada *Lindar*, e não *Quendi*, e o antigo nome *Noldoli* deu lugar a *Noldor*.

2. Uma nova versão dos *Anais de Valinor*, mais uma vez com as formas *Lindar* e *Noldor*. Essa versão chamarei de os *Anais Tardios de Valinor*, referindo-me a ele pela abreviatura **AV 2**, enquanto a primeira versão apresentada no Vol. IV será **AV 1**.

3. Uma nova versão dos *Anais de Beleriand*, que parece ser um texto de estreita associação com o AV 2. De modo similar, irei me referir a ele como AB 2, os *Anais Tardios de Beleriand*. Neste caso, há duas versões antecedentes, mencionadas acima, e chamadas no Vol. IV de AB I e AB II. Estas, para manter o paralelo com os *Anais de Valinor*, podem ser referidas coletivamente

como **AB 1** (uma vez que ao escrever o AB 2 meu pai seguiu o AB II até o ponto em que terminava e depois seguiu o AB I).

4. O *Lhammas*, ou Relato de Línguas. Esse texto, existente em três versões, parece possuir estreita associação com a composição do *Quenta Silmarillion*.

5. A nova versão de "O Silmarillion" propriamente dito, um manuscrito outrora muito belo cuja feitura foi interrompida quando o material foi enviado à editora. Para distinguir essa versão de sua predecessora, o *Quenta Noldorinwa* ou simplesmente o *Quenta*, uso do início ao fim a abreviatura **QS**, isto é, *Quenta Silmarillion*, ou a História das Silmarils.

Essas cinco obras formam um grupo tardio (embora não seja minha intenção sugerir que houvesse alguma lacuna de tempo significativa entre elas e as anteriores); uma marca de definição conveniente para tal é o fato desses textos possuírem *Noldor*, enquanto os anteriores possuíam *Noldoli*.

Embora eu tenha dito (IV. 310) que parece não haver um modo de demonstrar se o *Ambarkanta* era anterior ou posterior à primeira versão dos *Anais de Valinor*, agora me parece claro que o *Ambarkanta* tem seu lugar no grupo tardio de textos. Creio que isso é evidenciado pelo fato de que sua folha de rosto é muito similar em forma às do *Ainulindalë* e do *Lhammas* (todos os três possuem o nome élfico da obra em *tengwar*); ademais, o reaparecimento no *Ambarkanta* de *Utumna* como o nome da fortaleza original de Melko (ver IV. 306) parece situar o texto após o AB 2, que ainda a nomeia *Angband* (mas o AV 2 possui *Utumna*).

No geral, eu estaria inclinado a situar esses textos na sequência AB 2, AV 2, *Lhammas*, QS; o *Ambarkanta*, de qualquer forma, após o AB 2, e o *Ainulindalë* demonstradamente antes do QS. *A Queda de Númenor* foi posterior ao *Ambarkanta* (ver p. 16 e IV. 308). Porém, uma sequência definitiva e demonstrável parece ser inalcançável com base nas evidências; e, seja como for, é possível que tentativa seja insustentável, pois meu pai não necessariamente terminava um texto antes de começar outro. Certamente ele tinha todas essas obras diante de si, e, conforme progredia, ele alterava o que já havia escrito para ajustar o conteúdo aos novos desenvolvimentos nas histórias e nos nomes.

2

Os Anais Tardios de Valinor

A segunda versão dos *Anais de Valinor* (AV 2) é um manuscrito fluido e legível na letra normal daquela época de meu pai, com mínimas alterações no decorrer da composição e pouquíssimas mudanças subsequentes no período inicial — ao contrário das reescritas substanciais dos primeiros anais na época após *O Senhor dos Anéis*: estas sendo o rascunho inicial da obra tardia maior, os *Anais de Aman*, e em quase todos os pontos claramente distintas das emendas feitas muitos anos antes.

O AV 2 não apresenta uma grande evolução narrativa a partir do AV 1 (IV. 309 ss.), tal como aquele texto foi emendado; por outro lado, há alguns desenvolvimentos notáveis em nomes e conceitos. Uma característica curiosa é a retenção das datas originais entre a destruição das Árvores e o nascer do Sol e da Lua, que no AV 1 foram grandemente acelerados por alterações tardias feitas a lápis: ver IV. 320 e o comentário ao anal 2992 abaixo. Assim, por exemplo, no AV 1 como escrito originalmente, e no AV 2, cerca de dez anos do Sol (um Ano Valiano) se passou entre a Batalha de Alqualondë e a declaração da Profecia do Norte, enquanto no AV 1 conforme emendado apenas um ano do Sol se passou entre os dois eventos.

No breve comentário trato do AV 1 levando em consideração as emendas que lhe foram feitas, registradas na íntegra em IV. 318–21, e discutidas no comentário àquele texto. Alterações tardias do período inicial estão registradas nas notas; essas são poucas, em sua maioria aspectos do movimento progressivo dos nomes, e meramente fazem referência ao local onde aparecem na composição original. Perto do final, o AV 2 torna-se pouco mais do que uma cópia passada a limpo do AV 1, mas apresento o texto na íntegra a fim de fornecer no mesmo livro textos completos das "tradições" dos

Anais e do *Quenta* tal como existiam quando *O Senhor dos Anéis* foi iniciado.

O AV 2 não possui um preâmbulo tratando da autoria, mas há uma folha de rosto onde consta esse texto e a versão tardia bastante similar dos *Anais de Beleriand* (AB 2):

O Silmarillion

2 Anais de Valinor

3 Anais de Beleriand

Compare-se com esta as folhas de rosto apresentadas na p. 239, onde "O Silmarillion" é o título abrangente da obra tripartida (ou maior).

SILMARILLION
II
ANAIS DE VALINOR

Aqui têm início os Anais de Valinor, que tratam do alicerce do Mundo.

No princípio Ilúvatar, que é Pai-de-Tudo, fez todas as coisas. Posteriormente os Valar, ou Poderes, entraram no mundo. Esses são nove: Manwë, Ulmo, Aulë, Oromë, Tulkas, Ossë, Mandos, Lórien e Melko. Desses, Manwë e Melko eram os mais pujantes e eram irmãos, e Manwë é senhor dos Valar, e sacro. Mas Melko voltou-se para cobiça e orgulho e para violência e mal, e seu nome é amaldiçoado, e não é pronunciado, mas ele é chamado Morgoth. Oromë, Tulkas, Ossë e Lórien eram mais jovens no pensamento de Ilúvatar, antes da feitura do mundo, do que os outros cinco; e Oromë nasceu de Yavanna, que é mencionada a seguir, mas ele não é filho de Aulë.

As rainhas dos Valar eram Varda, esposa de Manwë, e Yavanna, a quem Aulë desposou posteriormente no mundo, em Valinor; Vana, a bela, era a esposa de Oromë; e Nessa, a irmã de Oromë, era esposa de Tulkas; e Uinen, a senhora dos mares, era esposa de Ossë; Vairë, a tecelã, habitava com Mandos, e Estë, a pálida, com Lórien. Não tinham esposas Ulmo ou Melko. Não tinha senhor Nienna, a pesarosa, rainha das sombras, irmã de Manwë e de Melko.

Com esses grandes vieram muitos espíritos menores, seres de sua própria gente, mas de menor poder; esses eram os Vanimor, os

Belos. E com eles também foram contados mais tarde seus filhos, gerados no mundo, mas de raça divina, que eram muitos e belos; esses são os Valarindi.

Do início da contagem do Tempo e do estabelecimento de Valinor.

O tempo não foi medido pelos Valar até a construção de Valinor ser concluída; mas desde então contaram o tempo pelas eras de Valinor, as quais tinham 100 anos dos Valar cada, e cada ano valiano é como dez anos do Sol agora são.

Ano Valiano 500 Diz-se que os Valar entraram no mundo 30.000 Anos-do-Sol antes do primeiro nascer da Lua, que é trinta eras antes do início do nosso tempo; e que Valinor foi construída cinco eras após a chegada deles. No longo tempo antes da fortificação do Oeste, Aulë fez grandes lamparinas para iluminar o mundo e as colocou sobre pilares engendrados por Morgoth. Mas Morgoth já agia com ódio e inveja e seus pilares foram feitos com engodo. Donde as Lamparinas tombaram e o crescimento que havia começado com a reunião da luz foi detido; mas os Deuses, atacados por muitas águas, retiraram-se para o Oeste. Lá deram início à construção de sua terra e de suas mansões, entre o Mar Circundante e o Grande Mar do Oeste, em cuja costa ergueram altas montanhas. Mas Morgoth partiu para o Norte do mundo. A simetria de terra e água foi quebrada pela primeira vez naqueles dias.

A.V. 1000 Neste Ano Valiano, após Valinor ser feita, e Valmar construída, a cidade dos Deuses, os Valar trouxeram à existência as Duas Árvores, Laurelin e Silpion, de ouro e prata, cujo florescer dava luz a Valinor. Durante todo esse tempo Morgoth habitou na Terra-média, e fez sua fortaleza em Utumna no Norte; mas ele manteve o domínio com violência e as terras foram ainda mais destroçadas naquela época.

A.V. 1000–2000 Mil Anos Valianos de ventura e esplendor seguiram-se ao acendimento das Árvores em Valinor, mas a Terra-média estava nas trevas. Para lá ia Yavanna por vezes, e o lento crescimento das florestas foi iniciado. Dos Valar apenas Oromë lá ia, e ele caçava nas matas escuras da antiga terra, quando se cansava das terras brilhantes. Morgoth recuava diante de sua trompa.

OS ANAIS TARDIOS DE VALINOR

A.V. 1900 Yavanna amiúde repreendia os Valar por negligenciarem seus cuidados; donde, certa vez, Varda deu início ao feitio das estrelas, e as colocou no alto. Depois disso a noite do mundo foi bela, e alguns dos Vanimor vagavam pela Terra-média. Entre esses estava Melian, cuja voz era renomada em Valmar. Ela era da casa de Lórien, mas não retornou para lá por muitos anos, e os rouxinóis cantavam sobre ela nas matas sombrias das terras ocidentais.

A.V. 1950 A mais magna das obras de Varda, senhora das estrelas, foi aquela constelação que é chamada pelos Elfos de a Foice dos Deuses, mas pelos Homens do antigo Norte foi nomeada Urze Ardente, e de Homens posteriores recebeu muitos outros nomes. Esse símbolo da foice Varda suspendeu sobre o Norte como ameaça a Morgoth e presságio de sua queda. Ao seu primeiro luzir, os Filhos Mais Velhos de Ilúvatar despertaram no centro da Terra-média. Eles são os Elfos.[1] Donde são chamados também de os filhos das estrelas.[2]

A.V. 1980–1990 Oromë encontrou os Elfos e fez amizade com eles; e a maior parte daquela gente marchou com a guia dele para o oeste e o norte até as costas de Beleriand, sendo chamados pelos Deuses a Valinor.

Mas primeiro Morgoth foi sobrepujado com guerra e acorrentado e levado como cativo e aprisionado em Mandos. Naquela guerra dos Deuses as terras foram rasgadas de novo.

A.V. 2000 Desse tempo em diante foi contado o aprisionamento de Morgoth. Pela sentença de Manwë ele deveria ficar confinado como punição por sete eras, 700 Anos Valianos, e após esse tempo lhe ser concedida a graça do arrependimento e da expiação.

O Ano Valiano 2000 desde a entrada dos Deuses no mundo, e 1000 desde o acendimento das Árvores, é considerado o Zênite do Reino Abençoado, e o tempo da plenitude do júbilo de Valinor. Naquele tempo toda a terra teve paz.

Naquele ano as primeiras gentes dos Elfos chegaram à Costa do Oeste e adentraram a luz dos Deuses. Os Eldar são todos aqueles Elfos chamados que obedeceram a convocação de Oromë. Desses há três gentes, os Lindar, os Noldor e os Teleri. Os Lindar e os Noldor chegaram primeiro a Valinor, e ergueram o monte de Kôr em um passo das montanhas

A ESTRADA PERDIDA E OUTROS ESCRITOS

próximo à costa, e sobre ele erigiram a cidade de Tûn[3] e a torre de Ingwë, seu rei.

A.V. 2000–2010 Mas os Teleri, que vieram depois deles, esperaram enquanto isso por dez Anos Valianos nas costas de Beleriand, e alguns jamais partiram de lá. Donde foram chamados Ilkorindi, pois jamais chegaram a Kôr. Desses o mais renomado era Tindingol ou Thingol,[4] irmão de Elwë, senhor dos Teleri. Melian o encantou nas matas de Beleriand; e ele depois a desposou e habitou como um rei no crepúsculo do oeste. Mas enquanto ele dormia sob os encantamentos de Melian, seu povo o buscou em vão, e antes que despertasse a maioria dos Teleri havia partido. Pois eles foram puxados numa ilha por Ulmo e assim travessaram o mar como os Lindar e os Noldor haviam feito antes.

[Conta-se que uma companhia dos Noldor, cujo líder era Dan, abandonou a hoste de Finwë, senhor dos Noldor, no início da marcha para o oeste, e voltou-se para o sul. Mas acharam as terras estéreis e sombrias, e voltaram-se mais uma vez para o norte, e tornaram a marchar para o oeste com muita andança e pesar. Desses alguns, sob a liderança de Denithor,[5] filho de Dan, passaram enfim, por volta do ano dos Valar de **2700**, por sobre as Eredlindon, e habitaram em Ossiriand, e eram aliados de Thingol.[6] Isto eu, Pengolod, acrescentei aqui, pois não era conhecido por Rúmil.

A.V. 2010–2110 Pelos feitos de Ossë, como em outro lugar é recontado, os Teleri não chegaram de pronto a Valinor, mas durante essa época habitaram em Tol-eressëa, a Ilha Solitária, no Grande Mar, à vista de Valinor.

A.V. 2111 Neste ano os Teleri chegaram em seus navios a Valinor, e habitaram nas praias orientais; e lá fizeram a cidade e porto de Alqualondë, que é Porto-cisne, assim nomeado por atracarem lá os seus cisnes, e os seus barcos em forma de cisne.[7]

A.V. 2500 Os Noldor nessa época haviam inventado gemas e lhes deram feitio em muitas miríades. Por fim, cerca de cinco eras após a chegada dos Noldor a Valinor, Fëanor, o Ferreiro, filho mais velho de Finwë, chefe dos Noldor, criou as três vezes renomadas Silmarils, à volta de cuja sina estas histórias estão tecidas. Brilhavam por sua própria luz, estando cheias da radiância das Duas Árvores, a luz sacra de Valinor, que era misturada nelas com um fogo maravilhoso.

A.V. 2700 Nessa época Morgoth suplicou perdão, e pelos rogos de Nienna, sua irmã, e pela clemência de Manwë, seu irmão, mas contrário ao desejo de Tulkas e Aulë e Oromë, ele foi libertado, e fingiu humildade e arrependimento, reverência aos Valar, e amor e amizade para com os Elfos, e habitou em Valinor em sempre crescente liberdade. Ele mentia e dissimulava, e mormente enganava os Noldor, pois tinha muito a ensinar, e eles tinham um desejo profundo de aprender; mas cobiçava as gemas deles e ansiava pelas Silmarils.[8]

A.V. 2900 Durante mais duas eras a ventura de Valinor perdurou, porém uma sombra começou a se formar em muitos corações; pois Morgoth trabalhava com sussurros secretos e conselhos torpes. Mormente persuadiu os Noldor, e semeou as sementes da discórdia entre os filhos de Finwë, senhor dos Gnomos, Fëanor, Fingolfin e Finrod, e a desconfiança nasceu entre Noldor e Valar.

Por volta dessa época, devido às contendas que começavam a surgir, os Deuses convocaram um concílio, e pela sentença deles Fëanor, filho mais velho de Finwë, e sua casa e seguidores foram privados da liderança dos Gnomos. Donde a casa de Fëanor foi depois chamada a dos Despossuídos, por isso e porque Morgoth veio a lhes roubar o seu tesouro. Finwë e Fëanor partiram da cidade de Tûn e habitaram no norte de Valinor; mas Morgoth escondeu-se, e apareceu somente a Fëanor em segredo, fingindo amizade.

A.V. 2950 Os Deuses ouviram novas acerca de Morgoth e mandaram detê-lo, mas ele fugiu por sobre as montanhas e entrou nas sombras de Arvalin, e habitou lá por muito tempo, tramando o mal, e reunindo em si mesmo a força da escuridão.

A.V. 2990 Morgoth agora concluíra seus desígnios e, com o auxílio de Ungoliantë, de Arvalin voltou às ocultas a Valinor, e destruiu as Árvores. De lá escapou na escuridão que se ajuntava rumo ao norte, e saqueou as moradas de Finwë e Fëanor, e levou embora uma miríade de joias, entre elas as Silmarils. Lá ele matou Finwë diante de suas portas, e muitos Elfos, e profanou assim Valinor e deu início à matança no mundo. Essa recompensa receberam Finwë e Fëanor por sua amizade.

Morgoth foi perseguido pelos Valar, mas escapou para o Norte da Terra-média, e restabeleceu lá suas praças-fortes, e procriou e reuniu mais uma vez seus serviçais malignos, Orques e Balrogs.

[Então o medo entrou em Beleriand, que por muitas eras permanecera em paz iluminada pelas estrelas. Mas Thingol, com o seu aliado Denithor de Ossiriand, por um longo tempo manteve afastados os Orques do Sul. Porém, por fim, Denithor, filho de Dan, foi morto, e Thingol fez suas mansões profundas em Menegroth, as Mil Cavernas, e Melian teceu magias dos Valar em torno da terra de Doriath, e a maioria dos Elfos de Beleriand recuou para os confins de sua proteção, salvo alguns que permaneceram perto dos portos ocidentais, Brithombar e Eglorest, às margens do Grande Mar, e os Elfos-verdes de Ossiriand, que habitavam ainda atrás dos rios do Leste, onde o poder de Ulmo fluía. Isto eu, Pengolod, acrescentei às palavras de Rúmil de Valinor.]

A.V. 2990–3000 Dos últimos anos antes da Ocultação de Valinor.

A.V. 2991 Valinor jazia agora em grande treva, e uma escuridão, salvo apenas pelas estrelas, caiu por sobre todo o mundo ocidental. Então Fëanor, contra a vontade dos Valar, retornou a Tûn, e reivindicou o reinado dos Noldor após Finwë, e convocou toda aquela gente a Kôr. Lá Fëanor lhes falou. Fëanor era o mais poderoso Gnomo de todos que já existiram, hábil com as palavras e as mãos, belo e forte e alto, inflamável de ânimo e pensamento, de temperamento difícil, audaz, mestre das vontades de outros.

Canções foram feitas de seus feitos naquele dia. Sua fala era como uma chama. Contudo, seu coração ardia com o ódio pelo matador de seu pai e ladrão de suas gemas, e ele falou muito de vingança, e, no entanto, repetia Morgoth sem ter consciência, e suas palavras eram fortes com as mentiras de Morgoth, e com rebelião contra Manwë. A maior parte dos Noldor ele persuadiu naquele dia a segui-lo para fora de Valinor e recuperar os seus reinos na terra, antes que fossem furtados pelos Filhos Mais Novos de Ilúvatar, os Homens (nisso repetia Morgoth sem ter consciência); e guerrear para sempre contra Morgoth buscando recuperar o seu tesouro. Naquela assembleia Fëanor e seus sete filhos fizeram o seu juramento terrível de matar ou perseguir com ódio qualquer um que mantivesse uma Silmaril contra a vontade deles.

A.V. 2992A grande marcha dos Gnomos longamente preparada. Os Deuses a proibiram, mas não a impediram, pois Fëanor os acusara de manter os Elfos cativos contra suas vontades. Por fim a hoste partiu, mas sob uma liderança dividida, pois a casa de Fingolfin o considerava rei.

A hoste não havia ido longe quando entrou no coração de Fëanor que todas aquelas magnas companhias, tanto de guerreiros e outros, e grande quantidade de bens, jamais atravessaria as vastas léguas até o Norte, salvo com o auxílio de navios. Ora, eles seguiram para norte tanto por tencionarem atacar Morgoth como por ao norte os Mares Divisores se estreitarem; pois Tûn sob Taniquetil fica no cinturão da terra, onde o Grande Mar é desmesuravelmente largo. Mas apenas os Teleri possuíam navios, e não abririam mão deles nem os emprestariam contra a vontade dos Valar.

Assim ocorreu nesse ano de temor a dolorosa batalha em Alqualondë, e o fratricídio miseravelmente renomado em canção, onde os Noldor, assoberbados, fomentaram a obra de Morgoth. E os Noldor sobrepujaram os Teleri e lhes tomaram os navios, e seguiram lentamente dali ao longo das costas rochosas em grande perigo e em meio a desavenças. Muitos marcharam a pé, e outros manejaram as embarcações.

A.V. 2993 Por volta dessa época os Noldor chegaram a um lugar, próximo aos confins setentrionais de Valinor, onde uma rocha elevada fica acima da costa, e lá estava Mandos ou seu mensageiro, e ele pronunciou a Sentença de Mandos. Pelo fratricídio ele amaldiçoou a casa de Fëanor e, em menor grau, todos aqueles que a seguissem ou tivessem parte em sua empresa, a menos que retornassem para receber a sentença dos Valar. Mas, se não o fizessem, então má fortuna e desastre cairiam sobre eles, e sempre isso viria se dar mormente por traição de parente contra parente; e seu juramento voltar-se--ia contra eles, impedindo em vez em de auxiliar a recuperação das joias. Uma medida da mortalidade iria visitar os Noldor, e seriam mortos com armas, e com tormentos, e com tristezas, e no longo fim desvaneceriam na Terra-média e feneceriam diante da raça mais jovem. Muito mais ele previu

A ESTRADA PERDIDA E OUTROS ESCRITOS

obscuramente e depois se cumpriu, e os advertiu de que os Valar cercariam Valinor para evitar seu retorno.

Mas Fëanor endureceu seu coração e seguiu em frente, e com ele foi ainda, embora com relutância, o povo de Fingolfin, sentindo-se forçado por seu parentesco e pela vontade de Fëanor; temiam também a condenação dos Deuses, pois nem todos do povo de Fingolfin eram livres de culpa pelo fratricídio. Inglor (que foi mais tarde cognominado Felagund, Senhor de Cavernas) e os outros filhos de Finrod também seguiram adiante; pois outrora tiveram grande amizade, Inglor com os filhos de Fingolfin, e seus irmãos Orodreth, Angrod e Egnor com Celegorm e Curufin, filhos de Fëanor.[9] Mas os senhores da casa de Finrod eram menos soturnos e mais gentis de disposição que os outros, e não tomaram parte no fratricídio; contudo, não escaparam da maldição, pois agora se recusavam a retornar. O próprio Finrod retornou e muitos de seu povo com ele, e chegaram enfim mais uma vez a Valinor e receberam o perdão dos Deuses. Mas Aulë, seu antigo amigo, não mais lhes sorriu, e os Teleri apartaram-se deles.

Aqui termina o que Rúmil escreveu.

Aqui se segue a continuação de Pengolod.

A.V. 2994 Os Noldor chegaram enfim ao Norte amargo, e em frente ao longo da terra eles não podiam ir de navio; pois há um estreito entre o Mundo-do-Oeste, no qual foi erguido Valinor, que se curva a leste e a costa da Terra-média, que se volta a oeste, e através desses estreitos as águas frígidas do Mar Circundante e as ondas do Grande Mar correm juntas, e há vastas brumas de frio mortal, e as correntes marítimas estão cheias de colinas de gelo que se chocam, e do roçar do gelo submerso. Esse estreito era chamado de Helkaraksë.

Os navios que restaram, muitos tendo sido perdidos, eram muito poucos para transportar a todos, salvo com muitas travessias e retornos. Mas ninguém estava disposto a permanecer na costa enquanto outros velejavam para longe, pois a confiança ainda não era plena entre os líderes, e querelas surgiram entre Fëanor e Fingolfin.

141

Fëanor e sua gente tomaram todos os navios e cruzaram o mar para o leste, e não levaram nenhuma das outras companhias, exceto por Orodreth,[10] Angrod e Egnor, a quem Celegorm e Curufin amavam. E Fëanor disse: "Que os murmuradores se lastimem no caminho de volta às sombras de Valmar." E ele pôs fogo nos navios na costa oriental, e tão grande foi o incêndio que os Noldor[11] deixados para trás avistaram a vermelhidão ao longe.

A.V. 2995 Neste ano dos Valar, Fëanor chegou a Beleriand e às costas sob as Eredlómin, as Montanhas Ressoantes; e desembarcou na estreita enseada de Drengist, que corta Dorlómen. Os Gnomos de lá passaram a Dorlómen e ao norte das Montanhas de Mithrim, e acamparam na terra de Hithlum, naquela parte que é chamada Mithrim, e ao norte do grande lago que leva o mesmo nome.

Na terra de Mithrim lutaram primeira das batalhas da longa guerra dos Gnomos e Morgoth. Pois um exército de Orques surgiu provocado pelo incêndio dos navios e pelos rumores de seu avanço; mas os Gnomos foram vitoriosos e repeliram os Orques com mortandade, e os perseguiram para além de Eredwethion até a planície de Bladorion. Aquela batalha é a Primeira Batalha de Beleriand, e é chamada Dagor-os-Giliath,[12] a Batalha sob as Estrelas; pois tudo ainda se encontrava na treva.

Mas a vitória foi maculada pela morte de Fëanor. Ele com imprudência adentrou Bladorion, ávido demais na perseguição, e foi cercado quando os Balrogs pararam de fugir na retaguarda de Morgoth. Mui grande era o valor de Fëanor, e ele foi envolto em fogo; mas, ao final, tombou mortalmente ferido pela mão de Gothmog, Senhor de Balrogs. Mas seus filhos o carregaram de volta a Mithrim, e ele morreu lá, lembrando-os de seu juramento. A este agora acrescentaram um juramento de vingança pelo pai.

A.V. 2996 Maidros, filho mais velho de Fëanor, caiu nos ardis de Morgoth. Pois Morgoth fingiu tratar com ele, e Maidros fingiu estar disposto, e um pretendia o mal ao outro; e cada um foi em força ao debate; mas a de Morgoth era maior, e Maidros foi feito prisioneiro.

Morgoth manteve Maidros como refém, e jurou somente libertá-lo se os Noldor marchassem de volta para Valinor,

A ESTRADA PERDIDA E OUTROS ESCRITOS

se pudessem, ou então de Beleriand para o Sul do mundo. Mas, caso não o fizessem, ele submeteria Maidros a tormentos. Mas os filhos de Fëanor não criam que ele liberaria seu irmão se partissem, tampouco estavam dispostos a partir, não importando o que Morgoth fizesse.

A.V. 2997 Morgoth pendurou Maidros pelo pulso direito em uma tira de aço forjado infernal acima de um precipício nas Thangorodrim, onde ninguém podia alcançá-lo.

A.V. 2998-3000 Ora, Fingolfin e Inglor, filho de Finrod, avançaram por fim com dolorosas perdas e poderio diminuído ao Norte da Terra-média. Este é contado entre os mais valorosos e desesperados dos feitos dos Gnomos; pois forçados atravessaram o Helkaraksë, não estando dispostos a tomar o caminho de volta a Valinor, e por não terem navios. Mas sua agonia naquela travessia foi mui grande, e seu corações estavam cheios de amargura.

No momento em que Fingolfin pôs os pés na Terra-média, as Primeiras Eras do Mundo chegaram ao fim, pois eles muito se demoraram desesperados nas costas do Oeste, e longa havia sido sua amarga jornada.

As Primeiras Eras são contadas como 30.000 anos ou 3.000 anos dos Valar; dos quais os primeiros Mil foram antes das Árvores, e Dois mil salvo nove foram os Anos das Árvores ou da Luz Sacra, que viveu depois e vive ainda apenas nas Silmarils; e os nove são os Anos de Escuridão, ou o Obscurecer de Valinor.

Perto do fim desses nove anos, como se conta em outro lugar, os Deuses fizeram a Lua e o Sol e os enviaram por sobre o mundo, e a luz chegou às Terras de Cá. A Lua foi a primeira a surgir.

Os Homens, os Filhos Mais Novos de Ilúvatar, despertaram no Leste do Mundo ao primeiro Nascer do Sol;[13] donde também são chamados de os Filhos do Sol. Pois o Sol foi disposto como um sinal do esvanecer dos Elfos, mas a Lua acalenta a memória deles.

Com o primeiro Nascer da Lua Fingolfin pôs os pés no Norte, pois o Nascer da Lua veio antes da Aurora, tal como Silpion outrora florescia antes de Laurelin e era a mais velha das Árvores.

OS ANAIS TARDIOS DE VALINOR

Ano do Sol 1 E a primeira Aurora reluziu sobre a marcha de Fingolfin, e suas bandeiras azuis e prateadas foram desfraldadas, e flores brotaram sob seus pés em marcha; pois um tempo de abertura e crescimento, súbito, ligeiro e belo, chegara ao mundo, e de bem que surge devido ao mal, como sempre acontece.

Então Fingolfin marchou pelos recônditos da terra de Morgoth, que é Dor-Daideloth,[14] a Terra do Terror, e os Orques fugiram diante da nova luz assombrados, e esconderam-se sob a terra; e os Elfos golpearam os portões de Angband e suas trombetas ecoaram nas torres das Thangorodrim.

Ora, preocupado com os ardis de Morgoth, Fingolfin retirou-se das portas do inferno e entrou em Mithrim, para que as Montanhas Sombrias, Eredwethion, pudessem ser sua proteção, enquanto sua gente descansava. Mas havia pouco amor havia entre os seguidores de Fingolfin e a casa de Fëanor; e os filhos de Fëanor se retiraram e acamparam na margem sul, e o lago ficou entre as gentes.

Desse tempo em diante foram contados os Anos do Sol, e essas coisas ocorreram no primeiro ano. Ora, o tempo medido chegou ao mundo, e o crescimento, a mudança e o envelhecimento de todas as coisas foi desde então mais rápido, até mesmo em Valinor, mas mormente mais rápido nas Terras de Cá da Terra-média, as regiões mortais entre os mares do Leste e do Oeste. E todos os seres vivos se espalharam e se multiplicaram naqueles dias, e os Elfos aumentaram em número, e Beleriand ficou verdejante e repleta de música. Lá muitas coisas mais tarde vieram a se passar, como está registrado nos *Anais de Beleriand*, e no *Quenta*, e em outras canções e contos.

NOTAS

Todas as mudanças no texto original registradas aqui certamente pertencem ao "período inicial", distintas das alterações feitas após o término de *O Senhor dos Anéis*.

[1] *Eles são os Elfos > Eles são os Quendi ou Elfos.* Ver *Lhammas* §1 e comentário.

[2] *os filhos das estrelas > Eldar, os filhos das estrelas.* Ver *Lhammas* §2 e comentário.

[3] *Tûn > Túna* (e nos anais 2900 e 2992). Ver *Lhammas* §5, QS §39 e comentários.

[4] *Tindingol ou Thingol > Sindo, o Cinzento, mais tarde chamado Thingol.* Ver *Lhammas* §6 e comentário.

A ESTRADA PERDIDA E OUTROS ESCRITOS

[5] *Denithor* > *Denethor* (e no anal 2990). Ver *Lhammas* §7 e comentário.

[6] Acrescentado aqui: *Esses eram os Elfos-verdes.*

[7] As palavras *cisnes, e os seus* são um acréscimo cuidadoso, provavelmente feito à época da composição; mas parece estranho, uma vez que a intenção de meu pai dificilmente era dizer que os Teleri "atracaram" os seus cisnes em Alqualondë.

[8] Acrescentado aqui, talvez à época da composição dos *Anais*: [*Aqui os Danianos vieram por sobre as Eredlindon e habitaram em Ossiriand.*] Quanto ao termo *Danianos,* ver o comentário a *Lhammas* §7.

[9] Essa frase foi alterada para: *pois outrora tiveram grande amizade, Inglor e Orodreth com os filhos de Fingolfin, e seus irmãos Angrod e Egnor com Celegorn e Curufin, filhos de Fëanor.* Ver QS §42 e comentário. — *Celegorm* > *Celegorn* mais uma vez no anal 2994; ver comentário a QS §41.

[10] *Orodreth* foi riscado; ver nota 9, e QS §73 e comentário.

[11] *Noldor* foi alterado a partir de *Noldoli*: ver comentário ao anal 2000.

[12] *Dagor-os-Giliath* > *Dagor-nuin-Giliath.* Ver QS §88 e comentário.

[13] *Os Homens... despertaram no Leste do Mundo ao primeiro Nascer do Sol > Ao Nascer do Sol, os Homens... despertaram em Hildórien, nas regiões centrais do mundo.* Ver QS §82 e comentário.

[14] *Dor-Daideloth* > *Dor-Daedeloth.* Ver QS §91 e comentário.

Comentário aos Anais Tardios de Valinor

Seção de abertura A mistura de tempos verbais, já presente no AV 1, torna-se agora um pouco mais acentuada com *Manwë é* em vez de *Manwë era* senhor dos Valar; ver p. 246.

A frase acerca de Oromë, Tulkas, Ossë e Lórien, que eram "mais jovens no pensamento de Ilúvatar, antes da feitura do mundo" do que os outros cinco Valar, não está presente no AV 1, tampouco algo similar é dito em qualquer textos da tradição do *Quenta* (embora apareça em QS §6 a afirmação de que Mandos era o *mais velho* e Lórien o *mais novo* dos Fanturi; cf. também *A Estrada Perdida,* p. 80, onde Alkar (Melko) é chamado de "o mais velho no pensamento de Ilúvatar"). As afirmações no AV 2 de que "Aulë desposou Yavanna posteriormente no mundo, em Valinor", e de Oromë é o filho de Yavanna, mas não de Aulë, da mesma forma estão ausentes do AV 1 e de toda a tradição do *Quenta.*

Dois dos fragmentos das traduções em inglês antigo dos *Anais* feitas por Ælfwine apresentadas no Vol. IV possuem ligação com esse trecho. Na curta versão III (IV. 342), aparece a afirmação a respeito da relativa "juventude" de certos Valar, mas é limitada a Tulkas e Oromë; e lá também é dito, como aqui, que Aulë e Yavanna tornaram-se marido e mulher (*wurdon to sinhiwan*) após os Valar entrarem no mundo. A forma *Melkor*, e não *Melko*, sugere, mas não prova, que esse texto é derivado do período pós-*Senhor dos Anéis* (quanto a essa questão, ver p. 405–06, comentário a §30). A outra passagem em inglês antigo em questão, um fragmento escrito às pressas (IV. 343–44), possui a afirmação encontrada no AV 2 de que Oromë não era filho de Aulë, mas não aquela acerca da união posterior de Yavanna e Aulë.*

A abertura do AV 2 foi extensivamente mudada e reescrita muito tempo depois; mas uma alteração na presente passagem parece ter sido feita durante o período inicial. A frase "e Oromë nasceu de Yavanna, que é mencionada a seguir, mas ele não é filho de Aulë" foi alterada para esta afirmação notável:

e Oromë era o rebento de Yavanna, que é mencionada a seguir, mas não como os Filhos dos Deuses nascido neste mundo, pois ele veio do pensamento dela antes de o mundo ser feito.

Isso está associado ao desenvolvimento da ideia dos seres menores que entraram no mundo com os Valar, que passou por várias alterações (culminando no conceito dos Maiar). No Q (IV. 95–6) esses espíritos são mencionados, mas não recebem nome algum, e esse continua sendo o caso no QS (§2). No AV 1 (IV. 310) é feita uma distinção entre os filhos dos Valar, de um lado, e "seres de sua própria gente, mas de menor poder", de outro; mas todos entraram no mundo com os Valar, e todos são chamados *Valarindi*. No AV 2 a distinção é ampliada: os espíritos menores, "seres de sua própria gente, mas de menor poder", que chegaram com os Valar, são os *Vanimor*, "os Belos", e os Filhos dos Valar, que não entraram no mundo com eles, mas que foram *gerados no mundo*, são os *Valarindi*; estes foram "contados mais tarde" com os *Vanimor*. No fragmento em inglês antigo mencionado acima é dito o mesmo, embora o nome *Valarindi não seja dado lá aos Filhos dos Valar* (IV. 344).

---

* A marca impossível de ser interpretada após o nome Oromë nessa passagem, que expliquei que significava "e Tulkas", na verdade pode ser uma abreviação de "Oromë, Tulkas, Ossë e Lórien", como no AV 2, com o qual esse fragmento em inglês antigo evidentemente está relacionado.

A ESTRADA PERDIDA E OUTROS ESCRITOS

Anal 500 A história (que remonta aos *Contos Perdidos*) de que Morgoth engendrou os pilares das Lamparinas a partir do gelo é contada no *Ambarkanta* (IV. 282–83) e indicada no AV 1 (IV. 311: "Morgoth destruiu *por ardis* as Lamparinas que Aulë fez"). Na outra tradição, o QS (§11) preserva o fraseado do Q (IV. 97), onde é dito apenas que Morgoth derrubou as Lamparinas, e não há indicação da história de seu engodo.

Anal 1000 Quanto à aparição aqui de *Utumna*, uma reversão aos *Contos Perdidos*, como o nome da fortaleza original de Melko, ver p. 132. Esse é indício de que o AV 2 seguiu-se ao AB 2, onde (na passagem de abertura em ambos os textos) *Angband* foi mantido.

Anal 1000–2000 A frase "e o lento crescimento das florestas foi iniciado" é surpreendente. No Esb e no Q (IV. 20, 100), as florestas primevas já cresciam na Terra-média na época da queda das Lamparinas, e isso é repetido no QS (§18). A presente passagem parece contradizer a do A.V. 500 ("as Lamparinas tombaram e o crescimento que havia começado com a reunião da luz foi detido") e reverter à história mais antiga dos *Contos Perdidos*: cf. o comentário ao conto *O Acorrentamento de Melko* (I. 139): "Na narrativa mais antiga, por outro lado, não há menção ao início do crescimento durante o tempo em que as Lamparinas brilharam, e as primeiras árvores e plantas baixas apareceram sob os feitiços de Yavanna no crepúsculo após sua derrubada."

Anal 1900 Essa é a primeira aparição da ideia de que os Valar, recolhidos para trás de sua muralha montanhosa, "negligenciavam seus cuidados" da Terra-média, e de que foram as repreensões de Yavanna que levaram Varda a fazer as estrelas. A ideia das duas feituras estrelas ainda não estava presente.

No lugar de *Vanimor*, o AV 1 possui *Valarindi*: ver o comentário à seção de abertura.

Anal 2000 A forma *Noldor* no lugar de *Noldoli* ocorre pela primeira vez nesses Anais e no AB 2 (no do A.V 2994 meu pai inadvertidamente ainda escreveu *Noldoli* antes de alterar para *Noldor*); e na presente passagem está a primeira aparição do nome *Lindar* para a Primeira Gente, em substituição ao *Quendi* mais antigo do Esb, do Q e do AV 1 (*Lindar* ocorre nos textos mais antigos por meio de emendas nessa época tardia). Essa alteração implica também que o emprego de *Quendi* havia mudado, para o seu significado final de "todos os Elfos" (essa

147

na verdade é uma reversão a uma nomenclatura que aparecera brevemente muito tempo antes, I. 282); e, de fato, por meio de uma alteração inicial no manuscrito (nota 1 acima) "Eles são os Elfos" tornou-se "Eles são os Quendi ou Elfos". Com essa mudança, ocorreu a limitação de significado, encontrado pela primeira vez aqui, do termo *Eldar* para àqueles Elfos que obedeceram a convocação de Oromë (embora na alteração inicial apresentada na nota 2 *Eldar* pareça ser usado como um simples equivalente de *Quendi*); ver o comentário a *Lhammas* §2.

Anal 2000–2010 Essa é a primeira indicação de um novo significado dado a *Ilkorindi*, limitando-o do sentido antigo de "Elfos-escuros" em geral (IV. 103) àqueles dos Teleri que permaneceram em Beleriand; ver o comentário a *Lhammas* §2.

A conclusão do anal está entre colchetes no manuscrito, e ela sem dúvida é original. O texto seguiu de perto o acréscimo a lápis ao AV 1 (IV. 318), onde, no entanto, não é dito que esse acréscimo foi feito por Pengolod à obra de Rúmil; pois o preâmbulo do AV I afirma que os *Anais de Valinor* foram escritos na íntegra por Pengolod. Isso agora havia sido alterado, com Pengolod tornando-se o continuador dos anais de Rúmil. Ver o comentário aos anais 2990 e 2993. — A chegada dos "Danianos" por sobre as Eredlindon no A.V. 2700 é mencionada mais uma vez em um acréscimo ao anal daquele ano (nota 8).

Anal 2700 Oromë não é mencionado por nome nos outros textos como sendo contrário à libertação de Melko. No Q (IV. 107–08) e no QS (§48) foram Ulmo e Tulkas que duvidaram sensatez do ato; no AV 1, Aulë e Tulkas são mencionados por nome como opositores.

Anal 2900 Quanto à evolução da história dos movimentos de Morgoth nessa época, ver IV. 326.

Anal 2990 Quanto ao provável significado da frase "Essa recompensa receberam Finwë e Fëanor por sua amizade", ver IV. 326. O trecho "procriou e reuniu mais uma vez seus serviçais malignos, Orques e Balrogs", mantido do AV 1, mostra o conceito ainda presente de que os Orques foram trazidos à existência pela primeira vez muito antes de Morgoth retornar à Terra-média, em contraste com a abertura do AB 2.

A conclusão desse anal, como a do anal 2000–2010, está entre colchetes no manuscrito, e, como a passagem anterior, é baseada de perto nas (embora reordenada a partir das) interpolações feitas no AV 1 (IV. 318–19), mas com o acréscimo atribuindo-a a Pengolod.

Anal 2992 A acusação de Fëanor contra os Valar não consta no AV 1. — Como escrito inicialmente, o AV 1 possui "Assim, por volta de 2992 dos Anos Valianos ocorreu…", que foi alterada para "Assim, no terrível Ano dos Valar 2999 (29991 Ano do Sol)" (IV. 321). O fato de que meu pai adotou em parte o fraseado revisado ("no terrível Ano", "nesse ano de temor") talvez sugira que ele tinha diante de si a datação revisada no AV 1, que em muito acelera a sequência de eventos, e a rejeitou.

Não é contado no AV 1 que alguns prosseguiram a pé ao longo da costa enquanto outros manejaram os navios, mas isso remonta aos *Contos Perdidos* (ver IV. 59).

Anal 2993 No trecho "seriam mortos com armas" da Sentença de Mandos, meu pai usou primeiro "seriam facilmente mortos", como no AV 1, mas riscou a palavra *facilmente* enquanto escrevia; ver IV. 328.

Após "os advertiu de que os Valar cercariam Valinor para evitar seu retorno" ele colocou "Aqui termina o que Rúmil escreveu" (palavras acrescentadas a lápis nesse ponto no AV 1, IV. 319, nota 20), mas as riscou as palavras de imediato e as pôs no final do anal, como impressas no texto. Embora o preâmbulo do AV 1 afirme que os Anais eram obra apenas de Pengolod, uma segunda versão do preâmbulo (IV. 342) diz que eles "foram escritos primeiramente por Rúmil, o Sábio-élfico de Valinor, e posteriormente por [isto é, continuados por] Pengolod, o Sábio de Gondolin"; e sugeri (IV. 342–43) que Rúmil foi um dos Noldor que retornou a Valinor com Finrod, e isso explicaria por que o final de sua parte nos Anais foi transferido para um ponto mais adiante no AV 2 — "sua parte termina com o registro propriamente dito do retorno de Finrod e da recepção que ele e aqueles que o acompanharam tiveram". Cf. as passagens nos anais 2000–2010 e 2990, onde inserções são feitas por Pengolod no texto de Rúmil.

Nesse anal (e no anal 50 do AB 2) *Felagund* é pela primeira vez traduzido como "Senhor de Cavernas". Ele foi chamado *Inglor Felagund* na versão em inglês antigo do AB (IV. 398, 400).

Anal 2998–3000 Com as palavras "Pois o Sol foi disposto como um sinal do esvanecer dos Elfos, mas a Lua acalenta a memória deles" (repetidas em QS §75), cf. *A Estrada Perdida*, pp. 88–9 (nota 12).

3

OS ANAIS TARDIOS DE BELERIAND

O manuscrito desta versão, **AB 2**, dos *Anais de Beleriand* é bastante similar ao do AV 2, e obviamente pertence basicamente à mesma época. Assim como com o AV 2, o manuscrito em sua parte inicial foi bastante emendado e sobrescrito anos mais tarde — o primeiro estágio no desenvolvimento da versão final dessas crônicas, os *Anais Cinzentos*. Contudo, neste caso houve muito mais revisões no período inicial do que com o AV 2, e em alguns pontos é difícil separar o "inicial" do "tardio"; referências ao QS geralmente decidirão a questão, mas permanecem dúvidas em casos em que *o próprio QS foi alterado em uma época indeterminada.*

Apresento o texto como foi originalmente escrito (acomodando alguns acréscimos ou correções que claramente foram feitos à ou logo após a época da composição), mas abro uma exceção no caso das datas. Aqui é menos confuso e mais fácil para referências subsequentes apresentar as datas emendadas entre colchetes após as originais. Essas alterações maiores na cronologia ocorreram durante a composição do QS, e são discutidas nas pp. 306–07. Alterações além das feitas nas datas, onde tenho certeza suficiente de pertencerem ao período pré-*Senhor dos Anéis*, estão registradas nas notas; a grande maioria delas reflete o movimento de nomes e da narrativa que surgiram quando o QS foi escrito (ou que, em alguns casos, foram inseridos no decorrer da composição do QS), e não as discuto no comentário ao AB 2.

Como já mencionado (pp. 131–32), referências às duas versões iniciais desses Anais, apresentadas no Vol. IV (AB I e AB II), são feitas aqui como **AB 1**; até o anal 220 a comparação é com o AB II, e depois desse ponto com o AB I. Assim como com o AV 2, no comentário trato o AB I no contexto da inclusão das emendas feitas naqueles manuscritos (registradas na íntegra em IV. 362–66, 390), e não retomo questões discutidas nos comentários do Vol. IV.

No tocante ao conteúdo, o AB 2 em geral permanece similar ao AB I, mas não só é mais copioso em matéria como também é mais aperfeiçoado em estilo; os *Anais de Beleriand* estavam se tornando uma obra independente e menos (como descrevi o AB I em IV. 345) uma "consolidação da estrutura histórica em suas relações e cronologia internas" como apoio ao *Quenta* — mas ainda é analística, mantendo o *Aqui* introdutório no início dos anais individuais (derivado da *Crônica Anglo-Saxã*), e carecendo de ligação de motivos entre eventos. E uma vez que, por uma grande infelicidade, meu pai abandonou os *Anais Cinzentos* no final da história de Túrin, a conclusão do AB 2 possui o último relato na tradição dos *Anais* do quarto (tornando-se o sexto) século do Sol e da Grande Batalha. Tanto o AV 2 como o AB 2 só vieram à luz muito recentemente (eu não estava ciente da existência deles quando *O Silmarillion* foi preparado para publicação).

SILMARILLION

III

ANAIS DE BELERIAND

Antes do surgimento do Sol Morgoth fugiu da terra dos Valar e carregou as Silmarils, as gemas sacras de Fëanor. Ele retornou para as regiões do norte do Oeste da Terra-média, e reconstruiu sua fortaleza de Angband, sob as negras Montanhas de Ferro, onde o seu pico mais elevado, Thangorodrim, eleva-se. Ele engendrou os Orques e os Balrogs; e engastou as Silmarils na sua coroa de ferro. Thingol e Denithor[1] resistiram às invasões dos Orques, mas Denithor foi morto, e Thingol retirou-se para Menegroth, e Doriath foi fechada.

Aqui os Despossuídos chegaram ao Norte, e Fëanor os liderava, e com ele vieram seus sete filhos, Maidros, Maglor, Celegorm,[2] Curufin, Cranthir, Damrod e Díriel, e com eles seus amigos, os filhos mais novos de Finrod. Eles queimaram os navios telerianos na costa, no lugar que desde então é chamado de Losgar, próximo à saída de Drengist. Logo após eles lutaram aquela batalha com a hoste de Morgoth que é chamada de Dagor-os-Giliath;[3] e a Fëanor coube a vitória, mas ele foi mortalmente ferido por Gothmog, e morreu em Mithrim.

Maidros, filho de Fëanor, foi emboscado e capturado por Morgoth, e pendurado em Thangorodrim; mas seus irmãos estavam acampados em volta do Lago Mithrim atrás das Eredwethion, as Montanhas Sombrias.

Anos do Sol

1   Aqui a Lua e o Sol, feitos pelos Valar após a morte das Duas Árvores, apareceram pela primeira vez. Nessa época os Pais de Homens despertaram pela primeira vez no Leste do mundo. Aqui Fingolfin, e com ele Inglor, filho de Finrod, conduziu a segunda hoste dos Gnomos por sobre o Helkaraksë, o Gelo Pungente, até as Terras de Cá. Com o primeiro Nascer da Lua puseram os pés na Terra-média, e o primeiro Nascer do Sol reluziu sobre a marcha deles.

Com a chegada do Dia Morgoth recuou, assombrado, para as suas masmorras mais profundas; e lá trabalhou em segredo, e expeliu fumaça negra. Fingolfin soprou as suas trombetas em desafio diante dos portões e Angband, e foi de lá para Mithrim; mas os filhos de Fëanor se retiraram para a margem meridional, e houve uma rixa entre as casas, por causa da queima dos navios, e o lago ficou entre eles.

2   [5] Aqui Fingon, filho de Fingolfin, sanou a rixa; pois procurou Maidros, e o resgatou com o auxílio de Thorndor,[4] Rei das Águias.

1–50 Ora, os Gnomos vagaram por toda parte de Beleriand, explorando a terra, e se assentando nela em muitos lugares, do grande mar Belegar às Eredlindon, que é as Montanhas Azuis; e tomaram todo o vale do Sirion para nele habitar, salvo por Doriath no meio da terra, que Thingol e Melian detinham, tanto a floresta de Region como a floresta de Neldoreth em ambas as margens do Esgalduin.

20   Aqui foi realizada a Festa da Reunião, que é Mereth-Aderthad na fala gnômica. Em Nan-Tathrin,[5] o Vale dos Salgueiros, próximo às fozes do Sirion, foram reunidos os Elfos de Valinor, das três casas dos Gnomos, e muitos dos Elfos-escuros, tanto os das matas e dos portos do Oeste, como alguns dos Elfos-verdes de Ossiriand; e Thingol enviou embaixadores de

A ESTRADA PERDIDA E OUTROS ESCRITOS

Doriath. Mas Thingol não compareceu pessoalmente, nem queria abrir seu reino, nem retirar o encantamento que o cercava, pois não acreditava que o recuo de Morgoth durasse por muito tempo. Ainda assim, seguiu-se um tempo de paz, de crescimento e desabrochar, e de júbilo próspero.

50 Aqui sonhos inquietos e de perturbação afligiram Turgon, filho de Fingolfin, e Inglor, seu amigo, filho de Finrod, e eles buscaram na terra lugares de força e refúgio, caso Morgoth avançasse de Angband como seus sonhos pressagiavam. Inglor encontrou as cavernas de Narog e começou lá a estabelecer uma praça-forte e arsenais, à moda da morada de Thingol em Menegroth; e ele chamou seus salões profundos de Nargothrond. Donde os Gnomos passaram a chamá-lo de Felagund, senhor de cavernas, e esse nome ele portou até a morte.

Mas Turgon viajou sozinho, e pela graça de Ulmo descobriu o vale oculto de Gondolin, e a respeito dele por ora não contou a ninguém.

51 [60] Aqui Morgoth pôs à prova a força e a vigilância dos Noldor. Seu poderio entrou em ação mais uma vez de súbito; e houve terremotos no Norte, e fogo saiu das montanhas, e os Orques fizeram incursões em Beleriand, e bandos de salteadores circulavam por toda parte na terra. Mas Fingolfin e Maidros congregaram uma grande força de sua própria gente, e dos Elfos-escuros, e destruíram todos os Orques que vagavam; e perseguiram a hoste principal até Bladorion, e lá a cercaram, e a destruíram por completo à vista de Angband. Essa foi a Segunda Batalha, Dagor Aglareb, a Batalha Gloriosa.

Ora, foi estabelecido o Cerco de Angband,[6] e ele durou mais de duzentos [> quatrocentos] anos; e Fingolfin gabava-se que Morgoth jamais poderia tornar a sair e romper o sítio de seus inimigos. Porém, tampouco podiam os Gnomos tomar Angband ou recuperar as Silmarils. Mas a guerra jamais cessou por completo nessa época, pois Morgoth forjava novas armas em segredo, e de quando em vez punha à prova seus inimigos; ademais, ele não estava cercado no extremo Norte.

52 Aqui[7] Turgon tornou a ficar inquietado, e de modo ainda mais doloroso em seu sono; e ele tomou uma terça parte dos Gnomos do povo de Fingolfin, e seus bens e suas mulheres, e partiu para o sul, e desapareceu, e ninguém soube aonde

153

tinha ido; mas ele chegou a Gondolin e construiu lá uma cidade e fortificou os montes em volta.

Desta maneira os outros chefes sitiaram Angband. No Oeste ficavam Fingolfin e Fingon, e eles habitavam em Hithlum, e a sua principal fortaleza ficava na Nascente do Sirion, Eithel Sirion, de onde provinha o rio nas encostas orientais das Eredwethion. E todas as Eredwethion eles guarneciam e vigiavam Bladorion de lá, e sua cavalaria cavalgava na planície mesmo até os pés das montanhas de Morgoth; e seus cavalos se multiplicavam, pois a relva era boa. Daqueles cavalos, muitos dos antepassados tinham vindo de Valinor, e foram devolvidos a Fingolfin pelos filhos de Fëanor com a resolução da rixa.[8]

Os filhos de Finrod mantinham a terra das Eredwethion ao limite oriental de Taur-na-Danion,[9] a Floresta de Pinheiros, de cujas encostas setentrionais eles também mantinham vigia sobre Bladorion. Aqui ficavam Angrod e Egnor, e Orodreth era o mais próximo dos filhos de Fëanor no Leste.[10] Desses, Celegorm e Curufin mantinham a terra entre os rios Aros e Celon, das fronteiras de Doriath ao passo do Aglon, que fica entre Taur-na-Danion e a Colina de Himling;[11] e esse passo e a planície além eles guardavam. Maidros tinha sua praça-forte sobre Himling, e aquelas colinas inferiores que vão da Floresta de Pinheiros até os sopés das Eredlindon eram chamadas de as Marcas de Maidros. De lá ele cavalgava amiúde até Bladorion Leste, as planícies ao norte, mas mantinha também as matas ao sul entre o Celon e o Gelion. Maglor ficava ainda mais para o leste, perto das águas a montante do Gelion, onde os montes são baixos ou inexistentes; e Cranthir andava sob as sombras das Montanhas Azuis. E toda a gente de Fëanor mantinha vigia por batedores e escoltas na direção do Nordeste.

Ao sul a bela terra de Beleriand, a oeste e leste do Sirion, foi dividida desta maneira. Fingolfin era Rei de Hithlum, e era Senhor da Falas ou Costa do Oeste, e soberano dos Elfos-escuros até Eglorest no sul e a oeste do rio Eglor. Felagund, senhor de cavernas, era Rei de Narog, e seus irmãos eram os senhores de Taur-na-Danion e seus vassalos;[12] e ele possuía as terras tanto a leste como a oeste do rio Narog, até as fozes do Sirion no sul, das margens do Eglor no Oeste até as margens do Sirion a leste, salvo apenas por parte de Doriath que ficava a oeste do Sirion, entre o rio Taiglin e Umboth--Muilin.[13] Mas entre o Sirion e o rio Mindeb ninguém habitava; e em Gondolin, ao sudoeste de Taur-na-Danion, estava Turgon, mas isso ainda não era sabido.

Ora, o Rei Felagund tinha seu lugar de governança em Nargothrond no distante sul, mas seu forte e lugar de batalha era no norte, no vasto passo entre as Eredwethion e Taur-na--Danion, através do qual o Sirion corre para o sul. Havia uma ilha em meio às águas do Sirion, e ela era chamada Tolsirion, e lá Felagund construiu uma poderosa torre de vigia.[14]

Ao sul de Taur-na-Danion ficava um espaço amplo inabitado, entre os precipícios para onde aquelas terras altas caíam e as cercas de Melian, e para cá muitas coisas malignas fugiram que haviam sido alimentadas na escuridão de outrora, e buscavam refúgio agora nos abismos e ravinas. Ao sul de Doriath e a leste, entre o Sirion e o Aros e o Gelion, ficava uma ampla terra de matas e planícies; essa era Beleriand Leste, e era agreste e vasta. Aqui poucos vinham e raramente, exceto os Elfos-escuros que vagavam, mas se considerava que essa terra se encontrava sob o senhorio dos filhos de Fëanor, e Damrod e Díriel caçavam em suas fronteiras e pouco iam aos tumultos do cerco setentrional. Ossiriand, a Terra dos Sete Rios, que fica entre Eredlindon e o rio Gelion, e é banhada pelos rios Ascar, Thalos, Legolin, Brilthor, Duilwen e Adurant, não estava sob o domínio de Maidros. Aqui habitavam os Elfos-verdes, mas não tiveram outro rei após a morte de Denithor, até Beren vir no meio deles. A Beleriand Leste os Senhores-élficos, mesmo de muito longe, cavalgavam por vezes para caçar nas matas selváticas; mas nenhum passava ao leste por sobre as Eredlindon, salvo apenas os Elfos-verdes, pois tinham parentes que ainda se encontravam nas terras mais além.

52–255 [60–455] O tempo do Cerco de Angband foi um tempo de ventura, e o mundo teve paz sob a nova luz. Beleriand tornou-se por demais bela, e ficou repleta de feras e aves e flores. Nessa época os Homens cresceram e se multiplicaram, e se espalharam; e mantinham colóquio com os Elfos-escuros do Leste, e aprenderam muito com eles. Deles receberam os primórdios das muitas línguas dos Homens. Assim ouviram rumores dos Reinos Abençoados do Oeste e dos Poderes que habitavam lá, e muitos dos Pais de Homens em suas andanças seguiam sempre para oeste.

65 Aqui Brithombar e Eglorest foram construídos como belas vilas, e a Torre de Tindobel foi erguida sobre o cabo a oeste de Eglorest, para vigiar o Mar do Oeste. Aqui alguns do povo de Nargothrond construíram novos navios com o auxílio do povo dos portos, e partiram e habitaram na grande ilha de Balar, que ficava na Baía de Balar, para onde o Sirion corre.

102 Por volta dessa época a construção de Nargothrond e de Gondolin foi terminada.

104 [154] Por volta dessa época os Gnomos subiram as Eredlindon e olharam para o leste, mas não entraram nas terras além. Naquelas montanhas a gente de Cranthir deparou-se pela primeira vez com os Anãos, e ainda não havia inimizade entre eles e, no entanto, pouco amor havia. Não era sabido naqueles dias de onde os Anãos haviam se originado, salvo que não eram da Gente-élfica ou da raça mortal, nem ainda procriados por Morgoth. Mas é dito por alguns dos sábios de Valinor, como tomei conhecimento desde então,[15] que Aulë fez os Anãos muito tempo atrás, por desejar a chegada dos Elfos e dos Homens, pois ele queria ter aprendizes aos quais pudesse ensinar seus ofícios de mão, e não conseguiu aguardar os desígnios de Ilúvatar. Mas os Anãos não possuem um espírito que lhes habita, como o possuem os Filhos do Criador, e eles possuem engenho, mas não arte; e eles retornam à pedra das montanhas da qual foram feitos.[16]

Naqueles dias e regiões os Anãos possuíam grandes minas e cidades no leste das Eredlindon, muito ao sul de Beleriand, e as principais dentre essas cidades eram Nogrod e Belegost. Mas os Elfos não iam lá, e os Anãos comerciavam em Beleriand; e construíram uma grande estrada, que ia para o norte, a leste das montanhas, e de lá passava sob as encostas do Monte Dolm,[17] e seguia de lá o curso do Ascar, e cruzava o Gelion no vau Sarn-Athrad, e assim chegava ao Aros. Mas os Anãos raramente usaram aquele caminho após a chegada dos Gnomos, até que o poder de Maidros esmoreceu na Terceira Batalha.

105 [155] Aqui Morgoth tentou pegar Fingolfin desprevenido, e ele enviou um exército para o Norte branco, e esse exército virou para o oeste e, depois, para o sul, e chegou pela costa a oeste das Eredlómin. Mas ele foi destruído e não adentrou Hithlum, e a maior parte dele foi lançada ao mar em Drengist. Essa não foi contada entre as grandes batalhas. Depois disso houve paz por muitos anos, e nenhum Orque saiu para a guerra. Mas Morgoth buscou novo conselho em seu coração, e pensou em Dragões.

155 [260] Aqui Glómund, o primeiro dos Dragões, saiu pelo portão de Angband à noite; e ele ainda era jovem e crescido à metade. Mas os Elfos fugiram diante dele para as Eredwethion e Taur-na-Danion em desespero, e ele conspurcou Bladorion. Então Fingon, príncipe dos Gnomos, cavalgou contra ele com seus arqueiros a cavalo, e Glómund por ora não conseguia suportar seus dardos, ainda não tendo chegado à sua armadura plena; e fugiu de volta ao inferno, e não saiu de novo por um longo tempo.

170 [370] Aqui Bëor, Pai de Homens, nasce no Leste.

188 [388] Aqui nasce Haleth, o Caçador.

190 [390] Aqui nasce Hádor,[18] o de Cabelos Dourados.

200 [400] Aqui Felagund, caçando no Leste com os filhos de Fëanor, topou com Bëor e seus homens, recém-chegados a Beleriand. Bëor tornou-se vassalo de Felagund, e voltou com ele para o Oeste.[19] Em Beleriand Leste nasce Bregolas, filho de Bëor.

202 [402] Aqui houve guerra nas Marcas do Leste, e Bëor estava lá com Felagund. Nasce Barahir, filho de Bëor.

213 [413] Nasce Hundor, filho de Haleth.

217 [417] Nasce Gundor, filho de Hádor.

219 [419] Nasce Gumlin, filho de Hádor, sob as sombras das Eredlindon.[20]

220 [420] Aqui Haleth, o Caçador, entrou em Beleriand. No mesmo ano entrou também Hádor, o de Cabelos Dourados, com suas grandes companhias de homens. Haleth permaneceu no vale do Sirion, e sua gente vagou muito, sem dever obediência a ninguém, mas se mantinham mormente nas matas[21] entre o Taiglin e o Sirion. Hádor tornou-se vassalo de Fingolfin, e muito fortaleceu os exércitos do rei, e recebeu terras em Hithlum. Havia grande amor entre os Elfos e os Homens da casa de Hádor, e a gente de Hádor abandonou sua própria língua e falava com a fala dos Gnomos.

222 [422] Nessa época, com a força dos Homens acrescentada a dos Gnomos, a esperança cresceu, e Morgoth foi enclausurado de perto. Fingolfin ponderou um ataque a Angband, pois sabia que viviam em perigo enquanto Morgoth fosse livre para labutar nas trevas; mas porque a terra era tão bela a maioria dos Gnomos estava contente com as coisas como eram, e os desígnios dele não chegaram a nada.

Os Homens das três casas cresceram então e se multiplicaram, e aprenderam sabedoria e ofícios com os Gnomos, e se submeteram de bom-grado aos Senhores-élficos. Os Homens de Bëor tinham cabelos morenos ou castanhos, mas eram claros de rosto, com olhos cinzentos; formosos, de coragem e resistência, contudo eram pouco maiores em estatura do que os Elfos daquele tempo. O povo de Hádor era louro e de olhos azuis, em sua maioria (Túrin não era assim, mas sua mãe era da casa de Bëor), e de maior força e estatura. Parecidos com eles eram os homens-da-floresta de Haleth, mas um tanto menores e de ombros mais largos.

224 [424] Nasce Baragund, filho de Bregolas, filho de Bëor, em Taur-na-Danion.

228 [428] Nasce Belegund, seu irmão.

232 [432] Nasce Beren, mais tarde cognominado Ermabuin, o Uma-Mão, ou Mablosgen, O de Mão-vazia, filho de Barahir, filho de Bëor.[22]

241 [441] Nasce Húrin, o Destemido, filho de Gumlin, filho de Hádor, em Hithlum. No mesmo ano nasce Handir, filho de Hundor, filho de Haleth.

244 [444] Nasce Huor, irmão de Húrin.

245 [445] Nasce Morwen Eledwen[23] (Brilho-élfico), filha de Baragund. Ela era a mais bela de todas as donzelas mortais.

250 [450] Nasce Rian, filha de Belegund, mãe de Tuor. Nesse ano Bëor, o Velho, Pai de Homens, morreu de velhice. Os Elfos viram então pela primeira vez a morte de cansaço, e lamentaram pelo tempo curto designado aos Homens. Bregolas dali em diante governou o povo de Bëor.

*255[455] Aqui chegaram ao fim a paz e o júbilo. No inverno desse ano, Morgoth soltou suas forças há muito preparadas, e buscou adentrar Beleriand e destruir a riqueza dos Gnomos. A batalha teve início de súbito numa noite do meio do inverno, e a princípio pesou sobremaneira nos filhos de Finrod. Essa é a Dagor Húr-Breged,[24] a Batalha do Fogo Repentino. Rios de fogo correram de Thangorodrim. Aqui Glómund, o Dourado, pai de Dragões, apareceu em seu poderio pleno. As planícies verdejantes de Bladorion foram transformadas num grande deserto sem nada que crescesse; e foram chamadas posteriormente de Dor-na-Fauglith, Terra da Sede Sufocante. Nessa guerra Bregolas foi morto e uma grande parte dos guerreiros da gente de Bëor. Angrod e Egnor, filhos de Finrod, tombaram. Mas Barahir, filho de Bëor, com seus companheiros escolhidos salvaram o Rei Felagund e Orodreth, e Felagund fez um juramento de auxílio e amizade em toda a necessidade a Barahir e sua família e descendência. Barahir governou o remanescente da casa de Bëor.

256 [456] Fingolfin e Fingon marcharam em auxílio de Felagund e sua gente, mas foram rechaçados com dolorosas perdas. Hádor, então idoso, tombou defendendo seu senhor Fingolfin, e com ele tombou Gundor, seu filho. Gumlin assumiu o senhorio da casa de Hádor.

Os filhos de Fëanor não foram mortos, mas Celegorm e Curufin foram derrotados, e fugiram até Orodreth no oeste de Taur-na-Danion.[25] Maidros realizou feitos de grande valor, e Morgoth ainda não pôde capturar as elevações de Himling, mas irrompeu pelos passos[26] a leste e assolou Beleriand Leste, e os Gnomos da casa de Fëanor, em sua maioria, fugiram diante dele. Maglor juntou-se a Maidros, mas Cranthir, Damrod e Díriel fugiram para o Sul.

Turgon não estava naquela batalha, nem Haleth, nem ninguém do povo de Haleth, salvo uns poucos. Diz-se que por volta dessa época[27] Húrin, filho de Gumlin, estava sendo criado por Haleth, e que Haleth e Húrin, ao caçarem no vale do Sirion, toparam com alguns da gente de Turgon, e descobriram a entrada secreta deles para o vale de Gondolin. Mas eles foram capturados e levados diante de Turgon, e contemplaram a cidade oculta, acerca da qual ninguém do mundo exterior ainda tinha conhecimento, salvo Thorndor, Rei das Águias. Turgon os recebeu, pois mensagens e sonhos enviados por Ulmo, Senhor das Águas, torrentes do Sirion acima, avisaram-no de que o auxílio dos Homens mortais lhe era necessário. Mas Haleth e Húrin fizeram juramentos de segredo, e jamais revelaram Gondolin; porém, nesse tempo, eles compreenderam algo dos conselhos de Turgon, embora os tenham mantido ocultos em seus corações. Diz-se que Turgon tinha grande apreço pelo menino Húrin, e queria mantê-lo em Gondolin, mas as graves novas da grande batalha foram recebidas, e eles partiram para socorrer a sua gente.

Quando Turgon soube do rompimento do sítio, ele enviou mensageiros secretos às fozes do Sirion e à Ilha de Balar, e deu-se a construção de navios velozes. Muitos mensageiros zarparam de lá em busca de Valinor, para pedir auxílio e perdão, mas nenhum chegou ao Oeste, ou nenhum retornou.[28]

Fingolfin viu então a ruína dos Gnomos e a derrota de todas as suas casas, e ficou cheio de ira e desespero; e cavalgou sozinho aos portões de Angband, e em sua loucura desafiou Morgoth para combate singular. Morgoth matou Fingolfin, mas Thorndor recuperou o seu corpo, e o depôs sob um teso de pedras nas montanhas ao norte de Gondolin. Houve pesar em Gondolin quando essas novas foram trazidas por Thorndor, pois o povo da cidade oculta era da gente de Fingolfin. Fingon agora governava a casa real dos Gnomos.

257 [457] Morgoth atacou então os passos do oeste, e os atravessou, e entrou no Vale do Sirion; e ele tomou Tolsirion e a transformou em sua própria torre de vigia, e pôs lá Thû, o Mago, seu mais maligno serviçal, e a ilha tornou-se um lugar de pavor, e foi chamada Tol-na-Gaurhoth, Ilha dos Lobisomens. Mas Felagund e Orodreth recuaram, e foram para Nargothrond, e a fortaleceram e habitaram ocultos. Com eles estavam Celegorm e Curufin.[29]

Barahir não queria recuar, e ainda defendia o remanescente de suas terras em Taur-na-Danion. Mas Morgoth perseguiu seu povo, e transformou toda aquela floresta em uma região de grande pavor e encantamento sombrio, de modo que foi mais tarde chamada de Taur-na-Fuin, que é Floresta da Noite, ou Gwathfuin-Daidelos,[30] que é Sombra Mortal da Noite. Por fim, somente Barahir e seu filho Beren, e seus sobrinhos Baragund e Belegund, filhos de Bregolas, restaram, com alguns homens ainda fiéis. Destes, Gorlim, Radros,[31] Dagnir e Gildor são nomeados. Eram um bando desesperado de proscritos, pois suas moradas foram destruídas, e suas esposas e filhos foram capturados ou mortos, salvo Morwen Eledwen, filha de Baragund, e Rian, filha de Belegund. Pois as esposas dos filhos de Bregolas estavam em Hithlum, e estavam residindo lá quando a guerra teve início, e Hithlum ainda não havia sido sobrepujada. Mas nenhum auxílio veio de lá, e Barahir e seus homens foram caçados como feras selvagens.

258 [458] Haleth e seu povo habitavam então nas marcas ocidentais de Doriath, e enfrentaram os Orques que desceram o Sirion. Aqui com o auxílio de Beleg de Doriath eles pegaram uma legião-órquica desprevenida, e foram vitoriosos, e os Orques depois disso não chegaram por um longo tempo à terra entre o Taiglin e o Sirion: essa é a floresta de Brethil.[32]

261 [460] Havia um lago elevado no meio de Taur-na-Fuin, e aqui havia muitas charnecas, e havia muitas lagoas; mas o terreno era repleto de engodos, e havia muitos charcos e brejos. Nessa região Barahir fez seu esconderijo; mas Gorlim o traiu, e ele foi surpreendido e morto com toda a sua companhia, salvo apenas por Beren. Beren perseguiu os Orques, e matou o assassino de seu pai, e recuperou o anel de Felagund. Beren tornara-se então um proscrito solitário, e realizou muitos feitos de ousadia desacompanhada, e Morgoth pôs a sua cabeça a prêmio com um grande preço.

262 [462] Aqui Morgoth renovou seus ataques; e a invasão dos Orques cercou Doriath, tanto pelo oeste Sirion abaixo como pelo leste através dos passos além de Himling. E Morgoth atacou Hithlum, mas foi rechaçado por ora; porém, Gumlin foi morto no cerco à fortaleza de Fingon em Eithel Sirion. Húrin, seu filho, acabara de chegar à idade adulta, mas era magno em força, e governava então a casa de Hádor, e servia a Fingon. Nessa época Beren foi rechaçado para o sul e adentrou Doriath com labor.

263 [463] Aqui os Homens Tisnados entraram pela primeira vez em Beleriand pelo Leste. Eram baixos e de ombros largos, de braços compridos e fortes, tinham muitos pelos no rosto

OS ANAIS TARDIOS DE BELERIAND

e no peito, e suas mechas eram escuras como seus olhos; suas peles eram morenas, porém seus semblantes não eram de menos beleza em sua maioria, embora alguns fossem de aparência sombria e desgraciada. Suas casas eram muitas, e alguns tinham mais gosto pelos Anãos das montanhas, de Nogrod e Belegost, do que pelos Elfos. Mas Maidros, vendo a fraqueza dos Noldor, e o poderio crescente dos exércitos de Morgoth, fez aliança com esses Homens, e com seus chefes Bor e Ulfand.[33] Os filhos de Bor eram Borlas e Boromir e Borthandos, e eles seguiram Maidros e Maglor e foram fiéis. Os filhos de Ulfand, o Tisnado, eram Uldor, o Maldito, e Ulfast e Ulwar,[34] e seguiram a Cranthir, o Moreno, e lhe juraram lealdade, e se mostraram infiéis.

263–4 [463–4] Aqui tiveram início os feitos renomados de Beren e Lúthien Tinúviel, filha de Thingol, de Doriath.

264 [464] Aqui o Rei Felagund e Beren, filho de Barahir, foram aprisionados em Tol-na-Gaurhoth por Thû, e o Rei Felagund foi morto em combate com Drauglin, o Lobisomem; mas Lúthien e Huan, o mastim de Valinor, mataram Drauglin e sobrepujaram Thû, que fugiu para Taur-na-Fuin. Orodreth assumira então o reinado de Nargothrond e rompeu amizade com Celegorm e Curufin, que fugiram para o meio de sua gente no Leste; mas Nargothrond estava oculta de todo.

Húrin, filho de Gumlin, desposou Morwen Brilho-élfico da casa de Bëor em Hithlum.

265 [465] Beren e Lúthien foram a Angband e tiraram uma Silmaril da coroa de Morgoth. Esse é o feito mais renomado dessas guerras. Carcharoth, o guardião-lobo do portão, arrancou a mão de Beren com uma mordida, e com a Silmaril no ventre adentra Doriath enlouquecido. Então lá foi realizada a Caça-do-lobo, e Huan matou Carcharoth e a Silmaril foi recuperada, mas Carcharoth matou Huan e Beren.

Beren foi chamado dos Mortos por Lúthien, e eles desapareceram do conhecimento de Homens e Gnomos, e habitaram por um tempo às margens das águas verdes de Ossiriand, Terra dos Sete Rios. Mas Mandos predisse que Lúthien ficaria sujeita dali em diante à morte, junto com Beren, a quem ela resgatou por um tempo.

No inverno desse ano Túrin, filho de Húrin, nasce com presságios de pesar.

162

265–70 [465–70] Nessa época teve início a União de Maidros; pois Maidros, encorajado pelos feitos de Beren e Lúthien, planejou a reunião das forças élficas e a liberação de Beleriand. Mas por causa dos feitos de Celegorm e Curufin, Thingol não o auxiliaria, e pouca ajuda veio de Nargothrond. Lá os Gnomos buscaram proteger sua morada por meios furtivos e sigilo. Mas Maidros teve o auxílio dos Anãos na forja de muitas armas, e houve muito comércio entre Beleriand e as montanhas no Leste; e ele tornou a reunir todos os Gnomos da casa de Fëanor, e os armou; e muitos Elfos-escuros juntaram-se a ele; e os homens de Bor e Ulfand foram congregados para guerra, e convocaram ainda mais de sua gente vinda do Leste.

Fingon preparou-se para a guerra em Hithlum; e novas chegaram também a Turgon, o rei oculto, e ele se preparou para a guerra em segredo. A gente de Haleth reuniu-se também nas matas de Brethil, e preparou-se para a batalha.

267 [467] Nasce Dior, o Belo, filho de Beren e Lúthien, em Ossiriand.

268 [468] Ora, os Orques foram rechaçados mais uma vez para fora de Beleriand, a leste e a oeste, e a esperança foi renovada; mas Morgoth precaveu-se contra o levante dos Elfos, e ele enviou espiões e emissários secretos por toda parte em meio a Elfos e Homens. Aqui Haleth, último dos Pais de Homens, morreu nas matas; e Hundor, seu filho, governou sua gente.

271 [471] Aqui Isfin, irmã de Turgon, vagou para além de Gondolin, e se perdeu; mas Eöl, o Elfo-escuro, tomou-a como esposa.

★272 [472] Este é o Ano da Lamentação. Maidros planejou então um ataque a Angband, pelo Oeste e pelo Leste. Com a hoste principal ele marcharia do Leste através de Dor-na-Fauglith, e, assim que desse o sinal, Fingon viria de Eredwethion; pois pensavam em atrair a hoste de Morgoth para longe das muralhas e colocá-la entre seus dois exércitos.

Huor, filho de Hádor, desposou Rian, filha de Belegund, na véspera da batalha, e marchou com Húrin, seu irmão, no exército de Fingon.

Aqui foi travada a Quarta Batalha, Nirnaith Dirnoth,[35] Lágrimas Inumeráveis, nas planícies de Dor-na-Fauglith, diante do passo do Sirion. O lugar por muito tempo ficou marcado por um grande monte sobre no qual os mortos foram empilhados, Elfos e Homens. Somente ali cresceu a relva em Dor-na-Fauglith. Ali Elfos e Homens foram completamente derrotados, e veio a cabo a ruína dos Gnomos. Pois Maidros foi atrasado na estrada pelos logros de Uldor, o Maldito, a quem os espiões de Morgoth haviam comprado. Fingon atacou sem esperar, e atravessou a investida simulada de Morgoth, e chegou mesmo a Angband. As companhias de Nargothrond, as que Orodreth permitiu que partissem em auxílio de Fingon, foram conduzidas por Gwindor, filho de Guilin, um príncipe muito valente, e estavam na vanguarda da batalha; e Gwindor e seus homens irromperam mesmo pelos portões de Angband, e suas espadas mataram nos salões de Morgoth. Mas eles foram separados, e todos foram feitos cativos; pois Morgoth soltara então uma hoste incontável que retivera, e rechaçou os Gnomos com terrível matança.

Hundor, filho de Haleth, e a maioria dos Homens dos bosques foram mortos na retaguarda na retirada através das areias de Dor-na-Fauglith.[36] Mas os Orques se puseram entre Fingon e os passos de Eredwethion que levavam a Hithlum, e eles recuaram em direção a Tolsirion.

Então Turgon e o exército de Gondolin soaram suas trompas e emergiram de Taur-na-Fuin. Foram atrasados pelos engodos e males da floresta, mas chegaram agora como um auxílio inesperado. O encontro entre Húrin e Turgon foi muito alegre, e eles rechaçaram os Orques.

Ora, as trombetas de Maidros foram ouvidas no Leste, e a esperança foi renovada. Diz-se que os Elfos ainda teriam conseguido a vitória, não fosse pelos feitos de Uldor; mas muito magno era Glómund. Pois Morgoth enviara então todos os habitantes de Angband, e o inferno se esvaziara. Chegaram cem mil Orques, e mil Balrogs, e na vanguarda estava Glómund, o Dragão; e Elfos e Homens definharam diante dele. Assim Morgoth impediu a união das forças de Maidros e Fingon. E Uldor passou para o lado de Morgoth com a maioria dos Homens de Ulfand, e eles caíram sobre o flanco direito dos filhos de Fëanor.

Cranthir matou Uldor, mas Ulfast e Ulwar mataram Bor e seus filhos, e muitos Homens fiéis; e a hoste de Maidros foi

dispersada aos ventos, e o remanescente fugiu para esconder-
-se em Beleriand Leste e no Sul, e lá vagou em pesar.

Fingon tombou no Oeste, cercado por uma hoste de inimigos, e uma chama saltou de seu elmo ao ser abatido pelos
Balrogs. Mas Húrin, e Huor, seu irmão, e os Homens da
casa de Hádor, ficaram firmes, e os Orques não puderam
ainda tomar o passo do Sirion. A defesa de Húrin é o feito
mais renomado dos Homens entre os Elfos; pois Húrin ficou
na retaguarda, enquanto Turgon, com parte de sua batalha,
e alguns dos remanescentes da hoste de Fingon, escapavam
Sirion abaixo para os vales e as montanhas. Eles despareceram
de novo, e não foram mais encontrados por Elfo ou Homem
ou por espião de Morgoth, até os dias de Tuor. Assim foi a
vitória de Morgoth maculada, e sua ira foi muito grande.

Huor tombou atingido por uma flecha envenenada, mas
Húrin lutou até restar apenas ele. Jogou fora o escudo, e empunhou um machado, e matou quase cem Orques; mas foi capturado vivo por ordem de Morgoth, e arrastado até Angband.
Mas Húrin não revelou para onde Turgon havia ido, e Morgoth
o amaldiçoou, e ele foi acorrentado sobre Thangorodrim; e
Morgoth lhe deu a visão de ver o mal que sobreveio sua família
no mundo. Morwen, sua esposa, carregava uma criança, mas
seu filho Túrin tinha então quase sete anos.

Os Orques então empilharam os mortos, e despejaram-se
em Beleriand. Nenhuma nova chegou a Hithlum da batalha,
donde Rian partiu, e seu filho Tuor nasceu no ermo. Ele foi
entregue para ser criado pelos Elfos-escuros; mas Rian foi ao
Monte dos Mortos[37] e deitou-se ali e morreu.

273 [473] Morgoth era agora senhor de Beleriand, salvo por
Doriath, e ele a encheu de bandos vagantes de Orques e lobos.
Mas ele ainda não atacara os portões de Nargothrond no Sul
distante, e de Gondolin nada conseguia descobrir. Mas o reino
do norte não mais existia. Pois Morgoth quebrou suas promessas para com os filhos de Ulfand, e negou-lhes a recompensa de sua traição; e empurrou esses Homens malignos para
Hithlum, e proibiu que saíssem daquela terra. Mas eles opri-
miram o remanescente do povo de Hádor, e tomavam suas
terras e seus bens e suas mulheres, e escravizavam seus filhos.
O que restava dos Elfos de Hithlum Morgoth levou para as

minas de Angband, e eles se tornaram seus servos, salvo por alguns que viviam perigosamente nas matas.

No início desse ano, Nienor, a Pesarosa, nasceu em Hithlum, filha de Húrin e Morwen; mas Morwen enviou Túrin a Doriath, implorando para que Thingol o adotasse e auxiliasse, pois ela era da gente de Beren. Dois idosos ela tinha, Gethron and Grithron, e eles realizaram a jornada, como guias de Túrin. Passaram por atrozes provações e perigos, e foram resgatados nas bordas de Doriath por Beleg. Gethron morreu em Doriath, mas Grithron retornou para Morwen.

281 [481] O poder de Morgoth tornara-se então muito grande, e Doriath ficou isolada, e nenhuma nova das terras de fora lá chegava. Túrin estava então apenas em seu décimo sexto ano; mas passou a guerrear, e lutou contra os Orques nas marcas de Doriath na companhia de Beleg.

284 [484] Aqui Túrin matou Orgof, parente de Thingol, na mesa do rei, e fugiu de Menegroth. Ele tornou-se um proscrito nas matas, e congregou um grupo desesperado, e saqueou nas marcas de Doriath.

287 [487] Aqui os companheiros de Túrin capturaram Beleg, mas Túrin o libertou, e renovou sua irmandade com ele, e aventuraram-se juntos para além de Doriath, fazendo guerra aos Orques.

Tuor, filho de Huor, chegou a Hithlum em busca de sua família, mas eles não mais viviam, e ele viveu como um proscrito nas matas ao redor de Mithrim.

288 [488] Aqui Halmir,[38] filho de Orodreth de Nargothrond, foi capturado e enforcado numa árvore por Orques.

289 [489] Aqui Gwindor, filho de Guilin, escapou das minas de Angband. Blodrin, filho de Ban, traiu o acampamento de Túrin e Beleg, e Túrin foi capturado vivo, mas Beleg foi deixado como morto. Beleg foi curado de suas feridas por Melian, e seguiu o rastro dos captores de Túrin. Ele se deparou com Gwindor desconcertado em Taur-na-fuin, e juntos eles resgataram Túrin; mas Túrin matou Beleg por um infortúnio.

290 [490] Túrin foi curado de sua loucura em Ivrineithel, e foi levado enfim por Gwindor a Nargothrond. Foram acolhidos nos salões secretos pela súplica de Finduilas, filha de Orodreth, que outrora amara Gwindor.

A ESTRADA PERDIDA E OUTROS ESCRITOS

290–5 [490–5] Durante esse tempo Túrin habitou em Nargothrond. A espada de Beleg, com a qual ele foi morto, foi reforjada por Túrin; e Túrin rejeitou seu antigo nome, e chamou a si mesmo de Mormael, Espada-negra, mas sua espada ele chamou de Gurtholfin,[39] Vara da Morte. Finduilas esqueceu seu amor por Gwindor e amou Túrin, e ele a amava, mas não o exprimia, pois era leal a Gwindor. Túrin tornou-se capitão da hoste de Nargothrond, e persuadiu os Gnomos a abandonarem as ações furtivas e emboscadas, e a fazerem guerra aberta. Ele varreu os Orques de todas as terras entre o Narog e o Sirion e Doriath a leste, e a oeste até Eglor e o mar, e ao norte até as Eredwethion; e fez com que fosse construída uma ponte sobre o Narog. Os Gnomos de Nargothrond aliaram--se a Handir de Brethil e seus homens. Assim Nargothrond foi revelada à ira de Morgoth.

292 [492] Meglin, filho de Eöl, foi enviado por Isfin a Gondolin, e foi recebido como filho de sua irmã por Turgon.

294 [494] Nessa época, quando o poderio de Morgoth foi detido no Oeste, Morwen e Nienor partiram de Hithlum e chegaram a Doriath, em busca de novas acerca de Túrin. Lá muitos falaram da proeza de Mormael, mas de Túrin ninguém ouvira, desde que os Orques o haviam capturado.

★295 [495] Aqui Glómund passou para Hithlum e fez grandes males, e ele atravessou as Eredwethion com uma hoste de Orques, e entrou no reino de Narog. E Orodreth e Túrin e Handir enfrentaram-no, e foram derrotados no campo de Tum-halad entre Narog e o Taiglin; e Orodreth foi morto, e Handir; e Gwindor morreu, e recusou o socorro de Túrin. Túrin reuniu o remanescente dos Gnomos e apressou-se a Nargothrond, mas este foi saqueado antes de sua chegada; e Túrin foi enganado e enfeitiçado por Glómund. Finduilas e as mulheres de Nargothrond foram levadas como servas, mas Túrin as abandonou, e, enganado pelas mentiras de Glómund, foi para Hithlum à procura de Morwen.

Novas da queda de Nargothrond chegaram a Doriath, e Mormael foi revelado como Túrin.

Tuor, filho de Huor, partiu de Hithlum por um caminho secreto pela condução de Ulmo, e viajando costa abaixo passou pelos portos arruinados de Brithombar e Eglorest, e chegou às fozes do Sirion.

167

295–6 [495–6] Túrin descobriu que Morwen havia partido de Hithlum. Ele matou Brodda em seu salão e escapou de Hithlum. Assumiu então o nome de Turambar, Conquistador do Destino,[40] e juntou-se ao remanescente dos Homens-da-floresta em Brethil; e tornou-se senhor deles, uma vez que Brandir, filho de Handir, era coxo desde criança.

296 [496] Aqui Tuor encontrou o Gnomo Bronweg nas fozes do Sirion. O próprio Ulmo apareceu a Tuor em Nantathrin, e Tuor de lá subiu o Sirion, e guiado por Ulmo encontrou a entrada de Gondolin. Lá Tuor deu a conhecer a embaixada de Ulmo; mas Turgon não quis dar ouvidos a ela, e Meglin o instigou a isso contra Tuor. Mas Tuor foi estimado com honra em Gondolin por causa de sua família.

Glómund retornou a Nargothrond, e deitou-se sobre o tesouro de Felagund nas cavernas.

Morwen Eledwen foi a Nargothrond em busca de novas acerca de Túrin, e Nienor, desobedecendo as ordens dela, cavalgou disfarçada na escolta de Elfos da mãe. Mas Glómund lançou um feitiço sobre a companhia e a dispersou, e Morwen perdeu-se nas matas; e uma grande treva da mente se abateu sobre Nienor.

Turambar encontrou Nienor perseguida por Orques. Ele a chamou de Níniel, a lacrimosa, uma vez que ela não sabia o próprio nome.

297–8 [497–8] Níniel habitou com os Homens-da-floresta, e era amada tanto por Turambar como por Brandir, o Coxo.

298 [498] Turambar desposou Níniel.

299 [499] Glómund procurou a morada de Túrin Turambar; mas Túrin o golpeou com pujança com Gurtholfin, e caiu desacordado ao lado dele. Lá Níniel o encontrou, mas Glómund antes de morrer a libertou do feitiço e lhe revelou o seu parentesco. Nienor se lançou na catarata daquele lugar que então se chamava Celebros, Chuva de Prata, mas que depois foi chamado de Nen-girith, Água do Estremecer.

Brandir levou as novas a Túrin, e foi morto por ele, mas Túrin pediu a Gurtholfin que o matasse; e ele morreu ali.

Húrin foi libertado de Angband, e estava curvado pela grande idade; mas partiu e saiu em busca de Morwen.

Tuor desposou Idril Celebrindal, filha de Turgon, de Gondolin; e Meglin o odiava.

A ESTRADA PERDIDA E OUTROS ESCRITOS

300 [500] Aqui nasceu Eärendel, o Luzente, estrela das Duas Gentes, filho de Tuor e Idril, em Gondolin. Nesse ano também nasceu Elwing, a Branca, mais bela de todas as mulheres depois de Lúthien, filha de Dior, filho de Beren, em Ossiriand.

Húrin reuniu homens à sua volta, e eles chegaram a Nargothrond, e mataram o anão Mîm, que tomara o tesouro para si próprio. Mas Mîm amaldiçoou o tesouro. Húrin levou o ouro a Thingol em Doriath, mas partiu de lá novamente com palavras amargas, e de seu destino e do destino de Morwen depois disso novas seguras jamais foram ouvidas.

301 [501] Thingol empregou artífices anânicos para trabalhar o seu ouro e prata e o tesouro de Nargothrond; e eles fizeram o renomado Nauglamír, o Colar-anânico, do qual pendia a Silmaril. A inimizade despertou entre Anãos e Elfos, e os Anãos foram rechaçados sem recompensa.

302 [502] Aqui os Anãos[41] chegaram em grande número de Nogrod e de Belegost e invadiram Doriath; e eles entraram pela traição, pois muitos Elfos foram tomados pelo desejo maldito do ouro. Thingol foi morto e as Mil Cavernas foram saqueadas; e houve guerra entre Elfo e Anão desde aquele dia. Mas Melian, a Rainha, não podia ser morta ou capturada, e ela partiu para Ossiriand.

Beren e os Elfos-verdes sobrepujaram os Anãos em Sarn--Athrad enquanto retornavam para o leste, e o ouro foi lançado no rio Ascar, que mais tarde foi chamado de Rathloriel, o Leito de Ouro. Mas Beren tomou o Nauglamír e a Silmaril. Lúthien envergou a Silmaril no peito. Dior, seu filho, governou os remanescentes dos Elfos de Doriath.

303 [503] Aqui Beren e Lúthien deixaram o conhecimento de Elfos e Homens, e o dia de suas mortes não é conhecido; mas numa noite um mensageiro trouxe o colar para Dior em Doriath, e os Elfos disseram: "Lúthien e Beren estão mortos, como Mandos sentenciou".

304 [504] Dior, filho de Beren, herdeiro de Thingol, era então rei em Doriath, e a reestabeleceu por um tempo. Mas Melian voltou para Valinor e Doriath não mais tinha a proteção dela. Dior envergou o Nauglamír e a Silmaril sobre o peito.

305 [505] Os filhos de Fëanor receberam novas da Silmaril no Leste, e voltaram de suas andanças, e se reuniram em conselho. Maidros mandou mensagem a Dior e o convocou a entregar a joia.

306 [506] Aqui Dior, herdeiro de Thingol, enfrentou os filhos de Fëanor nas marcas orientais de Doriath, mas foi morto. Esse foi o segundo fratricídio, e o fruto do juramento. Celegorm tombou naquela batalha, e Curufin, e Cranthir. Os jovens filhos de Dior, Elboron e Elbereth,[42] foram capturados pelos homens malignos do séquito de Maidros, e foram deixados para morrer de fome nas matas; mas Maidros lamentou o ato cruel, e os procurou em vão.

A donzela Elwing foi salva por Elfos fiéis, e fugiram com ela para as fozes do Sirion, e levaram consigo a joia e o colar, e Maidros não os encontrou.

Meglin foi capturado nas colinas, e traiu Gondolin a Morgoth.

307 [507] Aqui Morgoth soltou uma hoste de dragões sobre as montanhas pelo Norte e assolaram o vale de Tumladin, e sitiaram Gondolin. Os Orques saquearam Gondolin, e destruíram o Rei Turgon e a maioria de seu povo; mas Ecthelion da Fonte matou lá Gothmog, Senhor de Balrogs, antes de tombar.

Tuor matou Meglin. Tuor escapou com Idril e Eärendel por uma via secreta planejada antes por Idril, e chegaram com uma companhia de fugitivos à Fenda das Águias, Cristhorn, que é um passo alto sob o marco de Fingolfin no norte das montanhas circundantes. Caíram lá em uma emboscada, e Glorfindel da casa da Flor Dourada de Gondolin foi morto, mas eles foram salvos por Thorndor, e escaparam por fim para o vale do Sirion.

308 [508] Aqui os errantes de Gondolin chegaram às fozes do Sirion e juntaram-se lá à minguada companhia de Elwing. A Silmaril lhes trouxe uma bênção, e eles foram curados, e se multiplicaram, e construíram um porto e navios, e habitaram no delta entre as águas. Muitos fugitivos reuniram-se à sua volta.

310 [510] Maidros tomou conhecimento do crescimento do Porto do Sirion, e de que a Silmaril lá se encontrava, mas ele abjurou o seu juramento.

324 [524] Aqui a inquietação de Ulmo se abateu sobre Tuor, e ele construiu o navio Eärámë, Asa de Águia, e partiu com

A ESTRADA PERDIDA E OUTROS ESCRITOS

Idril para o Oeste, e dele não se ouviu mais nada. Eärendel desposou Elwing, a Branca, e foi senhor do povo do Sirion.

325 [525] Tormento abateu-se sobre Maidros e seus irmãos, por causa do juramento não cumprido. Damrod e Díriel resolveram tomar a Silmaril, caso Eärendel não a entregasse de bom grado. Mas a inquietação também se abatera sobre Eärendel, e ele zarpou em seu navio Wingelot, Flor da Espuma, e viajou nos mares distantes à procura de Tuor, e à procura de Valinor. Mas ele não encontrou nenhum dos dois; no entanto, as maravilhas que realizou foram muitas e renomadas.[43] Elrond, o Meio-Elfo,[44] filho de Eärendel, nasceu quando Eärendel se encontrava longe no mar.

Mas a gente do Sirion recusou-se a ceder a Silmaril, tanto por Eärendel não se encontrar lá como por pensar que sua ventura e prosperidade vinha da posse da gema.

329 [529] Aqui Damrod e Díriel assolaram o Sirion, e foram mortos. Maidros e Maglor estavam lá, mas ficaram enfermos de coração. Esse foi o terceiro fratricídio. A gente do Sirion foi recebida no povo de Maidros, os que ainda restavam; e Elrond foi levado para ser criado por Maglor. Mas Elwing lançou-se com a Silmaril ao mar, e Ulmo não a deixou afundar, e na forma de uma ave ela voou à procura de Eärendel, e o encontrou enquanto ele retornava.

330 [530] Eärendel atou a Silmaril à sua fronte e com Elwing navegou em busca de Valinor.

333 [533] Eärendel entrou em Valinor, e falou em nome das duas raças, Elfos e Homens.

340 [540] Maidros e Maglor, filhos de Fëanor, habitavam escondidos no sul de Beleriand Oriental, ao redor de Amon Ereb, o Monte Solitário, que se ergue solitário em meio à vasta planície. Mas Morgoth os atacou, e eles fugiram para a Ilha de Balar. Ora, o triunfo de Morgoth era completo, e toda aquela terra estava sob seu domínio, e não restava ninguém lá, Elfos ou Homens, salvo os que eram seus servos.

333–343 [533–543] Aqui os filhos dos Deuses se prepararam para a guerra, e Fionwë, filho de Manwë, era seu líder. Os Elfos-da-luz marcharam sob suas bandeiras, mas os Teleri não partiram de Valinor; mas eles construíram uma quantidade incontável de navios.

347 [547] Aqui a hoste de Fionwë foi vista reluzindo ao longe no mar, e o som de suas trombetas ressoaram sobre as ondas e ecoaram nos bosques do oeste. Depois disso foi travada a batalha de Eglorest, onde Ingwiel, filho de Ingwë, príncipe de todos os Elfos, desembarcou, e rechaçou os Orques da costa.

Uma grande guerra chegou então a Beleriand, e Fionwë repeliu os Orques e Balrogs à sua frente; e ele acampou às margens do Sirion, e suas tendas eram como a neve no campo. Ele convocou todos os Elfos, Homens, Anãos, feras e aves ao seu estandarte que não escolheram lutar por Morgoth. Mas o poder e terror de Morgoth era muito grande, e muitos não obedeceram a convocação.

★350 [550] Aqui Fionwë travou a última batalha do mundo antigo, a Grande Batalha ou Batalha Terrível. O próprio Morgoth veio de Angband, e passou sobre Taur-na-fuin, e o estrondo de sua vinda ribombou nas montanhas. As águas do Sirion jaziam entre as hostes; e longa e amargamente disputaram a passagem. Mas Fionwë atravessou o Sirion e as hostes de Morgoth foram repelidas como folhas, e os Balrogs foram destruídos por completo; e Morgoth fugiu de volta à Angband perseguido por Fionwë.

De Angband Morgoth soltou os dragões alados, que não haviam sido vistos antes; e Fionwë foi rechaçado em Dor--na-Fauglith. Mas Eärendel chegou pelo céu e derrubou Ancalagon, o Dragão Negro, e em sua queda Thangorodrim foi destroçada.

Os filhos dos Deuses lutaram com Morgoth em suas masmorras, e a terra tremeu, e abriu-se, e Beleriand foi despedaçada e mudada, e muitos pereceram na ruína da terra. Mas Morgoth foi aprisionado.

Essa guerra durou cinquenta anos desde o desembarque de Fionwë.

397 [597] Neste ano Fionwë partiu e voltou para Valinor com toda a sua gente, e com eles foi a maioria dos Gnomos que ainda viviam e os outros Elfos da Terra-média. Mas Elrond Meio-Elfo permaneceu e governou no Oeste do mundo.

Ora, as Silmarils foram recuperadas, pois uma era carregada nos ares por Eärendel, e as outras duas Fionwë tirou

A ESTRADA PERDIDA E OUTROS ESCRITOS

da coroa de Melko; e ele deu forma de grilhões à coroa para os seus pés. Maidros e Maglor, impelidos por seu juramento, tomaram as duas Silmarils e fugiram; mas Maidros pereceu, e a Silmaril que ele tomou foi para o seio da terra, e Maglor lançou a sua no mar, e vagou para sempre pelas costas do mundo em pesar.

Assim terminaram as guerras dos Gnomos, e Beleriand não mais existia.

NOTAS

A partir do final do anal 257 (457) o manuscrito foi muito pouco alterado, antes ou depois de *O Senhor dos Anéis*, e enquanto o acréscimo de 200 anos a cada data foi feito até o fim, a alteração de nomes tornou-se mais superficial, e ocorrências foram ignoradas ou passaram despercebidas. Obviamente isso não é significativo, mas nas notas a seguir faço referência apenas à primeira ocorrência da alteração.

[1] *Denithor > Denethor* (como em AV 2, nota 5).

[2] *Celegorm > Celegorn* (como em AV 2, nota 9).

[3] *Dagor-os-Giliath > Dagor-nuin-Giliath* (como em AV 2, nota 12).

[4] *Thorndor > Thorondor.* Ver comentário a QS §§96–7.

[5] *Nan-Tathrin > Nan-Tathren.* Ver comentário a QS §109.

[6] *Ora, foi estabelecido o Cerco de Angband > Mas depois disso os chefes dos Gnomos se preveniram, e apertaram o sítio, e fortaleceram sua vigilância; e estabeleceram o Cerco de Angband*

[7] Esse primeiro parágrafo do anal 52 foi riscado; ver nota 8.

[8] Material novo foi acrescentado aqui, retomando aquele do primeiro parágrafo cancelado do anal 52 (nota 7). A data da Dagor Aglareb nessa época foi alterada de 51 para 60.

> Mas Turgon mantinha a terra de Nivros > [Nivrost], entre as Eredwethion e o mar, ao sul de Drengist; e sua gente era numerosa. Mas a inquietação de Ulmo se abatera sobre ele, e alguns anos após a Dagor Aglareb ele reuniu a sua gente, que chegava a um terço dos Gnomos da casa de Fingolfin, e seus bens e esposas, e partiu para o leste em segredo, e desapareceu da vista de seus parentes. E ninguém soube aonde tinha ido; mas ele chegou a Gondolin e construiu lá uma cidade oculta.

Junto a esse trecho foi escrita a data 64. Quanto a *Nivros(t)*, ver QS §100 e comentário; e quanto à cronologia alterada, conforme aparece no decorrer do texto, ver pp. 306–07.

[9] *Taur-na-Danion > Taur-na-Thanion > Dorthanion > Dorthonion. Taur-na--Danion* foi emendado em cada ocorrência, mas raramente da mesma maneira;

173

OS ANAIS TARDIOS DE BELERIAND

além disso, encontra-se *Taur-na-Donion* e *Taur-na-Thonion* (ver IV. 245). Os detalhes precisos são de pouca importância, e não torno a mencionar essas formas concorrentes.

[10] A frase que começa com *Aqui ficavam Angrod e Egnor* foi alterada para:

> Inglor e Orodreth mantinham o passo do Sirion, mas Angrod e Egnor mantinham as encostas do norte de Dorthanion, que iam até o Aglon, onde ficavam os filhos de Fëanor.

Ver nota 14 e comentário a QS §117.

[11] *Himling* > *Himring*. Essa alteração também se encontra em emendas tardias do Q.

[12] A passagem que começa com *Fingolfin era Rei de Hithlum* foi alterada para:

> Fingolfin era Rei de Hithlum e Nivrost, e senhor supremo de todos os Gnomos. Felagund, senhor de cavernas, era Rei de Nargothrond, e seus irmãos Angrod e Egnor eram os senhores de Dorthanion e seus vassalos;

Com essa alteração, Fingolfin deixa de ser Senhor dos Portos Ocidentais; ver nota 13.

[13] Acrescentado aqui (ver comentário a QS §109):

> E ele era considerado também senhor supremo da Falas, e dos Elfos-escuros dos portos de Brithombar e Eglorest.

[14] Acrescentado após *uma poderosa torre de vigia*:

> Inglormindon; mas após a fundação de Nargothrond ela ficou aos cuidados de Orodreth.

Subsequentemente, *Inglormindon* > *Minnastirith*, e esta por sua vez em *Minastirith*. Ver QS §117 e comentário.

[15] *como tomei conhecimento desde então* > *como tomamos conhecimento desde então*. Ver comentário a QS §123.

[16] A passagem que começa com *Mas os Anãos* foi alterada para:

> E os Noldor acreditavam que os Anãos não possuem um espírito que lhes habita, como o possuem os Filhos do Criador, e eles possuem engenho, mas não arte; e que eles retornam à pedra das montanhas da qual foram feitos. Contudo, outros dizem que Aulë os têm em consideração, e que Ilúvatar aceitará dele a obra de seu desejo, de maneira que os Anãos não hão de perecer.

Ver o *Lhammas* §9 e QS §123, e comentários.

[17] *uma grande estrada, que ia para o norte, a leste das montanhas, e de lá passava sob as encostas do Monte Dolm* > *uma grande estrada, que passava sob as encostas do Monte Dolmed*. Na mesma época, sem dúvida, as palavras *muito ao sul de Beleriand* que ocorrem antes no parágrafo foram riscadas; ver comentário a QS §122.

[18] *Hádor* > *Hador* ou *Hãdor* esporadicamente, onde observado; ver IV. 370.

[19] O anal 200 até esse ponto foi alterado para:

> 400 Aqui Felagund, caçando no Leste com os filhos de Fëanor, entrou em Ossiriand, e topou com Bëor e seus homens, recém-chegados por sobre as montanhas. Bëor tornou-se vassalo de Felagund, e voltou com ele para o Oeste, e habitou com ele até a morte. Mas Barahir, seu filho, habitou em Dorthanion.

A ESTRADA PERDIDA E OUTROS ESCRITOS

20 Os três anais que registram os nascimentos de Hundor, Gundor e Gumlin foram colocados no lugar errado após o anal 220, como no AB 1, mas uma indicação os transfere para o seu lugar apropriado, como fiz no texto impresso.

Gundor > Gumlin, o Alto; Gumlin > Gundor. Ver QS §140 e comentário.

21 *nas matas > nas matas de Brethil. Brethil* ocorre no ano 258 no texto conforme escrito (e subsequentemente); ver o comentário àquele anal.

22 *Ermabuin > Erchamion* (mas primeiro para *Erchamui*), e *Mablosgen > Camlost.* Ver pp. 493–94. Após esse anal foi acrescentado um novo:

436 Hundor, filho de Haleth, desposou Glorwendel, filha de Hador. Quanto a isso, ver p. 372 (§13) e nota 36 abaixo.

23 *Eledwen > Eledhwen.*

24 *Dagor Húr-breged > Dagor Vregedúr.* O segundo nome em QS §134.

25 *Celegorm e Curufin foram derrotados, e fugiram até Orodreth no oeste de Taur- -na-Danion > Celegorm e Curufin foram derrotados, e fugiram para o sul e para o oeste, e refugiaram-se por fim com Orodreth em Nargothrond.* Ver comentário a QS §§117, 141.

26 *pelos passos > pelos passos de Maglor.*

27 *por volta dessa época > no outono antes do Fogo Repentino.* Cf. QS §153.

28 *ou nenhum retornou > e poucos retornaram.* Cf. QS §154.

29 A passagem a partir de *Mas Felagund e Orodreth recuaram* foi alterada para:

Orodreth, irmão de Felagund, que comandava Minnastirith, escapou por pouco e fugiu para o sul. Lá Felagund se refugiara na praça-forte que havia preparado para o dia maligno; e ele a fortificou, e habitou em segredo. Para lá foram Celegorn e Curufin.

Ver comentário a QS §§117, 141.

30 *Gwathfuin-Daidelos > Deldúwath.* Ver QS §138.

31 *Radros > Radruin.* Em QS §139, o nome é escrito *Radhruin.*

32 Acrescentado aqui:

Húrin de Hithlum estava com Haleth; mas ele partiu mais tarde, uma vez que a vitória tornara a viagem possível, e retornou à sua própria gente.

Ver QS §§153 e 156 (nota de rodapé ao texto). Subsequentemente, *mais tarde > logo depois,* e as palavras *uma vez que a vitória tornara a viagem possível* foram removidas.

33 *Bor > Bór,* e *Ulfand > Ulfang.* Ver QS §151 e comentário.

34 *Ulwar > Ulwarth.* Ver QS §151 e comentário.

35 *Nirnaith Dirnoth > Nirnaith Arnediad.* Ver IV. 364, nota 38.

36 Acrescentado aqui: *Glorwendel, sua esposa, morreu naquele ano de pesar.* Ver nota 22.

37 *o Monte dos Mortos > Cûm-na-Dengin, o Monte dos Mortos.* Ver IV. 364, nota 42.

38 *Halmir > Haldir* (o nome do filho de Orodreth nas *Etimologias,* radical SKAL[1]).

39 *Gurtholfin > Gurtholf.* Ver p. 496.

40 *Conquistador do Destino > Mestre do Destino.*

175

OS ANAIS TARDIOS DE BELERIAND

[41] *Anãos* > *Anões*[*] (a única ocorrência da alteração no texto). Ver comentário a QS §122.

[42] *Elboron e Elbereth* > *Elrún e Eldún* (uma alteração apressada a lápis). Ver IV. 382 e as *Etimologias,* radical BARATH.

[43] Acrescentado aqui: *A principal dessas foi a morte de Ungoliantë.* Ver o comentário ao anal 325.

[44] *Elrond, o Meio-Elfo* > *Elrond Beringol, o Meio-Elfo.*[†] Ver o comentário ao anal 325.

Comentário aos Anais Tardios de Beleriand

Antes do surgimento do Sol Considero que as palavras "reconstruiu sua fortaleza de Angband" significam que esse era o nome da praça-forte original de Melko; ver o comentário ao AV 2, anal 1000.

A afirmação de que Melko "engendrou os Orques e os Balrogs" após o seu retorno à Terra-média é mantida do AB 1 (onde a palavra *planejou* foi usada), em contraste com o AV 1 e o 2, onde ele "procriou e reuniu *mais uma vez* seus serviçais malignos, Orques e Balrogs"; ver minha discussão sobre esse trecho, IV. 366.

A frase acerca de Thingol e Denithor é inserida a partir da tradição dos AV (anal 2990).

O nome *Losgar* para o lugar onde os navios telerianos foram queimados ocorre aqui pela primeira vez (e a única vez nos textos desse período). O nome fora usado muito antes no antigo conto de *O Chalé do Brincar Perdido,* onde significava "Sítio das Flores", o nome gnômico de *Alalminórë* "Terra dos Olmos" em Tol-eressëa, e onde foi substituído por *Gar Lossion* (I. 26, 33).

Anal 1–50 Aqui se encontram as primeiras ocorrências dos nomes *Region* e *Neldoreth* (que também foram marcados no desenho inicial do Segundo Mapa, p. 499).

Anal 20 A presença dos Elfos-verdes na Mereth Aderthad não é mencioanda no AB 1.

---

[*] No original, "*Dwarves* [Anãos] > *Dwarfs*" [Anões]. [N.T.]

[†] No original, "*Elrond the Half-elfin* > *Elrond Beringol, the Half-elven*"; tanto *elfin* como *elven* são traduzidas em português como "élfico" e, no contexto da terminologia, o cognome de Elrond também possui uma única tradução em português, "Meio-Elfo". [N.T.]

A ESTRADA PERDIDA E OUTROS ESCRITOS

Anal 52 No AB 1 (IV. 386) a partida de Turgon para Gondolin encontra-se no anal 51 (assim como toda a informação que se segue acerca das regiões que os príncipes noldorin governavam durante o Cerco).

A devolução dos cavalos a Fingolfin na resolução da rixa é um novo elemento na história.

No terceiro parágrafo desse anal há uma referência clara à "Brecha de Maglor" (não mencionada por nome). A região onde "os montes são baixos ou inexistentes", mostrada claramente no Segundo Mapa (embora o nome nunca tenha sido escrito), é inferida pelas linhas na Expansão a Leste do Primeiro Mapa (IV. 275).

Na passagem no final do anal acerca dos Elfos-verdes, aparecem novos elementos na história deles: que não tiveram rei após a morte de Denithor, e que tinham parentes que permaneceram a leste das Montanhas Azuis. A fala dos dois ramos desse povo terá um lugar importante na história linguística explanada no *Lhammas*.

Anal 52–255 As referências mais antigas nos escritos de meu pai à origem da fala entre os Homens encontram-se em esboços para o *Conto de Gilfanon*, I. 284–85, onde se conta que o Elfo Escuro Nuin "Pai da Fala", que despertou os primeiros Homens, ensinou-lhes "muito do idioma ilkorin". No Esb (IV. 28) e no Q (IV. 118) é contado, como aqui, que os primeiros Homens aprenderam línguas com os Elfos-escuros.

A referência a "muitos dos Pais de Homens" em andanças para o oeste sugere uma aplicação diferente do termo, que em outros lugares parece ser sempre usado especificamente para Bëor, Hador e Haleth; assim, no anal 268, que registra a morte de Haleth, ele é o "último dos Pais de Homens".

Anal 65 O assunto desse anal não está especificado em um ano separado no AB 1 (IV. 388), mas se encontra no anal 51–255, sobre o Cerco de Angband. Lá é dito apenas que "alguns partiram e habitaram a grande ilha de Balar".

Anal 104 Nesse anal (que combina assuntos acerca dos Anãos dos antigos anais 51–255 e 104) há a primeira aparição da lenda da feitura dos Anãos por Aulë, antecipando o plano de Ilúvatar, no desejo de ter aqueles a quem pudesse ensinar; mas a antiga visão hostil sobre eles (ver IV. 199) encontra expressão na afirmação notável de que eles "não possuem um espírito que lhes habita,

177

como o possuem os Filhos do Criador, e eles possuem engenho, mas não arte". Com as palavras "eles retornam à pedra das montanhas da qual foram feitos", cf. a referência no Apêndice A (III) de *O Senhor dos Anéis* à "tola opinião entre os Homens... de que os Anãos 'crescem da pedra'".

Anal 105 A frase "enviou um exército para o Norte branco, e esse exército virou para o oeste", que não está presente na forma anterior do anal, torna mais clara a rota desse exército; ver QS §103, e nota sobre a geografia setentrional nas pp. 321–23.

Anal 220 A segunda versão do AB 1 chega ao fim com o início desse anal — uma nota apressada acerca da desamizade dos filhos de Fëanor para com os Homens, que não foi retomada no AB 2. Aqui voltamos à versão inicial do AB 1 (IV. 348), com as datas no AB 2 sendo naturalmente cem anos depois.

Há aqui a primeira menção ao abandono de sua própria língua pelos Homens da casa de Hador; cf. o *Lhammas*, §10. Posteriormente se tornou importante a ideia de que eles mantiveram o próprio idioma; em *O Silmarillion* (p. 207), enquanto na casa de Hador "apenas a língua-élfica era falada", "a fala deles próprios não foi esquecida, e dela veio a língua comum de Númenor" (ver mais em *Contos Inacabados*, pp. 294–95, nota 20). Mas nessa época a extensa concepção linguística não incluía o desenvolvimento subsequente do adûnaico. Na segunda versão de *A Queda de Númenor* (§2), os Númenóreanos "adotaram a fala dos Elfos do Reino Abençoado, como era e é em Eressëa", e em *A Estrada Perdida* (p. 85) fala-se em Númenor a respeito de "reviver a fala ancestral dos Homens".

Anal 222 Com essa alusão aos cabelos escuros de Túrin, ausente do AB 1, cf. a *Balada dos Filhos de Húrin* (III. 28): "todo menino moreno / da raça conquistada".

Anal 255 Quanto à história repetida a partir do AB 1, de que Barahir resgatou Orodreth assim como Felagund na Batalha do Fogo Repentino, ver o Anal 256.

Anal 256 No AB 1, a data 155 é repetida aqui (ver IV. 373). A data 256 no AB 2 presumivelmente se deve ao fato de que a Batalha do Fogo Repentino começou no meio do inverno do ano 255.

A confusão na história de Orodreth nesse ponto não é menor do que aquela na primeira versão dos *Anais*. No AB 1, Orodreth, com seus irmãos Angrod e Egnor, habitava em Taur-na-Danion

A ESTRADA PERDIDA E OUTROS ESCRITOS

(na segunda versão, IV. 387, Orodreth situa-se especificamente o mais ao leste e mais próximo dos filhos de Fëanor); assim, quando Celegorm e Curufin foram derrotados na Batalha do Fogo Repentino, eles "fugiram com Orodreth" (anal 155), o que deve significar que eles se refugiaram com Felagund em Tol Sirion, pois dois anos mais tarde, quando Morgoth capturou Tol Sirion, todos os quatro foram para o sul para Nargothrond (anal 157). No entanto, obviamente em contradição a essa história há a afirmação anteriormente em 155 de que Barahir e seus homens resgataram Felagund *e Orodreth* na Batalha do Fogo Repentino; ver minha discussão, IV. 372–73.

No AB 2 (anal 255) é mais uma vez dito que Barahir resgatou Orodreth assim como Felagund, aparentemente contradizendo a afirmação no anal 52 de que Orodreth habitava o mais a leste em Taur-na-Danion. Mas onde o AB 1 diz que Celegorm e Curufin, derrotados, "fugiram com Orodreth", no AB 2 (anal 256) eles "fugiram *até* Orodreth no *oeste* de Taur-na-Danion" (a palavra *oeste* estando inteiramente clara). No anal 257 o AB 2 está de acordo com o AB 1 no tocante aos quatro terem recuado juntos até Nargothrond. Não parece ser possível deduzir uma narrativa coerente a partir do AB 2. As alterações no manuscrito apresentadas nas notas 10, 14, 25 e 29 mostram a história tardia.

A história da estada de Haleth e Húrin em Gondolin pouco difere daquela no AB 1, exceto no ponto em que na versão mais antiga os homens "toparam com alguns do povo de Turgon, e foram levados ao vale secreto de Gondolin", enquanto aqui eles "descobriram a entrada secreta deles".

Não é dito no AB 1 que os mensageiros de Turgon também foram para a Ilha de Balar (onde, de acordo com o anal 65 no AB 2, habitavam Elfos de Nargothrond), nem que os mensageiros iriam pedir "auxílio e perdão".

Anal 257 A afirmação intrigante no AB 1, de que "Felagund e Orodreth, junto com Celegorm e Curufin, retiraram-se para Nargothrond, e fizeram lá um grande palácio oculto", é agora esclarecida, ou, de qualquer forma, deixada consistente com a primeira versão dos anais. Sugeri (IV. 373) que o significado podia ser de que "embora Nargothrond existisse por mais de cem anos como uma praça-forte gnômica, foi só na ocasião da Batalha do Fogo Repentino que ela foi transformada em uma grande habitação ou 'palácio' subterrâneo, e o centro do poderio de Felagund"; e as palavras do AB 2 aqui ("foram para Nargothrond, e a fortaleceram") sustentam isso.

Os membros nomeados do bando de Barahir são agora acrescidos de *Gildor*, que não foi incluído no acréscimo ao AB 1 (IV. 363, nota 23).

As últimas frases desse anal introduzem a história de que Morwen e Rian só escaparam porque estavam residindo em Hithlum na época, com o povo de suas mães; pois as esposas de Baragund e Belegund eram da casa de Hador. No AB 1 elas foram enviadas para Hithlum quando Morgoth tomou Taur-na-Danion.

Anal 258 Essa é a primeira aparição da história (*O Silmarillion*, pp. 218–19) da derrota dos Orques em Brethil pelas mãos do povo de Haleth e de Beleg de Doriath; e essa é a primeira ocorrência de *Brethil* em um texto tal como escrito.

Anal 261 A esse corresponde no AB 1 o anal 160, não o 161; mas quando (durante a composição do QS) meu pai estendeu o Cerco de Angband por mais 200 anos, e então inseriu as datas revisadas no manuscrito do AB 2, ele alterou 261 para 460, não para 461.

Anal 263 O AB 1 não nomeia os filhos de Bor, nem afirma que eles seguiram Maidros e Maglor. O filho de Bor, Boromir, é o primeiro portador desse nome. Posteriormente, o Boromir dos Dias Antigos foi o pai de Bregor, pai de Bregolas e Barahir.

Anal 263–4 O assunto do anal muito mais longo 163–4 no AB 1 no AB 2 encontra-se distribuído nos anais 264 e 265.

Anal 264 É estranho que meu pai tenha escrito aqui que Felagund foi morto por Draugluin (que sobreviveu para ser morto por Huan). Não há indicações desse fato em outros lugares — é contado na *Balada de Leithian* que Felagund matou o lobo que o matou na masmorra (III. 295, verso 2625), e de maneira ainda mais enfática na história em prosa: "lutou com o lobisomem e o matou com suas mãos e seus dentes" (*O Silmarillion*, p. 238).

Anal 273 *Gethron* e *Grithron*: os dois idosos não são mencionados por nome no Q ou no AB 1; no Esb (IV. 35) eles são Halog e Mailgond, seus nomes na segunda versão da *Balada dos Filhos de Húrin*. Posteriormente, seus nomes foram *Gethron* e *Grithnir*, e foi Grithnir que morreu em Doriath, e Gethron que voltou (*Contos Inacabados*, pp. 108–09).

A ESTRADA PERDIDA E OUTROS ESCRITOS

Anal 287 Pode parecer pela afirmação aqui (não encontrada no AB 1), de que Tuor *"chegou a Hithlum* em busca de sua família", que ele nasceu após Rian ter atravessado as montanhas, vagando na direção do campo de batalha, e que quinze anos depois ele voltou; mas não há qualquer indicação disso em nenhum outro lugar. No AB 1, anal 173, é dito que "Tuor cresceu selvagem nas matas entre Elfos fugitivos próximo às margens de Mithrim", e, embora isso seja omitido no AB 2, a ideia sem dúvida estava presente; a explicação para as palavras "chegou a Hithlum" é então de que Mithrim e Hithlum eram terras distintas, ainda que uma esteja encerrada na outra (cf. QS §§88, 106).

Anal 290–5 Conforme o AB 1 foi escrito inicialmente aqui, foi como um resultado da perda do "antigo sigilo" de Nargothrond na época de Túrin que Morgoth "toma conhecimento da praça-forte"; mas isso foi alterado logo cedo (IV. 365, nota 53) para "toma conhecimento da força crescente da praça-forte", que parece como se meu pai estivesse se afastando da ideia de que Nargothrond havia até então permanecido completamente oculta de Morgoth. O AB 2 é explícito ao dizer que Nargothrond lhe foi "revelada" pela política de guerra aberta de Túrin. Ver IV. 379.

Anal 292 No Q (IV. 161), Isfin e Meglin foram juntos para Gondolin. O AB 1 não é explícito: "Meglin chega a Gondolin". O AB 2 reverte à antiga história no Esb (IV. 43) de que Meglin foi enviado a Gondolin por sua mãe.

Anal 295 É dito agora expressamente, que é inferido no AB 1, que Glómund aproximou-se de Nargothrond através de Hithlum, com o acréscimo de que ele "fez grandes males" lá; ver IV. 380. Aqui aparece pela primeira vez o nome Tum-halad, mas o local da batalha, ao qual se refere o nome, ainda ficava a leste de Narog, e não entre o Narog e o Ginglith.

Para uma explicação de por que os portos de Brithombar e Eglorest estavam em ruínas, ver IV. 380.

Anal 296 Também foi dito no AB 1 que Glómund retornou a Nargothrond no ano seguinte ao saque, embora eu não tenha comentado lá o fato. Não sei como explicar isso. Não há qualquer indicação em nenhum lugar de que após Túrin ter partido em sua viagem para Hithlum Glómund fez outra coisa que não rastejar de volta para os salões de Nargothrond e deitar-se sobre o tesouro.

181

Anal 299 *Celebros*, aqui interpretado como "Chuva de Prata", anteriormente havia sido traduzido como "Prata-de-espuma", "Espuma de Prata"; ver as *Etimologias*, radical ros[1].

Anal 325 O acréscimo inicial feito a esse anal (nota 43), "A principal dessas foi a morte de Ungoliantë", é notável. Essa história remonta através do Esb e do Q (§17) ao próprio princípio (II. 304. etc.), mas não torna a aparecer. É contado no Esb e no Q (§4) que, quando Morgoth retornou com Ungoliantë para a Terra-média, ela foi repelida pelos Balrogs "para o extremo Sul", com o acréscimo no Q (e QS §62) "onde por longo tempo habitou"; mas na remodelagem e expansão dessa passagem feitas muito tempo depois, é relatado como uma lenda que "ela pereceu há muito, quando, em sua fome extrema, devorou a si mesma afinal" (*O Silmarillion*, p. 121).

O cognome dado a Elrond em outro acréscimo (nota 44), *Beringol*, não é encontrado de novo, mas a forma *Peringol* aparece nas *Etimologias*, radical per, da qual *Beringol* é uma variante (ver pp. 356–57, nota sobre *Gorgoroth*). É conveniente mencionar aqui uma mudança tardia e apressada a lápis, que alterou a passagem para o seguinte:

> Os *Peringiul*, os Meio-Elfos, eram filhos de Elwing, esposa de Eärendel, nascidos enquanto Eärendel estava no mar, os gêmeos Elrond e Elros.

A ordem foi então invertida para "Elros e Elrond". Sem dúvida na mesma época, no anal 329, "Elrond foi levado" foi alterado para "Elros e Elrond foram levados". Elros aparecera em acréscimos tardios ao texto do Q (IV. 177), que foram inseridos após o surgimento da lenda de Númenor, e por emenda na segunda versão de *A Queda de Númenor* (p. 34), onde ele substitui Elrond como o primeiro governante.

Anal 340 Não é contado no AB 1 que Maidros e Maglor e seu povo fugiram no fim de Amon Ereb para a Ilha de Balar. No Q nada é dito sobre onde habitavam de fato Maidros e Maglor durante os últimos anos.

Anal 350 Alguns elementos novos (e singulares) aparecem no relato no AB 2 da invasão feita pelo Oeste. O acampamento de Fionwë às margens do Sirion (anal 347) não aparece no AB 1 (nem no Q ou no QS, onde nada é dito acerca do desembarque de Fionwë ou da Batalha de Eglorest), nem é dito lá que Morgoth atravessou Taur-na-Fuin e que houve uma longa batalha nas margens do Sirion onde a hoste de Valinor tentou cruzar; na segunda versão da história em Q §18 (repetida no QS, p. 395) há de fato uma forte indicação de que Morgoth jamais saiu de Angband até ser arrastado de lá acorrentado.

Após as palavras "muitos pereceram na ruína da terra", meu pai escreveu a lápis a seguinte frase:

e o mar entrou rugindo e cobriu tudo, salvo pelos cumes das montanhas, e apenas parte de Ossiriand restou.

Esse acréscimo é de datação completamente incerta, mas possui ligação com assuntos discutidos anteriormente neste livro e pode ser convenientemente analisado aqui.

O pouco que já foi contado acerca da Submersão de Beleriand é muito difícil de interpretar; a ideia foi alterada e mudada, mas meu pai jamais em qualquer estágio a explanou claramente. No *Quenta* (citado na p. 32) e nos *Anais* há uma imagem da destruição cataclísmica causada pela "fúria dos adversários" na Grande Batalha entre a hoste de Valinor e o poderio de Morgoth. As últimas palavras dos *Anais*, mantidas no AB 2, são "Beleriand não mais existia" (que, no entanto, poderiam ser interpretadas com o significado de que Beleriand como a terra dos Gnomos e o cenário de suas guerras heroicas não teve outras histórias depois disso); no Q permaneceram "grandes ilhas", onde foram construídas as frotas nas quais os Elfos da Terra-média partiram para o Oeste — e essas podem bem ser as Ilhas Britânicas (ver IV. 231). Na passagem final (§14) de *A Queda de Númenor* a imagem é modificada (ver p. 33), pois lá é dito (de modo mais completo na segunda versão, p. 40) que o nome *Beleriand* foi preservado, e que ela permaneceu uma terra "em certa medida abençoada"; foi a Beleriand que muitos dos exilados númenóreanos chegaram, e lá que Elendil governou e fez a Última Aliança com os Elfos que permaneciam na Terra-média ("e estes habitavam mormente em Beleriand"). Não há indicação aqui da extensão de Beleriand que permaneceu acima do mar — e nenhuma menção a ilhas; tudo o que é dito é que a terra havia sido "mudada e partida" na guerra contra Morgoth. Posteriormente (em algum momento durante a composição de *O Senhor dos Anéis*), meu pai reescreveu essa passagem (ver pp. 45–6), e agora havia sido inserida a ideia de que a Submersão de Beleriand ocorreu na queda de Númenor e com o Mundo Tornado Redondo — sem dúvida um cataclismo muito mais devastador do que até mesmo a batalha dos adversários divinos:

> Ora, aquela terra foi partida na Grande Batalha com Morgoth; e *com a queda de Númenor e a mudança do feitio do mundo ela pereceu*; pois o mar cobriu *tudo o que restou*, salvo algumas das montanhas que permaneceram como ilhas, chegando até os sopés das Eredlindon. Mas aquela terra onde Lúthien habitara perdurou, e foi chamada Lindon.

Nessas fases sucessivas da ideia é extremamente difícil encontrar um lugar para a frase acrescentada a esse anal no AB 2. Por um lado, ela descreve a Submersão do mesmo modo que a passagem posterior recém-citada — apenas uma parte de Ossiriand e algumas montanhas altas permaneceram acima da superfície do mar; por outro, ela se refere não à época da queda de Númenor e do Mundo Tornado Redondo, mas à Grande Batalha contra Morgoth. Várias explicações são possíveis, mas sem saber quando a frase foi escrita elas só podem ser extremamente especulativas e inconsistentes, e não irei aventá-las. Seja como for, é concebível que esse acréscimo seja um exemplo das emendas casuais desconectadas que meu pai às vezes fazia ao examinar um manuscrito antigo — emendas que não eram parte de uma preparação aprofundada para uma nova versão, mas antes indicadores isolados da necessidade de revisão. Pode ser que ele tenha escrito essa frase muito tempo depois — talvez enquanto considerava escrever os *Anais Cinzentos* depois que *O Senhor dos Anéis* foi terminado, e que a sua referência real não seja à Grande Batalha, mas à época após a queda de Númenor.

Anal 397 Não é dito no AB 1 que deram forma de grilhões à Coroa de Ferro. No Q (§18) ela foi transformada em uma coleira para o pescoço de Morgoth.

4

O Ainulindalë

Em todas as obras apresentadas nesta história até agora, só houve um relato da Criação do Mundo, e esse se encontra no antigo conto de *A Música dos Ainur*, escrito enquanto meu pai estava em Oxford na equipe do Dicionário em 1918–20 (I. 62). O "Esboço da Mitologia" (Esb) não faz referência ao evento (IV. 18); o Q e o AV 1 mencionam apenas em suas frases iniciais "a feitura do Mundo", a feitura de "todas as coisas" por Ilúvatar (IV. 95, 310); e o AV 2 nada mais acrescenta. Mas agora, entre os escritos tardios da década de 1930 (ver pp. 131–32), ele se voltou mais uma vez para a história contada por Rúmil a Eriol no jardim de Mar Vanwa Tyaliéva em Kortirion, e escreveu uma nova versão; e é notável que nesse caso ele retornou ao texto em si da *Música dos Ainur* original. A nova versão foi composta com o "Conto Perdido" na frente dele, e ele de fato o seguiu muito de perto, embora o refraseando em todos os pontos — um grande contraste com o aparente salto entre o resto da narrativa "valinóreana" nos *Contos Perdidos* e o "Esboço", embora pareça possível que ele tenha escrito a sinopse condensada sem ter relido os textos (cf. IV. 51–2).

O "mito cosmogônico", como ele o chamou muito tempo depois (I. 62), já era assim, como viria a permanecer, uma obra separada, independente de "O Silmarillion" propriamente dito; e creio que sua separação possa ser atribuída ao fato de que não havia menção da Criação no Esb, onde começou a tradição do *Quenta*, e nenhum relato dela no Q. Mas o QS possui um novo início, uma passagem breve acerca da Grande Música e da Criação do Mundo, e isso mostraria que o *Ainulindalë* já existia, mesmo que isso não pudesse ser demonstrado por outras razões (ver nota 20).

Mas o *Ainulindalë* na verdade consiste em dois manuscritos separados. O primeiro, que simplesmente para os propósitos deste capítulo chamarei de "A", é extremamente rascunhado, e repleto de alterações feitas à época da composição — sendo essas em sua maior parte leituras da antiga versão do *Contos Perdidos* que foram anotadas, mas riscadas de imediato e substituídas. Não há folha de rosto nem título, mas no início meu pai escreveu posteriormente *A Música dos Ainur*. O segundo texto, que aqui chamarei de "B", é uma cópia passada a limpo do primeiro, e na sua forma original um belo manuscrito, sem hesitações ou mudanças enquanto era escrito; e embora haja muitas diferenças entre os dois, a grande maioria delas são alterações estilísticas menores, aprimoramentos de fraseado e diminuição de frases. Não vejo razão para crer que tenha havido algum intervalo entre eles; e creio, portanto, que A pode em grande parte ser ignorado aqui, e a comparação do conteúdo feita diretamente entre o segundo texto B bem-acabado e o *Conto da Música dos Ainur* original; observando, contudo, que em muitos detalhes de expressão o A era mais próximo do antigo *Conto*. Diferenças mais substanciais entre A e B são apresentadas nas notas.

B possui uma folha de rosto de estreita associação em forma com as do *Ambarkanta* e do *Lhammas*, obras também atribuídas a Rúmil; ver p. 132.

Ainulindalë

A Música dos Ainur
Isto foi escrito por Rúmil de Tûn

Apresento agora o texto dessa versão como foi originalmente escrito (o manuscrito tornou-se o meio de amplas reescritas muitos anos mais tarde, quando grandes mudanças na concepção cosmológica haviam sido inseridas).

A Música dos Ainur
e a Vinda dos Valar

Estas são as palavras que Rúmil falou a Ælfwine acerca do princípio do Mundo.[1]

Havia Ilúvatar, o Pai-de-Tudo, e ele fez primeiro os Ainur, os sacros, que eram os rebentos de seu pensamento, e estavam com ele antes do Tempo. E falou com eles, propondo-lhes temas de música, e cantaram diante dele, e ele estava contente. Mas, por muito tempo, cantaram cada um a sós, ou apenas alguns juntos, enquanto os demais escutavam; pois cada um compreendia apenas aquela parte da mente de Ilúvatar da qual viera, e na compreensão de seus irmãos cresciam devagar. Contudo, enquanto ouviam, chegavam sempre a um entendimento mais profundo, e cresciam em uníssono e harmonia.

E veio a acontecer que Ilúvatar convocou todos os Ainur, e declarou a eles um tema poderoso, revelando-lhes coisas maiores e mais maravilhosas do que as que revelara até então; e a glória de seu começo e o esplendor de seu fim deslumbraram os Ainur, de modo que eles se curvaram diante de Ilúvatar e ficaram em silêncio.

Então disse Ilúvatar: "Do tema que declarei a vós, porém incompleto e desadornado, desejo agora que façais, em harmonia e juntos, uma grande música. E, já que vos inflamei com o Fogo, exercereis vossos poderes ao adornar esse tema, cada um com seus próprios pensamentos e desígnios. Mas sentar-me-ei e escutarei e ficarei contente que através de vós grande beleza despertou em canção."

Então as vozes dos Ainur, tal como harpas e alaúdes, e flautas e trombetas, e violas e órgãos, e tal como incontáveis corais cantando com palavras, começaram a moldar o tema de Ilúvatar em uma grande música; e um som se levantou de intermináveis melodias cambiantes tecidas em harmonias, que passou além da audição tanto nas profundezas como nas alturas, e os lugares da habitação de Ilúvatar se encheram até transbordar, e a música e o eco da música saíram para o Vazio, e ele não era mais vazio. Nunca houve antes, nem desde então, uma música tão imensurável, embora se diga que outra maior ainda há de ser feita diante de Ilúvatar pelos corais dos Ainur e dos Filhos de Ilúvatar depois do fim dos dias.[2] Então os temas de Ilúvatar hão de ser tocados com acerto, adquirindo ser no momento de seu tocar, pois todos então hão de entender o propósito dele em sua parte da música, e cada um há de conhecer a compreensão de cada um, e Ilúvatar há de dar a seus pensamentos o Fogo secreto, comprazendo-se neles.

Mas, então, o Pai-de-Tudo se sentou e escutou, e durante muito tempo lhe pareceu bom, pois as falhas na música eram poucas. Mas, conforme o tema progredia, entrou no coração de Melko[3] o entretecer de matérias de seu próprio imaginar que não estavam acordes com o tema de Ilúvatar; pois ele buscava com isso aumentar o poder e a glória da parte designada a si próprio. A Melko, entre os Ainur, tinham sido dados os maiores dons de poder e conhecimento, e ele tinha um quinhão de todos os dons de seus

O AINULINDALË

irmãos;[4] e fora amiúde sozinho aos lugares vazios buscando o Fogo secreto que dá vida. Pois crescia o desejo ardente, dentro dele, de trazer ao ser coisas só suas, e lhe parecia que Ilúvatar não tinha em mente o Vazio, e ele estava impaciente por esse vácuo.[5] Contudo, não achou o Fogo, pois esse está com Ilúvatar, e ele não o sabia. Mas, ficando só, ele começara a conceber pensamentos só seus, diferentes dos de seus irmãos.

Alguns desses ele, então, entreteceu em sua música, e de imediato surgiu o desacordo à volta dele, e muitos dos que cantavam a seu lado perderam ânimo, e seu pensamento foi perturbado, e sua música hesitou; mas alguns começaram a afinar sua música com a dele em vez de com o pensamento que tinham no início. E o desacordo de Melkor se espalhou cada vez mais, e a música escureceu, pois o pensamento de Melko vinha da escuridão de fora, para onde Ilúvatar ainda não havia voltado a luz de sua face. Mas Ilúvatar se sentou e escutou, até que tudo que podia ser ouvido parecesse uma tempestade, e uma fúria sem informe que fazia guerra a si mesma numa noite sem fim.

Então Ilúvatar se entristeceu, mas ele sorria, e ergueu a sua mão esquerda, e um novo tema começou em meio à tempestade, semelhante e, contudo, dessemelhante ao tema anterior, e reuniu poder e tinha nova brandura. Mas o desacordo de Melkor se ergueu em alarido contra o tema, e, de novo, havia uma guerra de som na qual a música se perdeu. Então Ilúvatar não mais sorria, e sim chorava, e ele ergueu sua mão direita; e eis que um terceiro tema cresceu em meio à confusão, e esse era diferente dos outros, e mais poderoso do que todos. E parecia, enfim, que havia duas músicas progredindo de uma vez só diante do assento de Ilúvatar, e elas estavam em completa oposição. Uma era profunda, e ampla, e bela, mas lenta e infundida de uma tristeza inextinguível, da qual sua beleza principalmente vinha. A outra tinha crescido então a uma unidade e um sistema, contudo era imperfeita, salvo na medida em que derivava ainda do tema mais antigo de Ilúvatar; mas era alta, e vã, e infinitamente repetida, e tinha pouca harmonia, mas era antes um uníssono clamoroso como o de muitas trombetas zurrando uma nota. E buscava afogar a outra música pela violência de sua voz, mas parecia sempre que suas notas mais triunfantes eram tomadas pela outra e entretecidas em seu próprio padrão solene.[6]

Em meio a essa contenda, na qual os salões de Ilúvatar vibravam e um tremor corria pelos lugares escuros, Ilúvatar ergueu ambas as suas mãos, e num só acorde, mais profundo que o abismo, mais alto que o firmamento, mais glorioso do que o sol, penetrante como a luz do olho de Ilúvatar, a música cessou.

Então disse Ilúvatar: "Poderosos são os Ainur, e o mais poderoso entre eles é Melko; mas para que ele saiba, como todos os Ainur, que eu sou Ilúvatar, essas coisas que cantastes e tocastes, vede! Eu as levei a existir. Não nas músicas que fazeis nas regiões celestiais, como júbilo para mim e entretimento para vós, mas antes para ter forma e realidade, assim como tendes vós Ainur. E eis que hei de amar essas coisas que vieram de minha canção como amo os Ainur, que são do meu pensamento. E tu, Melko, hás de ver que nenhum tema pode ser tocado que não tenha sua fonte última em mim, nem pode alguém alterar a música à minha revelia. Pois aquele que tentar apenas há de me auxiliar na criação de coisas ainda mais maravilhosas, que ele próprio não imaginou. Através de Melko o terror como fogo, e o pesar como águas sombrias, a fúria como trovão, e o mal tão distante de minha luz como as últimas profundezas dos lugares sombrios entraram no desígnio. Na confusão de sons foram feitas dor e crueldade, chamas devoradoras e frio inclemente, e morte sem esperança. Contudo, ele há de ver que no fim isso contribui somente à glória do mundo, e este mundo há se ser chamado de todos os feitos de Ilúvatar o mais magno e mais adorável".

Então os Ainur ficaram com medo, e não compreenderam totalmente o que fora dito; e Melko ficou cheio de vergonha e da raiva da vergonha. Mas Ilúvatar se levantou em esplendor e partiu das belas regiões que fizera para os Ainur e entrou nos lugares escuros; e os Ainur o seguiram.[7]

Mas, quando chegaram ao meio do Vazio, contemplaram uma visão de incomparável beleza, onde antes tinha havido vácuo. E Ilúvatar disse: "Eis vossa música! Pois por minha vontade ela tomou forma, e agora mesmo a história do mundo está principiando. Cada um de vós há de achar contidos dentro do desígnio que é meu os adornos que ele próprio planejou; e Melko descobrirá lá aquelas coisas que pensou trazer novas de seu próprio coração, e verá que elas são apenas uma parte do todo, e tributárias de sua glória. Mas eu dei ser a tudo".[8] E eis que o Fogo secreto ardeu no coração do Mundo.

Então os Ainur se maravilharam ao ver o mundo englobado em meio ao Vazio, e sustentado lá dentro, mas não era parte dele. E olhando para a luz eles ficaram jubilosos, e vendo muitas cores seus

O AINULINDALË

olhos ficaram cheios de deleite; mas, por causa do rugir do mar, sentiram uma grande inquietação. E observaram o ar e os ventos, e as matérias das quais a terra-média era feita,[9] de ferro e pedra e prata e ouro e muitas substâncias; mas, entre todas essas, a água é que eles mais grandemente louvaram. E diz-se que na água vive ainda o eco da Música dos Ainur, mais do que em qualquer outra substância que há no mundo, e muitos dos Filhos de Ilúvatar escutam ainda insaciados as vozes do mar e, contudo, não sabem o que ouvem.

Ora, na água é que aquele Ainu a quem chamamos de Ulmo mormente pensara, e, de todos, ele foi o que Ilúvatar instruíra mais profundamente em música. Mas sobre os ares e ventos Manwë foi o que mais ponderara, ele que era o mais nobre dos Ainur. No arcabouço da terra Aulë pensara, a quem Ilúvatar dera engenho e conhecimento pouco menos do que a Melko; mas o deleite e o orgulho de Aulë estava no processo de fazer, e na coisa feita, e não na posse, nem em si mesmo; donde ele era um fazedor e professor e não um mestre, e ninguém o chamava de senhor.[10]

Ora, Ilúvatar falou a Ulmo, e disse: "Não vês como Melko fez guerra ao teu reino? De seu pensar veio o agudo frio sem moderação, e ele não destruiu a beleza de tuas fontes, nem a de tuas claras lagoas. Contempla a neve e a obra sagaz da geada! Contempla as torres e mansões de gelo! Melko planejou calores e fogo sem controle, e não secou teu desejo, nem de todo abateu a música do mar. Contempla antes a altura e a glória das nuvens, e as brumas e vapores sempre cambiantes, e ouve o cair da chuva sobre a terra. E nessas nuvens tu te chegas ainda mais perto de teu irmão Manwë, a quem amas".[11]

Então Ulmo respondeu: "Sim, em verdade, a água agora se tornou mais bela do que o meu coração imaginara, nem meu pensamento secreto concebera o floco de neve, nem em toda a minha música estava contido o cair da chuva. Eis! Buscarei Manwë, para que ele e eu possamos fazer melodias para sempre para teu deleite!" E Manwë e Ulmo têm sido desde o princípio aliados e em todas as coisas servido mui fielmente aos propósitos de Ilúvatar.

E, enquanto Ilúvatar falava a Ulmo, os Ainur contemplaram o desenrolar do mundo, e o princípio daquela história que Ilúvatar lhes propusera como tema de canção. Por causa da memória de sua conversa com Ilúvatar, e do conhecimento que cada um tem da música que tocou, os Ainur conhecem muito do que há de vir, e poucas coisas são imprevistas para eles. Contudo, algumas

A ESTRADA PERDIDA E OUTROS ESCRITOS

coisas há que eles não conseguem ver, nem sozinhos e nem se aconselhando juntos. Mas enquanto observavam, muitos ficaram enamorados da beleza do mundo, e enlevados com a história que lá acontecia, e houve inquietação entre eles. Assim veio a acontecer que alguns tinham ainda sua morada com Ilúvatar, para além do mundo, e esses eram os que estavam contentes com sua parte no pensamento dos desígnios do Pai-de-Tudo, e preocupavam-se apenas de demonstrá-lo tal como o haviam recebido. Mas outros, e entre eles estavam muitos dos mais sábios e belos dos Ainur, suplicaram a licença de Ilúvatar para entrar no mundo e habitar lá, e puseram sobre si a forma e a vestimenta do Tempo.[12] Pois eles disseram: "Desejamos ter a guia das coisas belas de nossos sonhos, que teu poderio fez com que tivessem uma vida à parte, e gostaríamos de instruir os Elfos e os Homens nas maravilhas e usos delas, quando chegarem as horas de teus Filhos aparecerem sobre a terra". E Melko fingiu que desejava controlar a violência e as perturbações, de calor e de frio, que havia causado dentro do mundo, mas ele pretendia de fato usurpar os reinos de todos os Ainur e submeter à sua vontade tanto os Elfos como os Homens; pois tinha inveja das dádivas com as quais Ilúvatar pretendia dotá-los.

Pois Elfos e Homens foram concebidos apenas por Ilúvatar, nem, visto que não compreenderam completamente aquela parte do tema quando lhes fora proposta, algum dos Ainur ousou em sua música acrescentar qualquer coisa à feição deles; e por essa razão essas raças são chamadas de os Filhos de Ilúvatar, e os Ainur são mais como seus anciãos e chefes do que seus mestres. Donde no seu trato com Elfos e Homens os Ainur procuraram por vezes forçá-los, quando não queriam ser guiados, mas raramente com bons resultados, fossem boas ou más as intenções. Os Ainur têm tratado principalmente com os Elfos, pois Ilúvatar fez os Elfos mais semelhantes em natureza aos Ainur, embora menores em poder e estatura; mas aos Homens ele deu estranhos dons.

Ciente dessas coisas e vendo seus corações, Ilúvatar concedeu o desejo dos Ainur, e não é dito que ele se entristeceu. Então aqueles que o desejaram desceram e entraram no mundo. Mas esta condição Ilúvatar impôs, ou é a necessidade do próprio amor deles (não sei qual das duas coisas), que o poder deles deveria, dali por diante, estar contido no mundo e a ele atado e fraquejar com ele, e seu propósito quanto a eles depois disso Ilúvatar não revelou.

O AINULINDALË

Assim os Ainur vieram ao mundo, eles a quem chamamos os Valar, ou os Poderes, e habitaram em muitos lugares: no firmamento, ou nas profundezas do mar, ou sobre a terra, ou em Valinor, nas fronteiras da terra. E os quatro maiores eram Melko e Manwë e Ulmo e Aulë.

Melko por muito tempo andou sozinho, e usava fogo e geada, das Muralhas do Mundo às fornalhas mais profundas que existem debaixo delas, e tudo o que é violento ou imoderado, súbito ou cruel, é atribuído a ele, e na maioria dos casos merecidamente. Poucos da raça divina foram com ele, e dos Filhos de Ilúvatar nenhum o seguiu desde então, exceto como escravos, e seus companheiros eram de sua própria feitura: os Orques e demônios que por muito tempo perturbaram a terra, atormentando Homens e Elfos.[13]

Ulmo habitou sempre no Oceano de Fora, e governou o fluir de todas as águas, e os cursos de todos os rios, o provimento das fontes e o destilar da chuva e do orvalho por todo o mundo. Nos lugares profundos, ele se põe a pensar em música grandiosa e terrível; e o eco disso corre por todas as veias do mundo e seu júbilo é como o júbilo de uma fonte ao sol cujas nascentes são as nascentes de tristeza desmesurada nas fundações do mundo.[14] Os Teleri aprenderam muito com ele, e por essa razão a música deles tem tanto tristeza quanto encantamento. Salmar veio com ele a Arda, ele que fez as conchas de Ulmo;[15] e Ossë e Uinen, a quem ele deu o controle das ondas e dos mares de dentro; e muitos outros espíritos.

Aulë habitava em Valinor, na feitura da qual ele teve a maior parte, e fez muitas coisas tanto abertamente como em segredo. Dele vem o amor e o conhecimento das substâncias da terra, tanto o cultivo da terra como a criação de animais, e os ofícios de tecelagem e de bater metais e de moldar madeira. Dele vem a ciência da terra e do arcabouço dela e o saber de seus elementos, sua mistura e mutação.[16] Com ele os Noldor aprenderam muito nos dias que vieram depois, e eram os mais sábios e mais engenhosos dos Elfos. Mas acrescentaram muito ao ensinamento de Aulë, e se deleitavam em línguas e alfabetos e nas figuras do bordado, do desenho e da escultura. Pois a arte era o dom especial dos Filhos de Ilúvatar.[17] E os Noldor chegaram a inventar gemas preciosas, que não existiam no mundo antes deles; e as mais belas de todas as gemas eram as Silmarils, e elas estão perdidas.

Mas o mais elevado e sacro dos Valar era Manwë Súlimo, e ele habitava em Valinor, sentado em majestade em seu trono; e seu

A ESTRADA PERDIDA E OUTROS ESCRITOS

trono ficava sobre o pináculo de Taniquetil, que é a mais alta das montanhas do mundo, e situa-se nas fronteiras de Valinor. Espíritos na forma de falcões e águias voavam sempre de lá para cá em sua casa, cujos olhos viam até as profundezas do mar e penetravam as cavernas ocultas debaixo do mundo, cujas asas os levavam através das três regiões do firmamento além das luzes do céu até a beira da escuridão;[18] e traziam-lhe novas de quase tudo o que se passava: porém, algumas coisas estavam escondidas até mesmo dos olhos de Manwë.

Com ele estava Varda, a mais bela. Ora, os Ainur que entraram no mundo tomaram forma e aspecto, como os têm os Filhos de Ilúvatar que nasceram do mundo; mas suas formas e aspectos são maiores e mais agradáveis, e vêm do conhecimento e do desejo da substância do mundo e não da própria substância, e não podem sempre ser percebidos, embora estejam presentes. E alguns deles, portanto, tomaram forma e temperamento de fêmea, e alguns de macho.[19] Mas Varda era a Rainha dos Valar, e era a esposa de Manwë; e ela fez as estrelas, e sua beleza era elevada e tremenda, e ela é mencionada com reverência. Os filhos de Manwë e Varda são Fionwë Úrion, seu filho, e Ilmar, sua filha; e esses são os mais velhos dos Filhos dos Deuses.[20] Eles habitam com Manwë, e com eles está uma grande hoste de espíritos belos em grande felicidade. Elfos e Homens amam a Manwë mais do que todos os Valar,[21] pois não se compraz da própria honra, nem é cioso de seu próprio poder, mas rege a todos para a paz. Aos Lindar[22] ele mais amava de todos os Elfos, e dele receberam canção e poesia; pois a poesia é o deleite de Manwë, e a canção das palavras é sua música. Eis que a vestimenta de Manwë é azul, e azul é o fogo de seus olhos, e seu cetro é de safira; e ele é o rei neste mundo de Deuses e Elfos e Homens, e a defesa principal contra Melko.

Depois da partida dos Valar houve silêncio por toda uma era, e Ilúvatar se sentou só, em pensamento. Então Ilúvatar falou, e ele disse: "Eis que amo o mundo, e ele é uma mansão para Elfos e Homens. Mas os Elfos hão de ser as mais belas de todas as criaturas terrenas, e hão de ter e conceber e gerar mais beleza do que todos os meus filhos, e hão de ter a maior ventura neste mundo. Mas para os Homens darei um novo dom".

Portanto, desejou ele que os corações dos Homens buscassem para além do mundo e não achassem repouso dentro dele; mas eles

O AINULINDALË

deveriam ter a virtude de moldar sua vida, em meio aos poderes e acasos do mundo, além da Música dos Ainur, que é como sina para todas as coisas outras. E da operação deles tudo deveria ser, em forma e fato, completado, e o mundo, cumprido até a última e menor das coisas. Eis que mesmo nós, Elfos, descobrimos para nosso pesar que os Homens possuem um estranho poder para o bem ou para o mal, e para desviar coisas do propósito dos Valar ou dos Elfos; de modo que é dito entre nós que o Destino não é mestre dos filhos dos Homens; contudo são cegos, e seu júbilo é pequeno, que deveria ser grande.

Mas Ilúvatar sabia que os Homens, estando postos em meio aos tumultos dos poderes do mundo, desviar-se-iam amiúde e não usariam seu dom em harmonia; e disse ele: "Esses também, a seu tempo, hão de descobrir que tudo o que fazem redunda, no fim, apenas para a glória de minha obra". Contudo, os Elfos dizem que os Homens são, muitas vezes, um pesar para Manwë, que conhece mais a mente de Ilúvatar.[23] Pois os Homens se assemelham a Melko mais do que a todos os Ainur, embora eles o tenham sempre temido e odiado.[24] É parte desse dom de liberdade que os filhos dos Homens habitem vivos apenas por um intervalo curto no mundo, e, no entanto, não estejam presos a ele, nem que hão de perecer completamente para sempre. Enquanto os Eldar permanecem até o fim dos dias, e seu amor pelo mundo é mais profundo, portanto, e mais cheio de pesar. Mas eles não morrem até que o mundo morra, a menos que sejam assassinados ou feneçam de pesar — pois a essas duas mortes aparentes eles estão sujeitos —, nem a idade subjuga a força deles, a menos que fiquem exaustos após dez mil séculos; e, morrendo, são recolhidos nos salões de Mandos em Valinor, dos quais amiúde retornam e renascem em seus filhos. Mas os filhos dos Homens morrem de fato. Contudo, diz-se que eles hão de se unir à Segunda Música dos Ainur,[25] ao passo que Ilúvatar não revelou seu propósito para os Elfos e os Valar depois do fim do mundo, e Melko não o descobriu.

NOTAS

1   Não há nada que corresponda a essa frase introdutória no texto esboçado A. É notável que Ælfwine ainda ouviu a história da Música dos Ainur dos próprios lábios de Rúmil em Tol-eressëa, como o fez nos *Contos Perdidos*.

2   O Conto possui aqui: "pelos corais tanto de Ainur *quanto dos filhos dos Homens* após o Grande Fim". Ambos os textos da nova versão possuem: "pelos corais

A ESTRADA PERDIDA E OUTROS ESCRITOS

dos Ainur *e dos Filhos de Ilúvatar* depois do fim dos dias". Quanto a isso, ver I. 83, onde sugeri que a alteração na presente versão pode não ter sido intencional, em vista da última frase do texto.

3   A possui aqui: "sentado à esquerda de Ilúvatar".

4   O *Conto* possui aqui: "*alguns dos maiores* dons de poder e sabedoria e conhecimento"; A possui "*muitos dos maiores* dons de poder e conhecimento". A afirmação em B de que Melko possuía "*os maiores* dons de poder e conhecimento" é a primeira afirmação inequívoca da ideia de que Melko era o mais poderoso de todos os Ainur; embora no *Conto* (I. 54) Ilúvatar diga que "entre eles [os Ainur] é Melko o mais poderoso em conhecimento" (onde a nova versão possui "mais poderoso entre eles é Melko" (p. 189)). No Q é dito (IV. 97) que "Mui poderoso fora feito por Ilúvatar, e alguns dos poderes de todos os Valar ele possuía" (cf. QS §10). Em *A Estrada Perdida* (p. 80) ele era "o mais velho no pensamento de Ilúvatar", enquanto em QS §10 ele era "coevo de Manwë".

5   Essa frase, desde "e lhe parecia", não se encontra em A.

6   A partir desse ponto há uma página perdida do manuscrito A. Ver nota 7.

7   Aqui A é retomado após a página faltante. Pode-se ver que nessa passagem B segue de muito perto o *Conto* (I. 74–5), e é possível supor que A seguisse ainda mais de perto.

8   O *Conto* possui aqui: "Uma coisa apenas acrescentei, o fogo que dá Vida e Realidade"; A possui: "Mas isto acrescentei: vida".

9   A possui "uma terra-média" (no *Conto*, "a Terra"). O uso de "terra-média" (que provavelmente aparece pela primeira vez no AV 1, IV. 311) aqui é curioso e não sei explicá-lo; parece não haver razão para se especificar as terras médias, entre os mares, e excluir as terras do Oeste e do Leste. Mas a expressão foi preservada nas versões pós-*Senhor dos Anéis* do *Ainulindalë*; a alteração em *O Silmarillion* (p. 44) para "as matérias das quais Arda era feita" foi editorial.

10 Essa frase, desde "mas o deleite e o orgulho de Aulë", não se encontra em A.

11 Tanto em A como em B Ilúvatar fala a Ulmo de "teu irmão Manwë".

12 As palavras "e puseram sobre si a forma e a vestimenta do Tempo" não se encontram em A.

13 Essa frase notável ("Poucos da raça divina…") não se encontra em A.

14 A ainda ecoou de perto a passagem no *Conto*: "Nas profundas, ele se põe a pensar em música grande e estranha, e, ainda assim, cheia de pesar (e nisso ele tem o auxílio de Manwë)". — Quanto a "as veias do mundo", ver IV. 300.

15 Salmar aparece aqui na *Música dos Ainur* original e em outros pontos dos *Contos Perdidos*, mas em nenhum texto subsequente até agora. Essa é a primeira menção de ele ter feito as conchas de Ulmo.

16 Essa frase não se encontra em A.

17 A possui aqui: "Pois a arte era o dom especial dos Eldar". O termo *Eldar* é presumivelmente usado aqui no sentido antigo, isto é, "Elfos", como também mais uma vez no último parágrafo do texto; cf. AV 2, anal 2000 e comentário.

18 Essa frase, desde "cujas asas os levavam", não se encontra em A. Para as três regiões do firmamento (*Vista, Ilmen, Vaiya*), ver os diagramas que acompanham o *Ambarkanta*, IV. 287, 289.

O AINULINDALË

[19] Essa passagem substitui o seguinte fraseado mais breve de A: "Ora, os Ainur que entraram no mundo tomaram forma e aspecto, como os têm os Filhos de Ilúvatar que nasceram no mundo; mas maiores e mais belos, e alguns eram em forma e mente como mulheres e alguns como homens". Essa é a primeira afirmação nos escritos de meu pai acerca da forma "física" (ou, melhor dizendo, "perceptível") dos Valar, e do significado de gênero quando aplicado a eles.

[20] Fionwë Úrion reaparece dos *Contos Perdidos*; nos textos anteriores da década de 1930 ele é simplesmente Fionwë, assim como no QS (§4). Quanto ao seu "parentesco", ver IV. 83–4. — Onde B possui *Ilmar*, A possui *Ild Merildë Ildumë Ind Estë*, riscados um após o outro, e então *Ilmar* (*Ild* e *Ind* talvez sejam nomes incompletos). Foi obviamente aqui que o nome *Ilmar(ë)* surgiu (em substituição a *Erinti* dos *Contos Perdidos*), e é assim demonstrado que o *Ainulindalë* precedeu o QS, que possui *Ilmarë* como escrito inicialmente (§4). Um -*e* final foi acrescentado, provavelmente de início, a *Ilmar* em B. A ocorrência de *Estë* entre os nomes rejeitados em A é curiosa, uma vez que *Estë já aparece no AV 1 certamente mais antigo como a esposa de Lórien; presumivelmente meu pai esteve inclinado por um momento a dar outra aplicação ao nome.*
As afirmações de que Fionwë e Ilmar(ë) são os mais velhos dos Filhos dos Deuses, e que habitam com Manwë, não se encontra em A.

[21] A possui: "e os Homens amam Manwë mais do que todos os Valar" (e não "Elfos e Homens").

[22] A possui: "Os Lindar, a quem Ingwë governava"; cf. o *Conto*: "Os Teleri, a quem Inwë governava".

[23] A possui: "Contudo, os Eldar dizem que o pensamento dos Homens é muitas vezes um pesar para Manwë, e mesmo para Ilúvatar".

[24] Após "temido e odiado", A (derivado de perto do *Conto*) possui: "E se a dádiva da liberdade era a inveja e o assombro dos Ainur, a paciência de Ilúvatar encontra-se além da compreensão deles".

[25] Essa passagem é um pouco diferente em A: "enquanto os Eldar permanecem até o fim dos dias, a menos que sejam assassinados ou feneçam de pesar — pois a essas duas mortes eles estão sujeitos —, nem a idade subjuga a força deles, a menos que fiquem exaustos em mil séculos; e, morrendo, são recolhidos nos salões de Mandos em Valinor, e alguns renascem em seus filhos. Mas os filhos dos Homens, diz-se, hão de se unir à Segunda Música dos Ainur", etc. Ao mudar "mil séculos" para "dez mil séculos", meu pai estava retornando ao *Conto* (I. 79).
Quanto à menção especificamente dos Homens na Secunda Música dos Ainur, que remonta ao *Conto*, ver nota 2.

É possível se ver que, embora cada frase do *Conto da Música dos Ainur* original tenha sido reescrita, e muitos elementos novos tenham sido inseridos, a diferença central entre a versão mais antiga e aquela no *Silmarillion* publicado ainda estava preservada nessa época: "a primeira visão que os Ainur tiveram do Mundo foi na sua concretude, e não como uma Visão que lhes foi retirada e que ganhou existência apenas às palavras de Ilúvatar: *Eä!* Que essas coisas Sejam!" (I. 82).

5

O Lhammas

Há três versões dessa obra, todas manuscritos claros e inteligíveis, e creio que todas as três eram de estreita associação temporal. Chamarei a primeira de *Lhammas A*, e a segunda, desenvolvida diretamente a partir dela, de *Lhammas B*; a terceira é distinta e muito mais curta, e possui o título *Lammasethen*. O *Lhammas A não possui agora uma folha de rosto, mas parece provável que uma folha de rosto rejeitada no verso da do B* na verdade pertencia a ele. Nela está escrito:

O *Lammas*

Ou "Relato de Línguas", que Pengolod de Gondolin escreveu
posteriormente em Tol-eressëa, usando em parte a obra de Rúmil,
o sábio de Kôr

Na folha de rosto do *Lhammas B* está escrito:

O *"Lhammas"*

Este é o "Relato de Línguas", que Pengoloð de Gondolin
escreveu em dias que vieram depois em Tol-eressëa, usando
a obra de Rúmil, o sábio de Tûn. Esse relato Ælfwine viu
quando chegou ao Oeste

No alto da página está escrito: "3. *Silmarillion*". Nesse estágio, a ideia era de que o *Lhammas*, junto com os *Anais*, fosse uma parte de "O Silmarillion" em um sentido mais amplo (ver p. 239).

A segunda versão relaciona-se com a primeira de uma maneira característica; baseada de perto na primeira, mas com muitas mudanças menores de fraseado e alguns rearranjos, e várias alterações de substância mais ou menos importantes. Na verdade, boa parte do *Lhammas B* é parecida demais com o *A* para justificar o espaço necessário para apresentar ambos os textos, e, seja como for, os princípios básicos da história linguística foram pouco modificados na segunda versão; portanto, apresento apenas o *Lhammas B*, mas pontos interessantes de divergências são mencionados no comentário. A versão *Lammasethen* separada também é apresentada na íntegra.

Para tornar as referências ao texto bastante denso mais fáceis, eu o dividi, sem autoridade manuscrita, em seções numeradas (assim como com o *Quenta* no Vol. IV), e o comentário segue essas divisões.

Existem duas tabelas "genealógicas", *A Árvore das Línguas*, associadas ao texto do *Lhammas A* e do *B*, ambas reproduzidas aqui (pp. 200–01). Ver-se-á que a forma tardia da Árvore está de acordo em quase todos os detalhes com o texto impresso; características diferentes na forma mais antiga são discutidas no comentário.

São feitas várias referências no texto ao "Quenta". Em §5, a referência (feita somente no *Lhammas A*, ver o comentário) está associada ao nome *Kalakilya* (o Passo da Luz), e esse nome ocorre no QS, mas não no Q. De modo similar em §6, "É dito em outro lugar como Sindo, irmão de Elwë, senhor dos Teleri, desgarrou-se de sua gente": a história do desaparecimento de Thingol e de como foi encantado por Melian obviamente já foi contada em outro lugar, mas no Q ele não se chama Sindo, mas o é no QS. Portanto, parece que essas referências ao *Quenta* são ao QS em vez do Q, embora não demonstrem que meu pai tivesse chegado nessas passagens na composição em si do QS quando estava escrevendo o *Lhammas*; mas essa questão não é importante, visto que os novos nomes já haviam surgido, e, por conseguinte, associam o *Lhammas* à nova versão de "O Silmarillion".

Segue-se agora o texto do *Lhammas B*. De modo notável, o manuscrito foi pouco emendado subsequentemente. As poucas alterações que foram feitas foram introduzidas no corpo do texto, mas são mostradas como tais.

Da língua valiana e suas descendentes

1

Desde o princípio os Valar possuíam fala, e depois de entrarem no mundo eles moldaram sua língua para nomear e glorificar todas as coisas que se encontravam nele. Nas eras que vieram depois, ao seu tempo determinado os *Qendi* (que são os Elfos) despertaram às margens de Kuiviénen, as Águas do Despertar, sob as estrelas na região central da Terra-média.

A ESTRADA PERDIDA E OUTROS ESCRITOS

Lá eles foram encontrados por Oromë, Senhor das Florestas, e dele aprenderam segundo sua capacidade a fala dos Valar; e todas as línguas que foram derivadas dali podem ser chamadas de oromianas ou quendianas. A fala dos Valar muda pouco, pois os Valar não morrem; e antes do Sol e da Lua ela não se alterou de era em era em Valinor. Mas quando os Elfos a aprenderam, eles a mudaram desde o começo de seu aprendizado, e lhe suavizaram os sons, e acrescentaram muitas palavras a ela que lhes apraziam e artifícios desde o início. Pois os Elfos amam a feitura das palavras, e essa sempre foi a principal causa da mudança e da variedade de suas línguas.

2

Ora, já em suas primeiras habitações os Elfos estavam divididos em três gentes, cujos nomes estão agora na forma valinoriana: os *Lindar* (os formosos), os *Noldor* (os sábios) e os *Teleri* (os últimos, pois estes foram os últimos a despertar). Os Lindar habitavam mormente no oeste; e os Noldor eram os mais numerosos; e os Teleri, que habitavam mormente no leste, estavam espalhados pelas matas, pois mesmo desde o seu despertar eles eram errantes e amantes da liberdade. Quando Oromë conduziu as hostes dos Elfos em sua marcha para o oeste, alguns permaneceram para trás e não desejaram partir, ou não ouviram o chamado a Valinor. Esses são chamados os *Lembi*, aqueles que se demoraram, e a maioria era da raça teleriana. / Mas aqueles que seguiram Oromë são chamados de os *Eldar*, aqueles que partiram. [*Essa frase foi riscada e emendada com cuidado para:* Mas Oromë nomeou os Elfos Eldar, ou "povo-das-estrelas", e esse nome foi posteriormente usado por todos que o seguiram, tanto os *Avari* (ou "os que partem") que abandonaram a Terra-média, como os que no fim ficaram para trás (*alterado a partir de* que no fim permaneceram em Beleriand, os Ilkorindi de Doriath e da Falas.] Mas nem todos dos Eldar chegaram a Valinor ou à cidade dos Elfos na terra dos Deuses sobre o monte de Kôr. Pois além dos Lembi, que só chegaram ao Oeste das Terras de Cá depois de eras, havia o povo dos Teleri que permaneceu em Beleriand, como é contado a seguir, e o povo dos Noldor que se desgarrou da marcha e também chegou mais tarde ao leste de Beleriand. Esses são os *Ilkorindi* que são contados entre os Eldar, mas que não vieram para além dos Grandes Mares a Kôr enquanto as Duas Árvores ainda floriam. Assim se deu a primeira

199

O LHAMMAS

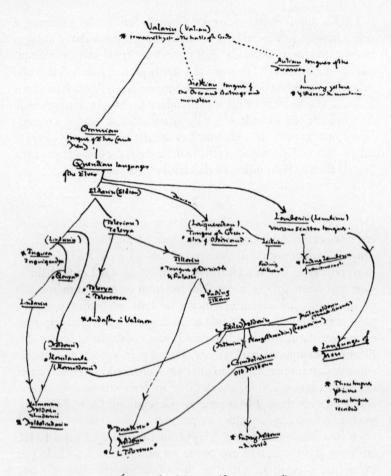

A Árvore das Línguas (forma inicial)

separação das línguas dos Elfos, em *eldarin* e *lemberin*; pois os Eldar e os Lembi não tornaram a se encontrar por muitas eras, não até seus idiomas estarem completamente apartados.

3

Na marcha para o Oeste, os Lindar foram primeiro, e a principal casa entre eles era a casa de Ingwë, alto-rei dos Eldalië, e o mais velho de todos os Elfos, pois ele despertou primeiro. Sua casa e seu povo são chamados de os *Ingwelindar* ou *Ingwi*. A marcha

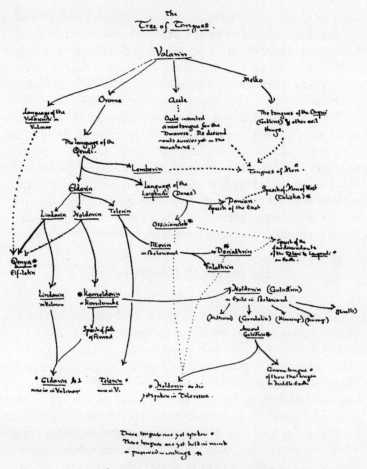

A Árvore das Línguas (forma tardia)

começou quando os Elfos haviam habitado por cerca de trinta anos valianos nas Terras de Cá, e mais dez anos valianos se passaram antes de as primeiras companhias dos Lindar chegarem à Falassë, que é as costas ocidentais das Terras de Cá, onde Beleriand ficava outrora. Ora, cada ano valiano nos dias das Árvores era como dez anos agora são, mas antes da feitura do Sol e da Lua a mudança e o crescimento de todos os seres vivos eram lentos, mesmo nas Terras de Cá. Portanto, encontravam-se ainda poucas diferenças nas falas das três gentes dos Eldalië. No ano 1950 dos

O LHAMMAS

Valar os Qendi despertaram, e no ano 1980 eles deram início à sua marcha, e no ano 1990 os Lindar atravessaram as montanhas e entraram em Beleriand; e no ano 2000 dos Deuses os Lindar e os Noldor atravessaram os mares e chegaram a Valinor no oeste do mundo e habitaram na luz das Árvores. Mas os Teleri se demoraram na marcha, e chegaram depois, e foram deixados para trás em Beleriand por dez anos valianos, e viveram na Falassë e passaram a amar o mar acima de todas as outras coisas. E depois disso, como é contado no *Quenta*, eles habitaram, devido aos feitos de Ossë, por uma era, que é 100 anos dos Valar, em Tol-eressëa, a Ilha Solitária, na Baía de Feéria, antes de por fim navegarem em seus navios-cisnes até as costas de Valinor. Assim, a língua dos Teleri tornou-se um tanto apartada daquela dos Noldor e os Lindar, e veio a permanecer para sempre separada, porém aparentada.

Das línguas dos Elfos em Valinor

4

Por nove eras, que são novecentos anos valianos, os Lindar e os Noldor habitaram em Valinor, antes do obscurecer desta; e por oito dessas eras os Teleri habitaram próximo a eles, porém separados, nas costas e pelos portos da terra dos Deuses, enquanto Morgoth encontrava-se em cativeiro e vassalagem. Portanto, suas línguas mudaram no lento rolar dos anos, mesmo em Valinor, pois os Elfos não são como os Deuses, sendo antes filhos da Terra. Contudo, elas mudaram menos do que se poderia pensar em um espaço de tempo tão grande; pois os Elfos em Valinor não morriam, e naqueles dias as Árvores ainda floriam, e a Lua cambiante ainda não havia sido feita, e havia paz e ventura.

Não obstante, os Elfos em muito alteraram a língua dos Valar, e cada uma das gentes à sua própria maneira. A mais bela e menos cambiante dessas falas era aquela dos Lindar, e especialmente a língua da casa e do povo de Ingwë.[*]

---

[*] (*Nota de rodapé, acrescentada após a composição do texto principal:*) Mas os Lindar eram de fala suave, e a princípio alteraram a fala élfica mais do que os outros povos ao suavizar e polir seus sons, especialmente as consoantes; no entanto, em palavras [*riscado:* e formas] eles eram, como se diz, menos cambiantes, e sua gramática e vocabulário permaneceram mais antigos do que os de qualquer outro povo élfico.

202

A ESTRADA PERDIDA E OUTROS ESCRITOS

Portanto, passou a ser um costume em Valinor, no princípio dos dias da habitação lá dos Elfos, para os Deuses usarem essa fala no colóquio com os Elfos, e os Elfos de diferentes gentes uns com os outros; e por muito tempo esse idioma foi usado principalmente em inscrições ou em obras de sabedoria ou poesia. Assim, uma forma antiga da fala lindarin se tornou fixa cedo, salvo por algumas adoções tardias de palavras e nomes de outros dialetos, como um idioma de alta fala e de escrita, e como uma fala comum entre todos os Elfos; e todo o povo de Valinor aprendia e sabia esse idioma. Ele foi chamado pelos Deuses e os Elfos de "a língua élfica", que é *qenya*, e assim costuma ser nomeado, embora os Elfos também o chamem de *ingwiqenya*, especialmente em sua forma mais pura e mais elevada, e também *tarquesta*, alta-fala, e *parmalambë*, a língua dos livros. Esse é o latim-élfico, e ele sobrevive, e todos os Elfos o sabem, mesmo aqueles que ainda permanecem nas Terras de Cá. Mas a fala do colóquio diário entre os Lindar não permaneceu como qenya, mas mudou a partir dele, embora muito menos do que mudaram o noldorin ou mesmo o telerin a partir de suas próprias línguas nos dias antigos das Árvores.

Os Noldor nos dias de seu exílio levaram o conhecimento do latim-élfico a Beleriand, e, embora não o ensinassem aos Homens, passou a ser usado entre todos os Ilkorindi. Os nomes dos Deuses eram por todos os Eldar preservados e principalmente usados somente nas formas em qenya; embora a maioria dos Valar possuísse títulos e alcunhas, diferentes em diferentes línguas, pelos quais no uso diário seus nomes elevados costumavam ser suplantados, e raramente eram ouvidos, exceto em juramentos e hinos solenes. Foram os Noldor que nos primeiros dias de sua estada em Valinor desenvolveram letras, e as artes de gravá-las em pedra ou madeira, e de escrevê-las com pincel ou pena; pois por mais abundantes que sejam as mentes dos Elfos em memória, eles não são como os Valar, que não escreviam e não esquecem. Mas um longo tempo se passou até que os próprios Noldor escrevessem em livros com sua própria língua, e embora talhassem e escrevessem naqueles dias muitas coisas em monumentos e documentos, o idioma que usavam era o qenya, até os dias da soberba de Fëanor.

5

Ora, desta maneira as falas diárias dos Lindar e dos Noldor se apartaram. A princípio, embora tivessem visto e se maravilhado

O LHAMMAS

com a luz e a ventura de Valinor, os Elfos não se esqueceram da Terra-média e da luz das estrelas de onde vieram, e ansiavam por vezes por vislumbrar as estrelas e caminhar por um tempo na sombra. Donde os Deuses fizeram aquela fenda na muralha montanhosa que é chamada de Kalakilya, o Passo da Luz. Naquele lugar os Elfos ergueram o monte verdejante de Kôr, e construíram sobre ele a cidade de Tûn [> Túna],* e mais alta em meio à cidade de Tûn [> Túna] era a torre branca de Ingwë. E o pensamento sobre as regiões da terra era mais profundo nos corações dos Noldor, que mais tarde retornaram para lá, e eles habitaram naquele lugar de onde as sombras exteriores podiam ser vistas, e entre os vales e as montanhas ao redor de Kalakilya era seu lar. Mas os Lindar logo passaram a amar mais os jardins iluminados pelas Árvores dos Deuses, e as planícies vastas e férteis, e deixaram Tûn [> Túna], e habitaram longe dali e raramente retornavam; e embora Ingwë sempre fosse considerado o alto-rei de todos os Eldar, e ninguém usasse sua torre branca, exceto os que mantinham acesa a chama eterna que ardia ali, os Noldor eram governados por Finwë, e tornaram-se um povo à parte, ocupados com a feitura de muitas coisas, e encontrando-se com seus parentes somente nas ocasiões em que viajavam a Valinor para festas ou concílios. Seu colóquio se dava antes com os Teleri das costas vizinhas do que com os Lindar, e as línguas dos Teleri e dos Noldor tornaram a se aproximar em certa medida naqueles dias.

Ora, conforme as eras decorriam e os Noldor tornavam-se mais numerosos e habilidosos e soberbos, eles também passaram a escrever e a usar em livros sua própria fala além do qenya; e a forma em que ela primeiro foi escrita e preservada é no antigo noldorin ou *kornoldorin*, que remonta aos dias da feitura das gemas de Fëanor, filho de Finwë. Mas esse noldorin nunca se tornou fixo, como era o qenya, e era usado somente pelos Noldor, e sua escrita mudou no decorrer dos anos com a mudança da fala e com os variados artifícios de escrita entre os Gnomos. Pois esse noldorin antigo, a *korolambë* (língua de Kôr) ou *kornoldorin*, além de sua mudança em razão da passagem do tempo, foi muito alterado por novas palavras e artifícios de linguagem que não eram de origem valiana, nem comuns a

---

* (*Nota marginal acrescentada na mesma época da alteração de Tûn para Túna:*) Que os Deuses chamavam de *Eldamar*.

todos os Eldar, inventados pelos Noldor. O mesmo pode ser dito de todas as línguas dos Qendi, mas na invenção de linguagem os Noldor eram os principais, e eram incansáveis de espírito, mesmo antes de Morgoth andar entre eles, embora muito mais posteriormente, e cambiantes nas invenções. E o fruto de seu espírito foi muitas obras de extrema beleza, e também de muito pesar e grande tristeza.

Assim, em Valinor, antes do fim dos dias de Ventura, havia o latim-élfico, o qenya escrito e falado, que os Lindar haviam feito primeiro, embora não seja o mesmo que a sua fala diária; e havia o lindarin, o idioma dos Lindar; e o noldorin, o idioma, tanto escrito como falado, dos Noldor (que em sua forma antiga é chamado de *korolambë* ou *kornoldorin*); e a língua dos Teleri. E acima de todos havia o *valya* ou *valarin*, a fala ancestral dos Deuses, que não mudava de era para era. Mas essa língua eles usavam pouco, salvo entre si mesmos em seus altos concílios, e não a escreviam nem a talhavam, e não é conhecida dos Homens mortais.

Das línguas dos Elfos na Terra-média, e do noldorin que retornou para lá

6

É contado em outro lugar como Sindo, irmão de Elwë, senhor dos Teleri, desgarrou-se de sua gente e foi encantando em Beleriand por Melian e jamais chegou a Valinor, e ele foi mais tarde chamado de Thingol e era rei em Beleriand dos muitos Teleri que não velejaram com Ulmo para Valinor e permaneceram na Falassë, e de outros que não partiram porque se demoraram à procura de Thingol nas matas. E esses se multiplicaram e, no entanto, a princípio encontravam-se espalhados por toda parte entre Eredlindon e o mar; pois a terra de Beleriand é muito grande, e o mundo ainda era escuro. No decorrer das eras, as línguas e dialetos de Beleriand tornaram-se completamente apartadas daquelas dos outros Eldar em Valinor, embora os versados em tais saberes possam observar que essas línguas e dialetos antigamente vieram do teleriano. Essas eram as falas ilkorin de Beleriand, e também eram diferentes das línguas dos Lembi, que lá jamais chegaram.

Em dias que vieram depois, o principal dos idiomas de Beleriand era a língua de Doriath e do povo de Thingol. De estreito parentesco com essa era a fala dos portos ocidentais de Brithombar e Eglorest, que é o *falassiano*, e de outras companhias dispersas dos Ilkorindi que vagavam pela terra, mas todas essas pereceram; pois nos dias de Morgoth somente sobreviveram aqueles Ilkorindi que foram congregados sob a proteção de Melian em Doriath. A fala de Doriath foi muito usada em dias que vieram depois tanto por Noldor como por Ilkorindi, / pois Thingol era um grande rei, e sua rainha Melian, divina [*emendado para:* entre os sobreviventes na foz do Sirion, pois Elwing, sua rainha, e muitos de seu povo vinham de Doriath.]

7

Por volta do ano dos Valar 2700, e quase 300 anos dos Valar antes do retorno do Gnomos, enquanto o mundo ainda era escuro, os Elfos--verdes, que eram chamados / em sua própria língua *Danas* [*escrito por cima e riscado com força: Danyar* (... qenya Nanyar)], os seguidores de Dan, também entraram no leste de Beleriand, e habitaram naquela região que é chamada Ossiriand, a Terra dos Sete Rios, sob as encostas ocidentais das Eredlindon. Esse povo era a princípio da raça noldorin, mas não é contado entre os Eldar, nem ainda entre os Lembi. Pois eles seguiram Oromë primeiro, porém abandonaram a hoste de Finwë antes de a grande marcha ter ido muito longe, e voltaram-se para o sul. Mas, ao acharem as terras sombrias e estéreis, pois nos dias antigos o Sul jamais fora visitado por nenhum dos Valar, e seu céu possuía escassas estrelas, esse povo voltou-se mais uma vez para o norte. Seu primeiro líder foi Dan, cujo filho era Denethor; e Denethor conduziu muitos deles por fim por sobre as Montanhas Azuis nos dias de Thingol. Pois embora tenham voltado, os Elfos-verdes tinham ouvido o chamado ao Oeste, e ainda eram atraídos para lá por vezes em inquietação e desassossego; e por essa razão eles não estão entre os Lembi. Tampouco era a língua deles como as línguas dos Lembi, sendo do seu próprio tipo, diferente das línguas de Valinor e de Doriath e dos Lembi [*emendado para:* diferente das línguas de Valinor e dos Lembi, e mais parecida com aquela de Doriath, embora não a mesma.]

Mas a fala dos Elfos-verdes em Ossiriand tornou-se um tanto apartada daquela de sua própria gente que permaneceu a leste das Eredlindon, sendo muito afetada pela língua do povo de Thingol. No entanto, eles permaneceram separados dos Ilkorins telerianos e lembravam-se de seus parentes além das montanhas, com os quais ainda mantinham alguma comunicação, e chamavam a si mesmos em comum com esses de *Danas*. Mas eram chamados por outros de Elfos-verdes, Laiqendi, pois amavam as matas verdejantes, e as terras verdejantes de belas águas; e a casa de Denethor amava o verde acima de todas as cores, e a faia acima de todas as árvores. Eram aliados de Thingol, mas não sujeitos a ele, até o retorno de Morgoth ao Norte, quando após Denethor ser morto muitos buscaram a proteção de Thingol. Mas muitos habitaram ainda em Ossiriand, até o final da ruína, e mantiveram sua própria fala; e eles não tinham um rei, até Beren vir no meio deles e eles o tomarem por senhor. Porém, a fala deles agora desapareceu da terra, assim como Beren e Lúthien.* De seus parentes que habitavam ainda a leste das montanhas poucos entraram na história de Beleriand, e eles permaneceram nas Terras de Cá após a ruína do Oeste na grande guerra, e desvaneceram desde então ou se misturaram aos Lembi. No entanto, na derrubada de Morgoth não deixaram de ter sua parte, pois enviaram muitos de seus guerreiros em resposta ao chamado de Fionwë.

Das línguas dos Lembi nada se sabe dos primeiros dias, visto que esses Elfos-escuros não escreviam e preservavam pouco; e agora eles desvaneceram e minguaram. E as línguas daqueles que permanecem ainda nas Terras de Cá apresentam agora pouco parentesco uma com a outra, exceto no fato de que todas diferem das línguas eldarin, quer de Valinor e Kôr, quer da perdida Beleriand. Mas das línguas lembianas vieram de modos diversos, como será dito mais tarde, as numerosas línguas dos Homens, salvo apenas dos mais antigos Homens do Oeste.

8

Ora, tornamos a falar dos Noldor; pois eles retornaram de Valinor e habitaram em Beleriand por quatrocentos anos do Sol. Ao tudo, cerca de 500 anos de nosso tempo se passaram desde o obscurecer de Valinor e o roubo das Silmarils até o socorro do remanescente dos Gnomos exilados, e a derrubada de Morgoth pelos filhos dos Deuses. Pois quase 10 anos valianos (que são 100 de nosso tempo) se passaram durante a fuga dos Noldor, cinco antes da queima dos navios e do desembarque de Fëanor, e mais cinco até a reunião de Fingolfin e os filhos de Fëanor; e, depois disso, quase 400 anos

---

* (*Nota de rodapé ao texto:*) Contudo, essa língua foi registrada em Gondolin, e não está esquecida de todo, pois era conhecida por Elwing e Eärendel.

O LHAMMAS

de guerra com Morgoth se seguiram. E após o nascer do Sol e da Lua e da chegada às Terras de Cá do tempo medido, que antes haviam jazido sob as estrelas imóveis sem noite ou dia, crescimento e mudança foram ligeiros para todos os seres vivos, mais ligeiros fora de Valinor, e mais ligeiros de todo nos primeiros anos do Sol. Portanto, a língua diária dos Noldor mudou muito em Beleriand, pois havia morte e destruição, pesar e confusão e mistura de povos; e a fala dos Gnomos foi muito influenciada também pela dos Ilkorins de Beleriand, e um tanto pelas línguas dos mais antigos dos Homens, e mesmo um pouco pela fala de Angband e dos Orques.

Embora nunca estivessem muito apartados, também surgiram diferenças em fala entre os próprios Noldor, e os tipos são considerados como cinco: a fala de Mithrim e do povo de Fingolfin; e a fala de Gondolin e do povo de Turgon; a fala de Nargothrond e da casa e do povo de Felagund e seus irmãos; e a fala de Himring e dos filhos de Fëanor; e a fala corrompida dos Gnomos-servos, falada pelos Noldor que eram mantidos cativos em Angband, ou compelidos ao serviço de Morgoth e dos Orques. A maioria dessas pereceu nas guerras do Norte, e antes do fim restavam apenas o *múlanoldorin* [> *mólanoldorin*], ou o idioma dos servos, e o idioma de Gondolin, onde a língua antiga era mantida a mais pura. Mas o povo de Maidros, filho de Fëanor, permaneceu, ainda que apenas como um remanescente, quase até o fim; e a fala deles era misturada com aquela de todos os outros, e com a de Ossiriand, e com a dos Homens.

O noldorin que ainda vive vem em sua maior parte da fala de Gondolin. Lá a língua antiga foi preservada, pois houve um espaço de 250 anos desde a fundação daquela fortaleza até a sua queda no ano do Sol 307, e durante a maior parte desse tempo o seu povo manteve pouco colóquio com Homens ou Elfos, e habitou em paz. Mesmo após a ruína de Gondolin, algo de seus livros e tradições foi preservado, e sobreviveu até este dia, e em sua forma mais antiga é chamado de *gondólico* (*gondolindeb* [> *gondolindren*]) ou noldorin antigo [> médio]. Mas essa língua era a fala dos sobreviventes de Gondolin na foz do Sirion, e tornou-se a fala de todos os remanescentes dos Elfos livres em Beleriand, e daqueles se juntaram às hostes vingadoras de Fionwë. Porém, ela assim ficou sujeita, após a queda de Gondolin, à mistura com o falassiano, e com o doriathrin (pois Elwing estava lá com os fugitivos de Menegroth), e em certa medida com Ossiriand, pois Dior, pai de Elwing, foi o último senhor dos Danas de Ossiriand.

A ESTRADA PERDIDA E OUTROS ESCRITOS

O noldorin, portanto, é agora a fala dos sobreviventes das guerras de Beleriand que retornaram mais uma vez para o Oeste com Fionwë, e aos quais foi concedida Tol-eressëa para nela habitar. Mas ainda nas Terras de Cá do Oeste permanecem os remanescentes minguantes dos Noldor e dos Teleri, e eles preservam em segredo suas próprias línguas; pois havia alguns dessa gente que não quiseram deixar a Terra-média ou a companhia dos Homens, e aceitaram a sentença de Mandos de que viriam a minguar conforme os mais novos Filhos de Ilúvatar crescessem, e permaneceram no mundo, e são agora, como todos aqueles da raça quendiana, esvaecidos e poucos.

9

De outras línguas que não as falas oromianas, com as quais ainda possuam alguma relação, pouco será dito aqui. O *orquino*, ou *orquiano*, o idioma dos Orques, os soldados e criaturas de Morgoth, era ele próprio em parte de origem valiana, pois se derivou do Vala Morgoth. Mas a fala que ensinou ele perverteu com intenção para o mal, como fazia com todas as coisas, e o idioma dos Orques era hediondo e abominável e totalmente diferente dos idiomas dos Qendi. Mas o próprio Morgoth falava todas as línguas com poder e beleza, quando assim desejava.

Do idioma dos Anãos pouco sabemos, salvo que sua origem é misteriosa quanto a origem da própria raça anânica; e suas línguas não são aparentadas com outras línguas, sendo-lhes completamente estranhas, e são ásperas e intrincadas, e poucos tentaram aprendê-las. (Assim diz Rúmil em seus escritos acerca das falas da terra de outrora, mas eu, Pengolod, ouvi dizer por outros que Aulë primeiro fez os Anãos, na ânsia pela chegada dos Elfos e dos Homens, e pelo desejo de ter a quem pudesse ensinar seus ofícios e sua sabedoria. E ele pensou em seu coração que poderia antecipar-se a Ilúvatar. Mas os Anãos não possuem um espírito que lhes habita, como o possuem Elfos e Homens, os Filhos de Ilúvatar, e isso os Valar não podem conceder. Portanto, os Anãos possuem engenho e ofício, mas não arte, e não fazem poesia.[*] Aulë engendrou para eles uma nova fala, pois seu deleite [está] na invenção, e, logo, ela não possui parentesco com outras; e a tornaram áspera

---

[*] Essas duas frases foram reescritas depois, mas em linhas muito gerais; ver o comentário a §9.

O LHAMMAS

no uso. Portanto, suas línguas são aulianas; e sobrevivem ainda em alguns lugares com os Anãos na Terra-média, e, além disso, os idiomas dos Homens são derivados em parte delas.)

Mas os Anãos no Oeste e em Beleriand usavam, até onde conseguiam aprendê-la, uma língua-élfica em seus tratos com os Elfos, especialmente aquela de Ossiriand, que era mais próxima de seus lares nas montanhas; pois os Elfos não se dispunham a aprender a fala anânica.

10

Os idiomas dos Homens eram desde o princípio diversos e vários; contudo, em sua maioria eram derivados remotamente do idioma dos Valar. Pois os Elfos-escuros, povo vário dos Lembi, fizeram amizade com Homens errantes em diversas épocas e lugares nos dias mais antigos, e lhes ensinaram o que sabiam. Mas outros Homens aprenderam também por completo ou em parte com os Orques e os Anãos; enquanto no Oeste, antes de entrarem em Beleriand, as belas casas dos mais antigos dos Homens aprenderam com os Danas, ou Elfos-verdes. Mas nada está preservado das falas mais antigas dos Homens, exceto da língua do povo de Bëor e Haleth e Hádor. Ora, o idioma desse povo foi em muito influenciado pelos Elfos-verdes, e antigamente era chamado *taliska*, e essa língua ainda era conhecida por Tuor, filho de Huor, filho de Gumlin, filho de Hádor, e foi em parte registrada pelos sábios de Gondolin, onde Tuor por um tempo habitou. No entanto, o próprio Tuor não usava mais essa língua, pois já mesmo nos dias de Gumlin os Homens de Beleriand abandonaram o uso diário de sua própria língua e falavam e davam até mesmo nomes para seus filhos no idioma dos Gnomos. Contudo, outros Homens havia, ao que parece, que permaneceram a leste das Eredlindon, que mantiveram sua língua, e desta, de estreito parentesco com o taliska, vieram após muitas eras de mudanças idiomas que ainda vivem no Norte da terra. Mas o povo tisnado de Bor, e de Uldor, o maldito, não era dessa raça, e era diferente em fala, mas essa fala se perdeu sem registro além dos nomes desses homens.

11

Desde a grande guerra e a derrubada de Morgoth por Fionwë e a ruína de Beleriand, que se calcula ter ocorrido por volta do ano

A ESTRADA PERDIDA E OUTROS ESCRITOS

397 do Sol, muitíssimas eras agora se passaram; e as línguas dos Elfos minguantes em diferentes terras mudaram a ponto de ser irreconhecível o seu parentesco mútuo, ou com os idiomas de Valinor, salvo na medida em que os sábios entre eles ainda usam o qenya, o latim-élfico, que permanece conhecido entre eles, e através do qual ainda por vezes mantêm colóquio com emissários do Oeste. Pois muitos milhares de anos se passaram desde a queda de Gondolin. No entanto, em Tol-eressëa, pelo poder dos Valar e sua mercê, o antigo é preservado do desvanecer, e lá o noldorin ainda é falado, e o idioma de Doriath e de Ossiriand é tido em mente; e em Valinor florescem ainda as belas línguas dos Lindar e dos Teleri; mas os Noldor que retornaram e não saíram à guerra e ao sofrimento no mundo não mais são separados e falam como os Lindar. E em Kôr e em Tol-eressëa ainda podem ser ouvidos e lidos os relatos e história de coisas que sucederam nos dias das Árvores, e das Silmarils, antes de serem perdidas.

[A seguinte passagem foi acrescentada ao manuscrito:]

Os nomes dos Gnomos no *Quenta* são dados na forma noldorin tal como essa língua se tornou em Beleriand, para todos aqueles após *Finwë*, pai dos Noldor, cujo nome permanece na forma antiga. Da mesma maneira, todos os nomes de Beleriand e de regiões adjacentes (muitos dos quais foram criados pelos Gnomos) tratadas nas histórias são dados na forma noldorin. Embora muitos não sejam noldorin em origem e estejam apenas ajustados à língua deles, vindo do beleriândico, ou do ossiriândico, ou das línguas dos Homens. Assim, do beleriândico é o nome *Balar*, e *Beleriand*, e os nomes *Brithombar*, *Eglorest*, *Doriath*, e a maioria dos nomes de lagos e rios.

Comentário ao Lhammas

1

O uso de *Quendi* com o significado de "todos os Elfos" apareceu em uma correção do AV 2, e, seja como for, é inferido pelo nome *Lindar*, que é usado no AV 2 para a Primeira Gente, anteriormente chamada de *Quendi*; ver o comentário ao anal 2000.

Para referências muito mais antigas ao idioma dos Valar, ver I. 283. Na pequena parte do *Conto de Gilfanon* que foi escrita, é

O LHAMMAS

dito expressamente (I. 278) que "os Eldar, ou Qendi, receberam o dom da fala diretamente de Ilúvatar". Agora, no *Lhammas*, a origem de todas as falas élficas é a fala dos Valar (nas duas formas da Árvore das Línguas chamada *valarin*, e em §5 também *valya*), comunicada aos Elfos pela instrução de Oromë.

2

Não há menção no Q de Elfos que não partiram das Águas do Despertar: os Ilkorindi ou Elfos-escuros são lá (§2) definidos como aqueles que se perderam na Grande Marcha. Mas no AV (ambas as versões) foi apenas "a maior parte" da Gente-élfica que seguiu Oromë, e há referências muito antigas àqueles que não queriam partir ou não partiram de Palisor (ver I. 282, II. 84). Esses Elfos recebem aqui pela primeira vez um nome: os *Lembi*, aqueles que se demoraram, por oposição aos *Eldar*, aqueles que partiram — e nesse estágio o antigo termo *Eldar* viria a possuir não apenas essa referência, mas esse significado de fato: "aqueles que partiram" (ver p. 413).

A segunda parte dessa seção difere no *Lhammas A*:

Esses são chamados os *Lembi*, ou aqueles que restaram. Mas os outros eram chamados os *Eldar*, aqueles que partiram. Assim se deu a primeira separação de línguas, pois os Eldar e os Lembi não tornaram a se encontrar por muitas eras. Com os Lembi se misturaram e são contados aqueles das três gentes dos Eldar que se desviaram pelo caminho, ou desertaram a hoste, ou se perderam na escuridão do mundo antigo; salvo apenas os remanescentes dos Teleri e o povo de Thingol que permaneceram em Beleriand. Esses também são chamados de Eldar, mas cognominados *Ilkorindi*, pois jamais chegaram a Valinor ou à cidade dos Elfos na terra dos Deuses sobre o monte de Kôr. A língua dos Ilkorindi de Beleriand demonstrava ainda depois de eras o seu parentesco com o teleriano, e, assim, o quendiano foi dividido em três: eldarin, ilkorin e lemberin; mas o último era disperso e diverso, e jamais foi um único idioma.

Isto está muito claro. O termo *Eldar* adquiriu o seu sentido tardio relacionado (apenas) aos Elfos da Grande Jornada, e não é restrito àqueles que no fim foram para Valinor, sendo que inclui os Elfos de Beleriand: os *Eldar* são aqueles que completaram a jornada desde Kuiviénen até a região entre as Eredlindon e o Mar. Por outro lado, todos os Elfos que partiram de Kuiviénen, mas que não completaram aquela jornada, são contados entre os *Lembi*. O termo *Ilkorindi* é agora usado em um sentido muito mais restrito do que antes: especificamente os Eldar de Beleriand — os *Sindar* posteriores, ou Elfos-cinzentos. (Esses novos significados na verdade apareceram, sem elaboração, no AV 2 (anais 2000 e 2000–2010), onde "Os Eldar são todos aqueles Elfos chamados que obedeceram a convocação de Oromë", e onde os Teleri que permaneceram em Beleriand são chamados de *Ilkorindi*.) Assim, enquanto no Q há o esquema simples:

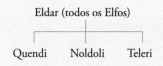

no *Lhammas A* temos:

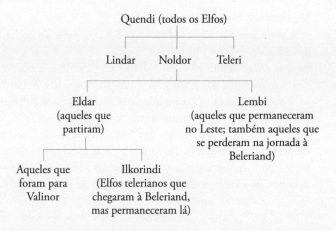

No *Lhammas B* (deixando de lado por um momento a emenda importante feita ao texto) agora não há menção de Elfos que, embora tenham partido de Kuiviénen, tenham se perdido na estrada, e se misturaram com os Lembi; por outro lado, além dos Elfos telerianos de Beleriand, outro povo é incluído entre os Ilkorindi — "o povo dos Noldor que se desgarrou da marcha e também chegou mais tarde ao leste de Beleriand": os Elfos-verdes de Ossiriand. Também é acrescentado no *Lhammas B* que a maioria dos Lembi era da raça teleriana (uma afirmação na verdade não consoante com o foi dito em um dos esboços para o *Conto de Gilfanon* (I. 282), que os Elfos que permaneceram em Palisor eram do povo dos Teleri, pois os Teleri nos *Contos Perdidos* eram a Primeira Gente, não a Terceira). Portanto, a tabela apresentada acima para o *Lhammas* A muda nesse ponto:

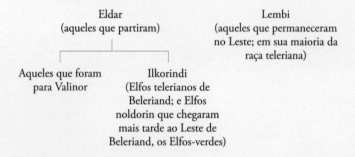

Ver mais nos comentários a §§6, 7.

Com a emenda feita no *Lhammas B* nos deparamos enfim com as ideias de que foi Oromë que deu aos Elfos o nome de *Eldar*, de que *Eldar* significava "Povo-das-estrelas", e de que o nome de Oromë foi dado aos Elfos como um todo quando primeiro os encontrou, embora só tenha sido aplicado mais tarde àqueles que partiram na Grande Jornada seguindo-o. (É dito no AV 2, anal 1950, que os Elfos eram chamados "os filhos das estrelas" por terem despertado com a feitura das estrelas, e isso foi alterado posteriormente para "Eldar, os filhos das estrelas".) Aqui também aparece pela primeira vez o nome *Avari*, assumindo de *Eldar* o significado "Os Que Partem" (mais tarde, com o significado alterado para "Indesejosos", *Avari* viria a substituir *Lembi*). Essas movimentações estão refletidas nas *Etimologias* (ver pp. 413–14). Logo, a tabela precisa ser modificada mais uma vez:

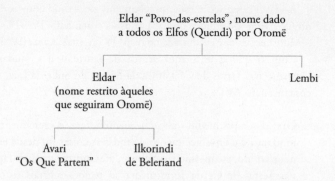

A alteração adicional feita na passagem emendada, de "permaneceram em Beleriand, os Ilkorindi de Doriath e da Falas" para "ficaram para trás", talvez tenha sido introduzida porque meu pai queria levar em conta os Elfos-verdes, que eram Ilkorindi (e, portanto, Eldar), não Lembi.

Encontramos aqui a primeira explicação do nome *Teleri* que apareceu ("os últimos, pois estes foram os últimos a despertar"); ver I. 322, verbetes *Telelli*, *Teleri*. Outro elemento novo nessa seção é a ideia de que as Três Gentes eram geograficamente separadas em seus primeiros lares às margens de Kuiviénen — e de que os Noldor eram os mais numerosos das três.

Creio que o fato de no *Lhammas B* a divisão fundamental da fala élfica ser dupla, *eldarin* e *lemberin*, enquanto no *A* ela é tripla, *eldarin*, *ilkorin* e *lemberin*, não representa qualquer diferença real na concepção linguística. A divisão primária era dupla, foi as falas eldarin e lemberin começaram a se distanciar por caminhos separados a partir da época em que os Eldar partiram de Kuiviénen; mas a divisão tornou-se tripla quando os Ilkorindi foram deixados para trás em Beleriand.

3

Os termos *Ingwi* e *Ingwelindar*, usados aqui para a principal casa dos Lindar, não haviam ocorrido antes; mas nos *Contos Perdidos* (ver especialmente I. 145), os *Inwir* são o clã real, a casa de Inwë, entre a Primeira Gente. É agora contado que Ingwë não só era o alto-rei dos Eldalië como também era "o mais velho de todos os Elfos, pois ele despertou primeiro".

O LHAMMAS

As datas dessa seção estão precisamente de acordo com as datas no AV 2 (que são aquelas do AV 1 após ser emendado, IV. 319–21). A forma *Falassë* é encontrada no mapa IV do *Ambarkanta* (IV. 293). Com o que é dito aqui acerca da lentidão das mudanças ("mesmo nas Terras de Cá") antes da feitura do Sol e da Lua, cf. a conclusão do AV 2:[*]

> Ora, o tempo medido chegou ao mundo, e o crescimento, a mudança e o envelhecimento de todas as coisas foi desde então mais rápido, até mesmo em Valinor, mas mormente mais rápido nas Terras de Cá da Terra-média, as regiões mortais entre os mares do Leste e do Oeste.

A referência ao *Quenta* no final dessa seção, caso seja ao Q, é a IV. 105; caso seja ao QS, a §37. Quanto a essa questão, ver p. 198. Os dois textos não possuem diferenças significativas nessa seção, exceto o fato de que o *Lhammas A* termina do seguinte modo:

> Assim, a língua dos Teleri de Tol-eressëa tornou-se um tanto apartada da fala dos Lindar e dos Noldor, e eles seguiram a sua própria língua daí em diante; embora, por habitarem por muitas eras em amizade próximo dos Lindar e dos Noldor, a língua dos Teleri desenvolveu-se, com as mudanças que ocorriam em Valinor, de maneira semelhante às suas parentes, e tornou-se muito apartada da fala teleriana de Beleriand (onde, ademais, por estar fora de Valinor, as mudanças eram mais velozes).

4

Ao escrever "nove eras" e "oito eras" (encontradas em ambas as versões) no início dessa seção, meu pai por alguma razão parecia estar contando somente até o A.V. 2900; pois os Lindar e os Noldor habitaram em Valinor por 990 anos (2000–2990), ou quase dez eras, e os Teleri habitaram nas costas por 880 anos (2111–2990), ou quase nove eras, antes do Obscurecer.

---

[*] Referências aos *Anais* são feitas com relação ao AV 2 e ao AB 2, os textos neste livro, por ser mais conveniente, seja o assunto citado encontrado nas versões mais antigas apresentadas no Vol. IV ou não.

216

A ESTRADA PERDIDA E OUTROS ESCRITOS

O complexo desenvolvimento linguístico descrito nessa seção pode ser resumido da seguinte forma:

Lindar:
- sua antiga fala preservada ("latim-élfico")
- chamada qenya (também tarquesta, parmalambë)
- também chamada ("especialmente em sua forma mais pura e mais elevada") ingwiqenya
- usada para escrita, e também para colóquio com Elfos de falas diferentes e com os Deuses

Levada à Terra-média pelos Noldor e usada por todos os Ilkorindi

Lindar:
- lindarin, fala diária tardia dos Lindar, alterada a partir do qenya

A seção no *Lhammas B* foi alterada em estrutura e substancialmente reescrita a partir daquela no *A*, mas há muito pouco que muda materialmente a história linguística como delineada na versão mais antiga. Entretanto, no final do segundo parágrafo o *Lhammas A* diz o seguinte acerca da fala dos Lindar:

Menos mudado era o idioma dos Lindar, pois eram os mais próximos dos Valar e ficavam mormente na companhia deles; e a mais parecida com o valiano era a fala de Ingwë e sua casa.

No parágrafo seguinte, o *A* não faz menção do *ingwiqenya* (ver o comentário a §5); e afirma que foram os Deuses que chamavam o "latim-élfico" pelo nome *qendya* (assim escrito), "língua-élfica", enquanto os Elfos o chamavam de *eldarin*. Essa é uma aplicação do termo *eldarin* diferente de seu uso anterior no *A* (ver o comentário a §2) e de seu uso no B e em ambas as versões da Árvore das Línguas.

Alboin Errol usou o termo "latim-élfico" (ou *eressëano*, em contraste com *beleriândico*); ver p. 71. "Latim-élfico" também é usado para se referir ao quenya no Apêndice A de *O Senhor dos Anéis*.

5

O *Lhammas A* possui uma referência ao *Quenta* que foi omitida no *B*: "donde, como é dito no *Quenta*, os Deuses fizeram aquela

O LHAMMAS

fenda na muralha montanhosa que é Kalakilya, o Passo da Luz"; ver p. 198.

A remoção dos Lindar de Tûn é contada em termos muitos similares em um acréscimo ao Q (IV. 107, nota 7), onde também aparece a história de que a Torre de Ingwë não foi usada posteriormente, exceto por aqueles que cuidavam da lamparina — uma história que não foi contada em textos tardios de "O Silmarillion".

O *Lhammas B* segue de perto a versão mais antiga nessa seção, mas há uma ou duas diferenças a serem mencionadas. Ao parágrafo final, que resume todas as línguas de Valinor, o *Lhammas A* acrescenta uma referência ao "dialeto nobre" da fala dos Lindar, chamado *ingwelindarin, ingwëa* ou *ingwiqendya* (ver o comentário a §4); em *B* §4, por outro lado, *ingwiqenya* é a "forma mais pura e mais elevada" do "latim-élfico", *qenya*. A forma mais antiga da Árvore das Línguas ilustra o relato da questão no *Lhammas A*; a forma tardia não possui qualquer representação desse relato, nem menciona o nome *ingwiqenya*.

No *Lhammas A*, essa seção termina da seguinte maneira:

E acima de todos havia o *valya* ou *valarin*, o idioma valiano, a fala pura dos Deuses, e essa mudava pouco de era para era (e, ainda assim, mudava, e mais depressa após a morte das Árvores, pois os Valar não são da terra, porém estão no mundo). Mas essa língua eles usavam pouco, salvo entre si mesmos, pois com os Elfos, e com aqueles Homens que o conheciam, eles falavam o qenya, e não escreviam nem talhavam em quaisquer letras as coisas que falavam.

Por emendas ao *B* (como também no AV 2, nota 3), *Tûn* torna-se *Túna* — mas é ainda o nome da cidade, sobre o monte de Kôr; posteriormente *Túna* veio a ser o monte, e *Tirion* a cidade. Na nota marginal acrescentada, "que os Deuses chamavam de *Eldamar*", há a primeira ocorrência de *Eldamar* desde os *Contos Perdidos* (mas a forma *Eglamar* é encontrada duas vezes em rascunhos da *Balada de Leithian*, no verso "desde a Inglaterra até Eglamar", III. 192, 217). Esse foi um dos nomes originais de estabelecimento da mitologia, que ocorre no poema *As Costas de Feéria* (1915) e no seu prefácio em prosa (II. 315, 327). Nos *Contos Perdidos*, o nome ocorre com muita frequência, quase sempre com referência às costas, ou aos

A ESTRADA PERDIDA E OUTROS ESCRITOS

rochedos, ou à baía de Eldamar. Agora ele se torna um nome da própria cidade élfica em vez do nome das regiões em que os Elfos habitavam e onde ficava situada a sua cidade sobre o monte. Ver QS §39 e comentário.

Este é um lugar conveniente para mencionar um elemento na segunda Árvore das Línguas que não é explicado por nada no texto do *Lhammas*. Uma linha ininterrupta foi traçada de *Valarin* até *Language of the Valarindi in Valinor* [Idioma dos Valarindi em Valinor], e dali uma linha pontilhada até *Qenya*. Os *Valarindi são os Filhos dos Valar; ver* pp. 134–35, 146. O significado das linhas pontilhadas e ininterruptas é definido em uma nota sobre a *Árvore das Línguas* feita posteriormente: as linhas pontilhadas "indicam linhas de forte influência de um idioma sobre outro" [como, por exemplo, a do francês sobre o inglês], enquanto as linhas ininterruptas "denotam herança e descendência direta" [como, por exemplo, do latim ao francês].

Uma linha pontilhada (originalmente traçada como ininterrupta) também vai do *noldorin* ao *qenya*. Isso presumivelmente ilustra a afirmação no texto (§4) de que "uma forma antiga da fala lindarin se tornou fixa cedo [isto é, como qenya], salvo por algumas adoções tardias de palavras e nomes de outros dialetos".

6

Nos *Contos Perdidos* (I. 150), o povo de Tinwë Linto (Thingol) o procurou por muito tempo quando ele foi encantado por Wendelin (Melian), mas

foi em vão, e ele jamais voltou ao seu meio. Quando, portanto, ouviram a trompa de Oromë soando na floresta, grande foi seu júbilo e, reunindo-se ao seu som, logo são levados para as falésias e ouvem o murmúrio do mar sem sol.

No Q (IV. 104) aparece pela primeira vez a história de que alguns dos Teleri foram persuadidos por Ossë "a ficar nas praias do mundo"; sobre o povo de Thingol, tudo o que é dito no Q (IV. 103) é que ele "o buscou em vão", e nada mais é acrescentado no QS (§32).

Com a referência aqui aos Ilkorindi dispersos de Beleriand (isto é, aqueles que não faziam parte do povo dos Portos e do povo de Thingol) serem congregados em Doriath na época do retorno de Morgoth, cf. AV 2 (anal 2990, que reconta a retirada após a queda de Denithor):

O LHAMMAS

Melian teceu magias dos Valar em torno da terra de Doriath, e a maioria dos Elfos de Beleriand recuou para os confins de sua proteção, salvo alguns que permaneceram perto dos portos ocidentais, Brithombar e Eglorest, às margens do Grande Mar, e os Elfos-verdes de Ossiriand, que habitavam ainda atrás dos rios do Leste.

A referência a "Sindo, irmão de Elwë, senhor dos Teleri", não se encontra no *Lhammas A*, que introduz o tema do idioma de Beleriand de maneira diferente:

Ora, nas cortes de Thingol, o valarin era conhecido, pois Melian era dos Valar; mas era usado somente pelo rei e pela rainha e alguns poucos de sua casa. Pois a língua de Beleriand era a fala eldarin dos Ilkorins telerianos, sendo o idioma daqueles que no fim não velejaram com Ulmo, etc.

Sindo, o Cinzento, aparece no AV 2, mas como uma correção de *Tindingol* (nota 4); em QS §30 (novamente como *Sindo, o Cinzento*) o nome está presente no texto desde o início, como aqui no *Lhammas B*. Com esse nome cf. *Singoldo* no *Conto de Tinúviel* (II. 56), e *Sindingul* (> *Tindingol*) no AV 1 (IV. 312).

Onde o *Lhammas B* possui "Essas eram as falas ilkorin de Beleriand, e também eram diferentes das línguas dos Lembi, que lá jamais chegaram", o *Lhammas A* possui: "Essas eram as falas ilkorin de Beleriand, e elas preservavam indícios de seu parentesco com o teleriano, e eram diferentes dos idiomas dos Lembi, pois não viram nenhum desses, até os Elfos-verdes chegarem do Leste, como é contado mais tarde". A informação de que os Elfos-verdes são contados como Lembi foi explicitamente contradita em *Lhammas B* §2, onde eles são Ilkorindi e contados entre os Eldar; ver os comentários a §§2 e 7.

A emenda do *Lhammas B* no final da seção modifica a história linguística, mas as implicações da alteração não me são claras. Como resultado da emenda, não é mais dito que os Noldor e os Ilkorindi em Beleriand usavam a fala de Doriath "pois Thingol era um grande rei", mas, pelo contrário, que a fala de Doriath era muito usada no Porto do Sirion. Em §8 era a fala noldorin de Gondolin que era a fala do Porto, influenciada pela de Doriath por causa da presença lá de Elwing e dos fugitivos das Mil Cavernas.

220

7

Embora a passagem acerca dos Elfos-verdes siga em grande parte o que já havia sido contado nos AV, há alguns detalhes interessantes. Foi dito nos AV que os Elfos-verdes sob a liderança de Dan acharam as terras meridionais estéreis e sombrias; mas a esterilidade e a escuridão agora são explicadas: os Valar haviam negligenciado o Sul, e os céus não haviam sido apinhados de estrelas com a mesma abundância. O Sul era uma região sombria nos mitos originais: no *Conto do Sol e da Lua* (I. 220) Manwë designou o curso do Sol entre o Leste e o Oeste "pois Melko detinha o Norte e Ungweliant, o Sul" — o que, conforme observei (I. 200) "parece dar a Ungweliant grande importância, e também uma vasta área sujeita ao seu poder de absorver a luz.".

Não fora dito antes que muitos dos Elfos-verdes entraram em Doriath após o retorno de Morgoth; entre esses, muito mais tarde, o inimigo de Túrin, Saeros, viria a ser notório (*Contos Inacabados*, p. 113).

Outros elementos no relato no *Lhammas* já haviam aparecido no AB 2 (anal 52): que após a queda de Denethor os Elfos-verdes não tiveram rei "até Beren vir no meio deles", e também que tinham parentes que permaneceram a leste das Eredlindon, os quais por vezes eles visitavam. Em um acréscimo inicial ao anal 2700 no AV 2 (nota 8) "os Danianos vieram por sobre as Eredlindon", e esses Elfos, dos dois lados da cadeira de montanhas, também são chamados de *Danianos* no *Lhamma A* (onde o *B* possui *Danas*), com a informação adicional de que aqueles que permaneceram no Leste eram chamados *Leikvir*. Na Árvore das Línguas mais antiga aparece *Leikvian* [leikviano] onde a posterior possui *Danian speech of the East* [Fala daniana do Leste].

No AV 1, o nome dos Elfos-verdes é *Laiqi* ou *Laiqeldar* (IV. 318); no AV 2 nenhum nome élfico é dado; no *Lhammas A* eles são *Laiqi* ou *Laiqendi*, *Laiqendi* no *B*.

No *Lhammas A* o nome *Denethor* foi escrito sobre outro nome, muito provavelmente *Denilos*; no AV 1 *Denilos > Denithor* (IV. 318), no AV 2 *Denithor > Denethor* (nota 5). Com relação a isso, há algumas alterações e acréscimos interessantes a lápis no *Lhammas A* que não foram incorporados ao *Lhammas B* (ou feitos nele: não está claro quando essas anotações foram feitas):

ndan- para trás, atrás. Os que voltam para trás. Daí o povo *ndănī. ndani-thārō* salvador dos Dani. Q[uenya] *Nanisáro.* T[elerin] *Daintáro.* N[oldorin] *Dainthor.* D[oriathrin] *Denipor.*

(Com isso, cf. as *Etimologias*, radicais DAN, NDAN.) Ao mesmo tempo, em "Esse povo era a princípio da raça noldorin", *noldorin* foi alterado para *lindarin*, e "a hoste de Finwë" para "a hoste de Ingwë"; cf. a conclusão do *Lammasethen*.

Surge mais uma vez a questão de se os *Danas* eram considerados Eldar ou não. O *Lhammas A* é explícito ao dizer que eles não eram Eldar, mas sim Lembi (comentário a §6); e mais uma vez na presente seção é dito em *A* que "Esse povo era a princípio da raça noldorin, mas não é contado entre os Eldar" — porque eles abandonaram a Grande Marcha. No *Lhammas B*, por outro lado, eles são Ilkorindi e são contados entre os Eldar (§2); porém, na presente seção a passagem em *A* que afirma que eles não eram Eldar reaparece — com o acréscimo de que eles também não eram Lembi porque, embora tenham abandonado a Marcha, eles ainda assim foram atraídos em direção ao Oeste. Presumo que meu pai tenha mudado de ideia sobre essa questão um tanto refinada enquanto escrevia, e não alterou o que havia escrito antes. Seja como for, os Danas são suficientemente caracterizados como Elfos da Grande Marcha que a abandonaram logo cedo, mas que ainda sentiram um desejo pelo Oeste, e a indicação em *B* é claramente de que isso no fim fez com que parte do povo atravessasse as montanhas. A posição deles é anômala, e bem poderiam ser igualmente classificados como eldarin ou como não eldarin.

Como resultado, eles introduzem a possibilidade de um tipo linguístico muito distinto entre as línguas quendianas (pode-se ver que em ambas as formas da Árvore das Línguas o idioma deles é mostrado ramificando-se da linha de descendência quendiana entre o lemberin e o eldarin). Esse tipo é caracterizado em uma emenda do *B* como similar à fala ilkorin de Doriath (enquanto no texto como escrito inicialmente foi dito que ele era distinto do eldarin de Valinor, do lemberin e da fala de Doriath). Essa emenda é bastante intrigante. Por que os Danas deveriam apresentar qualquer afinidade linguística com os Elfos de Doriath, que haviam completado a jornada até Beleriand há tanto tempo (cerca de 700 Anos Valianos antes)? É claro, é dito imediatamente depois que a fala dos Danas *em Ossiriand* fora "muito afetada pela língua do povo de Thingol", mas a emenda "e mais parecida com aquela de Doriath, embora não a mesma" presumivelmente se refere a essa língua "daniana" em sua natureza original. Ver mais no *Lammasethen* e comentário.

A nítida distinção feita no final dessa seção entre, de um lado, todas as línguas lemberin e, de outro, todas as línguas eldarin (incluindo aquelas dos Ilkorindi de Beleriand) é notável. Está implícito que longos anos da Grande Jornada, seguidos pela separação completa dos Elfos de Beleriand daqueles que permaneceram no Leste, tornaram a fala ilkorin ao mesmo tempo bastante isolada em desenvolvimento de qualquer língua lemberin e também de maneira reconhecível semelhante ao telerin de Valinor (pelo menos àqueles "versados em tais saberes", §6).

8

Nesta seção, o *Lhammas B* seguiu o *A* muito de perto, mas uma passagem divergente na versão mais antiga pode ser citada. Após a referência ao *múlanoldorin* e ao idioma de Gondolin como sendo as únicas formas da fala noldorin na Terra-média que sobreviveram "antes do fim", o *A* possui:

> Primeiro pereceu o povo de Fingolfin, cuja língua era pura, salvo por alguma influência pequena dos Homens da casa de Hádor; e posteriormente Nargothrond. Mas o povo de Maidros, filho de Fëanor, permaneceu quase até o fim, assim como também os Noldor-servos cuja língua era ouvida não apenas em Angband, mas posteriormente em Mithrim e muitos outros lugares. A língua dos filhos de Fëanor foi influenciada em grande parte pelos Homens e por Ossiriand, mas ela não sobreviveu. O noldorin que ainda vive, etc.

Com o relato no primeiro parágrafo sobre a rapidez das mudanças após o nascer do Sol e da Lua, cf. o comentário a §3. A referência aqui às "estrelas imóveis" é reminiscente do antigo *Conto do Sol e da Lua*, onde é dito que algumas das estrelas "permaneciam no lugar e não se moviam": ver I. 220, 240. — No segundo parágrafo, a forma Himring (para *Himling* no *Lhammas A*) aparece pela primeira vez sem ser por emendas tardias. — No final do terceiro parágrafo, "em certa medida com Ossiriand" no *B* provavelmente deveria ser

O LHAMMAS

"em certa medida com ossiriandeb", tal como o é aqui no *A* e na forma tardia da Árvore das Línguas. — No último parágrafo, os idiomas daqueles Elfos eldarin que permaneceram na Terra-média no *A* eram chamados *noldorin minguante* e *ilkorin minguante*, termos que aparecem na Árvore das Línguas mais antiga (junto com *Fading Leikvian* [leikviano minguante]: ver o comentário a §7).

A datação tardia a lápis no AV 1 manuscrito (pela qual os eventos desde a Batalha de Alqualondë até a chegada de Fingolfin na Terra-média foram contraídos em um único Ano Valiano, IV. 321), não adotada no AV 2, também não foi adotada no *Lhammas*. As datas dos Anos-do-Sol são aquelas do AB 2 (antes de serem alteradas), com a queda de Gondolin em 307 e a Grande Batalha no final do quarto século do Sol.

A característica mais notável dessa seção do *Lhammas* em relação à concepção tardia é a ausência da história de que um banimento foi instituído por Thingol sobre a fala dos Noldor por todo o seu reino. Em *O Silmarillion*, é dito (p. 163) que já na Festa da Reunião no ano 20 "a língua dos Elfos-cinzentos foi muito falada até mesmo pelos Noldor, pois eles aprendiam rapidamente a fala de Beleriand, enquanto os Sindar eram lentos para dominar a língua de Valinor"; e (p. 185) que após o banimento de Thingol "os Exilados adotaram a língua sindarin em todos os seus usos diários, e a alta fala do Oeste era usada apenas pelos senhores dos Noldor entre eles mesmos". No *Lhammas* de fato é dito (no final de §6, antes de ser emendado) que "A fala de Doriath foi muito usada em dias que vieram depois tanto por Noldor como por Ilkorindi", e na presente seção que "a fala dos Gnomos foi muito influenciada também pela dos Ilkorins de Beleriand"; mas era o noldorin (de Gondolin) que era o idioma (influenciado por outras línguas) do Porto do Sirion e, mais tarde, de Tol-eressëa. Portanto, em seu plano essencial, embora agora muito mais complexo, a evolução linguística ainda deriva daquela nos *Contos Perdidos*; como comentei em I. 70,

> Em *O Silmarillion*, os Noldor trouxeram o idioma valinóreano para a Terra-média, mas o abandonaram (exceto entre si mesmos), adotando, no lugar, a língua de Beleriand, o sindarin dos Elfos-cinzentos, os quais jamais estiveram em Valinor... Nos *Contos Perdidos*, por outro lado, os Noldor ainda trouxeram a fala élfica de Valinor para as Grandes Terras, mas eles a mantiveram, e foi lá que ela mudou e se tornou completamente distinta ["gnômico"].

A ESTRADA PERDIDA E OUTROS ESCRITOS

Não há referência no final dessa seção a quaisquer Gnomos retornando a Valinor (por oposição a Tol-eressëa), como há no Q (IV. 181, 184: "Mas alguns retornaram até mesmo a Valinor, como todos eram livres para fazer se desejassem"; isso foi mantido no QS, p. 398, §27). Quanto aqueles que não partiram para o Oeste — os falantes de "noldorin minguante" e "ilkorin minguante" no *Lhammas A* —, ver as mesmas passagens no Q, mais uma vez repetidas no QS.

9

Aqui aparece o primeiro relato da origem da fala-órquica: uma perversão intencional de Morgoth da fala valiana. A afirmação notável de que Morgoth "falava todas as línguas com poder e beleza, quando assim desejava" não se encontra no *Lhammas A*.

A lenda da criação dos Anãos por Aulë apareceu no AB 2 (anal 104), em uma passagem notavelmente similar à presente, e contendo a mesma frase "os Anãos não possuem um espírito que lhes habita". A passagem no AB 2 foi posteriormente modificada (nota 16) para torná-la não uma afirmação do escrito, mas sim uma concepção acerca dos Anãos nutrida pelos Noldor, e não a única opinião sobre o assunto; no *Lhammas* a passagem também foi alterada, com muita pressa e para algo bem diferente, da seguinte forma:

> Mas os Anãos derivam seu pensamento etc. (ver o *Quenta*). Portanto, as obras dos Anãos possuem grande engenho e ofício, porém pouca beleza.

Essa referência ao *Quenta* não é ao Q, que não possui nada correspondente, mas ao QS, onde há um capítulo acerca dos Anãos. Aqui ocorre o seguinte (§123):

> Contudo, eles *derivam seu pensamento* e ser segundo sua medida de apenas um dos Poderes, enquanto os Elfos e os Homens, seja a quem for que eles principalmente se voltem entre os Valar, possuem afinidade com todos em certa medida. Portanto, as obras dos Anões *possuem grande engenho e ofício, porém pouca beleza*, exceto quando imitam as artes dos Eldar...

Onde o *Lhammas B* possui "Do idioma dos Anãos pouco sabemos", o *A* possui "pouco sei" (isto é, Rúmil).

O LHAMMAS

10

No *Lhammas A*, a origem e a história inicial das línguas dos Homens são descritas de maneira um tanto diferente:

> Pois os Elfos-escuros... fizeram amizade com Homens errantes... e lhes ensinaram o que sabiam; e, com o passar dos anos, as numerosas línguas dos Homens desenvolveram-se desses primórdios, alteradas pelo tempo, e pela invenção dos Homens, e graças também à influência tanto de Anãos como de Orques. Mas nada foi preservado da fala mais antiga dos Homens, exceto [*riscado:* algumas palavras das] as línguas dos Homens do Oeste, que chegaram primeiro a Beleriand e falaram com os Elfos, como está registrado em anais e relatos daqueles pelos Gnomos. Ora, o idioma das três casas de Bëor, de Haleth e de Hador era o *taliska*, e essa língua ainda era lembrada por Tuor, e foi registrada pelos sábios de Gondolin. No entanto, o próprio Tuor não mais a usava, pois já antes [> nos] dos dias de seu pai, Huor, os Homens de Beleriand abandonaram o uso diário de sua própria língua, e falavam noldorin, mantendo algumas poucas palavras e nomes.

No final da seção no *Lhammas A*, meu pai acrescentou rapidamente a lápis: "Mas o taliska parece ter se derivado em grande parte do daniano"; ver o comentário ao *Lammasethen*.

Na Árvore das Línguas mais antiga, os idiomas dos Homens derivam apenas do lemberin, estando de acordo com o *Lhammas A* ("as numerosas línguas dos Homens desenvolveram-se desses primórdios"), enquanto a Árvore das Línguas tardia apresenta "influências" (linhas pontilhadas) da fala-anânica, da fala-órquica, e do lemberin (mas nenhuma "descendência" direta), e "influência" da "fala daniana do Leste" no taliska.

É contado no AB 2 (anal 220) que o povo de Hador abandonou o próprio idioma e adotou o dos Gnomos. O relato em *O Silmarillion* sobre a sobrevivência da língua original dos Edain, aqui chamada *taliska*,[*] é bem diferente: ver o comentário ao AB 2 *ibid*.

A afirmação no final dessa seção de que a fala dos Homens Tisnados "se perdeu sem registro além dos nomes desses homens"

---

[*] Há uma gramática histórica do *taliska*.

não está de acordo com as *Etimologias* (radicais BOR, ÚLUG), onde os nomes de Bór e Ulfang e seus filhos são élficos, dados a eles pelos Noldor.

11

Nas palavras de Rúmil aqui de que "muitos milhares de anos se passaram desde a queda de Gondolin", há uma glosa apagada abaixo de "muitos milhares de"; essa muito provavelmente era "10.000", que é o número no *Lhammas A*.

A afirmação nessa seção de que "os Noldor que retornaram [isto é, após ouvirem a Profecia do Norte] e não saíram à guerra e ao sofrimento no mundo não mais são separados e falam como os Lindar" não se encontra no *Lhammas A*, mas a Árvore das Línguas mais antiga apresenta o *noldolindarin* como uma coalescência dos "noldorin e lindarin valinorianos"; a Árvore tardia de modo similar apresenta a "fala do povo de Finrod" (que retornou a Valinor) coalescendo com o lindarin, e tornando-se "eldarin como agora o é em Valinor".

As palavras "*em Kôr*" não são um simples deslize, apesar de "os Elfos ergueram o monte verdejante de Kôr, e construíram sobre ele a cidade de Tûn" em §5; ver QS §29.

Com relação à passagem acrescentada no final do *Lhammas B*, pode-se observar que no Q (IV. 105) é dito que os nomes dos príncipes dos Noldoli são dados "na forma da língua gnômica conforme por muito tempo foi falada sobre a terra", e que lá *Finn* (a forma no Esb) foi emendado para *Finwë*. Dos topônimos citados aqui como nomes beleriândicos acomodados ao noldorin, *Balar, Beleriand, Brithombar* e *Eglorest* aparecem nas *Etimologias* (radicais BAL, BIRÍT, ELED) como nomes ilkorin, mas *Doriath* é noldorin (radical GAT(H)).

LAMMASETHEN

Apresento agora o terceiro e mais curto texto do *Lhammas*, que, creio, certamente é o mais tardio dos três. No alto dele meu pai escreveu a lápis *Esboço de uma versão corrigida*, mas depois apagou as palavras. A história breve desse texto está em grande parte de acordo com a do *Lhammas B*, mas introduz um relato completamente alterado da origem do quenya (assim grafado).

O LHAMMAS

O relato mais curto de Pengolod: ou *Lammasethen*
Das Línguas Élficas

Os idiomas élficos ou quendianos originais tiveram sua origem em Oromë, e, assim, no valarin. Mas os Elfos não apenas, já no breve período comum a todos, mas especialmente no eldarin, modificaram e suavizaram os sons, especialmente as consoantes, do valarin, como também começaram rapidamente a inventar novas palavras e formas de palavras, e desenvolveram um idioma próprio.

Afora novas invenções, o idioma deles mudava lentamente. Isso se dava particularmente em Valinor, mas ocorria em todas as línguas, pois os Elfos não morrem. Desse modo, pode-se ver que o telerin, o último a partir da Terra-média, e isolado por uma era e dez anos dos Valar, primeiro em Beleriand e depois em Tol Eressëa, mudou mais do que o koreldarin, porém, ao se reunir mais tarde com seus parentes em Valinor, permaneceu muito similar ao noldorin e ao lindarin. Mas o seu ramo, falado pelos Teleri deixados em Beleriand por quase 1.000 Anos Valianos, mudou mais do que as línguas de Valinor, e tornou-se muito diferente delas. Em certos aspectos, ele se tornou como o ramo daniano em Ossiriand.

Ora, a língua dos Noldor e dos Lindar era a princípio mui semelhante. Mas os Lindar deixaram após um tempo de habitar em Tûn, ou em proximidade com os Noldor, e havia associação mais próxima entre Noldor e Teleri. Ademais, os Lindar usavam uma forma de idioma que receberam *mais uma vez* dos próprios Valar em Valmar; e embora o tenham suavizado e alterado mais uma vez, de muitas maneiras ele era muito diferente do élfico ou quendiano antigo que teve origem em Oromë. O lindarin, que era uma forma de quendiano ou oromiano, eles usavam somente entre si mesmos, e jamais o escreviam. Mas a sua nova língua (valinoriano) passou a ser usada pelos Lindar em colóquio com os Deuses, e em todos os seus livros de poesia, história e sabedoria. Ademais, foi a primeira língua-élfica a ser escrita, e permaneceu sempre a língua mais usada na escrita por Lindar, Teleri e Noldor. Era também muito usada por todos os Elfos em colóquio, especialmente entre aqueles de gentes e dialetos diferentes. Os Deuses também usavam essa língua, não o puro valarin, em suas falas com todos os Elfos. Essa língua eles chamavam de *quenya* (que é élfico). O quenya é o latim-élfico, e esse nome é dado à sua forma comum conforme usada e escrita por todos os Elfos. Nele estão misturadas algumas formas e palavras derivadas de outras línguas élficas (oromianas). Mas uma forma mais pura e mais arcaica é usada por Ingwë, Alto-rei dos Elfos, e sua corte e casa, que jamais usam o lindarin oromiano comum: este é o *ingwiqenya*.

Ora, o noldorin antigo, como inicialmente usado, e escrito nos dias de Fëanor em Tûn, permaneceu falado pelos Noldor que não partiram de Valinor em seu obscurecer, e ainda reside lá, não muito mudado, e não muito diferente do lindarin. Ele é chamado *kornoldorin*, ou *finrodiano*, pois Finrod e muitos de seu povo retornaram a Valinor e não foram a Beleriand. Mas a maioria dos Noldor foi a Beleriand, e nos 400 anos de suas guerras com Morgoth sua língua muito mudou. Por três razões: porque não se encontrava em Valinor; porque havia guerra e confusão, e muitas mortes entre os Noldor, de modo que sua língua ficou sujeita a tribulações similares àqueles dos Homens mortais; e porque em todo o mundo, mas especialmente na Terra-média, a mudança e o crescimento foram muito grandes nos primeiros anos do Sol. Também em Beleriand a língua e os dialetos dos Ilkorins telerianos eram correntes, e seu rei Thingol era muito poderoso; e o noldorin em Beleriand tomou muito do beleriândico, especialmente de Doriath. A maioria dos nomes e lugares naquela terra eram dados na forma doriathrin. O noldorin retornou, após a derrubada de Morgoth, para o Oeste, e vive ainda em Tol-eressëa, onde agora muda pouco; e essa língua deriva-se mormente da língua de Gondolin, de onde veio Eärendel; mas possui muito do beleriândico, pois Elwing, sua esposa, era filha de Dior, herdeiro de Thingol; e possui um tanto de Ossiriand, pois Dior era filho de Beren, que viveu por muito tempo em Ossiriand.

Em Tol-eressëa são mantidos registros da antiga língua de Ossiriand, que não mais existe; e também da língua dos Homens do Oeste, os Amigos-dos-Elfos, de onde veio a gente mortal de Eärendel. Mas essa língua não mais existe, e já nos dias antigos os Amigos-dos-Elfos falavam mormente o noldorin, ou o beleriândico; sua própria língua era de origem quendiana, tendo sido aprendida a leste das Montanhas de um ramo dos Danianos, parentes daqueles Elfos de Ossiriand que eram chamados de Elfos-verdes.

Estas são as línguas élficas que ainda são faladas, ou das quais escritos foram preservados.

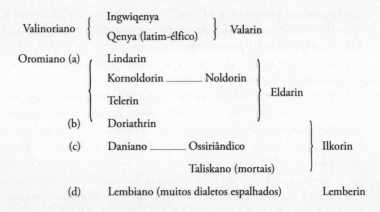

Os Danianos eram dos Lindar [> Noldor] e começaram a marcha, mas se voltaram para o sul e se desgarraram, muito antes de Beleriand ser alcançada. Eles não entraram em Beleriand, e, quando o fizeram foi apenas em parte, por muitas eras. Alguns os consideram eldarin, outros lembianos. Em verdade não são uma coisa nem outra, e possuem um lugar intermédio.

Comentário ao Lammasethen

Uma Árvore das Línguas adicional ilustra o *Lammasethen*, e está reproduzida na p. 232. Os idiomas com asteriscos estão "ainda em uso".

O significado da passagem acerca do quenya nesse texto é claramente de que o quenya só surgiu após a separação dos Lindar dos Noldor, quando os Noldor permaneceram em Tûn, mas os Lindar retiraram-se para Valinor. Lá os Lindar mantiveram a sua própria língua eldarin falada, não muito diferente do noldorin "finrodiano" de Tûn (*kornoldorin*); mas eles também adotaram e adaptaram uma forma do idioma valarin, e essa língua "valinoriana" tornou-se o *quenya*. Muito do que é dito sobre o quenya nas outras versões é repetido no *Lammasethen* — ele era usado pelos Deuses em colóquio com os Elfos, pelos Elfos em colóquio com Elfos de diferentes falas, e como o principal idioma *escrito*. O efeito dessa nova concepção é remover o quenya das várias formas de fala élfica (quendiano, oromiano) em Valinor e torná-lo um idioma à parte. O *ingwiqenya* permanece como se tornara no *Lhammas B*, uma forma especialmente pura e arcaica do quenya usado na casa de Ingwë; mas agora é uma forma pura e arcaica de "valinoriano". As diferenças entre as concepções são as seguintes:

Lhammas A (comentário a §5):
- Antiga fala lindarin preservada, e fixada como uma alta fala, uma fala comum, e uma língua escrita: *quenya*
- Fala tardia dos Lindar: *lindarin*
  "o dialeto nobre" dessa: *ingwiqendya* (*ingwëa, ingwelindarin*)

Lhammas B (§4):
- Antiga fala lindarin preservada, e fixada como uma alta fala, uma fala comum, e uma língua escrita: *quenya*
  Também chamada ("especialmente em sua forma mais pura e mais elevada") *ingwiqenya*
- Fala tardia dos Lindar: *lindarin*

Lammasethen:
- Os Lindar, após se retirarem de Tûn, adotaram de novo a língua valarin; esse "valinoriano", uma alta fala, uma fala comum, e uma língua escrita, é o *quenya*
  Uma forma pura e arcaica do "valinoriano": *ingwiqenya*
- Fala orginal ("quendiana") dos Lindar, mantida entre eles próprios: *lindarin*

Há alguns outros pontos a serem considerados no *Lammasethen*. O estágio do *koreldarin*, antes da partida dos Lindar de Tûn sobre Kôr, está marcado na terceira Árvore das Línguas. — É dito que a fala telerin de Beleriand (a fala dos Elfos de Doriath e dos Portos da Falas) "se tornou como" (em certos aspectos) a língua daniana em Ossiriand; cf. a emenda no *Lhammas B* (§7) (a língua dos Danianos era "mais parecida com aquela de Doriath, embora não a mesma"), e minhas observações acerca disso no comentário. — É dito, como em *Lhammas B* §7, que os Danianos não eram Eldar nem Lembi: eles "possuem um lugar intermédio"; embora alguns digam que são uma coisa ou outra. — A emenda tardia no *Lhammas A* (comentário a §7), que torna os Danianos um povo originalmente lindarin, foi adotada no *Lammasethen*, mas depois foi rejeitada e substituída mais uma vez por noldorin.

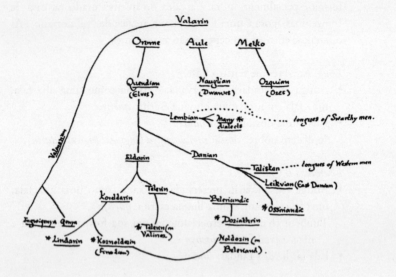

A Árvore das Línguas (ilustrando o *Lammasethen*)

É dito no *Lammasethen* que o taliskano é "de origem quendiana", aprendido pelos antepassados dos Homens do Oeste com os Elfos danianos a leste das Eredlindon; e na lista de línguas no final do texto ele é classificado como uma fala ilkorin. No *B* (§10) as afirmações a respeito do taliska não são perfeitamente claras: os Homens do Oeste "aprenderam com os Danas, ou Elfos-verdes", e seu idioma "foi em muito influenciado pelos Elfos-verdes". Na terceira Árvore das Línguas o taliskano é mostrado derivando-se diretamente do daniano; cf. o acréscimo ao *Lhammas A* (comentário a §10): "Mas o taliska parece ter se derivado em grande parte do daniano". Não me está claro por que uma linha pontilhada (representando "influência") vai do taliskano até as "línguas dos Homens do Oeste".

Na terceira Árvore, o nome *leikviano* reaparece da primeira, para a língua dos Danianos que permaneceram a leste das Eredlindon (os *Leikvir* no *Lhammas A* (comentário a §7). O nome *nauglianas* para as línguas dos Anãos, usado na terceira Árvore, não aparece nos textos do *Lhammas*; em §9 elas são chamadas *aulianas*, como na primeira Árvore.

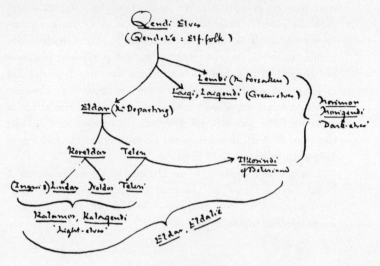

Os Povos dos Elfos

Por fim, há uma tabela interessante dos *povos élficos* associada aos papéis do *Lhammas*, reproduzida acima. Quando meu pai fez essa tabela, os *Eldar* eram "Os Que Partem", como também em *Lhammas B* §2 antes da emenda. Os Elfos-verdes, que aqui *não* são Eldar, são mostrados como um ramo dos Quendi entre Lembi e Eldar, assim como em todas as três versões da Árvore das Línguas o idioma dos Elfos-verdes (daniano) é mostrado com um ramo do quendiano entre lemberin (lembiano) e eldarin. Os Lindar, Noldor e Teleri são aqui colocados como subdivisões dos Eldar em vez de subdivisões dos Quendi antes da Grande Jornada: em contraste com a minha tabela na p. 213, que é baseada na afirmação expressa nos *Lhammas A* e *B* (§2) de que "já em suas primeiras habitações os Elfos estavam divididos em três gentes, os Lindar, os Noldor e os Teleri".

Uma importante nova distinção aparece nessa tabela: *Morimor, Moriqendi* "Elfos-escuros", e *Kalamor, Kalaqendi* "Elfos-da-luz". Os Elfos-da-luz (um termo antes aplicado à Primeira Gente) são agora todos aqueles Elfos que foram para Valinor e viram a Luz das Árvores; e é introduzida a importante sobreposição de nomenclatura na qual os Ilkorindi de Beleriand são Eldar, mas também Elfos-escuros. Os termos *Moriquendi* e *Calaquendi* de *O Silmarillion*

O LHAMMAS

aqui aparecem pela primeira vez. Se essa tabela for comparada com a que fiz para *O Silmarillion* ("A Separação dos Elfos"), é possível ver que muito do que viria a permanecer havia surgido agora, se substituirmos *Lembi* por *Avari* e *Ilkorindi* por *Sindar* (e *Lindar* por *Vanyar*). A principal diferença é que nas formulações tardias os *Laiquendi são Eldar; enquanto como um corolário os Úmanyar* (equivalente em significado a *Ilkorindi*, pois o primeiro termo se refere aos Eldar que não eram de Aman, e o segundo aos Eldar que não eram de Kôr) necessariamente no esquema tardio incluem os Laiquendi, visto que eram Eldar.

Lembi é aqui traduzido "os Abandonados"; no *Lhammas A* "aqueles que restaram", no *Lhammas B* "aqueles que se demoraram" (§2 e comentário). Nas *Etimologias* (radical LEB, LEM), a palavra *lemba* significa "deixado para trás".

6

O QUENTA SILMARILLION

Como originalmente escrito, o *Quenta Silmarillion* (QS) era um manuscrito belo e elegante; e quando as primeiras alterações foram feitas nele elas foram feitas com grande cuidado, geralmente com palavras escritas sobre apagadas. Parece altamente improvável que meu pai pudesse ter alcançado essa forma sem quaisquer textos intermediários que a desenvolvessem a partir do *Quenta Noldorinwa* (Q), e, seja como for, em um ponto ou outro no QS parece que ele estava copiando, pois palavras necessárias para o sentido acabavam omitidas e eram inseridas depois acima da linha. Porém, agora notavelmente não há traços de algum desses materiais, até que se chega ao conto de Beren e Lúthien: a partir desse ponto existem rascunhos preliminares.

O manuscrito posteriormente se tornou o meio de amplas revisões, e foi transformado em um palimpsesto caótico, com camadas sobre camadas de correções e reescritas completas, de adendos e apagamentos. O grosso dessas alterações e revisões seguramente data do período após a conclusão de *O Senhor dos Anéis*; mas também há uma fase anterior de emendas a lápis nos capítulos iniciais, que em alguns trechos são substanciais. A partir do manuscrito assim emendado meu pai preparou um texto datilografado cuja maior parte era quase uma cópia exata, mas deu à obra um novo título além de *Silmarillion*: *I-Eldanyárë*, "A História dos Elfos". No entanto, essa nova versão não foi muito longe — na verdade, não foi além do final do capítulo aqui numerado 3 (c). Para compreender o estado de "O Silmarillion" durante os anos em que *O Senhor dos Anéis* estava sendo escrito, é necessário tentar determinar quando ela foi composta. De qualquer modo, fica claro de imediato que essa versão precedeu em muito a principal revisão de *O Senhor dos Anéis* — o texto datilografado, até o ponto em que se encontrava, foi de fato usado para aquela revisão, e ficou reduzido a frangalhos no decorrer dela.

O QUENTA SILMARILLION

Na carta de meu pai a Stanley Unwin de 16 de dezembro de 1937 — o dia em que lhe foram devolvidos o manuscrito do QS e outras obras que ele havia enviado — ele ainda estava apenas "prometendo dar atenção" à questão de "uma continuação ou sucessor para *O Hobbit*" (*Cartas*, n. 19); mas apenas três dias depois, em 19 de dezembro, ele informou que havia escrito "o primeiro capítulo de uma nova história sobre Hobbits — 'Uma festa muito esperada'" (*Cartas*, n. 20). Logo, é certo que ele começou a trabalhar na "nova história" na mesma época em que o manuscrito do QS lhe foi devolvido; e tenho certeza de quando isso aconteceu ele abandonou (definitivamente, como veio a ocorrer) a nova narrativa do "Silmarillion" no ponto em chegara (pois ele a continuara em uma forma mais rascunhada enquanto estava sem o manuscrito, ver pp. 350–51). Mas também está claro que ele ainda não havia abandonado completamente a obra. Isso é evidenciado por algumas anotações num pedaço de papel ao qual meu pai felizmente e de maneira não característica acrescentou uma data:

20 de nov. 1937
Atentar quando o material retornar
Avari devem ser não eldarin = os antigos *Lembi*
Lembi devem ser Teleri ilkorin
Danianos Pereldar
Ilkorin : *Alkorin* [riscado]
hyarmen em vez de *harmen* sul

O fato de que as três primeiras dessas alterações estão entre as primeiras revisões feitas no manuscrito do QS (para o significado delas, ver pp. 259–60[*]) demonstra que ele trabalhou no texto com certo detalhamento "quando o material retornou", isto é, depois de ter começado *O Senhor dos Anéis*. Naturalmente isso não demonstra com mais precisão quando esse trabalho foi feito ou quando o texto datilografado "*Eldanyárë*" foi composto, mas aqui uma segunda anotação com uma data anexada fornece evidências:

---

[*] Para *Alkorin* ao lado de *Ilkorin*, ver as *Etimologias*, radicais AR[2], LA; para *Harmen* > *Hyarmen*, ver p. 414.

236

A ESTRADA PERDIDA E OUTROS ESCRITOS

3 de fev. 1938
Tintallë Inflamadora pode permanecer — mas *tinwë* em
q[uenya] somente = centelha (*tinta-* inflamar, acender)
Portanto, *Tinwerína* > *Elerína*
Tinwerontar > *Elentári* (ou *Tar-Ellion*)

As alterações de *Tinwerína* para *Elerína* e *Tinwerontar* para *Elentári*
não foram feitas no manuscrito do QS e não aparecem no texto
datilografado (apenas foram inseridas subsequentemente neste
último). Esse demonstra que o texto datilografado foi composto
antes de 3 de fevereiro de 1938 — ou para ser mais exato, que o
texto chegara pelo menos ao ponto em que o nome *Tinwerontar*
ocorre (capítulo 3 (a), §19).

Concluo, portanto, que foi precisamente nesse período cru-
cial (dezembro de 1937 – janeiro de 1938) que meu pai — de
modo inteiramente característico — voltou ao início do *Quenta
Silmarillion*, revisando os capítulos iniciais e começando um novo
texto datilografado ("*Eldanyárë*"). Isso não continuou por muito
tempo; e desde aquela época a narrativa do "Silmarillion" permaneceu inalterada por cerca de trinta anos.

Essa conclusão determina o modo no qual o texto da primeira
parte do *Quenta Silmarillion* é apresentado neste livro. A fim de
tornar o contraste entre "O Silmarillion" do período inicial e
"O Silmarillion" após a grande revisão pós-*Senhor dos Anéis* o mais
nítido nesta história como era de fato, apresento o texto dos primeiros cinco capítulos (1 a 3 (c)) como se encontrava *após* a primeira
revisão — que é a forma do texto datilografado como composto
originalmente;* mas desenvolvimentos importantes da forma original são apresentados nos comentários que se seguem a cada capítulo.
Boa parte dessa primeira reescrita na verdade foi mais uma questão
de aprimoramento de expressão do que de substância narrativa.

Embora existam dois textos para a primeira parte da obra, uso
a abreviação única QS, distinguindo o manuscrito do texto datilografado quando necessário.

---

* Em alguns pontos meu pai fez outras alterações muito pequenas de fraseado conforme datilografava (isto é, além das mudanças marcadas no manuscrito), e essas
naturalmente estão incluídas no texto apresentado aqui. A relação entre manuscrito e texto datilografado muda no capítulo 3 (c); ver p. 361.

237

O QUENTA SILMARILLION

Esta é a folha de rosto do manuscrito do QS:

O
Quenta Silmarillion
Aqui contido
é o *Qenta Noldorinwa ou Pennas inGeleidh*
ou
História dos Gnomos

Esta é uma história resumida baseada em muitos contos mais antigos; pois todos os assuntos que ela contém foram outrora, e ainda são entre os Eldar do Oeste, recontados de maneira mais detalhada em outras histórias e canções. Mas muitas dessas obras não foram lembradas por Eriol, ou os homens tornaram a perdê-las desde os dias dele. Este Relato foi composto primeiro por Pengolod de Gondolin, e Ælfwine o passou para a nossa fala como esta era em sua época, nada acrescentando, disse ele, salvo explicações acerca de alguns nomes.

Nesse título, *inGeleidh* é uma emenda feita com cuidado sobre uma palavra apagada: a forma apagada provavelmente era *na-Ngoelaidh* como no Q (IV. 95). A palavra *Silmarillion* foi um acréscimo; a princípio havia apenas *O Quenta*, como no Q.

No preâmbulo do Q, apena Eriol é nomeado, e não há menção de Pengolod; mas no preâmbulo do AV 1 (IV. 310) é dito que os dos conjuntos de *Anais*

foram escritos por Pengolod, o Sábio de Gondolin, antes da queda desta, e posteriormente no Porto do Sirion, e em Tavrobel em Toléressëa após o seu retorno para o Oeste, e lá vistos e traduzidos por Eriol de Leithien, que é Ælfwine dos Angelcynn.

O preâmbulo do manuscrito do QS é terminantemente diferente em sua representação da história literária daquela do Q; pois no Q o resumo que aquela obra é declarada ser foi *extraído do Livro dos Contos Perdidos que Eriol escreveu* depois de ler o Livro Dourado em Kortirion, enquanto no QS ele foi *escrito por Pengolod e traduzido por Eriol* (como os *Anais*) — a obra é concebida por Pengolod como um epítome em pequena escala sobre um pano de fundo de "histórias e canções" nas quais os assuntos eram recontados em maiores detalhes (mas muitas delas foram perdidas).

Associadas ao texto datilografado do QS há nada menos do que cinco folhas de título e preâmbulo. A primeira dessas está manuscrita e diz o seguinte:

O Silmarillion

A história das Três Joias, as
Silmarils de Fëanor, na qual é contada
em resumo a história Elfos desde
sua chegada até a Mudança do
Mundo

1. *Qenta Silmarillion*, ou *Pennas Hilevril*
   Ao qual está anexado
   As casas dos príncipes dos Homens e dos Elfos
   O conto dos anos
   O conto das batalhas
2. *Os Anais de Valinor   Nyarna Valinóren*
3. *Os Anais de Beleriand   Nyarna Valarianden*
4. O *Lhammas* ou Relato de Línguas

Essa página manuscrita foi então copiada à máquina, com estas diferenças: acima de *O Silmarillion* no topo há *Eldanyárë*, e o *Lhammas* não está incluído. Tanto no manuscrito como no texto datilografado *Nyarna Valinóren* foi alterado para *Yénië Valinóren ou Inias Valannor*, e *Nyarna Valarianden* para *Inias Veleriand*. (Nas versões em inglês antigo dos *Anais de Valinor*, o nome élfico é *Valinórelúmien*, IV. 334, 341). Subsequentemente, apenas no texto datilografado, *Pennas Hilevril* > *Pennas Silevril*; *Inias Valannor* > *Inias Balannor*; *Inias Veleriand* > *Inias Beleriand*.

O item seguinte é uma página elaborada e elegante em tinta vermelha, azul e preta, cujo conteúdo é praticamente o mesmo da página datilografada recém-descrita; mas aqui o nome *I•Eldanyárë*, traduzido como "A História dos Elfos", é explicitamente uma alternativa: "*I•Eldanyárë ou Silmarillion*". Os nomes élficos dos *Anais são as formas emendadas das duas* páginas anteriores: *Yénië Valinóren*

O QUENTA SILMARILLION

ou Inias Valannor, e *Inias Veleriand*, com as mesmas alterações posteriores de *Hilevril, Valannor* e *Veleriand* para *Silevril, Balannor* e *Beleriand* encontradas no texto datilografado. Em todas as três folhas de rosto *Silmarillion* é um título inclusivo que abrange dentro de si não só o *Quenta Silmarillion* como também os dois conjuntos de *Anais*; cf. p. 131. O nome *Qenta Noldorinwa não é usado*.

Após essas folhas de rosto há um preâmbulo composto de uma nota de Ælfwine e uma nota do Tradutor. Cinco versos em inglês antigo de autoria de Ælfwine são os mesmos versos que Alboin Errol "sonhou" e traduziu para seu pai, em *A Estrada Perdida* (p. 57); eles tornariam a aparecer mais uma vez associados ao poema *A Canção de Ælfwine* (p. 127). Esse preâmbulo encontra-se tanto no manuscrito como no texto datilografado. A forma manuscrita diz o seguinte:

Silmarillion

Nota de Ælfwine

Essas histórias foram escritas por Pengolod, o Sábio de Gondolin, tanto naquela cidade antes de sua queda como posteriormente em Tathrobel na Ilha Solitária, Toleressëa, após o retorno para o Oeste. Na composição delas ele usou muito dos escritos de Rúmil, o Sábio-élfico de Valinor, mormente nos anais de Valinor e no relato de línguas, e ele usou também os relatos que estão preservados no Livro Dourado. A obra de Pengolod muito aprendi de cor, e a passei para a minha língua, parte dela durante minha estada no Oeste, mas a maior parte após meu retorno para a Bretanha.

> þus cwæþ Ælfwine Wídlást:
> Fela bið on Westwegum werum uncúðra,
> wundra ond wihta, wlitescyne lond,
> eardgeard ylfa ond ésa bliss.
> Lýt ænig wát hwylc his longað síe
> þám þe eftsíðes yldu getwæfeð.

Nota do tradutor

As histórias são aqui apresentadas em inglês corrente, traduzidas da versão de Eriol de Leithien, como os Gnomos o chamavam, que era Ælfwine dos Angelcynn. Outros assuntos que Ælfwine

A ESTRADA PERDIDA E OUTROS ESCRITOS

coletou diretamente do Livro Dourado, junto com o seu relato de sua viagem, e sua estada em Toleressëa, são apresentados alhures.

Eriol foi alterado para *Ereol* (cf. IV. 188, 332); e há uma anotação a lápis junto à *Nota do tradutor*:

Há exemplares existentes (não presentes aqui)
a. da forma e escrita eressëanas originais
b. dos anais como escritos por Ælfwine em inglês antigo

A *Nota de Ælfwine* aqui é um desenvolvimento do preâmbulo do AV 1 (citado acima, p. 238); cf. também a segunda versão daquele preâmbulo e minhas observações sobre a parte de Rúmil nos *Anais* (p. 149). Agora não há menção de Pengolod ter continuado sua obra no Porto do Sirion após a queda de Gondolin. A forma *Tathrobel* no lugar de *Tavrobel* ocorre nas versões em inglês antigo do AV 1 (IV. 332, 340). Quanto ao Livro Dourado, ver IV. 95, 322.

A versão datilografada do preâmbulo possui algumas diferenças. A página possui *Eldanyárë* como cabeçalho, não *Silmarillion*, e a *Nota de Ælfwine* foi alterada: a passagem que começa com "após o retorno para o Oeste" aqui diz o seguinte:

após os Elfos terem retornado para o Oeste. Na composição delas ele usou muito dos escritos de Rúmil, o Sábio-élfico de Valinor, acerca de outros assuntos que não as guerras de Beleriand; e ele usou também os relatos que foram preservados pelos Elfos de Eressëa no Livro Dourado. A obra de Pengolod aprendi de cor...

Na *Nota do tradutor* a grafia é *Ereol* e as palavras *que é agora a Inglaterra* foram acrescentadas após *Angolcynn* (assim grafada).

Apresento agora o texto do *Quenta Silmarillion* como creio se encontrava quando foi deixado de lado por um longo tempo. Tal como com *A Queda de Númenor*, numerei os parágrafos, e os números seguem de forma contínua ao longo do texto; a paragrafação do original é em grande parte mantida. Um comentário, relacionado aos parágrafos, segue-se a cada capítulo.

241

QUENTA SILMARILLION*
Aqui começa o Silmarillion ou história das Silmarils.

1. DOS VALAR

§1 No princípio o Pai-de-Tudo, que na língua élfica tem o nome de Ilúvatar, fez os Ainur de seu pensamento; e eles fizeram música diante dele. Dessa música o Mundo foi feito; pois Ilúvatar deu a ela o ser, e a pôs em meio ao Vazio; e ele pôs o fogo secreto para arder no coração do Mundo; e ele mostrou o Mundo aos Ainur. E muitos dos mais poderosos entre eles ficaram enamorados de sua beleza, e desejaram entrar nele; e eles puseram a vestimenta do Mundo, e desceram a ele, e estão nele.

§2 A esses espíritos os Elfos dão o nome de Valar, que significa Poderes, e os Homens amiúde os chamaram de Deuses. Muitos espíritos menores de sua própria gente trouxeram eles em seu séquito, tanto grandes como pequenos; e alguns desses os Homens confundiram com os Elfos, mas em erro, pois eles foram feitos antes do Mundo, enquanto os Elfos e os Homens despertaram primeiro no Mundo, após a vinda dos Valar. Contudo, na feitura dos Elfos e dos Homens, e na entrega a cada de suas dádivas especiais, nenhum dos Valar tomou parte. Apenas Ilúvatar era o autor deles; donde eles são chamados os Filhos de Ilúvatar.

§3 Os principais dentre os Valar eram nove. Estes eram os nomes dos Nove Deuses na língua élfica como era falada em Valinor; embora eles tenham outros ou alterados nomes na fala dos Gnomos, e seus nomes entre os Homens sejam multíplices. Manwë e Melko, Ulmo, Aulë, Mandos, Lórien, Tulkas, Ossë e Oromë.

§4 Manwë e Melko eram irmãos no pensamento de Ilúvatar e os mais poderosos daqueles Ainur que entraram no Mundo. Mas Manwë é o senhor dos Deuses, e príncipe dos ares e ventos, e governante do céu. Com ele habita como esposa

---

* No manuscrito (apenas) a palavra *Silmarillion* foi um acréscimo, como na folha de rosto (p. 238); mas a frase "Aqui começa o *Silmarillion*..." é original.

A ESTRADA PERDIDA E OUTROS ESCRITOS

Varda, a feitora das estrelas, senhora das alturas, cujo nome é sacro. Fionwë e Ilmarë* são seu filho e sua filha. Sucedendo-o em poder e o mais próximo em amizade de Manwë é Ulmo, senhor das águas, que habita sozinho nos Mares de Fora, mas tem o governo de todas as águas, mares e rios, fontes e nascentes, por toda a terra. Seu vassalo, embora amiúde tenha se rebelado, é Ossë, o mestre dos mares em torno das terras dos Homens; e sua esposa é Uinen, a senhora do mar. Seu cabelo jaz espalhado por todas as águas sob os céus.

§5 Aulë tem poder pouco menor que o de Ulmo. Ele é o senhor da terra. Ele é um ferreiro e um mestre de ofícios; e sua esposa é Yavanna, a provedora dos frutos e amante de todas as coisas que crescem. Em majestade ela sucede a Varda entre as rainhas dos Valar. Ela é bela e alta; e amiúde os Elfos a chamam Palúrien, a Senhora da Vasta Terra.

§6 Os Fanturi eram irmãos, e são chamados Mandos e Lórien. Nefantur o mais velho também era chamado, o mestre das casas dos mortos e o coletor dos espíritos dos que foram assassinados. Não esquece nada e conhece todas as coisas que hão de ser, salvo apenas o que Ilúvatar ocultou, mas ele fala somente ao comando de Manwë. Ele é o sentenciador dos Valar. Vairë, a tecelã, é sua esposa, ela que tece todas as coisas que já existiram no tempo em suas tapeçarias de histórias, e os salões de Mandos, que sempre se alargam conforme as eras passam, estão revestidos delas. Olofantur o mais novo desses irmãos era também chamado, o fazedor de visões e sonhos. Seus jardins na terra dos Deuses são os mais belos de todos os lugares do mundo, e são repletos de muitos espíritos. Estë, a pálida, é sua esposa, que não caminha de dia, mas dorme em uma ilha no lago sombrio de Lórien. De lá suas fontes lavam refrigério ao povo de Valinor.

§7 O mais forte de membros, e o maior em feitos de bravura, é Tulkas, que é cognominado Poldórëa, o Valente. Ele fica desnudado em seu desporto, que é mormente a luta corpo a corpo; e não cavalga montaria alguma, pois consegue correr mais do que todas as coisas que têm pés, e é incansável.

---

* *Nota marginal ao texto:* Ilma é na língua quendiana luz das estrelas.

243

O QUENTA SILMARILLION

Seu cabelo e barba são dourados, e suas carnes, coradas; suas armas são suas mãos. Importa-se pouco com o passado ou o futuro, e não é de pouca valia como conselheiro, mas é um amigo firme. Ele tem grande amor por Fionwë, filho de Manwë. Sua esposa é Nessa, irmã de Oromë, que é ágil de membros e ligeira de pés, e dança em Valinor sobre gramados de um verde que nunca se esvai.

§8 Oromë era um senhor poderoso, e pouco abaixo de Tulkas em força, embora mais lento para a ira. Ele amava as regiões da terra, enquanto ainda eram sombrias, e deixou-as de mau grado e veio por último a Valinor; e ainda vai por vezes para o leste através das montanhas. Outrora era visto amiúde sobre os montes e nas planícies. Ele é um caçador, e ama todas as árvores; razão pela qual é chamado de Aldaron e, pelos Gnomos, de Tauros, o senhor das florestas. Cavalos e mastins são seu deleite, e suas trompas são altas nos estuários e bosques que Yavanna plantou em Valinor; mas não as sopra na Terra-média desde o desvanecer dos Elfos, a quem amava. Vana é sua esposa, a rainha das flores, que possui a beleza do céu e da terra em seu rosto e em todas suas obras; ela é a irmã mais nova de Varda e Palúrien.

§9 Mas mais poderosa do que ela é Nienna, irmã de Manwë Melko. Ela habita sozinha. A piedade está em seu coração, e a lamentação e o pranto lhe chegam; a sombra é seu reino e seu trono, oculto. Pois seus salões estão a oeste do Oeste, perto das fronteiras do Mundo e da Escuridão, e ela raramente vem a Valmar, a cidade dos Deuses, onde tudo é alegre. Vai antes aos salões de Mandos, que são mais perto e, no entanto, mais ao norte; e todos aqueles que vão para Mandos gritam a ela. Pois ela é cura feridas, e faz da dor remédio e da tristeza sabedoria. As janelas de sua casa dão para fora das Muralhas do Mundo.

§10 Por último todos nomeiam Melko. Mas os Gnomos, que mais sofreram pelos seus malefícios, não falam o seu nome, e o chamam de Morgoth, o Deus Sombrio, e Bauglir, o Opressor. Grande poder lhe foi dado por Ilúvatar, e ele era coevo de Manwë, e parte ele tinha de todos os poderes dos outros Valar; mas os voltava para usos malignos. Ele cobiçava o mundo e tudo o que havia nele, e desejava o senhorio de Manwë e os reinos de todos os Deuses; e orgulho e inveja e avidez cresciam

A ESTRADA PERDIDA E OUTROS ESCRITOS

sempre em seu coração, até que se tornou diferente de seus irmãos. A ira o consumia, e gerava violência e destruição e excessos. No gelo e no fogo estava o seu deleite. Mas a escuridão ele mais usou em todas suas obras malignas, e a tornou temerosa e um nome de pavor entre Elfos e Homens.

Comentário ao Capítulo 1

§1 Não há nada no Q acerca da Música dos Ainur; mas a nova versão daquela obra agora existia (ver nota 20 do *Ainulindalë*).

§4 Embora inserida posteriormente no texto datilografado, a nota marginal claramente está de acordo com a composição original do manuscrito ou com as alterações mais antigas. No *Lhammas* (§1), *quendiano* é o termo para todos os idiomas élficos, que tiveram origem em Oromë, como um grupo. No *Ambarkanta* (e nos diagramas associados a ele) o "ar médio" era *Ilma*, substituído do início ao fim por *Ilmen* (a forma nos escritos númenóreanos mais antigos, pp. 16–7, 20); nas *Etimologias* tanto *Ilma* como *Ilmen* aparecem, no verbete do radical GIL: "*Ilma* luz das estrelas (cf. *Ilmare*)", "*Ilmen* região acima do ar onde se encontram as estrelas".

Os filhos de Manwë e Varda não são mencionados aqui no Q: ver nota 20 do *Ainulindalë*.

§5 *Senhora da Vasta Terra* foi uma alteração feita com cuidado sobre um trecho apagado, que originalmente se lia *Seio da Terra*, como no Q.

§6 *Nurufantur* foi outra alteração inicial como aquela em §5; aqui a forma apagada era *Nefantur*, como no Q. Essa é a primeira aparição desses elementos no personagem de Mandos: o seu conhecimento do passado e do futuro, e o fato de falar somente quando ordenado por Manwë (cf. I. 115, 140). Aqui também há as primeiras caracterizações de Vairë e de Estë, que nos AV são apenas nomes.

§7 Essa descrição de Tulkas, que aparece agora pela primeira vez, foi em grande parte mantida na forma definitiva desse capítulo, o *Valaquenta*, que como o *Ainulindalë* tornou-se um elemento separado e distinto na obra como um todo (ver *O Silmarillion*, pp. 55–6); mas seu grande amor por Fionwë não é mencionado lá. — O fraseado original no manuscrito era *Ele tinha grande amor por Fionwë*; ver as observações sobre tempos verbais no final deste comentário.

245

O QUENTA SILMARILLION

§9 Nos AV, Nienna havia se tornado a irmã de Manwë e Melko, como ainda é aqui; no *Valaquenta* (p. 55) ela é "irmã dos Fëanturi".

A passagem que começa com "Pois seus salões estão a oeste do Oeste" até o fim do parágrafo, que não está presente no Q, foi mantida no *Valaquenta*. Nos *Contos Perdidos*, o salão de Vefántur e Fui Nienna ficava "sob as raízes das mais frias e setentrionais Montanhas de Valinor" (I. 98). Não compreendo com exatidão a afirmação de que as janelas da casa de Nienna "dão para fora das Muralhas do Mundo"; pois se a casa dela fica no extremo Oeste de Valinor, suas janelas sem dúvida devem dar para o Abismo de Ilmen e através de Vaiya *até* as Muralhas do Mundo (ver o diagrama e o mapa IV do *Ambarkanta*, 287, 293, e cf. QS §12). Porém, uma interpretação, admito que um tanto forçada, poderia ser de que das janelas da casa dela a vista passa desimpedida por Ilmen e Vaiya, e as invisíveis Muralhas do Mundo, e nesse sentido "dão para fora das Muralhas".

§10 No Q Bauglir é traduzido como "Terrível". No *Silmarillion* publicado, o nome não é interpretado no texto; no Índice Remissivo o traduzi como "Opressor", tal como aqui. Nas *Etimologias*, radical MBAW, é traduzido como "tirano, opressor".

Presente e Pretérito no Capítulo 1

No Q o pretérito é usado no decorrer do relato dos Valar, mas com exceções nos casos de Ossë, Uinen e Nienna. Esses tempos presentes provavelmente não teriam ocorrido se meu pai não estivesse impondo o pretérito sobre conceitos que na verdade não eram tão definidos. Na seção de abertura do AV 1 há uma mistura de presente e pretérito que foi levemente aumentada na do AV 2. No QS é usado o presente, com pouquíssimas exceções, e dessas "Manwë e Melko *eram* irmãos" e "Os Fanturi *eram* irmãos" provavelmente foram escritas de modo proposital (isto é, eles eram irmãos "no pensamento de Ilúvatar"). Tulkas "*tinha* grande amor por Fionwë" foi corrigida de início (§7); e apenas "Oromë *era* um senhor poderoso" permanece — uma repetição da oração no Q. — Em §2, o manuscrito possui "os Elfos *davam* o nome de Valar"; o texto datilografado possui *dão*.

2. DE VALINOR E AS DUAS ÁRVORES

§11 No princípio da soberania dos Valar, eles viram que o Mundo era escuro, e que a luz foi espalhada pelos ares e terras e mares. Fizeram, portanto, duas poderosas lamparinas para iluminar o Mundo, e as puseram sobre pilares elevados no Sul e no Norte da Terra-média. Mas a maioria dos Valar habitou numa ilha nos mares enquanto labutavam em suas primeiras tarefas no ordenamento do Mundo. E Morgoth os desafiou, e fez guerra. Ele derrubou as lamparinas, e na confusão de escuridão agitou os mares contra a ilha deles.

§12 Então os Deuses se retiraram para o Oeste, onde desde então seus assentos têm estado; mas Morgoth escapou da ira deles, e no Norte ele construiu para si próprio uma fortaleza, e escavou grandes cavernas sob a terra.* Naquele tempo os Valar não podiam sobrepujá-lo ou capturá-lo. Portanto, eles fizeram seu lar no extremo Oeste, e o fortificaram, e construíram muitas mansões naquela terra nas fronteiras do Mundo que é chamada Valinor. Ela faz divisa no lado de cá com o Grande Mar, e no lado de lá com o Mar de Fora, que os Elfos chamam de Vaiya; e além dele as Muralhas do Mundo a separam do Vazio e da Escuridão Antiga. A leste das costas do mar de dentro os Valar ergueram as montanhas de Valinor, que são as mais altas sobre a terra.

§13 Naquela terra eles reuniram toda luz e todas as coisas belas, e lá ficam suas casas, seus jardins e suas torres. Em meio à planície além das montanhas ficava a cidade dos Deuses, Valmar, a bela, de muitos sinos. Mas Manwë e Varda tinham salões sobre a mais elevada das montanhas de Valinor, de onde podiam ver a terra, mesmo até o Leste longínquo. Taniquetil é o nome dado pelos Elfos àquela montanha sacra; e Oiolossë, Brancura Sempiterna, Elerína, Coroada de Estrelas; e muitos nomes outros. E os Gnomos falavam dela em sua língua tardia como Amon Uilos; e no idioma desta ilha de outrora Tindbrenting era o seu nome, entre aqueles poucos que já a avistaram ao longe.

§14 Em Valinor, Yavanna consagrou o teso com magna canção, e Nienna o aguou com lágrimas. Naquela hora, os Deuses

---

* *Nota marginal ao texto:* Melko constrói Utumno.

estavam reunidos, e se sentaram em silêncio em seus tronos de conselho no Círculo do Julgamento perto dos portões dourados de Valmar, a Abençoada; e Yavanna Palúrien cantou diante deles, e eles observaram.

§15 De terra ergueram-se duas mudas esguias; e havia silêncio sobre todo o mundo naquela hora, nem havia qualquer outro som, salvo pelo lento cântico de Palúrien. Sob sua canção, duas belas árvores ergueram-se e cresceram. De todas as coisas que os Deuses fizeram elas tinham maior renome, e à volta da sina delas todas as histórias dos Eldar estão tecidas. Uma tinha folhas de um verde-escuro, que debaixo era como prata brilhante; e ela portava flores brancas como a cerejeira, de onde um orvalho de luz prateada estava sempre caindo, de maneira que a terra sob a árvore estava salpicada com as escuras sombras dançantes de suas folhas e a bruxuleante radiância branca de suas flores. A outra portava folhas de um verde jovem, como a da faia cuja folhagem acabara de se abrir; suas bordas eram de um dourado cintilante. Flores amarelas pendiam de seus galhos como os botões suspensos daquelas árvores que os Homens agora chamam de Chuva--d'ouro; e daquelas flores provinham calor e uma grande luz.

§16 Silpion a primeira era chamada em Valinor, e Telperion e Ninquelótë e muitos outros nomes, em canção; mas os Gnomos a chamam de Galathilion. Laurelin a outra era chamada, e Kulúrien e Malinalda, e muitos outros nomes; mas os Gnomos a chamam de Galadlóriel.*

§17 Durante sete horas a glória de cada árvore crescia ao máximo e decrescia de novo a nada; e cada uma despertava de novo para a vida uma hora antes que a outra cessasse de brilhar. Assim, em Valinor, duas vezes a cada dia vinha uma hora gentil de luz mais suave, quando ambas as Árvores tinham

---

* *Nota de rodapé ao texto:* Outros nomes de Silpion entre os Gnomos são Silivros, chuva reluzente (que em forma élfica é Silmerossë), Nimloth, flor pálida, Celeborn, árvore de prata; e a imagem que Turgon fez dela em Gondolin era chamada Belthil, radiância divina. Outros nomes de Laurelin entre os Gnomos são Glewellin (que é o mesmo que Laurelin, canção de ouro), Lhasgalen, verde de folha, Melthinorn, árvore de ouro; e sua imagem em Gondolin era chamada Glingal, chama balouçante.

A ESTRADA PERDIDA E OUTROS ESCRITOS

luz tênue, e seus raios dourados e prateados se mesclavam. Silpion era a mais velha das Árvores e chegou primeiro à estatura máxima e a florescer; e aquela primeira hora em que ela brilhou sozinha, o branco faiscar de uma aurora prateada, os Deuses não incluíram no conto das horas, mas a chamaram de Hora Inicial, e contaram, a partir dela, as eras de seu reinado em Valinor. Portanto, na hora sexta do Primeiro Dia, e de todos os dias jubilosos desde então, até o Obscurecer, Silpion concluiu seu tempo de florescer; e, na décima segunda hora, Laurelin, o seu desabrochar. E cada dia dos Deuses em Valinor continha, portanto, doze horas e terminava com o segundo mesclar das luzes, no qual Laurelin estava decrescente, mas Silpion estava crescente.

Comentário ao Capítulo 2

§12 A nota marginal, com Utumno (e não Angband) como o nome da fortaleza original de Melko como no *Ambarkanta* e no AV 2, é um acréscimo inicial, visto que em §§62, 105 *Utumno* é uma alteração inicial a partir de *Utumna*, enquanto esse não é o caso na nota.

§13 O manuscrito possui "era o nome dado... àquela montanha sacra", mas o texto datilografado, "é o nome dado"; cf. a nota acerca dos tempos verbais no comentário ao Capítulo 1. Em §16, os dois textos possuem "os Gnomos a chamam".

Elerína é uma alteração feita no texto datilografado, que possuía *Tinwerína*, mas pertence ao período inicial (1938): ver p. 237. Os nomes *Oiolossë*, *Tinwerína* e *Amon Uilos* são substituições inseridas sobre palavras apagadas, sendo que os nomes apagados eram aqueles encontrados no Q (IV. 99), *Ialassë* (ou talvez antes *Iolossë*, ver as *Etimologias*, radical EY), *Tinwenairin* e *Amon-Uilas*.

§16 *Nomes das Árvores.* Essa é a primeira ocorrência nos textos de *Telperion*, assim como de *Ninquelótë*, *Kulúrien* e *Malinalda*. Os nomes *Galathilion* e *Galadlóriel* são substituições inseridas sobre nomes apagados — isto é, de *Bansil* e *Glingol*, como no Q, ou de *Belthil* e *Glingal*, como na nota de rodapé.

A nota de rodapé foi quase certamente acrescentada na mesma época que essas alterações. Nessa nota, *Silmerossë* é chamada de a forma "élfica", como que distinta da gnômica *Silivros*; posteriormente no QS (§25), a frase "Os Lindar... que por vezes são os únicos chamados de Elfos" foi preservada do Q (IV. 102), embora tenha sido riscada e não apareça no texto datilografado; por outro lado, na presente nota essa antiga distinção entre "élfico" e "gnômico" foi mantida no texto datilografado.

Nimloth, que agora aparece pela primeira vez, posteriormente se tornou o nome da Árvore Branca de Númenor, uma muda da Árvore Branca de Tol-eressëa. *Celeborn*, também aparecendo agora pela primeira vez, foi posteriormente a Árvore de Tol--eressëa, derivada da Árvore de Tirion. Com *Lhasgalen* "verde de folha" cf. *Eryn Lasgalen* "Floresta das Verdefolhas", nome de Trevamata após a Guerra do Anel (*O Senhor dos Anéis*, Apêndice B, III. 1556).

Belthil e *Glingal* aparecem como emendas tardias de *Bansil* e *Glingol* em ambas as "Baladas de Beleriand" (III. 99–100, 233), onde são os nomes das Árvores de Valinor. A associação específica desses nomes (em suas formas mais antigas) com as Árvores de Gondolin remonta ao antigo conto de *A Queda de Gondolin*, onde, no entanto, essas Árvores não eram imagens, mas sim mudas das Árvores de Valinor; mas no Q (e no QS antes das alterações de *Galathilion* e *Galadlóriel*) eram os nomes gnômicos de Silpion e Laurelin. A presente nota é a primeira indicação de que as Árvores de Gondolin eram *imagens* feitas por Turgon.

§17 No final do capítulo no manuscrito há uma forma simplificada da tabela dos períodos das Árvores apresentada no Q (IV. 101).

3. (a)DA VINDA DOS ELFOS

[No manuscrito do QS, o terceiro capítulo ("Da Vinda dos Elfos") estende-se pelos Capítulos 3, 4 ("De Thingol e Melian") e 5 ("De Eldamar e dos Príncipes dos Eldalië") da obra publicada, embora haja um subtítulo "Thingol". No texto datilografado há dois intervalos enfáticos e subtítulos, "De Thingol" e "De Kôr e Alqualondë" (que se tornou "De Eldamar e dos Príncipes dos Eldalië"), mas eles não possuem números de capítulos; e após "De Kôr e Alqualondë" o texto datilografado termina. É conveniente tratar a três partes aqui como capítulos separados, numerando-as 3 (a), 3 (b) e 3 (c).]

§18 Durante todo esse tempo, desde que Morgoth derrubara as lamparinas, a Terra-média a leste das Montanhas de Valinor permanecia sem luz. Enquanto as lamparinas estavam brilhando, começara lá um crescimento que então tinha se detido, porque tudo estava de novo escuro. Mas as coisas vivas mais antigas já tinham surgido: no mar as grandes algas, e na terra a sombra de árvores escuras. E sob as árvores pequenos seres tímidos e silenciosos andavam, e nos vales dos montes trajados de noite havia criaturas escuras, antigas e fortes. Em tais terras e florestas Oromë amiúde caçava; e para lá também por vezes ia Yavanna, cantando pesarosa; pois se afligia com a escuridão da Terra-média e se descontentava por ela ter sido abandonada. Mas os outros Valar pouco iam para lá; e no Norte Morgoth se fortaleceu, e congregou seus demônios à sua volta. Essas foram as primeiras de suas criaturas a serem feitas: seus corações eram de fogo, e tinham açoites de chama. Os Gnomos em dias que vieram depois os chamaram de Balrogs. Mas naquele tempo Morgoth fez muitos monstros de tipos e formas várias que por muito atormentaram o mundo; contudo, os Orques só foram feitos depois de ele ter contemplado os Elfos, e ele os fez em zombaria dos Filhos de Ilúvatar. Seu reino se espalhava então cada vez mais para o sul pela Terra-média.

§19 Varda olhou para a escuridão, e se comoveu. Portanto, ela tomou os orvalhos prateados que pingavam de Silpion e eram acumulados em Valinor, e com eles fez as estrelas. E por essa razão ela é chamada de Tintallë, a Inflamadora-das--estrelas, e Elentári, Rainha das Estrelas. Ela salpicou os céus às escuras com esses vasos brilhantes, cheios de chama prateada; mas alto no Norte, como um desafio a Morgoth, ela dispôs a coroa de sete estrelas magnas a girar, o emblema dos Deuses, e o sinal da sina. Por muitos nomes elas foram chamadas; mas, nos dias de antanho do Norte, tanto Elfos como Homens as chamavam de Urze Ardente, e alguns de Foice dos Deuses.

§20 Conta-se que, com a abertura das primeiras estrelas, os filhos da terra despertaram, os Filhos Mais Velhos de Ilúvatar. A si próprios chamavam de Quendi, a quem chamamos de Elfos; mas Oromë os chamou de Eldar, Povo-das-estrelas, e esse nome desde então foi usado por todos aqueles que o seguiram na estrada para o oeste. No princípio, eles eram maiores e mais fortes do que se tornaram desde então; mas não mais belos, pois, embora a beleza dos Eldar nos dias de sua juventude estivesse além de toda outra beleza à qual Ilúvatar deu ser, ela não pereceu, mas vive no Oeste, e pesar e sabedoria a enriqueceram. E Oromë, contemplando os Elfos, encheu-se de amor e assombro; pois a vinda deles não estava na Música dos Ainur, e ficou oculta no pensamento secreto de Ilúvatar. Mas Oromë os encontrou por acaso ao vagar, enquanto eles habitavam ainda em silêncio às margens da lagoa iluminada pelas estrelas, Kuiviénen, Água do Despertar, no Leste da Terra-média. Por um tempo habitou entre eles, e ensinou-lhes o idioma dos Deuses, a partir do qual mais tarde eles fizeram a bela fala élfica, que era agradável nos ouvidos dos Valar. Então, velozmente Oromë cavalgou de volta através de terra e mar para Valinor, tomado pelo pensamento da beleza dos Elfos, e trouxe as novas a Valmar. E os Deuses ficaram assombrados, todos, exceto Manwë, a quem o pensamento secreto de Ilúvatar fora revelado em todas as matérias que dizem respeito a este mundo. Manwë se sentou longamente em pensamento, e por fim falou aos Valar, revelando-lhes a mente do Pai; e ordenou que retornassem então ao seu dever, que era o de governar o mundo para os Filhos de Ilúvatar, quando viessem a aparecer, cada gente em sua hora designada.

§21 Assim veio a se dar que, após longamente deliberarem, os Deuses resolveram atacar a fortaleza de Morgoth no Norte.[*] Morgoth não se esqueceu que os Elfos foram a causa de sua queda. Contudo, eles não tomaram parte nela; e pouco sabem do avanço do poder do Oeste contra o Norte no princípio de seus dias, e da guerra e do tumulto da primeira Batalha dos Deuses. Naqueles dias, a forma da Terra-média foi alterada, e partida, e os mares foram movidos. Foi Tulkas quem por fim lutou com Morgoth e o sobrepujou, e o prendeu com a corrente Angainor, e o levou como cativo; e o mundo teve paz

---

[*] *Nota marginal ao texto:* Utumno.

por uma longa era. Mas a fortaleza de Morgoth possuía muitas câmaras e cavernas escondidas com ardis no mais fundo da terra, e essas os Deuses não destruíram de todo, e muitas coisas malévolas ainda tinham ficado lá; e outras se dispersaram e fugiram para o escuro e vagaram pelos lugares ermos do mundo.

§22 Os Deuses arrastaram Morgoth de volta a Valinor de mãos e pés atados e vendado, e ele foi lançado na prisão nos grandes salões de Mandos, de onde ninguém já escapou, exceto pela vontade de Mandos e Manwë, nem Vala, nem Elfo, nem Homem. Vastos são aqueles salões e fortes, e construídos no Norte da terra de Valinor.

§23 Então os Quendi, o povo dos Elfos, foram convocados pelos Deuses a Valinor, pois os Valar estavam cheios de amor pela beleza deles, e temiam por eles no mundo perigoso em meio aos enganos da penumbra estrelada; mas os Deuses ainda mantinham a luz viva em Valinor. Nisso muitos viram a causa de tristezas que depois se deram, julgando que os Valar erraram, e se desviaram do propósito de Ilúvatar, ainda que com boas intenções. No entanto, tal era o destino do Mundo, que no fim não pode ser contrário ao desígnio de Ilúvatar. Ainda assim, os Elfos estavam, a princípio, avessos a dar ouvidos à convocação; donde Oromë foi enviado a eles, e escolheu de seu meio três embaixadores, e os levou a Valmar. Esses eram Ingwë e Finwë e Elwë, que depois foram reis das Três Gentes dos Eldar; e, chegando, ficaram cheios de assombro com a glória e majestade dos Valar, e desejaram a luz e o esplendor de Valinor. Então eles retornaram e aconselharam os Elfos a partir para o Oeste, e a maior parte do povo obedeceu o conselho. Isso eles fizeram de sua própria livre vontade, e, ainda assim, foram influenciados pelo poder dos Deuses, antes de sua sabedoria ter amadurecido. Os Elfos que obedeceram a convocação e seguiram os três príncipes são chamados Eldar, pelo nome que Oromë lhes deu; pois ele foi seu guia, e os conduziu por fim (salvo alguns que se desgarraram da marcha) até Valinor. Contudo, havia muitos que preferiam a luz das estrelas e os amplos espaços da terra ao rumor da glória das Árvores, e ficaram para trás; e esses são chamados Avari, os Indesejosos.

O QUENTA SILMARILLION

§24 Os Eldar prepararam então uma grande marcha a partir de seus primeiros lares no Leste. Quando tudo estava pronto, Oromë cavalgou à frente deles em seu cavalo branco com ferraduras de ouro; e atrás dele os Eldalië se arranjaram em três hostes.

§25 Os primeiros a tomar a estrada eram liderados por Ingwë, o mais alto senhor de toda a raça élfica. Ele adentrou Valinor, e se sentou aos pés dos Poderes, e todos os Elfos reverenciaram seu nome; mas nunca mais retornou, nem viu de novo a Terra-média. Os Lindar eram o seu povo, os mais belos dos Quendi; eles são os Altos Elfos, e os bem-amados de Manwë e Varda, e poucos entre os Homens já falaram com eles.

§26 Depois vieram os Noldor. Gnomos podemos chamá-los, um nome de sabedoria; eles são os Elfos Profundos, e os amigos de Aulë. Seu senhor era Finwë, mais sábio de todos os filhos do mundo. Sua gente tem renome nas canções, e sobre ela estes contos têm muito a contar, pois lutaram e labutaram muito e sofridamente nas terras do norte de antanho.

§27 Em terceiro vieram os Teleri, pois se demoraram, e não tinham todos a intenção de abandonar a penumbra; eles são os Elfos do Mar, e os Soloneldi foram depois chamados em Valinor, pois faziam música à beira das ondas que se quebravam. Elwë era seu senhor, e seu cabelo era longo e branco.

§28 Os últimos dos Noldor abandonaram a hoste de Finwë, arrependendo-se da marcha, e voltaram-se para o sul, e vagaram por muito tempo, e se tornaram um povo à parte, diferente de seus irmãos. Eles não são contados entre os Eldar, nem ainda entre os Avari. Pereldar eles são chamados na língua dos Elfos de Valinor, que significa Meio-eldar. Mas em sua própria língua eles eram chamados Danas, pois seu primeiro líder chamava-se Dân. Seu filho era Denethor, que os liderou Beleriand adentro antes do surgir da Lua.

§29 E muitos outros dos Eldar que partiram na marcha se perderam na longa estrada, e eles vagaram nas florestas e nas montanhas do mundo e jamais chegaram a Valinor, nem viram a luz das Duas Árvores. Portanto são chamados de Lembi, que significa Os Que Se Demoram. E os Lembi e os Pereldar são chamados também de Ilkorindi, pois embora tenham iniciado a jornada, eles jamais habitaram em Kôr, a cidade

254

A ESTRADA PERDIDA E OUTROS ESCRITOS

que os Elfos depois construíram na terra dos Deuses; mas seus corações se voltavam para o Oeste. Mas os Ilkorindi e os Avari são chamados de Elfos Escuros, pois jamais contemplaram a luz das Duas Árvores antes que fosse obscurecida; enquanto os Lindar e os Noldor e os Teleri são chamados de Elfos da Luz, e lembram-se da luz que não mais existe.[*]

§30 Os Lembi eram, na maior parte, da raça dos Teleri, e os principais dentre esses eram os Elfos de Beleriand, no Oeste da Terra-média. Mais renomado entre eles era aquele Elfo que primeiro era chamado Sindo, o Cinzento, irmão de Elwë, mas agora é chamado Thingol no idioma de Doriath.

Comentário ao Capítulo 3 (a)

[Os nomes das divisões dos Elfos passaram por alterações extremamente complicadas no manuscrito do QS até alcançarem a forma no texto datilografado aqui impresso, uma vez que os mesmos nomes foram movidos para referências diferentes e receberam diferentes significados. Não faço referência aos nomes originais nas notas abaixo, visto que as alterações individuais seriam extremamente difíceis de serem acompanhadas mesmo que apresentadas aos poucos, mas avento uma explicação na nota geral no final deste comentário.]

§18 O texto original da passagem acerca dos demônios de Morgoth dizia o seguinte:

> ... no Norte Morgoth se fortaleceu, e congregou suas raças demoníacas à sua volta, as quais os Gnomos mais tarde

---

[*] *Nota de rodapé ao texto:* Outros nomes em canção e conto são dados a esses povos. Os Lindar são os Elfos Abençoados, e os Elfos-da-lança, e os Elfos do Ar, os Amigos dos Deuses, os Elfos Sacros, e os Imortais, e os Filhos de Ingwë; eles são o Belo Povo e os Brancos. Os Noldor são os Sábios e os Dourados, os Valentes, os Elfos-da-espada, os Elfos da Terra, os Inimigos de Melko, Os de Mãos Hábeis, os Amantes das Joias, os Companheiros dos Homens, os Seguidores de Finwë. Os Teleri são os Ginetes-d'Ondas, Músicos da Costa, os Livres, os Errantes, e os Elfos do Mar, os Marinheiros, os Elfos-da-flecha, Amigos-dos-navios, os Senhores das Gaivotas, os Elfos Azuis, os Coletores-de-pérolas, e o Povo de Elwë. Os Danas são os Elfos das Florestas, os Elfos Ocultos, os Elfos Verdes, os Elfos dos Sete Rios, os Amantes de Lúthien, o Povo Perdido de Ossiriand, pois eles não mais existem.

O QUENTA SILMARILLION

conheceram como Balrogs: eles tinham açoites de chama. Os Úvanimor ele fez, monstros de tipos e formas várias; mas os Orques só foram feitos depois de ele ter contemplado os Elfos.

O termo Úvanimor ocorre nos *Contos Perdidos* (I. 96 ("monstros, gigantes e ogros"), etc.; cf. *Vanimor* "os Belos", pp. 134–35. — Quanto à questão de quando os Orques passaram a existir, ver p. 176 e comentário a QS §62. É dito em *A Queda de Númenor* II (§1) que os Orques são "arremedos das criaturas de Ilúvatar" (cf. também *A Estrada Perdida*, p. 81). Em QS §62, a ideia de que os Orques eram arremedos dos Elfos encontra-se no texto como escrito originalmente.

§19 *Elentári* foi alterada no texto datilografado a partir de *Tinwerontar*, mas a mudança pertence ao período inicial, como *Elerína* > *Tinwerína* em §13; ver p. 237. — *Tintallë* "a Inflamadora" encontra-se em *O Silmarillion* (p. 79) — e em *O Senhor dos Anéis* —, mas lá é o nome de Varda "desde as profundezas do tempo": o nome "Rainha das Estrelas" (*Elentári*) foi dado em referência à segunda feitura das estrelas, na época do despertar dos Elfos. Essa segunda feitura das estrelas de *O Silmarillion* ainda era no QS, como no AV 2 (anal 1900), a primeira.

§20 A frase que começa com "mas Oromë os chamou de Eldar, Povo-das-estrelas…" é uma nota de rodapé no manuscrito, um acréscimo muito inicial; na versão datilografada ela foi inserida no texto em si. Ver a nota sobre os nomes no final deste comentário.

O parágrafo inteiro, desde as palavras "mas não mais belos", foi estendido e alterado demais na primeira reescrita para que seja possível apresentar o texto impresso. Como originalmente escrito, ele era quase uma repetição exata do Q (IV. 102):

… porém não mais belos. Oromë foi quem os encontrou, habitando à beira do lago iluminado pelas estrelas, Kuiviénen, Água do Despertar, no Leste da Terra-média. Velozmente cavalgou de volta à Valinor, tomado pelo pensamento da beleza deles. Quando os Valar ouviram as novas, eles ponderaram longamente e recordam seu dever. Pois eles entraram no mundo sabendo que sua função era governá-lo para os Filhos de Ilúvatar, que deveriam vir depois, cada qual no tempo designado.

A ESTRADA PERDIDA E OUTROS ESCRITOS

Além da afirmação na reescrita de que Oromë ensinou aos Elfos "o idioma dos Deuses" (ver o *Lhammas*, §1), a nova passagem introduz um desenvolvimento extraordinário no conceito do *Ainulindalë*: a vinda dos Filhos de Ilúvatar *não estava na Música dos Ainur*, os Valar ficaram assombrados com as novas trazidas por Oromë, e Manwë então lhes revelou a mente de Ilúvatar. O que no texto original era seu dever conhecido ("Pois eles entraram no mundo sabendo que sua função era governá-lo para os Filhos de Ilúvatar") é agora (aparentemente) apresentado a eles como um dever de fato, mas um que até então desconheciam. Na versão do *Ainulindalë* desse período (p. 191) é dito:

> Pois Elfos e Homens foram concebidos apenas por Ilúvatar, nem, visto que não compreenderam completamente aquela parte do tema quando lhes fora proposta, algum dos Ainur ousou em sua música acrescentar qualquer coisa à feição deles.

Nas versões tardias pós-*Senhor dos Anéis*, embora o conceito seja mudado e seja introduzida a ideia da Visão vista pelos Ainur antes do ato da Criação, está explícito que os Filhos de Ilúvatar "vieram com o Terceiro Tema" da Música, e que os Ainur viram na Visão o surgimento dos Elfos e dos Homens.

§21 Como escrito originalmente, o QS possuía "simetria" no lugar de "forma", evidenciando que meu pai tinha em mente a passagem no *Ambarkanta*: "Mas a simetria da antiga Terra foi mudada e despedaçada na primeira Batalha dos Deuses" (IV. 284 e o mapa, IV. 295).

§23 A passagem desde "Nisso muitos viram a causa de tristezas que depois se deram" é um acréscimo ao texto original, que possuía simplesmente "Oromë levou os embaixadores até Valmar". Aqui a história dos três embaixadores, curiosamente ausente do Esb e do Q (IV. 190–91), ressurge dos *Contos Perdidos* (I. 145–47); e a indicação, que aparece pela primeira vez na reescrita do QS, de que os Valar erraram ao convocar os Elfos também é insinuada no antigo conto: "Talvez, de fato, se os Deuses tivessem decidido diferente, o mundo seria agora um lugar mais bonito, e os Eldar, um povo mais feliz" (I. 147).

Elwë aqui, de maneira confusa, *não é* Thingol, cujo nome em quenya é *Elwë* em *O Silmarillion*. Nos *Contos Perdidos*, Tinwelint

O QUENTA SILMARILLION

(Thingol) era um dos três embaixadores; mas o líder da Terceira Gente na Grande Marcha (após a perda de Tinwelint) era "um certo Ellu" (I. 150). No QS, Thingol *não era* um dos embaixadores, e jamais foi a Valinor; o embaixador e líder da Terceira Hoste era Elwë (que, no entanto, era o irmão de Thingol). Em *O Silmarillion*, Thingol (Elwë Singollo) era mais uma vez um dos embaixadores, enquanto o líder da Terceira Hoste (após a perda de Thingol) era seu irmão Olwë — um retorno, portanto, aos *Contos Perdidos*, com o acréscimo de que os dois eram irmãos.

O texto original da passagem após "Esses eram Ingwë e Finwë e Elwë, que depois foram reis das Três Gentes dos Eldar" dizia o seguinte:

> E ao retornarem eles aconselharam que os Elfos deviam partir para o Oeste. Isso eles fizeram de sua própria livre vontade, e, ainda assim, em reverência ao poder e majestade dos Deuses. A maioria dos Elfos obedeceu a convocação, e esses são os que mais tarde chegaram a Valinor (salvo alguns que se desgarraram), e são chamados Eldar, Os Que Partem.

Essa explicação do nome *Eldar* é a mesma que se encontra no *Lhammas* (§2 e comentário), e nas duas obras ela foi superada pela tradução "Povo-das-estrelas", o nome dado por Oromë: ver §20 acima e a nota sobre nomes no final deste comentário.

§25 Após "Os Lindar eram o seu povo, os mais belos dos Quendi", o texto original acrescentava: "que por vezes são os únicos chamados de Elfos"; ver o comentário a §16.

Altos Elfos: O Q possui aqui "Elfos-da-luz"; subsequentemente (IV. 107, nota 6) "Elfos-da-luz" foi emendado para "Altos-elfos", e esse por sua vez para "Belos-elfos". O termo "Elfos da Luz" foi agora empregado de maneira diferente: ver §29, e p. 233.

§27 Essa é a primeira aparição da ideia de que os Teleri foram os últimos das Três Gentes porque "se demoraram, e não tinham todos a intenção de abandonar a penumbra". No *Lhammas* (§2) eles foram os últimos porque foram "os últimos a despertar".

§28 No lugar de "Pereldar eles são chamados na língua dos Elfos de Valinor, que significa Meio-eldar", a frase original era a seguinte: "Nenhum nome tinham na língua de Valinor". Ver a nota sobre os nomes abaixo.

258

A ESTRADA PERDIDA E OUTROS ESCRITOS

§29 As palavras "eles jamais habitaram em Kôr, a cidade que os Elfos depois construíram" são uma reversão ao significado original do nome, o que é ainda miais intrigante tendo em vista §39: "No topo do monte de Kôr a cidade dos Elfos foi construída, as muralhas e terraços alvos de Tûn [> Túna]". De modo similar, em *Lhammas* §11 as palavras "em Kôr" contradizem a referência em §5 a Kôr como o monte sobre o qual Tûn [> Túna] foi construída.

§30 Também é dito no *Lhammas* (§2) que os Lembi eram na maior parte da raça teleriana, mas o significado lá não é precisamente o mesmo, uma vez que no *Lhammas* o nome *Lembi* ainda significava os Elfos que jamais partiram das terras onde despertaram. — Quanto a *Sindo, o Cinzento*, ver o comentário a *Lhammas* §6.

Nota sobre os nomes das divisões dos Elfos

Várias das mudanças mencionadas abaixo são encontradas na lista de alterações propostas datada de 20 de novembro de 1937 (p. 236).

Tal como este capítulo foi originalmente escrito, a classificação era a seguinte:

(§23) *Eldar* "Os Que Partem", em oposição a *Lembi* "Os Que Se Demoram", aqueles que ficaram para trás. (Essa é a mesma formulação como a em *Lhammas* §2, antes da emenda.)

(§28) Aqueles dos Noldor que se arrependeram da jornada e se voltaram para o sul, os *Danas*, não são contados como *Eldar* nem *Lembi*. (Isso está de acordo com a afirmação em *Lhammas* §7 (mas não com aquela em §2: quanto aos pontos de vista contraditórios, ver p. 222 e o *Lammasethen*, pp. 229–31).

(§29) Aqueles dos Eldar que partiram, mas "se perderam na longa estrada" e jamais chegaram a Kôr são chamados *Ilkorindi*. (Isso está de acordo com *Lhammas* §2, exceto pelo fato de que lá os Danas são incluídos entre os Ilkorindi.)

As alterações iniciais no manuscrito do QS então inseriram as ideias de que *Eldar* significava "Povo-das-estrelas" e era um nome dado a todos os Elfos por Oromë, mas também que esse nome era "usado por todos aqueles que o seguiram na estrada para o oeste". Também foi introduzida a distinção de que aqueles que de fato cruzaram o Mar eram chamados de *Avari*, "Os Que Partem".

O QUENTA SILMARILLION

Essa nova formulação também foi inserida em *Lhammas* §2 (ver o comentário), sem dúvida na mesma época.

A terceira camada de alterações iniciais nessa passagem no manuscrito do QS, que fornecem o texto impresso, não está representada no *Lhammas*. Essas são as alterações mencionadas nas notas datadas de 20 de novembro de 1937. *Avari* foi alterado para significar "os Indesejosos", e substituiu *Lembi* como o nome para aqueles que ficaram para trás no Leste (§23); os Danas receberam o nome "na língua de Valinor" de *Pereldar* "Meio-eldar" (§28);* *Lembi* foi agora dado aos Eldar que se perderam na estrada e jamais chegaram a Kôr (§29); e embora o nome *Ilkorindi* tenha sido mantido (uma alternativa a *Lembi*), ele agora incluía também os Danas (*Pereldar*) (§29) — nesse ponto estando de acordo com *Lhammas* §2. Assim (em contraste com a tabela na p. 215):

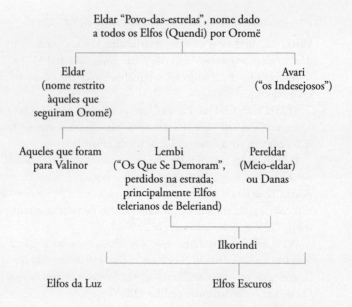

---

* Em *O Senhor dos Anéis*, a forma sindarin *Peredhil* possui uma aplicação completamente diferente: "Os filhos de Eärendil eram Elros e Elrond, os *Peredhil* ou Meio-Elfos", Apêndice A I (i). Um nome mais antigo era *Peringol, Peringiul*: ver o comentário ao AB 2, anal 325.

A ESTRADA PERDIDA E OUTROS ESCRITOS

3. (b)DE THINGOL

§31 Por estar razão Thingol habitou em Beleriand e não foi a Valinor. Melian era uma fata, da raça dos Valar. Habitava os jardins de Lórien e, entre todo o belo povo dele, não havia ninguém mais bela do que ela, nem mais sábia, nem mais hábil em canções de magia e encantamento. Diz-se que os Deuses abandonavam seus afazeres, e as aves de Valinor, seu júbilo, que os sinos de Valmar silenciavam e as fontes paravam de fluir quando, ao mesclar da luz, Melian cantava nos jardins do Deus dos sonhos. Rouxinóis a acompanhavam sempre, e ela lhes ensinou o seu cantar. Ela amava a sombra profunda, mas era aparentada, antes que o Mundo fosse feito, à própria Yavanna, e vagou de Valinor em longas jornadas às Terras de Cá, e ali encheu o silêncio da terra que raiava com sua voz e com as vozes de suas aves.

§32 Thingol ouviu a canção dos rouxinóis de Melian e um feitiço foi lançado sobre ele, e ele abandonou o seu povo, e se perdeu, seguindo as vozes dos pássaros em meio as sombras das árvores. Mas chegou por fim a uma clareira aberta às estrelas; e lá Melian estava, e a luz de Valinor estava em seu rosto. Nada ela disse, mas, estando cheio de amor, Thingol veio até ela e tomou sua mão, e ele foi lançado em um grande sonho e longo torpor, e seu povo o buscou em vão.

§33 Nos dias que vieram depois, Melian e Thingol se tornaram Rainha e Rei dos Elfos de Doriath, e seus salões ocultos ficavam em Menegroth, as Mil Cavernas. Assim Thingol nunca atravessou o mar rumo a Valinor, e Melian não retornou para lá enquanto o reino dos dois durou; e dela uma linhagem da raça imortal dos Deuses veio tanto a Elfos como a Homens, como depois há de ser contado.

3. (c)DE KÔR E ALQUALONDË

[A relação entre o texto manuscrito e o datilografado aqui se torna bastante diferente, pois o manuscrito (no qual este não é um capítulo separado, nem de algum modo destacado do que vem antes, ver p. 250) praticamente não foi emendado, enquanto o texto datilografado, já como escrito, possui uma grande quantidade de alterações a partir daquele. A explicação presumivelmente é de que

O QUENTA SILMARILLION

nesse caso meu pai fez as alterações a partir do manuscrito conforme datilografava sem escrevê-las a lápis primeiro no manuscrito. Na verdade, não há muita coisa no segundo texto que altere seriamente a narrativa ou a nomenclatura do primeiro, embora certos novos elementos sejam inseridos. Como feito até agora, sigo o texto datilografado e registro diferenças significativas do manuscrito no comentário. Com *De Kôr e Alqualondë*, o texto datilografado chega ao fim.

§34 Afinal as hostes dos Eldar chegaram às últimas costas do oeste das Terras de Cá. No Norte, essas costas, nos dias antigos depois da Batalha dos Deuses, inclinavam-se sempre no rumo oeste, até que, nas partes do extremo norte da terra, só um mar estreito dividia a Terra de Fora, sobre a qual Valinor estava construída, das Terras de Cá; mas esse mar estreito estava repleto de gelo pungente, por causa da violência das geadas de Melko. Portanto, Oromë não levou as hostes dos Eldar para o Norte distante, mas as trouxe para as belas terras em volta do Rio Sirion, que mais tarde receberam o nome de Beleriand; e dessas costas, de onde pela primeira vez as hostes dos Eldar olharam em medo e assombro para o mar, estendia-se um oceano, largo e escuro e profundo, entre eles e as Montanhas de Valinor.

§35 Ali aguardaram e contemplaras as ondas escuras. Mas Ulmo veio dos Valar; e desenraizou a ilha parcialmente submersa, na qual os Deuses haviam habitado nos primórdios, mas que então por muito tempo estivera sozinha em meio ao mar, distante de ambas as costas; e, com a ajuda de seus serviçais, fê-la se mover, como se fosse um navio magno, e a ancorou na baía na qual o Sirion derramava suas águas.* Nela ele embarcou os Lindar e os Noldor, pois eles já haviam se reunido. Mas os Teleri ficaram para trás, por serem mais lentos e menos ávidos na marcha, e foram atrasados também pela perda de Thingol; e só chegaram depois que Ulmo havia partido.

---

* *Nota de rodapé ao texto:* E alguns dizem que a grande ilha de Balar, que em antanho jazia naquela baía, era o cabo leste da Ilha Solitária, que se quebrou em dois e parte dele ficou para trás, quando Ulmo tornou a levar aquela terra para o Oeste.

§36 Portanto, Ulmo arrastou os Lindar e os Noldor através do mar até as longas costas sob as Montanhas de Valinor, e eles adentraram a terra dos Deuses, e foram admitidos à sua ventura. Mas os Teleri habitaram por muito tempo junto às costas do mar do oeste, à espera do retorno de Ulmo; e passaram a amar o som das ondas, e faziam canções repletas da música da água. Ossë os ouviu e foi até lá; e os amou, deleitando-se na música de suas vozes. Sentado numa rocha perto da margem do mar, falou a eles e os instruiu. Grande, portanto, foi a tristeza dele quando Ulmo retornou enfim para levá-los a Valinor. Alguns ele persuadiu a ficar nas praias da Terra-média, e esses eram os Elfos da Falas que, nos dias que vieram depois, tinham sua morada nos portos de Brithombar e Eglorest em Beleriand; mas a maioria dos Teleri embarcou na ilha e foi levada para longe.

§37 Ossë os seguiu e, quando tinham chegado perto do final de sua jornada, chamou por eles; e imploraram a Ulmo que se detivesse por um tempo, para que pudessem se despedir de seu amigo e olhar pela última vez para o céu estrelado. Pois a luz das Árvores, que era filtrada pelos passos dos montes, enchia-os de assombro. E Ulmo ficou irado com eles, porém atendeu o seu pedido, e os deixou por algum tempo. Então Ossë tomou a ilha e a acorrentou ao fundo do mar na parte mais distante da Baía de Casadelfos, de onde as Montanhas de Valinor podiam ser vistas apenas vagamente. E quanto Ulmo retornou a ilha não podia ser movida ou desenraizada sem perigo para os Teleri; e ela não foi movida, e permaneceu sozinha por muitas eras. Nenhuma outra terra ficava próxima a ela, que foi chamada de Tol Eressëa, ou a Ilha Solitária. Lá os Teleri habitaram por um longo tempo, e com Ossë aprenderam estranhas músicas e saber-do-mar; e ele fez as aves do mar para o deleite deles. Por essa longa estada dos Teleri apartados na Ilha Solitária foi causada a separação de sua fala do idioma dos Lindar e dos Noldor.

§38 A esses os Valar tinham dado um lar e uma morada. Mesmo entre as flores radiantes dos jardins dos Deuses iluminados pelas Árvores, eles ainda ansiavam por ver as estrelas às vezes. Portanto, uma brecha foi feita nas montanhas circundantes e lá, em um vale profundo que descia para o mar, o monte

O QUENTA SILMARILLION

verdejante de Kôr foi erigido. Do Oeste, a luz das Árvores caía sobre ele, e sua sombra jazia sempre do lado leste; e, no Leste, ele dava para a Baía de Casadelfos, para a Ilha Solitária e para os Mares Sombrios. A luz do Reino Abençoado manou, acendendo as ondas com raios de ouro e prata, e tocou a Ilha Solitária, e sua costa oeste se tornou verdejante e bela. Lá desabrocharam as primeiras flores que jamais existiram a leste das Montanhas dos Deuses.

§39 No topo do monte de Kôr a cidade dos Elfos foi construída, as muralhas e terraços alvos de Túna, e a mais alta das torres daquela cidade era a Torre de Ingwë, a Ingwemindon, cuja luz prateada iluminava ao longe as brumas do mar. Poucos são os navios de Homens mortais que viram seu lume esguio. Em Túna* habitavam os Lindar e os Noldor.

§40 Manwë e Varda amavam mormente os Lindar, os Altos Elfos, e sacros e imortais eram todos seus feitos e canções. Os Noldor, os Gnomos, eram os bem-amados de Aulë, e de Mandos, o sábio; e grandes se tornaram seu conhecimento e seu engenho. Porém ainda maior era a sede deles por mais conhecimento, e o desejo de fazer coisas maravilhosas e novas. Eram mudadiços em sua fala, pois tinham grande amor pelas palavras, e buscavam sempre achar nomes mais adequados para todas as coisas que conheciam ou imaginavam. Em Valinor, primeiro elaboraram a feitura de gemas, e as fizeram de muitos tipos e matizes em miríades incontáveis; e encheram toda Túna com elas, e os salões dos Deuses foram enriquecidos.

§41 Os Noldor, mais tarde, voltaram à Terra-média, e esta história conta principalmente os seus feitos; portanto, os nomes e a parentela de seus príncipes podem aqui ser contados naquela forma que esses nomes depois tiveram na língua dos Gnomos como era em Beleriand na Terra-média. Finwë era o Rei dos Noldor. Seus filhos eram Fëanor, Fingolfin e Finrod. Desses, Fëanor era o mais poderoso na habilidade com palavras e

---

* *Nota de rodapé ao texto:* Essa é a Cidade-do-monte. Essa cidade os Deuses chamavam de Eldamar (que é Casadelfos), e os Gnomos em sua fala tardia de Tûn ou Eledûn. Mas as regiões onde os Elfos habitavam, e de onde as estrelas podiam ser vistas, eram chamadas de Elendë ou Eldanor, que é Terradelfos. O passo através das montanhas que levava a Elendë era chamado de Kalakilya, Passo da Luz.

com as mãos, mais versado em saber que seus irmãos; em seu coração seu espírito ardia como uma chama. Fingolfin era o mais forte, o mais resoluto, e o mais valente. Finrod era o mais belo, e o mais sábio de coração. Os sete filhos de Fëanor eram Maidros, o alto; Maglor, um músico e grande cantor, cuja voz era ouvida ao longe na terra e no mar; Celegorn, o alvo, e Cranthir, o moreno; e Curufin, o matreiro, o que mais herdou a habilidade de mãos de seu pai; e os mais novos, Damrod e Díriel, que eram gêmeos semelhantes em ânimo e rosto. Mais tarde foram grandes caçadores nas matas da Terra-média. Um caçador era também Celegorn, o qual, em Valinor, foi amigo de Oromë e amiúde seguia a trompa desse grande deus.

§42 Os filhos de Fingolfin eram Fingon, que mais tarde foi o Rei dos Gnomos no Norte do mundo; e Turgon de Gondolin; e a irmã deles era Isfin, a Branca. Os filhos de Finrod eram Inglor, o fiel (que mais tarde foi chamado Felagund, Senhor de Cavernas), e Orodreth, e Angrod, e Egnor. Inglor e Orodreth eram próximos em amor, e eram amigos dos filhos de Fingolfin; mas Angrod e Egnor eram amigos dos filhos de Fëanor.

§43 Aqui há que se contar de como os Teleri vieram enfim à Valinor. Pois quase cem dos anos de Valinor, que eram cada como dez dos anos do Sol que mais tarde foram feitos, eles habitaram em Tol Eressëa. Mas lentamente seus corações se comoveram, e foram atraídos em direção à luz que manava por sobre o mar até sua ilha; e estavam divididos entre o amor pela música das ondas sobre suas praias e seu desejo de ver de novo sua gente e contemplar o esplendor dos Deuses. Porém, no fim, o desejo pela luz foi o mais forte. Portanto, Ulmo ensinou-lhes a arte da construção de navios; e Ossë, submetendo-se Ulmo, trouxe-lhes, como presente de despedida, os cisnes de asas fortes. Esses eles amarraram à frota de navios brancos, e assim foram puxados sem o auxílio dos ventos até Valinor.

§44 Lá habitaram nas longas costas de Casadelfos, e se quisessem podiam ver a luz das Árvores, e visitar as ruas doiradas de Valmar e as escadarias de cristal de Túna sobre Kôr. Mas, mais do que tudo, velejavam pelas águas da Baía de Casadelfos, ou dançavam nas ondas com seus cabelos chamejando na luz que vinha d'além da colina. Muitas joias os Noldor lhes deram, opalas e diamantes e cristais pálidos, que eles lançavam pela costa e espalhavam nas poças. Maravilhosas eram as praias de Elendë naqueles dias. E muitas pérolas ganharam para si próprios no mar, e seus salões eram de pérola, e de pérola eram as mansões de Elwë no Porto dos Cisnes, iluminado com muitas lamparinas. Pois Alqualondë, o Porto dos Cisnes, era a sua principal cidade, e o porto de seus navios; e esses eram feitos à semelhança de cisnes, brancos, e seus bicos eram de ouro com olhos de ouro e azeviche. O portão daquele ancoradouro era um arco de rocha viva escavado pelo mar; e ficava nos confins Terradelfos, ao norte do Kalakilya, que é o Passo da Luz, onde ficava o monte de Kôr.

§45 Conforme as eras decorriam, os Lindar passaram a amar a terra dos Deuses e a luz plena das Árvores, e abandonaram a cidade de Túna, e habitaram sobre a montanha de Manwë, ou à volta das planícies e matas de Valinor, e ficaram separados dos Gnomos. Mas a memória da terra sob as estrelas permanecia nos corações dos Noldor, e eles moraram no Kalakilya, e nos montes e vales onde se ouvia o som do mar do oeste; e, embora muitos deles amiúde viajassem pela terra dos Deuses, empreendendo longas jornadas em busca dos segredos de terra e água e de todas as coisas vivas, ainda assim suas relações davam-se mais com os Teleri do que com os Lindar; e as línguas de Túna e de Alqualondë se aproximaram naqueles dias. Finwë era Rei de Túna e Elwë de Alqualondë; mas Ingwë foi sempre considerado o alto-rei de todos os Elfos. Ele habitava aos pés de Manwë, em Taniquetil. Fëanor e seus filhos raro ficavam num só lugar por muito tempo. Viajavam para longe, dentro dos confins de Valinor, chegando até às fronteiras do Escuro e às costas frias do Mar de Fora, buscando o desconhecido. Com frequência eram hóspedes nos salões de Aulë; mas Celegorn ia antes à casa de Oromë, e lá obteve grande conhecimento sobre todas as aves e feras, e todas as línguas delas ele entendia. Pois todas as cousas vivas que existem ou existiram nesta terra, salvo apenas as criaturas cruéis e malignas de Melko, viviam então em Valinor; e havia muitas outras criaturas belas e estranhas que ainda não tinham sido vistas na Terra-média, e talvez agora nunca o sejam, já que a feição do Mundo foi mudada.

A ESTRADA PERDIDA E OUTROS ESCRITOS

Comentário ao Capítulo 3 (c)

§34 Não é dito na versão manuscrita onde Oromë chegou à costa do Grande Mar; mas cf. o mapa do *Ambarkanta* (IV. 293) no qual é mostrada a rota da Marcha dos Elfos (e ver IV. 302–03).

§35 O manuscrito não possui a frase "e, com a ajuda de ser serviçais...", nem a nota de rodapé. A história da origem da Ilha de Balar não havia sido contada antes.

Na última frase do parágrafo, o manuscrito possui apenas "mas os Teleri ficaram para trás e só chegaram depois que ele havia partido". Na versão datilografada entra a história de que a perda de Thingol foi uma das causas da chegada tardia dos Teleri às costas (embora essa ideia possivelmente já estivesse presente no conto original de *A Vinda dos Elfos*, I. 150); que eles, de qualquer forma, eram menos ávidos já havia sido dito antes no QS (§27).

§36 Não havia sido dito expressamente antes que os Elfos que foram persuadidos a permanecer por Ossë eram os Elfos de Brithombar e Eglorest.

§37 A história contada aqui apresenta um estágio interessante entre o Q e *O Silmarillion* (p. 93). No QS, como no Esb e no Q, a história mais antiga da ancoragem de Tol Eressëa por rebeldia de Ossë ainda existe (ver I. 150, 166; IV. 54–5); mas há agora o elemento, encontrado em *O Silmarillion*, que os Teleri, ao ouvirem Ossë chamá-los, imploraram a Ulmo para adiar a viagem, e ele assim o fez, embora no QS tenha ficado "irado com eles". Contudo, na forma final da história, não só Ulmo o fez de boa vontade como foi ele próprio que ordenou Ossë a enraizar a ilha no fundo do mar, pois ele se opunha à convocação dos Quendi a Valinor.

§39 O nome *Ingwemindon* não foi usado antes. — O nome *Tûn* no corpo do texto foi cuidadosamente alterado para *Túna* no manuscrito em ambas as ocorrências em §39 e novamente em §§40, 44 (mas não em §45: ver o comentário), e a nota de rodapé claramente pertence à mesma época. O nome *Eldamar* é agora usado para a própria cidade, enquanto os novos nomes *Elendë* e *Eldanor* são dados à região. Esse é outro caso em que meu pai alterou o *Lhammas* da mesma maneira e sem dúvida na mesma época em que alterou o QS: em §5 *Tûn* foi mudado para *Túna*, com uma nota marginal "que os Deuses chamavam de Eldamar" (quanto à história do nome, ver o comentário àquela seção).

267

O QUENTA SILMARILLION

§40 A frase acerca da mudança constante de fala entre os Noldor não está presente no manuscrito. Cf. a passagem sobre esse assunto em *Lhammas* §5.

§41 Com a frase inicial acerca da forma na qual são dados os nomes os príncipes noldorin, cf. a passagem acrescentada ao final do *Lhammas* (§11): "Os nomes dos Gnomos no *Quenta* são dados na forma noldorin tal como essa língua se tornou em Beleriand, para todos aqueles após *Finwë*, pai dos Noldor, cujo nome permanece na forma antiga". O manuscrito possui "usando-se os nomes na forma da língua gnômica conforme por muito tempo foi falada sobre a terra", como no Q (IV. 105).

No lugar de "em seu coração seu espírito ardia como uma chama", o manuscrito possui "ele tinha um coração de fogo". Cf. a interpretação tardia de *Fëanáro* como "Espírito de Fogo", *O Silmarillion*, p. 98 (nas *Etimologias*, radical PHAY, o nome é traduzido como "sol radiante"). — *Celegorn* aqui e no decorrer do QS até §141 foi uma alteração inicial no manuscrito a partir de *Celegorm*, como também no AV 2 e no AB 2. — A afirmação (não encontrada na versão manuscrita) de que Damrod e Díriel eram gêmeos agora é feita, embora seja possível que eles sempre tenham sido concebidos como tais (IV. 56).

§42 No AV 2 (anal 2993), a ideia mais antiga das alianças entre os príncipes noldorin ainda existe, com Inglor Felagund como amigo de Fingon e Turgon, filhos de Fingolfin, e seus irmãos Orodreth, Angrod e Egnor como amigos especialmente de Celegorm e Curufin. Isso foi alterado no AV 2 para a história no QS, com Orodreth ficando associado a Inglor em amizade com os filhos de Fingolfin.

§44 O manuscrito possui "muitas pérolas eles fizeram", como no Q (IV. 106). — A descrição dos navios dos Teleri não está presente no manuscrito; no texto datilografado ela ressurge dos *Contos Perdidos*, I. 155.

§45 *Tûn* não foi emendado aqui para *Túna* no manuscrito, onde há uma nota de rodapé ao texto, acrescentada sem dúvida na mesma época que aquela em §39: "Que, portanto, é chamada daqui em diante pelo seu nome na fala dos Gnomos" (isto é, porque os Lindar haviam partido).

A conclusão desse capítulo foi muito desenvolvida a partir da forma no manuscrito, que não faz menção da aproximação das

A ESTRADA PERDIDA E OUTROS ESCRITOS

línguas de Túna e Alqualondë após a partida dos Lindar (cf. o *Lhammas*, §5), nem do conhecimento de Celegorn das línguas das aves e feras, e não possui a passagem final muito curiosa acerca da existência em Valinor de todas as coisas vivas que já existiram na terra, salvo apenas as criaturas de Melko.

4. DAS SILMARILS E DO OBSCURECER DE VALINOR

[A partir deste ponto, onde a versão datilografada chega ao fim, parece quase não ter havido qualquer emenda no manuscrito até a realização da grande revisão muitos anos mais tarde. No entanto, algumas correções certamente pertencem ao período inicial, enquanto alguns pontos são duvidosos nesse aspecto.]

§46 Desse tempo em diante, quando as três gentes dos Eldar estavam reunidas enfim em Valinor, teve início o Zênite do Reino Abençoado e sua plenitude de ventura e glória, que durou muitas eras. Naquele tempo, cinco eras após a chegada dos Noldor, quando haviam se tornado plenos em conhecimento e engenho, Fëanor, filho de Finwë, começou uma labuta longa e maravilhosa; e convocou todo o seu saber, e poder, e sutil engenho; pois pretendia fazer coisas mais belas do que qualquer um dos Eldar jamais fizera, que haveria de durar além do fim de tudo. Três joias fez ele, e as chamou Silmarils. Um fogo vivente ardia dentro delas que era mesclado da luz das Duas Árvores. Por sua própria radiância elas luziam até mesmo no escuro; contudo, todas as luzes que caíam sobre elas, por mais tênues que fossem, elas apanhavam e refletiam em matizes maravilhosos, aos quais o seu próprio fogo interior conferia um encantamento insuperável. Nenhuma carne mortal, nem carne impura, podia tocá-las sem que se queimasse e mirrasse. Essas joias eram apreciadas pelos Elfos além de todas as suas obras, e Manwë as consagrou; mas Varda predisse que o destino do Mundo estava contido dentro delas. E o coração de Fëanor prendera-se estreitamente a essas coisas que ele mesmo fizera.

§47 Por duas eras mais o zênite da glória de Valinor perdurou. Por sete eras então, como os Deuses haviam decretado, Melko habitara nos salões de Mandos, a cada era em dor abrandada.

269

O QUENTA SILMARILLION

Quando essas eras haviam se passado, como haviam prometido, ele foi trazido diante do conclave deles. Contemplou a glória dos Valar, e a cobiça e a malícia estavam em seu coração; contemplou os belos Filhos de Ilúvatar que se sentavam aos pés dos Deuses, e o ódio o preencheu; contemplou a riqueza de gemas e as cobiçou; mas ocultou seus pensamentos e postergou sua vingança.

§48 Diante dos portões de Valmar, Melko se humilhou aos pés de Manwë e suplicou perdão, e Nienna, sua irmã, auxiliou o seu rogo. Mas os Deuses ainda não permitiriam que saísse de sua vista e sua vigilância. Foi-lhe dada uma morada humilde do lado de dentro dos portões da cidade; e tão belos pareciam todos os seus atos e palavras que depois de algum tempo lhe foi permitido andar livremente por toda a terra, e tanto Deuses como Elfos tiveram muito auxílio e proveito dele. Contudo, o coração de Ulmo lhe dava aviso, e Tulkas cerrava os punhos sempre que via Morgoth, seu inimigo, passar. Pois Tulkas é ligeiro para a ira e lento para o perdão.

§49 Mais belos de todos era Morgoth aos Elfos, e ele os auxiliava em muitas obras, caso deixassem. Os Lindar, o povo de Ingwë, tinha-o por suspeito; pois Ulmo os advertira, e eles deram ouvidos às suas palavras. Mas os Gnomos tinham deleite nas muitas coisas de conhecimento oculto que era capaz de lhes revelar, e alguns deram ouvido a palavras que teria sido melhor eles jamais terem escutado.* E, quando via

---

* *Nota de rodapé ao texto:* Diz-se que, entre outros assuntos, Melko falou de armas e armaduras aos Gnomos, e do poder que conferiam àquele se arma para defender o que é seu (como ele disse). Os Elfos antes haviam possuído somente armas de caça, lanças e arcos e flechas, e desde o acorrentamento de Melko os arsenais dos Deuses haviam sido fechados. Mas os Gnomos então aprenderam o feitio de espadas de aço temperado, e a feitura de malhas; e eles fizeram escudos naqueles dias e os blazonaram com prata, ouro e gemas. E Fëanor tornou-se grandemente engenhoso nesse ofício, e fez uma provisão de armas em segredo, conforme o ciúme crescia entre ele e Fingolfin. Assim foi que os Noldor estavam armados nos dias de sua Fuga. Assim, também, o mal de Melko virou-se contra ele, pois as espadas dos Gnomos lhe causaram mais dano do que qualquer outra coisa sob o domínio dos Deuses sobre esta terra. No entanto, pouco júbilo tiveram com os ensinamentos de Morgoth; pois todos os pesares dos Gnomos vieram de suas espadas, tanto da batalha injusta em Alqualondë como dos muitos feitos nefandos posteriores. Assim escreveu Pengolod.

270

A ESTRADA PERDIDA E OUTROS ESCRITOS

uma oportunidade, ele semeava uma semente de mentiras e sugestões de mal entre esses. Amargamente o povo dos Noldor pagou por sua tolice nos dias que vieram depois.

§50 Amiúde Morgoth sussurrava que os Deuses haviam trazido os Eldar para Valinor por causa da inveja deles, temendo que seu engenho e beleza maravilhosos e sua magia tornassem-se fortes demais para os Valar controlarem, conforme os Elfos crescessem e se espalhassem pelas amplas terras do mundo. Visões conjurava em seus corações dos reinos magnos que poderiam ter governado em poder e liberdade no Leste. Naqueles dias, ademais, embora os Valar soubessem da vinda dos Homens que havia de acontecer, os Elfos ainda nada sabiam disso; pois os Deuses não o haviam revelado, e a hora ainda não estava próxima. Mas Morgoth falou aos Elfos em segredo sobre os Homens mortais, embora soubesse pouco da verdade. Somente Manwë sabia algo com clareza da mente de Ilúvatar acerca dos Homens, e sempre fora amigo deles. Contudo, Morgoth sussurrava que os Deuses mantinham os Eldar cativos, de modo que, com a chegada dos Homens, estes pudessem os despojar dos reinos da Terra-média, pois a raça mais fraca e de vida mais curta os Valar viam que haveria de ser mais facilmente dominada por eles. Pouca verdade havia nisso, e pouco os Valar jamais prevaleceram ao tentar dobrar as vontades ou os fados dos Homens, e menos ainda para bem. Mas muitos dos Elfos acreditavam, de todo ou em parte, nessas palavras malignas. A maioria desses eram Gnomos.

§51 Assim, antes que os Deuses percebessem, a paz de Valinor foi envenenada. Os Gnomos começaram a murmurar contra os Valar e sua gente; e muitos se tornaram cheios de vaidade, esquecendo-se de tudo o que os Deuses haviam lhes dado e ensinado. Acima de tudo Morgoth atiçava as chamas do feroz e ávido coração de Fëanor, embora o tempo todo cobiçasse as Silmarils. Estas Fëanor em grandes festas usava sobre a fronte e o peito, mas em outras horas eram guardadas de perto, trancadas nos tesouros profundos de Tûn, pois embora não houvesse ladrões em Valinor, por ora, Fëanor amava as Silmarils com um amor avaro, e passou a recusar-se a mostrá--las a todos, salvo a si mesmo e a seus filhos.

§52 Os filhos de Finwë eram soberbos, mas o mais soberbo de todos era Fëanor. Mentindo Morgoth lhe disse que Fingolfin e seus filhos estavam tramando usurpar a liderança de Fëanor e de sua casa mais antiga, e suplantá-lo nas graças de seu pai e dos Deuses. Dessas mentiras querelas nasceram entre os filhos de Finwë, e dessas querelas deles veio o fim dos grandes dias de Valinor e o anoitecer de sua antiga glória; pois Fëanor pronunciou palavras de rebelião contra os Valar, e planejou partir de Valinor, de volta para o mundo de fora, e libertar, como disse, os Gnomos da servidão.

§53 Fëanor foi convocado diante dos Valar no Círculo do Julgamento, e lá as mentiras de Morgoth foram desnudadas para que vissem todos aqueles que tivessem vontade. Pelo julgamento dos Deuses, Fëanor foi banido por um tempo de Tûn, uma vez que perturbara a paz desta. Mas com ele foram Finwë, seu pai, que o amava mais do que seus outros filhos, e muitos outros Gnomos. Ao norte de Valinor, nos montes perto dos salões de Mandos, eles construíram uma praça-forte e uma casa do tesouro; e reuniram lá uma multidão de gemas. Mas Fingolfin governou os Noldor em Tûn; e, assim, em parte as palavras de Morgoth pareceram justificadas (embora Fëanor tenha causado o cumprimento delas por seus próprios feitos), e a amargura que ele semeou perdurou, e por longo tempo depois disso viveu entre os filhos de Fëanor e Fingolfin.

§54 Do meio do concílio os Valar de pronto enviaram Tulkas para deitar mãos sobre Morgoth e trazê-lo de novo a julgamento, mas Morgoth se escondeu, e ninguém conseguiu descobrir aonde tinha ido; e as sombras de todas as coisas de pé pareceram ficar mais longas e escuras naquele tempo. Diz-se que por muito tempo ninguém viu Morgoth, até que ele apareceu secretamente a Fëanor, fingindo amizade com alvitre matreiro, e incitando-o a retomar sua ideia anterior de fuga. Mas Fëanor fechou então as suas portas, se não seu coração; e Finwë enviou mensagens a Valmar, mas Morgoth partiu enfurecido.

§55 Ora, os Deuses estavam assentados em concílio diante de seus portões, temendo o crescimento das sombras, quando o mensageiro de Finwë chegou, mas antes que Tulkas pudesse partir outros chegaram trazendo novas de Tûn. Pois Morgoth havia fugido por sobre os passos das montanhas, e de Kôr os Elfos o viram passar em ira feito uma nuvem trovejante. De lá ele entrou naquela região que é chamada Arvalin, que fica ao sul da Baía de Terradelfos, e é uma terra estreita debaixo dos próprios sopés orientais das Montanhas de Valinor. Lá as sombras são as mais profundas e espessas do mundo. Naquela terra, em segredo e desconhecida, habitava Ungoliantë, Tecelá-de-Treva, em forma de aranha. Não se conta de onde ela veio, da Escuridão de Fora, talvez, que jaz além das Muralhas do Mundo. Em uma ravina ela vivia, e tecia suas teias em uma fenda nas montanhas; pois sugava luz e coisas luzentes para tecê-las em redes negras de treva sufocante e bruma pegajosa. Ela tinha sempre fome de alimento.

§56 Morgoth encontrou-se com Ungoliantë em Arvalin, e com ela tramou a sua vingança; mas ela exigiu uma recompensa grande e terrível para enfrentar os perigos de Valinor e o poder dos Deuses. Ela teceu uma grande treva em volta de si mesmo para se protegerem, e negras cordas-de-aranha ela fiou, e lançou de pico a pico rochoso; e dessa maneira ela escalou por fim o mais alto pináculo das montanhas ao sul de Taniquetil. Nessa região a vigilância dos Valar era menor, pois as matas selvagens de Oromë jaziam ao sul de Valinor, e as muralhas das montanhas davam para o leste para uma terra ignota e mares vazios; e os Deuses mantinham guarda antes contra o Norte, onde outrora Morgoth erguera seu trono e sua fortaleza.

§57 Ora, Ungoliantë fez uma escada de cordas tecidas, e nesta Morgoth subiu, e sentou-se ao lado dela; e olhou lá embaixo para a planície luzente, vendo ao longe os domos de Valmar cintilando ao mesclar da luz. Então Morgoth riu; e depressa desceu as longas encostas ocidentais com Ungoliantë ao seu lado, e a escuridão dela estava em volta deles.

§58 Era um dia de festival, e a maioria do povo de Valinor estava na montanha de Manwë, cantando diante dele em seus salões, ou tocando nos recantos elevados nas encostas verdejantes de Taniquetil. Os Lindar lá estavam e muitos dos Noldor. As ruas de Valmar estavam em silêncio, e poucos pés passavam pelas escadarias de Tûn; só nas costas de Casadelfos os Teleri ainda cantavam e tocavam, pouco cuidando de tempos ou estações ou do destino que haveria de sobrevir. Silpion estava minguando depressa e Laurelin recém começara a reluzir quando, protegidos pelo fado, Morgoth e Ungoliantë esgueiraram-se até a planície. Com sua lança negra Morgoth trespassou cada árvore até o âmago, e, quando seus sumos jorraram para fora, Ungoliantë os sugou; e o veneno de seus lábios imundos entrou nos tecidos das Árvores e as fez murchar, folha e galho e raiz. Ungoliantë arrotava nuvens e vapores negros conforme bebia a radiância das Árvores; e ela inchou até chegar a uma forma monstruosa.

§59 Então assombro e temor caíram sobre Valinor, quando um crepúsculo súbito e uma treva crescente vieram por sobre a terra. Nuvens negras flutuavam ao redor das torres de Valmar, e a escuridão descia por suas ruas. Varda olhou do alto de Taniquetil e viu as árvores mergulhadas e ocultas numa bruma. Tarde demais correram de monte e portão. As Duas Árvores morreram e não mais brilharam, enquanto multidões que gemiam as cercavam e clamavam a Manwë para que descesse. Na planície os cavalos de Oromë ribombaram com mil cascos, e faíscas saíam na treva em torno de suas patas. Mais veloz que eles Tulkas correu à frente antes, e a luz da fúria de seus olhos era como um farol. Mas não encontraram o que buscavam. Onde quer que Morgoth fosse, uma escuridão e confusão o circundava, tecida por Ungoliantë, de modo que os pés deles eram desnorteados e seus olhos, cegados, e Morgoth escapou da perseguição.

Comentário ao Capítulo 4

§46 O perigo das Silmarils aos Homens foi aumentado: pois as palavras do Q (IV. 106) "nenhuma impura carne mortal podia tocá-las" foram alteradas para "nenhuma carne mortal, nem carne impura, podia tocá-las".

§49 A longa nota de rodapé sobre as armas gnômicas (cujo conteúdo é inteiramente novo), se não escrita na mesma época que o texto principal, certamente foi um acréscimo inicial. "Assim escreveu Pengolod" parece ter sido escrito na mesma época que o resto da nota, o que é difícil de explicar, se Pengolod era mesmo o autor do *Quenta Silmarillion*; quanto a essa questão, ver o comentário a §123.

§50 As palavras "embora os Valar soubessem da vinda dos Homens que havia de acontecer" não contradizem o texto reescrito de

A ESTRADA PERDIDA E OUTROS ESCRITOS

§20; pois embora seja dito lá que a vinda dos Elfos não estava na Música dos Ainur e era desconhecida dos Valar, com exceção de Manwë, também é dito que no despertar dos Elfos Manwë "falou aos Valar, revelando-lhes a mente do Pai; e ordenou que retornassem então ao seu dever, que era o de governar o mundo para os Filhos de Ilúvatar, quando viessem a aparecer, cada gente em sua hora designada".

§54 "Mas Fëanor fechou então as suas portas...": a história da ida de Morgoth à praça-forte de Finwë e Fëanor a essa altura ruma ainda mais à forma final (ver AV 2, anal 2900).

§55 "Baía de Terradelfos": em §§37–8, 44, o manuscrito possui "Baía de Terradelfos" onde o texto datilografado possui "Baía de Casadelfos".

§58 "Com sua lança negra": "Com sua espada negra", Q (§4); cf. a história nos *Contos Perdidos*, I. 188.

5. DA FUGA DOS NOLDOR

§60 Esse foi o tempo do Obscurecer de Valinor. Naquele dia se puseram diante dos portões de Valmar Gnomos que gritavam em alta voz, trazendo más novas. Pois eles contaram que Morgoth fugira para o Norte e com ele foi algo que até então não tinha sido visto, que na noite que se ajuntava parecera ser uma aranha de aspecto monstruoso. Súbito caíram sobre a casa do tesouro de Finwë. Lá Morgoth matara o rei dos Noldor diante de suas portas, e derramou o primeiro sangue élfico que maculou a terra. Muitos outros ele matou também, mas Fëanor e seus filhos não estavam lá. As Silmarils Morgoth levara, e toda a riqueza das joias dos Noldor que estavam entesouradas naquele lugar. Grande foi o pesar de Fëanor, por seu pai e não menos pelas Silmarils, e amargamente maldisse o acaso que o levara naquele dia maligno a Taniquetil, crendo em sua insensatez que com suas mãos e seus filhos ele poderia ter resistido à violência de Morgoth.

§61 Pouco se sabe dos caminhos de Morgoth após os seus atos terríveis em Valinor. Mas se conta que, ao escapar da caçada, ele passou por fim com Ungoliantë por sobre o Gelo Pungente e, assim, mais uma vez para as regiões do norte da Terra-média. Então Ungoliantë o chamou para que lhe entregasse

275

a recompensa prometida. A primeira metade de sua paga fora a seiva das Árvores. A outra metade era uma porção igual das joias saqueadas. Morgoth as cedeu, e ela as devorou, e a luz delas pereceu da terra, mas Ungoliantë ficou ainda mais escura e imensa e hedionda em forma. Mas Morgoth não lhe cederia nenhuma porção das Silmarils. Essa foi a primeira querela de ladrões.

§62 Tão grande se tornara Ungoliantë que ela enredou Morgoth em suas teias sufocantes, e um grito medonho ecoou pelo mundo a estremecer. Em seu auxílio vieram os Balrogs que viviam ainda nos lugares mais profundos de sua antiga fortaleza, Utumno no Norte. Com seus açoutes de chama os Balrogs rasgaram as teias, e rechaçaram Ungoliantë para o extremo Sul, onde por longo tempo permaneceu. Assim Morgoth retornou à sua antiga habitação, e ele reconstruiu seus porões e masmorras e grandes torres, naquele lugar que os Gnomos vieram a conhecer como Angband. Lá incontáveis se tornaram as hostes de suas feras e demônios; e ele trouxe à existência a raça dos Orques, e eles cresceram e se multiplicaram nas entranhas da terra. Esses Orques Morgoth fez em inveja e zombaria dos Elfos, e eles eram feitos de pedra, mas seus corações, de ódio. Glamhoth, as hostes do ódio, os Gnomos os chamaram. De gobelins podem ser chamados, mas em dias antigos eles eram fortes e temíveis.

§63 E em Angband, Morgoth forjou para si uma grande coroa de ferro, e chamou a si próprio de Rei do Mundo. Em sinal disso, colocou as três Silmarils em sua coroa. Diz-se que suas mãos malignas foram queimadas e ficaram enegrecidas pelo toque daquelas joias sacras; e negras elas ficaram desde então; nem jamais posteriormente ficou ele livre da dor das queimaduras, nem da raiva dessa dor. Aquela coroa jamais tirou da cabeça, embora o peso fosse um cansaço mortal; e jamais foi seu hábito deixar os lugares profundos de sua fortaleza, mas governava seus vastos exércitos de seu trono no norte.

§64 Quando por fim ficou claro que Morgoth tinha escapado, os Deuses se reuniram em volta das Árvores mortas, e se sentaram na escuridão por muito tempo em silêncio, e estavam cheios de tristeza. Como o povo do Reino Abençoado havia sido congregado para o festival, todos os Valar e seus filhos estavam lá, salvo Ossë, que raramente ia a Valinor, e Tulkas, que não queria abandonar a vã caçada; e com eles os Lindar, o povo de Ingwë, ficou e chorou. Mas a maioria dos Noldor retornou para Tûn e pranteou o escurecimento de sua bela cidade. Brumas e sombras então flutuaram do mar através do passo de Kôr, e todas as formas ficaram confusas, enquanto a luz das Árvores perecia. Um murmúrio foi ouvido em Terradelfos, e os Teleri gemiam à beira do mar.

§65 Então Fëanor apareceu subitamente entre os Noldor e convocou todos a vir à praça elevada sobre o topo da colina de Kôr sob a torre de Ingwë; mas a sentença de banimento de Tûn que os Deuses haviam lhe imposto ainda não tinha sido retirada, e ele se rebelou contra os Valar. Uma vasta congregação ocorreu rapidamente, portanto, para ouvir o que ele tinha a dizer, e a colina e todas as escadarias e ruas que a subiam estavam acesas com a luz de muitas tochas que cada um que comparecera carregava nas mãos.

§66 Fëanor era um grande orador com um poder de palavras que calavam fundo. Naquele dia em fez diante dos Gnomos um magno discurso que para sempre foi lembrado. Ferozes e tremendas foram suas palavras e cheias de ira e soberba, e elas levaram o povo à loucura como as emanações de um vinho potente. Sua raiva estava voltada sobretudo contra Morgoth e, contudo, a maior parte do que disse fora tirada das mesmas mentiras do próprio Morgoth; mas ele estava assoberbado de pesar pelo assassinato de seu pai e angustiado com o roubo das Silmarils. Agora reivindicava o reinado sobre todos os Noldor, já que Finwë estava morto, e escarneceu do decreto dos Valar. "Por que deveríamos ainda obedecer aos invejosos Deuses", perguntou ele, "que não conseguem nos manter, nem a seu próprio reino, a salvo de seu inimigo? E não é Melko, o maldito, um dos Valar?"

§67 Incitou os Gnomos a se prepararem para fugir na escuridão, enquanto os Valar ainda estavam envoltos em luto ocioso; a buscar liberdade no mundo e, por sua própria bravura, conquistar lá um novo reino, já que Valinor não era mais brilhante e ditosa do que as terras lá fora; a procurar Morgoth e guerrear com ele para sempre até serem vingados. "E quando tivermos recuperado as Silmarils", disse ele, "haveremos de ser mestres da luz encantada, e senhores da ventura e da beleza do mundo." Então ele fez um juramento terrível. Seus sete filhos saltaram de pronto para o seu lado e fizeram o mesmo voto junto com ele, cada qual com espada desembainhada. Fizeram um juramento que ninguém há de quebrar, e ninguém devia fazer, pelo nome do Pai-de-Tudo, invocando a Escuridão Sempiterna sobre si próprios, se não o cumprissem; e a Manwë chamaram como testemunha, e a Varda, e ao Monte Sacro, jurando perseguir com vingança e ódio, até os confins do mundo, Vala, Demônio, Elfo ou Homem ainda não nascido, ou qualquer criatura, grande ou pequena, boa ou má, que o tempo houvesse de gerar até o fim dos dias, a qual tivesse, ou tomasse, ou guardasse uma Silmaril, privando-os da posse dela.

§68 Fingolfin e seu filho Fingon falaram contra Fëanor, e houve ira e palavras furiosas que chegaram perto das vias de fato. Mas Finrod falou com suavidade e persuasão, e buscou acalmá-los, insistindo para que parassem e ponderassem, antes que fossem tomadas ações que não poderiam ser desfeitas. Mas, de seus próprios filhos, Inglor apenas falou com ele; Angrod e Egnor tomaram o partido de Fëanor, e Orodreth ficou de lado. No fim, a questão foi levada à votação pelo povo reunido e, estando tocados pelas palavras potentes de Fëanor, e repletos de desejo pelas Silmarils, decidiram partir de Valinor. Porém, os Noldor de Tûn não renunciariam ao reinado de Fingolfin; e como duas hostes divididas, portanto, eles se puseram em marcha em sua estrada amarga. A maior parte marchava atrás de Fingolfin, que com seus filhos cedera à voz geral contra sua sabedoria, pois não abandonariam o seu povo; e com Fingolfin estavam Finrod e Inglor, embora estivessem desgostosos por partir. Na vanguarda marchava Fëanor e seus filhos com uma hoste menor, mas estavam cheios de uma ânsia temerária. Alguns ficaram para trás: tanto alguns que estiveram em Taniquetil no dia do fado, e sentavam-se agora com os Lindar aos pés dos Deuses, tomando parte no pesar e na vigília deles; como alguns que não queriam abandonar a bela cidade de Tûn e sua riqueza de coisas feitas por mãos hábeis, embora a escuridão tivesse caído sobre eles. E os Valar, ao ficarem sabendo o propósito

A ESTRADA PERDIDA E OUTROS ESCRITOS

dos Noldor, mandaram dizer que proibiam a marcha, pois a hora era maligna e levaria a pesar, mas não a impediriam, pois Fëanor os acusara, dizendo que mantinham os Eldar cativos contra a vontade destes. Mas Fëanor riu, endurecendo seu coração, e disse que a estada em Valinor levara através da ventura à tristeza; agora tentariam o contrário, encontrar júbilo enfim através do pesar.

§69 Portanto, continuaram sua marcha, e a casa de Fëanor apressou-se adiante ao longo da costa de Valinor, e não voltaram seus olhos para contemplar Tûn. As hostes de Fingolfin seguiam com menos ânsia, e na retaguarda vinham pesarosos Finrod e Inglor e muitos dos mais nobres e mais belos dos Noldor; e olhavam amiúde para trás, até que a lâmpada de Ingwë se perdeu em meio à treva cerrada; e mais do que os outros carregavam dali memórias da glória de seu antigo lar, e mesmo algumas das coisas belas que haviam feito com as próprias mãos traziam consigo. Assim, a gente de Finrod não tomou parte no ato horrendo que então foi cometido; contudo, todos os Gnomos que partiram de Valinor caíram sob a sombra da maldição que se seguiu daquilo. Pois logo entrou no coração de Fëanor que deveriam persuadir os Teleri, seus amigos, a se unirem a eles; pois assim, em sua rebelião, pensava que a ventura de Valinor poderia diminuir ainda mais, e seu poder para guerrear contra Morgoth ser aumentado; ademais, ele desejava navios. Quando sua mente esfriou e tomou conselho, ele viu que os Noldor dificilmente escapariam sem muitas embarcações; mas seria necessário muito tempo para construir tão grande frota, mesmo se houvesse alguém entre os Noldor que fosse hábil naquela arte. Mas não havia ninguém, e ele não toleraria qualquer atraso, por temer que muitos pudessem abandoná-lo. No entanto, precisavam em algum momento cruzar os mares, ainda que longe, ao Norte, onde eram mais estreitos; pois ainda mais adiante, àqueles lugares onde a terra ocidental e a Terra-média mais se aproximavam, ele temia se aventurar. Lá, ele sabia, ficava Helkaraksë, o Estreito de Gelo Pungente, onde os montes congelados sempre se quebravam e se moviam, se partiam e tornavam a se chocar.

§70 Mas os Teleri não se juntariam aos Noldor na fuga, e mandaram de volta seus mensageiros. Nunca deram ouvidos a Morgoth, nem o receberam entre eles. Não desejavam agora nenhum outro rochedo nem praias além das costas de Casadelfos, nem outro senhor além de Elwë, príncipe de Alqualondë; e ele confiava que Ulmo e os grandes Valar ainda sanariam o pesar de Valinor. E seus navios brancos de velas brancas não dariam nem venderiam, pois lhes eram muito caros, tampouco tinham esperança de fazer de novo outros tão belos e ligeiros. Mas quando a hoste de Fëanor chegou ao Porto dos Cisnes, eles tentaram tomar à força as frotas brancas que estavam ancoradas lá, e os Teleri lhes resistiram. Armas foram desembainhadas e uma luta amarga foi travada no grande arco do portão do Porto, e nos ancoradouros e molhes iluminados por lamparinas, como é tristemente contado na canção da Fuga dos Gnomos. Três vezes a gente de Fëanor foi rechaçada, e muitos foram mortos de ambos os lados; mas a vanguarda dos Noldor foi socorrida pelos primeiros do povo de Fingolfin, e os Teleri foram sobrepujados, e a maioria daqueles que habitavam em Alqualondë foi morta ou lançada ao mar. Pois os Noldor haviam se tornado ferozes e desesperados, e os Teleri tinham menos força e estavam armados, em sua maior parte, apenas com arcos leves. Então os Gnomos tomaram os navios brancos dos Teleri, e manejaram os remos da melhor maneira que puderam, e os levaram para o norte ao longo da costa. E os Teleri clamaram a Ossë, e ele não veio, pois ele havia sido convocado a Valmar para a vigília e o concílio dos Deuses, e não estava decretado pelo destino, nem permitido pelos Valar, que a fuga dos Noldor fosse impedida. Mas Uinen chorou pelos mortos dos Teleri; e o mar urrou contra os Gnomos, de modo que muitos dos navios naufragaram, e aqueles que neles estavam se afogaram.

§71 Mas a maioria deles escapou e continuou sua jornada, alguns de navio e outros a pé; mas o caminho era longo e ficava cada vez mais duro conforme prosseguiam. Depois de muito terem marchado, e de chegarem enfim aos confins setentrionais do Reino Abençoado — e estes são montanhosos e frios e dão para o ermo vazio de Eruman —, eles contemplaram uma figura sombria postada no alto de uma rocha voltada para a costa. Alguns dizem que era o arauto dos Deuses, outros que era o próprio Mandos. Lá anunciou em uma voz alta, solene e terrível, a maldição e profecia que é chamada de Profecia do Norte, advertindo-os para que retornassem e buscassem perdão, ou no fim retornar então somente depois do pesar e inefável sofrimento. Muito ele previu em palavras obscuras, que apenas os mais sábios dentre eles compreenderam, acerca de coisas que depois lhes sobrevieram. Mas todos ouviram a maldição que ele pronunciou sobre aqueles que não ficassem ou buscassem a sentença e o perdão dos Valar, pelo derramamento do sangue de sua gente em Alqualondë e por travarem a primeira batalha entre os filhos da terra iniquamente. Por isso os Noldor provariam a morte com mais frequência e mais amargamente do que sua gente, por arma, e por tormento, e por tristeza; e má fortuna perseguiria a casa de Fëanor, e seu juramento voltar-se-ia contra eles, e todos os que agora os seguissem compartilhariam de sua sina. E o mal se abateria sobre eles mormente por traição de parente contra parente, de modo que em todas as suas guerras e conselhos sofreriam pela traição e pelo medo da traição entre eles próprios. Mas Fëanor disse: "Não disse ele que havemos de sofrer de covardia, por poltrões ou por medo de poltrões", e isso também se provou verdadeiro.

§72 Então Finrod e alguns de sua casa retornaram, e por fim chegaram mais uma vez a Valinor, e receberam o perdão dos Valar; e Finrod foi posto a governar os remanescentes dos Noldor no Reino Abençoado. Mas seus filhos não foram com ele, pois Inglor e Orodreth não queriam abandonar os filhos de Fingolfin, nem Angrod e Egnor seus amigos Celegorn e Curufin; e todo o povo de Fingolfin ainda seguiu adiante, sendo obrigado pela vontade de Fëanor e temendo também enfrentar o julgamento dos Deuses, já que nem todos eles tinham sido inocentes do fratricídio em Alqualondë. Então, com muita celeridade, o mal que tinha sido previsto começou a operar.

§73 Os Gnomos chegaram afinal ao Norte, e viram os primeiros dentes do gelo que flutuava no mar. Eles começaram a sofrer tormentos com o frio. Então muitos deles murmuraram, especialmente aqueles que seguiam Fingolfin, e alguns começaram a amaldiçoar Fëanor e a chamá-lo da causa de todas as dores dos Eldar. Mas os navios eram muito poucos,

O QUENTA SILMARILLION

muitos tendo sido perdidos no caminho, para levar a todos juntos, porém ninguém estava disposto a esperar na costa enquanto outros eram transportados; já o medo de traição estava desperto. Portanto, entrou no coração de Fëanor e de seus filhos zarpar de repente com todos os navios, dos quais tinham mantido o comando desde a batalha do Porto; e levaram consigo somente aqueles que eram fiéis à sua casa, entre os quais se encontravam Angrod e Egnor. Quanto aos outros, "deixaremos os que resmungam a resmungar", disse Fëanor, "ou a lastimar no caminho de volta às gaiolas dos Valar". Assim teve início a maldição do fratricídio. Quando Fëanor e sua gente desembarcou nas costas do oeste das regiões setentrionais da Terra-média, puseram fogo nos navios e fizeram um grande incêndio, terrível e luzente; e Fingolfin e seu povo viram a luz do fogo ao longe, vermelha sob as nuvens. Viram então que tinham sido traídos, e deixado para perecer em Eruman ou retornar; e vagaram longamente em sofrimento. Mas seu valor e sua firmeza cresceram com a dificuldade; pois eram um povo poderoso, recém-chegados do Reino Abençoado e ainda não cansados com o cansaço da terra, e o fogo de suas mentes e seus corações era jovem. Portanto, liderados por Fingolfin, e Fingon, Turgon e Inglor, ousaram entrar no Norte mais terrível; e, ao não achar outro caminho, desafiaram afinal os terrores do Gelo Pungente. Poucos dos feitos dos Gnomos depois disso superaram a perigosa travessia em firmeza ou em sofrimento. Muitos ali pereceram miseravelmente, e foi com uma hoste diminuída que Fingolfin pôs os pés, enfim, nas terras setentrionais. Pouco amor por Fëanor ou por seus filhos tinham aqueles que marcharam finalmente a segui-lo e chegaram a Beleriand ao nascer do sol.

Comentário ao Capítulo 5

§60 Aqui aparece pela primeira vez a história de que Fëanor foi ao festival, da qual não há indício no Q (IV. 110).

§62 O Q possui "Em seu auxílio vieram os Orques e Balrogs que viviam ainda nos lugares mais profundos de Angband", mas os Orques não estão presentes aqui no QS. Aqui e mais uma vez em §105 *Utumno* é uma alteração inicial a partir de *Utumna*; ver o comentário a §12. Vê-se por §105 que a frase levemente ambígua "e ele reconstruiu..." significa que ele construiu Angband sobre as ruínas de Utumno: "Melko, ao voltar para a Terra-média, fez as masmorras infindáveis de Angband, os infernos de ferro, onde outrora Utumno estivera". Ver IV. 306.

No Q a passagem sobre a feitura dos Orques por Morgoth, precursora desta no QS, está localizada num ponto anterior (IV. 100), antes da feitura das estrelas e do despertar dos Elfos; no local correspondente no QS (§18) é dito que "os Orques só foram feitos depois de ele ter contemplado os Elfos". No Q, no local (IV. 111) que corresponde à presente passagem no QS, é dito que "incontável se tornou o número das hostes de seus Orques e demônios" — isto é, os Orques já existiam antes do retorno de Morgoth (e, assim, puderam ir em seu auxílio quando ouviram o seu grito); mas há uma indicação no Q neste ponto (IV. 112, nota 8) para inserir a feitura dos Orques aqui e não antes (sendo a razão para isso a ideia de que os Orques foram feitos "em zombaria dos Filhos de Ilúvatar").

§68 Que Orodreth "ficou de lado", sem tomar o partido nem de Finrod e Inglor, nem de Angrod e Egnor e dos Fëanorianos, é um elemento novo na história; ver §73 abaixo.

§70 O relato no QS da Batalha de Alqualondë, e das maquinações de Fëanor antes dela, recebe uma melhor progressão e é expandido substancialmente a partir daquele no Q (IV. 113–14), enquanto a passagem final de §70, que reconta o chamado de Ossë pelos Teleri e a tempestade provocada por Uinen, encontra-se completamente ausente nas versões anteriores.

§71 *Eruman* não é usado para essa região no Q (onde o nome é aplicado à terra onde os Homens despertaram pela primeira vez no Leste, IV. 117–18, 194), mas é encontrado com esse sentido no *Ambarkanta* (IV. 283; também nos mapas, IV. 293, 295).

Alguns elementos nessa versão da Profecia do Norte não presentes no Q (IV. 114) são encontrados no anal 2993 dos AV (praticamente os mesmos em ambas as versões), como "seu juramento voltar-se-ia contra eles" e "seriam mortos com armas, e com tormentos, e com tristezas". Por outro lado, a versão dos AV possui um elemento que não está presente no QS, a profecia de que os Noldor "no longo fim desvaneceriam na Terra-média e feneceriam diante da raça mais jovem" (ver IV. 195).

O QUENTA SILMARILLION

§73 No AV 2, anal 2994, a história ainda era a de que Orodreth, assim como Angrod e Egnor, foram levados pelos Fëanorianos nos navios; mas com a separação de Orodreth de Angrod e Egnor no QS, tornando-o por sua vez alguém próximo de seu irmão Inglor Felagund (§42), seu nome foi riscado do anal (AV 2, nota 10). É notável aqui que Orodreth não é nomeado entre os líderes na passagem da segunda hoste pelo Gelo Pungente. Creio que isso está associado com sua atitude de "ficar de lado" durante as desavenças antes da Fuga dos Noldor (ver §68); indicações da diminuição de sua importância, que descrevi em III. 112–13, 291.

Em QS §91, é dito que o primeiro sol surgiu quando Fingolfin marchou para Mithrim; assim, "Beleriand" é usado aqui num sentido muito amplo (como também nos AV, anal 2995: "Fëanor chegou a Beleriand e às costas sob as Eredlómin", repetido em QS §88). De modo similar, a Batalha-sob-as-Estrelas, travada em Mithrim, foi a Primeira Batalha de Beleriand. Mas em QS §108, Beleriand "tinha como limites ao Norte Nivrost e Hithlum e Dorthonion".

6. DO SOL E DA LUA E DA OCULTAÇÃO DE VALINOR

§74 Quando os Deuses souberam que os Noldor tinham fugido, e chegado enfim à Terra-média, eles foram tirados de seu pesar, e aconselharam-se para a reparação das feridas do mundo. E Manwë pediu que Yavanna usassem todo o seu poder de crescimento e cura; e ela usou todo o seu poder nas Árvores, mas de nada serviu para curar seus ferimentos mortais. Mas, na hora em os Valar ouviram na penumbra a canção dela, Silpion produziu enfim, num galho sem folhas, uma grande flor de prata, e Laurelin, um único fruto d'ouro. Esses Yavanna tomou consigo, e as Árvores então morreram, e seus troncos sem vida estão ainda em Valinor, um memorial da alegria desaparecida. Mas o fruto e a flor Yavanna deu a Aulë, e Manwë os consagrou, e Aulë e seu povo fizeram vasos para abrigá-los e preservar sua radiância: como se diz na canção do Sol e da Lua. Esses vasos os Deuses deram a Varda para que se tornassem luzes do céu, superando em brilho as antigas estrelas; e ela lhes deu poder para atravessar a região das estrelas,

A ESTRADA PERDIDA E OUTROS ESCRITOS

e os pôs a navegar em cursos determinados acima da terra. Essas coisas os Valar fizeram, recordando, em seu crepúsculo, a escuridão das terras de fora; e resolveram então iluminar a Terra-média e, com luz, atrapalhar os feitos de Melko; pois se lembravam dos Elfos-escuros, e não tinham abandonado completamente os Gnomos exilados; e Manwë sabia que a hora dos Homens estava próxima.

§75 Isil, a Brilhante, é o nome que os Deuses outrora deram à Lua em Valinor, e de Úrin, o Flamante, eles chamaram o Sol; mas os Eldar deram-lhes os nomes de Răna, a inconstante, a provedora de visões, e de Anar, o coração de chama, que desperta e consome. Pois o Sol foi disposto como um sinal do despertar dos Homens e do esvanecer dos Elfos; mas a Lua acalenta a memória deles. A donzela escolhida entre a sua própria gente pelos Valar para guiar o navio do Sol tinha o nome de Arien, e o jovem que estava no leme da ilha flutuante da Lua era Tilion.* Nos dias das Árvores, Arien cuidara das flores douradas nos jardins de Vana e as regava com os orvalhos radiantes de Laurelin. Tilion era um jovem caçador da companhia de Oromë, e tinha um arco prateado. Ele amava Arien, mas ela era um espírito mais sacro de maior poder, e deseja ser para sempre virgem e só; e Tilion a perseguia em vão. Tilion abandonou então as matas de Oromë, e habitou nos jardins de Lórien, sentado a sonhar à beira das lagoas iluminadas pela luz bruxuleante de Silpion.

§76 Răna foi feita e ficou pronta primeiro, e se elevou por primeiro à região das estrelas, e se tornou a primogênita das novas luzes, assim como Silpion fora a das Árvores. Então, por algum tempo, o mundo teve luar, e muitas criaturas que haviam aguardado longamente na escuridão se agitaram e despertaram; mas muitas das estrelas fugiam atemorizadas, e Tilion, o arqueiro, desviava-se de seu curso para persegui-las; e algumas mergulhavam no abismo e buscavam refúgio nas raízes da terra. Os serviçais de Melko ficaram cheios de assombro; e conta-se que Fingolfin pôs os pés nas terras setentrionais com o primeiro nascer da lua, e as sombras de

---

* *Nota marginal ao texto:* hyrned Æ.

sua hoste eram longas e negras. Tilion tinha atravessado o céu sete vezes e, assim, estava no extremo Leste quando a nau de Arien ficou pronta. Então Anar se ergueu em glória e a neve sobre as montanhas brilhou com fogo, e ouviu-se o som de muitas quedas d'água; mas os serviçais de Melko fugiram para Angband e se encolheram de medo, e Fingolfin desfraldou suas bandeiras.

§77 Ora, Varda pretendia que os dois vasos navegassem pelo céu e ficassem sempre no alto, mas não juntos: cada um havia de viajar de Valinor para o Leste e retornar, um saindo do Oeste enquanto o outro voltava do Leste. Assim, o primeiro dos dias foi contado à maneira das Árvores, da mescla das luzes quando Arien e Tilion se cruzaram acima do meio da terra. Mas Tilion era inconstante e incerto de velocidade, e não seguia seu curso designado; e por vezes buscava tardar Arien, a quem amava, embora a chama de Anar mirrasse o brilho da flor de Silpion, caso chegasse muito perto, e seu vaso ficava escorchado e escurecido. Por causa de Tilion, portanto, e ainda mais por causa dos rogos de Lórien e Nienna, que diziam que toda a noite e o sono e a paz tinham sido banidos da terra, Varda mudou de desígnio, e permitiu que houvesse um tempo no qual o mundo ainda havia de ter sombra e meia-luz. O Sol descansava, portanto, algum tempo em Valinor, deitando-se sobre o seio fresco do Mar de Fora. De modo que o Anoitecer, que é o momento da descida e do repouso do Sol, é a hora de maior luz e regozijo em Valinor. Mas logo o Sol é puxado para baixo para Vaiya pelos serviçais de Ulmo, e levado apressado até o Leste, e lá sobe ao céu de novo, para que a noite não seja longa demais e o mal fortalecido. Mas as águas de Vaiya se tornam quentes e brilham com fogos coloridos, e Valinor tem luz por um tempo após a passagem de Arien; contudo, conforme ela segue sob a terra e se aproxima do Leste, o brilho desbota e Valinor fica às escuras, e os Deuses, então, pranteiam muitíssimo a morte de Laurelin. Na aurora, as sombras de suas montanhas de defesa jazem pesadas sobre a terra dos Valar.

§78 Varda ordenou que a Lua se erguesse somente depois que o Sol tivesse deixado o céu, mas ela viaja com passo incerto, e ainda o persegue, de modo que por vezes ambos estão no céu juntos, e ainda por vezes ela se aproxima dele, e há uma escuridão em meio ao dia. Mas Tilion se demora raramente em Valinor, amando antes das grandes terras; e mormente passa rápido pela terra do oeste, por Arvalin, ou Eruman ou Valinor, e mergulha no abismo entre as costas da terra e do Mar de Fora, e segue seu caminho a só em meio às grotas nas raízes da terra. Lá por vezes vaga longamente, e estrelas que se esconderam lá fogem diante dele para o ar superior. Contudo, ocorre por vezes que ele chega acima de Valinor enquanto o Sol ainda lá está, e então desce e encontra sua amada, pois deixam seus vasos por algum tempo; então há grande júbilo, e Valinor fica repleta de prata e ouro, e os Deuses riem lembrando-se do mesclar da luz há muito tempo atrás, quando Laurelin florescia e Silpion estava em botão.

§79 Ainda, portanto, a luz de Valinor é maior e mais bela do que sobre a Terra-média, porque o Sol descansa lá, e as luzes do céu ficam mais perto da terra naquela região; ademais os Valar guardam a radiância do Sol em muitas vasilhas, e em tonéis e lagos para seu conforto em tempos de escuridão. Mas a luz não é a luz que vinha das Árvores antes que os lábios envenenados de Ungoliantë as tocassem. Aquela luz vive agora apenas nas Silmarils. Deuses e Elfos, portanto, aguardam ainda um tempo no qual o Sol e a Lua Mais Antigos, que são as Árvores, possam ser reacendidos e o júbilo e a glória antigos retornar. Ulmo lhes predisse que isso só viria a acontecer com o auxílio, por mais débil que parecesse, da segunda raça da terra, os Filhos Mais Novos de Ilúvatar. Mas apenas Manwë deu ouvido às suas palavras naquele tempo; pois os Valar estavam ainda irados em razão da ingratidão dos Noldor, e da cruel matança no Porto dos Cisnes. Além disso, todos, exceto Tulkas, por um tempo ficaram em dúvida, temendo o poderio e a astúcia de Morgoth. Portanto, nesse tempo, fortificaram toda Valinor de novo, e postaram uma guarda que nunca dormia nos muros montanhosos, que então ergueram, a leste, norte e sul, a alturas de vertigem e terror. As encostas externas eram escuras e lisas, sem borda ou apoio para nada além de pássaros, e caíam rumo a precipícios com faces duras como vidro; seus topos eram coroados de gelo. Nenhum passo as atravessava, salvo apenas no

O QUENTA SILMARILLION

Kalakilya, onde se erguia o monte de Kôr. Esse passo eles não podiam fechar por causa dos Eldar que eram fiéis; pois todos aqueles da raça élfica precisam respirar por vezes o ar de fora da Terra-média, e tampouco podiam separar totalmente os Teleri de seus parentes. Mas os Eldar foram postos a guardar aquele passo sem cessar: a frota dos Teleri ficava na costa, os remanescentes dos Gnomos habitavam sempre na fenda profunda das montanhas, e sobre a planície de Valmar, onde o passo sai para Valinor, os Lindar acampavam como sentinelas, de modo que nem ave, nem fera, nem Elfo, nem Homem, nem criatura alguma que viesse da Terra-média pudessem passar daquela barreira.

§80 Naquele tempo, ao qual as canções chamam de a Ocultação de Valinor, as Ilhas Encantadas foram dispostas, e enchidas de sombras e desconcerto, e todos os mares à volta ficaram cheios de sombras; e essas ilhas foram dispostas pelos Mares Sombrios de norte a sul antes que Tol Eressëa, a Ilha Solitária, seja alcançada por quem navegue para o oeste; e dificilmente podia alguma nau passar entre elas na penumbra ou avançar até a Baía de Casadelfos. Pois um grande cansaço vem sobre os marinheiros naquela região, e uma aversão ao mar; mas todos os que pisam naquelas ilhas ficam ali apanhados e envoltos num sono eterno. Assim foi que os muitos emissários dos Gnomos em dias que vieram depois jamais alcançaram Valinor — salvo um, o mais poderoso manheiro das canções ou histórias.

Comentário ao Capítulo 6

§74 No relato extremamente breve no Q (IV. 116) não há menção de Aulë ter tomado alguma parte na feitura do Sol e da Lua, e o QS reverte nesse ponto à história original nos *Contos Perdidos* (I. 224–25, 231–32).

Da passagem que começa com "Esses vasos os Deuses deram a Varda" há apenas um traço no Q. Varda aparece como a criadora dos movimentos do Sol e da Lua no *Ambarkanta* (IV. 280).

§75 No Q a Lua é chamada de *Rána* (sem tradução), e é dito que esse nome foi dado pelos Deuses (da mesma forma nos *Contos Perdidos*, I. 232). No QS, o nome dos Deuses é *Isil*, "a Brilhante"

A ESTRADA PERDIDA E OUTROS ESCRITOS

(cf. o nome dos Elfos, *Sil*, "a Rosa", nos *Contos Perdidos*, *ibid.*),
e *Răna*, "a inconstante", o dos Eldar. — No Q, o nome do Sol,
dado pelos Deuses, é *Ûr* (nos *Contos Perdidos*, I. 225, esse era o
nome élfico, com o significado de "fogo"; os Deuses chamaram
o Sol de *Sári*). No QS, o nome dos Deuses é *Úrin*, "o Flamante",
e o nome eldarin, *Anar*. — Em *A Estrada Perdida* (p. 54) os
nomes dos Sol e da Lua que "chegaram" a Alboin Errol eram
Anar e *Isil* (e também *Anor* e *Ithil* em "beleriândico" — que presumivelmente aqui significa noldorin exílico: ver as *Etimologias*,
radicais ANÁR e SIL).

Quase que as mesmas palavras para o Sol e a Lua em relação
aos Homens e aos Elfos são usadas no AV 2 (anal 2998–3000
e comentário).

No Q, a Donzela-do-Sol era chamada Úrien, emendada do
início ao fim para Árien. Tal como o QS foi escrito inicialmente,
o nome ainda era grafado *Árien*, mas foi alterado em todo o
texto para *Ărien*, *Arien*. Essa parece ter sido uma alteração muito
inicial e, portanto, usei *Arien* no texto.

Quanto à "ilha flutuante da Lua", ver IV. 194. A glosa marginal feita por Ælfwine (ver o preâmbulo do QS na p. 238) certamente é contemporâneo à composição do manuscrito. Inglês
antigo *hyrned* "cornudo"; cf. as *Etimologias*, radical TIL.

Não há nada correspondente no Q de "Ele amava Arien,
mas ela era um espírito mais sacro de maior poder" até o final
de §76, exceto a referência (IV. 116) a Tilion ir ao encalço das
estrelas. No Q Tilion na verdade é o rival de Arien, como o era
Ilinsor nos *Contos Perdidos* (I. 235); mas cf. o *Ambarkanta* (onde
Arien e Tilion não são mencionados): "ocorre por vezes que ele
[a Lua] chega acima de Valinor antes de o Sol ter partido, e
então desce e encontra sua amada" (IV. 282) — uma passagem
ecoada de perto em QS §78.

§76 "mergulhavam no abismo": o Abismo de Ilmen (ver o
Ambarkanta, IV. 281). — Essa é a primeira aparição da imagem
das longas sombras lançadas pela hoste de Fingolfin conforme
a Lua se erguia no Oeste atrás deles. — Nessa frase, a palavra
amazed [espantados] é usada num sentido arcaico e muito mais
forte: dominados pelo assombro e medo.

§77 "seu vaso ficava escorchado e escurecido": nenhuma explicação é dada no Q para as marcas na Lua (quanto à história antiga

acerca disso, ver I. 231, 234). É dito no Ambarkanta que a Lua "sempre persegue o Sol, e raramente a alcança, e então é consumido e obscurecido em sua chama".

§§77–8 Embora boa parte da descrição dos movimentos do Sol e da Lua nesses parágrafos não esteja presente no Q, uma passagem no *Ambarkanta* (IV. 281), apesar de mais breve e sem qualquer referência à mudança no plano divino, corresponde muito de perto ao QS em muitas características. O relato do QS introduz uma explicação para os eclipses solares ("ainda por vezes ele se aproxima dela, e há uma escuridão em meio ao dia"), e para os meteoros ("estrelas que se esconderam lá fogem diante dele para o ar superior") — cf. a antiga concepção nos *Contos Perdidos*, I. 260–61.

§79 O armazenamento da luz do Sol em tonéis e lagos em Valinor reflete uma ideia encontrada muito antes em Kulullin, o grande caldeirão de luz dourada em Valinor: os Deuses coletavam aquela luz "no grande tonel Kulullin de modo que muito encheram-se suas fontes, ou em outras bacias brilhantes e amplos lagos junto aos seus pátios, pois a salubridade e glória de sua radiância era grandíssima" (I. 219). Posteriormente, a ideia ressurgiu em relação às Duas Árvores: "os orvalhos de Telperion e a chuva que caía de Laurelin Varda guardava em grandes tonéis feito lagos brilhantes, que eram, para toda a terra dos Valar, como poços de água e de luz" (*O Silmarillion*, p. 68).

A passagem que começa com "Deuses e Elfos, portanto, aguardam ainda…" sobreviveu através do Esb e do Q desde as concepções mais antigas. Na expressão "o Sol e a Lua Mais Antigos" as palavras "Mais Antigos" foram escritas sobre um trecho apagado, e a palavra apagada era certamente "Mágicos" — a última ocorrência do antigo "Sol Mágico". Quanto à misteriosa predição de Ulmo, ver IV. 60.

O relato do levantamento dos muros montanhosos e da razão para não fechar o Passo de Kôr foi bastante aumentado a partir da passagem correspondente no Q.

É possível ver que na época em que meu pai começou *O Senhor dos Anéis* os conceitos do *Ambarkanta* ainda se encontraram completamente presentes, e que a história da feitura do Sol e da Lua a partir do último fruto e da última flor das Árvores moribundas ainda se

A ESTRADA PERDIDA E OUTROS ESCRITOS

encontrava bastante desanuviado pela dúvida de sua adequação na estrutura inteira da mitologia.

7. DOS HOMENS

§81 Os Valar sentaram-se, então, detrás das montanhas e festejaram, e todos, salvo Manwë e Ulmo, tiraram os Noldor exilados de seus pensamentos; e, tendo levado luz à Terra-média, deixaram-na por muito tempo sem seus cuidados, e o senhorio de Morgoth não era desafiado, salvo pelo valor dos Gnomos. Quem mais os tinha em mente era Ulmo, que reunia novas da terra através de todas as águas.

§82 Ao primeiro nascer do Sol acima da terra, os filhos mais novos do mundo despertaram na terra de Hildórien no extremo Leste da Terra-média, que se situa às margens do mar oriental; pois o tempo medido chegara à terra, e o primeiro dos dias, e a longa espera estava no fim. Depois disso o vigor dos Quendi que permaneceram nas terras interiores foi diminuído, e seu ocaso começou; e o ar da Terra-média fez-se pesado com o fôlego do crescimento e da mortalidade. Pois houve grande crescimento naquele tempo sob o novo Sol, e as terras centrais da Terra-média foram cobertas por uma profusão súbita de florestas e estas tinham folhas em abundância, e a vida pululava sobre o solo e nas águas. Mas o primeiro sol se ergueu no Oeste, e os olhos dos Homens, ao se abrir, voltaram-se para lá, e seus pés, conforme vagavam pela terra, em sua maior parte desgarraram-se naquela direção.

§83 Dos Homens* pouco se conta nestas histórias, que são concernentes aos dias antigos, antes do zênite dos mortais e do ocaso dos Elfos, salvo no que diz respeito àqueles Pais de Homens, que, nos primeiros anos de Lua e de Luz do Sol, vagaram pelo Norte do mundo. A Hildórien não veio Deus algum para guiar os Homens ou para convocá-los a habitar

---

* *Nota de rodapé ao texto:* Os Eldar os chamavam de Hildi, os seguidores; daí Hildórien, o local de nascimento dos Hildi, recebeu o seu nome. E muitos outros nomes eles lhes deram: Engwar, os enfermiços, e Fírimor, os mortais; e deram-lhes nomes como os Usurpadores, os Forasteiros, e os Inescrutáveis, os Que se Amaldiçoaram, os de Mãos-pesadas, os Tementes-à-noite, os Filhos do Sol.

em Valinor; e os Homens têm temido os Valar, em vez de amá-los, e não entendem os propósitos dos Poderes, estando em conflito com eles e em contenda com o mundo. Ulmo, mesmo assim, não deixava de pensar neles, auxiliando os planos e a vontade de Manwë; e suas mensagens lhes chegavam amiúde por correnteza e torrente. Mas os Homens não eram hábeis em tais matérias, e menos ainda naqueles dias, antes que se juntassem aos Elfos. Portanto, amavam as águas, e seus corações se comoviam, mas não entendiam as mensagens. Conta-se, porém, que logo encontraram Elfos-escuros em muitos lugares, e com eles fizeram amizade E os Elfos--escuros lhes ensinaram a fala, e muitas outras coisas; e os Homens se tornaram os companheiros e discípulos, em sua infância, desses povos antigos, andarilhos da raça-élfica que nunca encontraram os caminhos até Valinor, e conheciam os Valar apenas como um rumor e um nome distante.

§84 Não havia muito Morgoth então voltara à Terra-média, e seu poder não avançara tanto e, além do mais, fora detido pela chegada repentina das grandes luzes. Havia pouco perigo, portanto, nas terras e colinas; e lá coisas novas, belas e viçosas, planejadas muitas eras antes no pensamento de Yavanna, e semeadas como sementes no escuro, vieram por fim a brotar e desabrochar. Para o oeste, o norte e o sul os filhos dos Homens se espalharam e vagaram, e seu júbilo era como o júbilo da manhã antes que o orvalho secasse, quando toda folha é verde.

§85 Mas a aurora é breve, e o dia pleno amiúde desmente sua promessa; e então veio a hora das grandes guerras dos poderes do Norte, quando Gnomos e Elfos-escuros e Homens combateram contra as hostes de Morgoth Bauglir, e caíram em ruína. Para esse fim, as mentiras astutas de Morgoth, que ele semeara outrora e semeava sempre mais entre seus inimigos, e a maldição que veio da matança em Alqualondë e o juramento de Fëanor estavam sempre trabalhando: os maiores agravos causaram a Elfos e Homens. Só uma parte aqui se conta dos feitos daqueles dias e fala-se mormente dos Gnomos, e das Silmarils, e dos mortais que se enredaram no destino deles. Naqueles dias, Elfos e Homens eram de estatura e força de corpo semelhantes; mas os Elfos eram abençoados com maior sagacidade, e engenho, e beleza; e aqueles que tinham habitado em Valinor e contemplado os Deuses superavam tanto os Elfos-escuros nessas coisas quanto eles, por sua vez, superavam o povo de raça mortal. Só no reino de Doriath, cuja rainha Melian era de raça divina, os Ilkorins chegavam perto de se igualar aos Elfos de Kôr. Imortais eram os Elfos, e sua sabedoria crescia de era a era, e nenhuma doença nem pestilência traziam-lhes a morte. Contudo, seus corpos eram da matéria da terra e podiam ser destruídos, e, naqueles dias, eram mais semelhantes aos corpos dos Homens, e à terra, já que não eram habitados, havia tanto, pelo fogo do espírito, que os consome de dentro com o correr do tempo. Portanto, podiam perecer nos tumultos do mundo, e pedra e água tinham poder sobre eles, e podiam ser mortos com armas naqueles dias, mesmo por Homens mortais. E fora de Valinor provavam de amarga tristeza, e alguns desvaneciam e eram consumidos pelo pesar até desaparecerem da terra. Tal era a medida de sua mortalidade prevista na Sentença de Mandos pronunciada em Eruman. Mas se eram mortos ou se desvaneciam pelo pesar, eles não morriam da terra, e seus espíritos voltavam aos salões de Mandos, e lá aguardavam, dias ou anos, mesmo mil, de acordo com a vontade de Mandos e seus merecimentos. De lá eram finalmente chamados de volta à liberdade, ou como espíritos, assumindo formas de acordo com seus próprios pensamentos, como a gente menor da raça divina; ou então, diz-se, por vezes renascem em seus próprios filhos, e a sabedoria antiga de sua raça não perece nem é diminuída.

§86 Mais frágeis eram os Homens, mais facilmente mortos por armas ou infortúnio, e menos facilmente se curavam; estavam sujeitos a doença e a muitos males; e envelheciam e morriam. O que acontecia a seus espíritos depois da morte, os Elfos não sabem. Alguns dizem que eles também vão para os salões de Mandos; mas seu lugar de espera ali não é aquele dos Elfos; e somente Mandos, sob Ilúvatar, salvo Manwë, sabe para onde vão depois do tempo de recolhimento naqueles salões silenciosos à beira do Mar do Oeste. Não renascem na terra, e ninguém jamais voltou das mansões dos mortos, salvo apenas Beren, filho de Barahir, cuja mão tocara uma Silmaril; mas ele

O QUENTA SILMARILLION

nunca mais falou depois disso a Homens mortais. O fado dos Homens depois da morte, quiçá, não está nas mãos dos Valar, nem foi de todo previsto na Música dos Ainur.

§87 Nos dias que vieram depois, quando, por causa do triunfo de Morgoth, Elfos e Homens alhearam-se uns dos outros, como ele tanto desejara, aqueles da raça-élfica que viviam ainda na Terra-média desvaneceram e feneceram, e os Homens usurparam a luz do Sol. Então os Quendi vagaram pelos lugares mais solitários das grandes terras e das ilhas, preferindo a luz da Lua e das estrelas, e as matas e cavernas, tornando-se como que sombras e memórias, diferentes daqueles que, de quando em vez, zarpavam para o Oeste e desapareciam da terra, como é aqui contado mais tarde. Mas, na aurora dos anos, Elfos e Homens eram aliados e se consideravam parentes, e havia alguns entre os Homens que aprendiam a sabedoria dos Eldar, tornando-se grandes e valentes e renomados entre os capitães dos Gnomos. E, na glória e na beleza dos Elfos e em sua sina, grande parte tomaram os belos rebentos de Elfa e Mortal, Eärendel e Elwing, e o filho deles, Elrond.

Comentário ao Capítulo 7

§82 *Hildórien* como o nome da terra onde os Homens despertaram (em substituição a *Eruman* do Q) apareceu no *Ambarkanta*: entre as Montanhas do Vento e o Mar do Leste (IV. 284). O nome inserido no AV 2 (nota 13): "Hildórien, nas regiões centrais do mundo" — enquanto no QS ela se situava "no extremo Leste da Terra-média". Acredito que aqui haja apenas a aparência de uma contradição. Hildórien ficava no leste mais distante da *Terra-média*, mas estava nas regiões centrais do mundo; ver o mapa IV do *Ambarkanta*, no qual Hildórien está marcada (IV. 293). — Minha nota em IV. 303 de que o nome *Hildórien* tem implícito *Hildor* precisa ser corrigida: a nota de rodapé do texto em §83 mostra que a forma nessa época era *Hildi* (cf também as *Etimologias*, radical KHIL).

§83 A nota de rodapé sobre os nomes élficos para os Homens é da mesma época que a composição original do manuscrito.

§85 Há algumas diferenças importantes na passagem acerca do destino dos Elfos com relação àquela no Q (IV. 118–19), na qual foi baseada. O Q não possui nada correspondente à afirmação de que os corpos élficos eram então mais semelhantes aos corpos mortais, mais terrestres, menos "consumidos" pelo "fogo de seu espírito" do que se tornaram mais tarde. Tampouco há no Q a referência à Sentença de Mandos — a qual, de qualquer modo, não se refere no Q à questão da mortalidade élfica. Isso aparece pela primeira vez no relato da Sentença nos AV (anal 2993), onde a frase "uma medida da mortalidade iria visitá-los" é usada, ecoada aqui no QS: "Tal era a medida de sua mortalidade prevista na Sentença de Mandos"; ver IV. 327–28. Um outro desenvolvimento, por si só notável, está na ideia de os Elfos, ao finalmente retornarem de Mandos, "assumindo formas de acordo com seus próprios pensamentos, como a gente menor da raça divina" (isto é, não mais como seres corpóreos, mas como espíritos que podiam se "vestir" com uma forma perceptível).

§86 O "Mar do Oeste" aqui é o Mar de Fora, Vaiya. Isso parece ser não mais do que um deslize, pois o Q possui "seus vastos salões *além* do mar do oeste"; meu pai corrigiu esse trecho algum tempo depois para "Mar de Fora".

§87 Com "das grandes terras e das ilhas", cf. o Q (IV. 184): "nas grandes ilhas, as quais, na ruptura do mundo do Norte, foram formadas a partir da antiga Beleriand" (mantido no QS, p. 397, §26).

Está claro pela última frase do capítulo que nessa época Elros ainda não havia surgido, como não havia em *A Queda de Númenor* e *A Estrada Perdida* (pp. 41, 90); por outro lado, ele está presente na parte final do QS, p. 398, §28.

8. DO CERCO DE ANGBAND

§88 Antes do nascer do Sol e da Lua, Fëanor e seus filhos marcharam para o Norte; eles desembarcaram nas costas setentrionais de Beleriand sob os pés das Ered-lómin, as Montanhas Ressoantes, no local que é chamado de Drengist. De lá passaram à terra de Dor-lómen e ao norte das Montanhas de Mithrim, e acamparam em Hithlum, o reino da bruma, naquela região que é chamada Mithrim, e ao norte do grande lago que leva o mesmo nome. Lá uma hoste de Orques, provocada pela luz do incêndio dos navios, e pelos rumores de

O QUENTA SILMARILLION

marcha, caiu sobre eles, e ali foi travada a primeira batalha na Terra-média; e ela é renomada em canção, pois os Gnomos foram vitoriosos, e repeliram os Orques com grande mortandade, e os perseguiram para além de Eredwethion até a planície de Bladorion. Essa foi a primeira batalha de Beleriand, e é chamada de Batalha-sob-as-Estrelas.* Grande era o valor de Fëanor e de seus filhos, e os Orques sempre os temeram e odiaram desde então; contudo, a dor logo se seguiu ao triunfo. Pois Fëanor com imprudência adentrou Bladorion, perseguindo os Orques em direção ao norte, e ele foi cercado, quando sua própria gente se encontrava muito para trás, e os Balrogs na retaguarda de Morgoth pararam de fugir. Fëanor lutou sem se abalar, mas foi envolto em fogo e tombou ao final mortalmente ferido pela mão de Gothmog, Senhor de Balrogs, a quem Ecthelion depois matou em Gondolin. Mas seus filhos ao chegarem o resgataram e o carregaram de volta a Mithrim. Lá ele morreu, mas não foi enterrado; pois tal fogo havia em seu espírito que seu corpo se fez cinza quando seu espírito partiu; e nunca mais apareceu sobre a terra, nem deixou o reino de Mandos. E Fëanor, com sua última visão, avistou ao longe os picos das Thangorodrim, os maiores montes da Terra-média, que se erguiam acima da fortaleza de Morgoth; e ele amaldiçoou o nome de Morgoth três vezes, e ordenou que seus filhos jamais tratassem ou debatessem com o seu inimigo.

§89 Porém, na hora exata de sua morte, uma embaixada chegou a eles da parte de Morgoth, reconhecendo a derrota e oferecendo concessões, até mesmo a entrega de uma Silmaril. Então Maidros, o alto, o filho mais velho, persuadiu os Gnomos a fingir que negociariam com Morgoth, e a encontrar seus emissários no lugar designado; mas os Gnomos tinham tão pouca intenção de boa-fé quanto Morgoth. Donde cada embaixada veio em maior número do que o acordado; mas a Morgoth enviou a maior e eram Balrogs. Maidros foi pego em uma emboscada, e todos os seus companheiros foram mortos, mas ele próprio foi capturado vivo por ordem de Morgoth, e levado a Angband e torturado.

---

* *Nota marginal ao texto:* Dagor-nui-Ngiliath.

§90 Então os seis irmãos de Maidros recuaram e fortificaram um grande acampamento em Hithlum; mas Morgoth mantinha Maidros como refém, e mandou dizer a Maglor que somente haveria de soltar seu irmão se os Noldor abandonassem sua guerra, retornando para Valinor, ou então partindo de Beleriand e marchando para o Sul do mundo. Mas os Gnomos não podiam retornar para Valinor, tendo queimado os navios, e não acreditavam que Morgoth liberaria Maidros se partissem; e não estavam dispostos a partir, não importando o que ele fizesse. Portanto, Morgoth pendurou Maidros do alto de um precipício sobre as Thangorodrim, e ele estava preso, com uma tira de aço, à rocha pelo pulso de sua mão direita.

§91 Ora, chegaram rumores ao acampamento, em Hithlum, sobre a marcha de Fingolfin e seus filhos, e Inglor, o filho de Finrod, os quais tinham cruzado o Gelo Pungente. E todo o mundo estava então maravilhado com a chegada da Lua; e na hora em que a Lua se ergueu pela primeira vez, Fingolfin pôs os pés na Terra-média, e os Orques ficaram cheios de assombro. Mas, enquanto a hoste de Fingolfin marchava para Mithrim, o Sol nasceu flamejante no Oeste; e Fingolfin desfraldou suas bandeiras azuis e prateadas, e fez soar suas trompas, e as flores brotaram sob seus pés em marcha. Pois um tempo de abertura e crescimento, súbito, ligeiro e belo, chegara ao mundo, e de bem que é feito do mal, como ainda acontece. Então os Orques, atemorizados pelo alevantar da grande luz, fugiram para Angband, e Morgoth teve medo, ponderando por muito tempo em pensamentos irados. Mas Fingolfin marchou pelos recônditos do reino de Morgoth, que é Dor-Daedeloth, a Terra do Terror, e seus inimigos esconderam-se sob a terra; mas os Elfos golpearam os portões de Angband, e o desafio de suas trombetas abalou as torres das Thangorodrim.

§92 Mas Fingolfin desconfiava dos ardis de Morgoth, e retirou-se das portas do inferno, e voltou para Mithrim, para que as Eredwethion, as Montanhas de Sombra, pudessem proteger a sua gente enquanto descansava. Mas havia pouco amor entre aqueles que seguiam Fingolfin e a casa de Fëanor; pois a agonia daqueles que haviam suportado a travessia do gelo fora grande, e seus corações estavam cheios de amargura. O tamanho da hoste de Tûn fora diminuído naquela estrada

O QUENTA SILMARILLION

penosa, mas ainda o exército de Fingolfin era maior do que o dos filhos de Fëanor. Estes, portanto, retiraram-se e acamparam na margem sul de Mithrim, e o lago ficou entre as gentes. Nisso a obra da maldição era vista, pois a demora desencadeada pela rixa causou grande mal às sortes de todos os Noldor. Eles nada conseguiram, enquanto Morgoth hesitava, e o terror da luz era novo e forte sobre os Orques.

§93 Então Morgoth emergiu de seus pensamentos e, vendo a divisão de seus inimigos, riu. E fez vastos vapores e grandes fumaças nas câmaras de Angband, e eles foram enviados dos cimos fétidos das Montanhas de Ferro e, ao longe, podiam ser vistos em Hithlum, manchando os ares claros daquelas primeiras manhãs. O Norte estremeceu com o trovão das forjas de Morgoth sob o solo. Veio um vento, e os vapores foram levados a toda parte, e desceram e se enrolaram à volta de campos e vales, escuros e venenosos.

§94 Então Fingon, o valente, resolveu sanar a rixa. De todos os filhos de Finwë ele é merecidamente o mais renomado: pois seu valor era como um fogo e, no entanto, tão inabalável quanto os montes de pedra; sábio ele era e hábil com a voz e as mãos; fidelidade e justiça ele amava e com todos tinha boa vontade, tanto Elfos como Homens, odiando apenas a Morgoth; não buscava o que lhe cabia, nem poder, nem glória, e a morte foi a sua recompensa. Sozinho agora, sem o conselho de ninguém, ele partiu em busca de Maidros, pois a ideia dos tormentos deste lhe inquietava o coração. Ajudado pelas próprias brumas que Morgoth expelira, aventurou-se sem ser visto no domínio de seus inimigos. Ao alto das encostas das Thangorodrim, subiu e olhou em desespero para a desolação da terra. Mas nenhuma passagem nem fenda achou pela qual pudesse chegar ao interior da praça-forte de Morgoth. Portanto, em desafio aos Orques, que ainda se encolhiam nas câmaras escuras sob a terra, tomou sua harpa e tocou uma bela canção de Valinor que os Gnomos tinham composto outrora, antes que a contenda nascesse entre os filhos de Finwë; e sua voz, potente e graciosa, soou nas cavas lúgubres, que nunca antes tinham ouvido coisa alguma, salvo gritos de medo e dor.

§95 Assim ele achou o que buscava. Pois, de repente, acima dele, longe e fraca, sua canção foi retomada, e uma voz,

298

A ESTRADA PERDIDA E OUTROS ESCRITOS

respondendo, chamou-o. Maidros era quem cantava em meio a seu tormento. Mas Fingon subiu até os pés do precipício de onde seu parente pendia e, então, não conseguiu ir adiante; e chorou quando viu o artifício cruel de Morgoth. Maidros, portanto, estando em angústia e sem esperança, implorou que Fingon o ferisse com seu arco; e Fingon pôs na corda uma flecha e curvou seu arco. E, não vendo nenhuma outra esperança, gritou a Manwë, dizendo: "Ó Rei a quem todas as aves são caras, dai força agora às penas desta flecha e achai alguma misericórdia para os Gnomos banidos!"

§96 Ora, sua prece foi respondida rapidamente. Pois Manwë, a quem todas as aves são caras e a quem elas trazem notícias, sobre Taniquetil, da Terra-média, enviara a raça das Águias. Thorondor era seu rei. E Manwë lhes ordenou que habitassem nas encostas do Norte e vigiassem Morgoth; pois Manwë ainda tinha piedade dos Elfos exilados. E as Águias traziam notícias de muito do que se passava nesses dias aos ouvidos tristes de Manwë; e elas atrapalhavam os feitos de Morgoth. Então, na hora em que Fingon curvou seu arco, desceu voando dos altos ares Thorondor, Rei das Águias, e deteve a mão de Fingon.

§97 Thorondor era a mais poderosa de todas as aves que já existiram. Suas asas esticadas mediam trinta braças. Seu bico era de ouro. Ele tomou Fingon e o carregou até a face da rocha de onde Maidros pendia. Mas Fingon não conseguia soltar o grilhão de forja infernal do pulso dele, nem cortá-lo, nem arrancá-lo da pedra. De novo, portanto, em sua dor, Maidros implorou para que ele o matasse; mas Fingon cortou a mão dele abaixo do pulso, e Thorondor os carregou a ambos de volta a Mithrim.

§98 Lá, Maidros, com o tempo, curou-se; pois o fogo da vida ardia forte dentro dele, e sua força era a do mundo antigo, tal como a possuíam aqueles que foram nutridos em Valinor. Seu corpo se recuperou do tormento e se fez são, mas a sombra da dor estava em seu coração; e ele viveu para empunhar sua espada com a mão esquerda de modo mais mortal que com a direita. Por sua façanha, Fingon ganhou grande renome, e todos os Noldor o louvaram; e a rixa foi sanada entre Fingolfin e os filhos de Fëanor. Mas Maidros implorou perdão

O QUENTA SILMARILLION

pelo abandono em Eruman, e devolveu os bens de Fingolfin que haviam sido levados embora nos navios; e abdicou de sua reivindicação à realeza sobre todos os Gnomos. Com isso nem todos os seus irmãos concordavam em seus corações. Portanto, a casa de Fëanor passou a ser chamada a dos Despossuídos, devido à sentença dos Deuses que entregou o reino de Tûn a Fingolfin, e devido à perda das Silmarils. Mas havia agora uma paz e uma trégua da inveja; contudo, ainda lá pesava o juramento.

§99 Ora, os Gnomos, uma vez reunidos, marcharam da terra de Hithlum e rechaçaram os serviçais de Morgoth diante deles, e sitiaram Angband pelo oeste, pelo sul e pelo leste. E seguiram-se longos anos de paz e felicidade; pois essa foi a época que canções chamam de o Cerco de Angband, e durou mais de quatrocentos anos do Sol, enquanto as espadas dos Gnomos muravam então a terra da ruína de Morgoth, e seu poder estava encerrado por trás de seus portões. Naqueles dias, havia júbilo sob o novo Sol e a nova Lua, e houve nascimento e florescimento de muitas coisas; e as terras do Oeste da Terra-média onde agora os Noldor habitavam tornaram--se por demais belas. E aquela região foi chamada outrora no idioma de Doriath Beleriand, mas após a chegada dos Noldor foi chamada também na língua de Valinor Ingolondë, a bela e pesarosa, o Reino dos Gnomos. E detrás da guarda de seus exércitos no Norte os Gnomos começaram então a vagar por toda a parte sobre a terra, e construíram lá muitas habitações belas, e estabeleceram reinos; pois salvo em Doriath e em Ossiriand (sobre os quais mais é dito depois) havia pouca gente lá antes deles. Esses eram Elfos-escuros da raça teleriana, e os Noldor os encontraram em alegria, e houve um encontro jubiloso entre parentes há muito separados. E Fingolfin fez uma grande festa, e ela foi realizada no Sul, longe da ameaça de Morgoth, na Terra dos Salgueiros à beira das águas do Sirion. O regozijo daquela festa foi lembrado por muito tempo nos dias de tristeza que vieram depois; e ela foi chamada de Mereth Aderthad, a Festa da Reunião, e foi realizada na primavera. Para lá foram todos das três casas dos Gnomos que podiam ser dispensados da guarda setentrional; e um grande número dos Elfos-escuros, tanto os vagantes

A ESTRADA PERDIDA E OUTROS ESCRITOS

das matas como a gente dos portos da terra da Falas; e muitos também vieram dos Elfos-verdes de Ossiriand, a Terra dos Sete Rios, distante dali sob as muralhas das Montanhas Azuis. E de Doriath vieram embaixadores, embora Thingol não tenha ido pessoalmente, e não queria abrir seu reino, nem retirar seu cinturão de encantamento; pois, sábio com a sabedoria de Melian, não confiava que o recuo de Morgoth fosse durar para sempre. Mas os corações dos Gnomos estavam altivos e cheios de esperança, e parecia a muitos entre eles que as palavras de Fëanor tinham sido justificadas, impelindo-os a buscar liberdade e belos reinos na Terra-média.

§100 Mas, certa vez, Turgon deixou Nivrost, onde habitava, e foi visitar Inglor, seu amigo, e eles viajaram para o sul ao longo do Sirion, estando cansados, por algum tempo, das montanhas do norte; e, conforme viajavam, a noite caiu sobre eles para além dos Alagados do Crepúsculo, ao lado das águas do Sirion, e dormiram ao lado de suas barrancas sob as estrelas do verão. Mas Ulmo, subindo o rio, lançou sobre eles sono profundo e sonhos pesados; e a perturbação daqueles sonhos permaneceu depois que despertaram, mas nenhum disse nada ao outro, pois a lembrança não era clara e cada um julgava que Ulmo mandara uma mensagem apenas para si próprio. Mas a inquietação estava sobre eles sempre depois disso e dúvidas sobre o que ocorreria e vagavam amiúde sozinhos em regiões inexploradas, buscando por toda parte lugares de fortaleza oculta; pois a cada um deles parecia que lhes tinha sido ordenado se preparar para um dia maligno, e estabelecer um refúgio, caso Morgoth avançasse de Angband e sobrepujasse os exércitos do Norte.

§101 Assim veio a acontecer que Inglor achou a ravina profunda do Narog e as cavernas em sua margem oeste, e construiu lá uma fortaleza e arsenais à moda das mansões profundas de Menegroth. E ele chamou a esse lugar Nargothrond e lá fez seu lar com muitos de seu povo; e os Gnomos do Norte, de início em chiste, chamaram-no, por isso, de Felagund, ou Senhor de Cavernas, e esse nome ele portou dali por diante até seu fim. Mas Turgon foi sozinho para lugares ocultos e, pela guia de Ulmo, achou o vale secreto de Gondolin; e disso não disse nada por um tempo, mas voltou a Nivrost e a seu povo.

301

O QUENTA SILMARILLION

§102 E, mesmo enquanto Turgon e Felagund estavam vagando nos ermos, Morgoth, vendo que muitos Gnomos estavam dispersados sobre a terra, pôs à prova a força e a vigilância deles. Ele estremeceu o Norte com terremotos repentinos, e fogo saiu das Montanhas de Ferro; e os Orques despejaram-se pela planície de Bladorion, e invadiram Beleriand através do passo do Sirion no Oeste, e atiraram-se pela terra de Maglor no Leste; pois há uma brecha naquela região entre os montes de Maidros e as franjas das Montanhas Azuis. Mas Fingolfin e Maidros congregaram uma grande força, e enquanto outros perseguiam e destruíam todos os Orques que se desgarravam por Beleriand e lá faziam grande mal, eles caíram sobre a hoste principal pelo outro lado, no momento em que ela atacava Dorthonion, e derrotaram os serviçais de Morgoth, e perseguiram os remanescentes por Bladorion, e destruíram-nos completamente à vista dos portões de Angband. Essa foi a segunda grande batalha dessas guerras e foi chamada de Dagor Aglareb, a Batalha Gloriosa; e por muito tempo depois dela nenhum dos serviçais de Morgoth se aventurou portões afora; pois temiam os reis dos Gnomos. E muitos contaram a partir daquele dia a paz do Cerco de Angband. Pois os chefes dos Gnomos se preveniram com aquele ataque e apertaram o sítio, e fortaleceram sua vigilância; e estabeleceram tal guarda sobre Angband que Fingolfin se vangloriava de que Morgoth nunca mais poderia escapar, nem cair sobre eles de modo imprevisto.

§103 Contudo, os Gnomos não conseguiam capturar Angband, nem podiam retomar as Silmarils; e a praça-forte de Morgoth jamais foi cercada por completo. Pois as Montanhas de Ferro, da extremidade meridional de cuja grande muralha encurvada as torres das Thangorodrim se projetavam, defendiam Angband de ambos os lados e não podiam ser atravessadas pelos Gnomos, por causa de sua neve e seu gelo. Assim, em sua retaguarda e ao Norte, Morgoth não tinha inimigos, e por aquele caminho seus espiões, por vezes, saíam e chegavam por rotas tortuosas a Beleriand. E os Orques se multiplicaram de novo nas entranhas da terra, e Morgoth começou após um tempo a forjar em segredo novas armas para a destruição de seus inimigos. Mas somente duas vezes em todos os anos do Cerco ele deu sinal de seu propósito. Quando quase cem anos tinham passado desde a Segunda Batalha, ele enviou um exército para os caminhos setentrionais; e eles atravessaram para o Norte branco. Muitos lá pereceram, mas os outros, virando-se para o oeste nos limites externos das Montanhas de Ferro, chegaram às praias do mar, e desceram para o sul ao longo da costa pela rota que Fingolfin seguira depois do Gelo Pungente. Assim eles conseguiram invadir Hithlum por trás. Mas Fingon caiu sobre eles no estreito de Drengist, e os lançou ao mar, e nenhum retornou a Morgoth. Essa não foi contada entre as grandes batalhas, pois os Orques não eram em grande número, e só uma parte da gente de Hithlum lutou nela.

§104 Mais uma vez, após cem anos, Glómund, o primeiro dos Dragões, saiu à noite dos portões de Angband, por ordem de Morgoth; pois estava relutante, por ainda ser jovem e crescido à metade. Mas os Elfos fugiram diante dele em desespero, e abandonaram os campos de Bladorion, e Glómund os conspurcou. Mas Fingon, príncipe dos Gnomos, cavalgou contra ele com seus arqueiros a cavalo; e Glómund não conseguia suportar seus dardos, ainda não tendo chegado à sua armadura plena, e fugiu de volta ao inferno. E Fingon granjeou grande louvor, e os Gnomos se regozijaram; pois poucos previam o significado pleno e a ameaça dessa nova coisa. Mas não tinham visto Glómund pela última vez.

Comentário ao Capítulo 8

§88 Na passagem de abertura meu pai estava seguindo de perto o anal 2995 dos AV (praticamente idêntico nas duas versões). O relato da Batalha-sob-as-Estrelas, que a situa em Mithrim, seguido pela perseguição dos Orques pela planície de Bladorion adentro, da mesma forma deriva dos AV; no Q a batalha foi travada na própria planície (ainda não mencionada por nome). Ao se comparar os textos, vê-se que na história da perseguição dos Orques e do ferimento mortal de Fëanor ele tinha tanto o Q como o AV na frente dele quando a escreveu. Não tornarei a mencionar o modo como ele usou o Q e o AV, e depois o AB, neste capítulo (ao mesmo tempo em que introduzia novos elementos narrativos), pois essas interrelações são facilmente traçadas.

O QUENTA SILMARILLION

A nota marginal *Dagor-nui-Ngiliath* é contemporânea à composição do manuscrito. A forma anterior *Dagor-os-Giliath* foi corrigida para *Dagor-nuin-Giliath* no AV 2 (nota 12) e no AB 2 (nota 3).

A morte e o destino de Fëanor como descritos aqui podem ser comparados com o que é dito em §85; o significado sem dúvida é de que Fëanor jamais renasceu, tampouco jamais saiu de Mandos da maneira descrita na passagem anterior. — A maldição ao nome de Morgoth feita por ele ao morrer foi transferida, ou estendida, de Túrin (IV. 196), que fez o mesmo após a morte de Beleg na *Balada dos Filhos de Húrin*; mas na Balada Túrin amaldiçoou Morgoth três vezes, como não é dito acerca de Fëanor no Q, e a expressão "três vezes" agora reaparece.

§89 As palavras "e eram Balrogs", derivadas do Q, demonstram que nessa época a concepção dos Balrogs era de que ainda existiam em grandes números (ver IV. 196); da mesma forma "uma hoste de Balrogs" em §143, e "mil Balrogs" na Batalha das Lágrimas Inumeráveis (pp. 372–73, §15).

§91 *Dor-Daedeloth* foi alterado para *Dor-Daideloth*; essa parece ser uma alteração inicial (a mesma no AV 2, nota 14).

§92 Não é dito nas fontes mais antigas que a hoste de Fingolfin permaneceu como a maior.

§93 "O Norte estremeceu com o trovão das forjas de Morgoth sob o solo" reaparece do Esb (IV. 30): "O Norte estremece com o trovão sob a terra"; a frase não se encontra no Q, nem no AB.

§§96–7 *Thorondor* foi uma alteração inicial a partir de *Thorndor*; mas *Thorondor* aparece posteriormente no QS (§147) como o manuscrito foi originalmente escrito.

§98 O pedido de perdão de Maidros pelo abandono em Eruman, sua devolução dos bens de Fingolfin, a abdicação de sua reivindicação à realeza e a desaprovação secreta desses atos entre seus irmãos são todos elementos novos na narrativa (ver IV. 197).

§99 A passagem inteira que no Q (§9) vem após "sitiaram Angband pelo oeste, pelo sul e pelo leste", acerca da distribuição dos senhores noldorin na Terra-média e suas relações com os Anãos, foi omitida aqui no QS, onde o texto agora salta para IV. 123, "Esse foi o tempo que as canções chamam de Cerco de Angband"; de modo similar, nenhum uso é feito aqui da longa passagem nos AB sobre esse assunto (anal 52). A razão para tal é a introdução do novo capítulo (9) no QS, *De Beleriand e seus Reinos*.

304

A ESTRADA PERDIDA E OUTROS ESCRITOS

Em "durou mais de quatrocentos anos do Sol", a palavra "quatrocentos" foi uma emenda inicial sobre uma palavra apagada, obviamente "duzentos"; ver a nota sobre a cronologia no final deste comentário.

Com a afirmação de que Beleriand era um nome doriathrin, cf. a passagem acrescentada ao final do *Lhammas* (§11): "do beleriândico é o nome *Balar*, e *Beleriand*". Em um acréscimo ao Q (IV. 127, nota 2), foi dito que *Beleriand* era gnômico; e no mesmo local ocorre *Ingolondë, a bela e pesarosa*: ver IV. 198 e as *Etimologias*, radical ÑGOLOD.

Com "Elfos-escuros da raça teleriana", cf. a passagem anterior em QS (§30): "Os Lembi eram, na maior parte, da raça dos Teleri, e os principais dentre esses eram os Elfos de Beleriand".

§100 Essa é a primeira ocorrência (sem contar correções do AB 2) do nome *Nivrost* (posteriormente *Nevrast*). Na verdade, ele foi escrito *Nivros*, aqui e subsequentemente, mas o *t* final foi acrescentado com cuidado em cada caso, claramente logo após a composição do manuscrito (assim também no anal do ano 64 acrescentado ao AB 2, nota 8; Nivrost nas *Etimologias*, radicais NIB e ROS²).

A história da descoberta de Nargothrond por Inglor e de Gondolin por Turgon deriva do AB (anal 50), mas não é dito lá que eles viajaram juntos e que dormiram às margens do Sirion, que os sonhos pressagiadores foram postos neles por Ulmo ou que nenhum falou ao outro sobre o seu sonho.

§101 Embora *Felagund* tenha sido várias vezes traduzido "Senhor de Cavernas", não havia sido dito que a princípio era um apelido jocoso dado a ele pelos Noldor.

Quanto à data da partida efetiva de Turgon para Gondolin, ver a nota sobre a cronologia no final deste comentário.

§102 O QS acrescenta o relato da Dagor Aglareb no AB 2, anal 51: as hostes-órquicas atravessaram o Passo do Sirion e a Brecha de Maglor (ver o comentário ao AB 2, anal 52) e Fingolfin e Maidros derrotaram a hoste principal enquanto ela atacava Dorthonion. Aqui e subsequentemente a forma escrita primeiro foi *Dorthanion*, mas a alteração para *Dorthonion* foi feita no início. Para as muitas formas que precederam *Dorthonion*, ver a nota 9 do AB 2.

§103 Quanto à relação de Angband com Thangorodrim e as Montanhas de Ferro, ver o comentário ao *Ambarkanta*, IV. 306–07,

O QUENTA SILMARILLION

onde ressaltei que "As Thangorodrim são mostradas no mapa V como um ponto, colocado não muito longe das Montanhas de Ferro". Ver também o início do Capítulo 9 no QS (§105).

Em "Quando quase cem anos tinham passado desde a Segunda Batalha", "cem" foi uma emenda inicial de "cinquenta"; ver a nota sobre a cronologia abaixo.

Quanto à rota do exército-órquico que deixou Angband pela saída setentrional não vigiada (descrita também no AB 2, anal 105), ver a nota sobre a geografia setentrional, pp. 321–24.

§104 Aqui mais uma vez (como em §103) "cem" foi uma alteração inicial a partir de "cinquenta"; ver a nota sobre a cronologia a seguir.

Não é dito no AB 2 (anal 155) que a primeira saída de Glómund de Angband foi por ordem de Morgoth, nem que ele relutava em arriscar-se.

Nota sobre a cronologia

Este é um lugar conveniente para discutir a cronologia dos anos do Cerco de Angband nos capítulos 8 a 10.

Na cronologia do AB 2 como originalmente escrita, o Cerco de Angband durou pouco mais de duzentos anos; e datas importantes para a presente discussão são as seguintes:

50 Turgon descobre Gondolin
51 Dagor Aglareb e o início do Cerco de Angband
52 Turgon parte para Gondolin
105 Incursão de Orques na costa ocidental
155 Primeira saída de Glómund
255 Batalha do Fogo Repentino e fim do Cerco

Por meio de correções no manuscrito do AB 2 (apresentadas entre parênteses naquele texto), essas datas foram alteradas do seguinte modo:

(50 Turgon descobre Gondolin; inalterada)
60 Dagor Aglareb e o início do Cerco de Angband
64 Turgon parte para Gondolin (anal adicional, apresentado na nota 8 do AB 2)

A ESTRADA PERDIDA E OUTROS ESCRITOS

155 Incursão de Orques na costa ocidental
260 Primeira saída de Glómund
455 Batalha do Fogo Repentino e fim do Cerco

Assim, o Cerco durou quase quatrocentos anos; quanto a essa extensão final da cronologia dos primeiros séculos do Sol, que alcança aquela no *Silmarillion* publicado, ver IV. 373–74.

As datas no QS antes das emendas eram as seguintes:

- O Cerco de Angband "durou mais de duzentos anos" (§99);
- A incursão de Orques no oeste ocorreu "quase cinquenta anos" após a Dagor Aglareb (§103) — o que não está perfeitamente de acordo com a cronologia anterior dos *Anais*, onde 54 anos se passaram entre os dois eventos);
- A primeira saída de Glómund de Angband foi "mais uma vez, após cinquenta anos" (§104).

Essas datas foram todas emendadas em um estágio inicial, para dar "mais de quatrocentos anos" para o Cerco, "quase cem anos" desde a Dagor Aglareb até a incursão dos Orques, e mais cem anos para a saída de Glómund. Isso está de acordo, ainda que não precisamente, com a cronologia revisada no AB 2 (isto é, 60 para 455; 60 para 155; e 155 para 260).

No capítulo 10 do QS, a nova cronologia já existia como o manuscrito foi escrito; assim, em §125 é dito que a incursão de Orques que terminou em Drengist ocorreu em 155, e isso foi 105 anos antes da aparição de Glómund; e depois disso, isto é, a partir do ano 260, houve "quase duzentos anos" de paz, ou seja, até a Batalha do Fogo Repentino em 455. Aqui também é dito que o encontro dos Noldor com os Anãos nas Montanhas Azuis ocorreu por volta da época da incursão de Orques, em concordância com a datação alterada no AB 2, onde o encontro com os Anãos, apresentado primeiro no ano 104, foi alterado para 154.

Portanto, no QS, apesar de a data da partida de Turgon para Gondolin não estar precisamente indicada, ele partiu de Nivrost em 64, "alguns anos" (§116) depois da Segunda Batalha, como no AB 2 revisado.

9. DE BELERIAND E SEUS REINOS

§105 Esta é a feição das terras às quais os Gnomos vieram, no Norte das regiões ocidentais da Terra-média, nos dias antigos. No Norte do mundo, Melko erguera as Ered-engrin, as Montanhas de Ferro; e elas ficavam nas regiões de frio sempiterno, em uma grande curva que ia de Leste a Oeste, mas não chegando a alcançar o mar de ambos os lados. Essas Melko erigiu nos dias antigos como uma cerca para sua cidadela, Utumno, e ela ficava na extremidade oeste de seu reino setentrional. Na guerra dos Deuses as montanhas de Melko foram partidas e distorcidas no Oeste, e de seus fragmentos foram feitas as Eredwethion e as Eredlómin; mas as Montanhas de Ferro se curvavam para trás no rumo norte, e havia cem léguas entre elas e os estreitos congelados no Helkaraksë. Detrás das muralhas delas, Melko, ao voltar para a Terra-média, fez as masmorras infindáveis de Angband, os infernos de ferro, onde outrora Utumno estivera. Mas ele fez um grande túnel debaixo delas, que saía ao sul das montanhas; e lá fez um portão magno. Mas, acima desse portão, e atrás dele, chegando até as montanhas, amontoou as torres trovejantes das Thangorodrim; e essas eram feitas da cinza e da borra de suas fornalhas subterrâneas e das vastas sobras de suas escavações. Eram negras, e desoladas, e sobremaneira altas; e saía fumaça de seu topo, escura e imunda sobre o céu do norte. Diante dos portões de Angband, sujeira e desolação se espalhavam, no rumo sul, por muitas milhas. Lá se situava a vasta planície de Bladorion. Mas, depois da vinda do Sol, relva rica cresceu ali e, enquanto Angband estava cercada, e seus portões, trancados, havia coisas verdes até mesmo entre as covas e as rochas despedaçadas diante dos portões do inferno.

§106 A oeste das Thangorodrim estava Hithlum, a terra da bruma, pois assim foi chamada pelos Gnomos por causa das nuvens que Morgoth enviara para lá durante seu primeiro acampamento; e tornou-se uma terra bela enquanto o Cerco de Angband durou, embora seu ar fosse fresco e o inverno ali fosse frio. Fazia divisa no Oeste com Eredlómin, as Montanhas Ressoantes, que chegam perto do mar; e, no Leste e no Sul, com a grande curva das Eredwethion, as Montanhas

A ESTRADA PERDIDA E OUTROS ESCRITOS

Sombrias, que davam para Bladorion e o vale do Sirion. No Leste, aquele canto situado entre as Eredwethion e as Montanhas de Mithrim era chamado de a terra de Mithrim, e a maior parte do povo de Fingolfin habitava ali, em volta das margens do grande lago. A oeste de Mithrim ficava Dor-lómen, e estava designada a Fingon, filho de Fingolfin. A oeste mais uma vez ficava Nivrost* além das Montanhas Ressoantes, as quais, abaixo do Estreito de Drengist, seguiam terra adentro. Aqui a princípio foi o reino de Turgon, fazendo fronteira com o mar, e com as Eredlómin, e com os montes que continuam as muralhas das Eredwethion a oeste até o mar, de Ivrin ao Monte Taras, que fica sobre um promontório. E Nivrost era uma terra aprazível regada pelos ventos úmidos do mar, e abrigada do Norte, enquanto o resto de Hithlum era aberto aos ventos frios. A Leste de Hithlum ficava Bladorion, como foi dito; e abaixo dela o grande planalto que os Gnomos chamaram pela primeira vez de Dorthonion.† Este se estendia por cem léguas de Oeste a Leste e abrigava grandes florestas de pinheiros, especialmente de seus lados norte e oeste. Pois se erguia de encostas suaves vindas de Bladorion até se tornar uma terra desolada e altaneira, onde havia muitas alagoas aos pés de morros nus, cujos topos eram mais altos que os picos das Eredwethion. Mas, ao sul, onde a região dava para Doriath, descia-se, de repente, para precipícios terríveis. Entre Dorthonion e as Montanhas Sombrias havia um vale estreito com muralhas íngremes cobertas de pinheiros; mas o vale, em si, era verdejante, pois o rio Sirion corria por ele, apressando-se rumo a Beleriand.

§107 Ora, o grande e belo país de Beleriand ficava em ambas as margens deste poderoso rio Sirion, renomado em canção, que nascia em Eithel Sirion no leste das Eredwethion, e contornava a beirada de Bladorion antes que mergulhasse através do passo, tornando-se cada vez mais cheio com as torrentes das montanhas. De lá ele corria para o sul, por cento e vinte e uma léguas, recebendo as águas de muitos tributários, até

---

* *Nota marginal ao texto:* Que é Vale do Oeste na língua de Doriath.
† *Nota marginal ao texto:* Nome ilkorin.

que, com uma corrente poderosa, alcançava suas muitas fozes e delta arenoso na Baía de Balar. E os principais tributários do Sirion ficavam no Oeste: Taiglin, e o Narog, o mais poderoso; e no Leste: Mindeb, e o Esgalduin, o rio encantado que fluía pelo meio de Doriath; e o Aros, com o seu tributário Celon, que fluía para o Sirion nos Alagados do Crepúsculo nos confins de Doriath.

§108 Assim, Beleriand tinha como limites ao Norte Nivrost e Hithlum e Dorthonion; e para além de Dorthonion os morros de Maidros, filho de Fëanor; e no Oeste fazia divisa com o Grande Mar; e no Leste com as torres das Eredlindon, as Montanhas Azuis, uma das principais cadeias do mundo antigo; e tinha como limite Ossiriand entre essas montanhas e o rio Gelion. E no Sul alguns acreditavam que tinha como limite o Gelion, que ao virar para o oeste buscava o mar muito além das fozes do Sirion. Além do rio Gelion a terra se estreitava de súbito, pois o Grande Mar entrava por um magno golfo que chegava quase aos sopés das Eredlindon, e havia um estreito de terra montanhosa entre o golfo e o mar interior de Helkar, através do qual se podia chegar às vastas regiões do Sul da Terra-média. Mas a terra entre as fozes do Sirion e do Gelion era pouco visitada pelos Gnomos, uma floresta enredada à qual não ia gente alguma, salvo, aqui e ali, alguns Elfos-escuros andarilhos; e além do Gelion os Gnomos raramente iam, nem jamais a leste das Eredlindon enquanto aquela terra perdurou.

§109 Seguindo o Sirion de Norte a Sul, havia do lado direito Beleriand Oeste, a qual, em sua maior extensão, tinha setenta léguas do rio ao mar: primeiro a Floresta de Brethil, entre o Sirion e o Taiglin, e depois o reino de Nargothrond, entre o Sirion e o Narog. E o rio Narog nascia nas quedas de Ivrin, na face sul de Dorlómen, e corria umas oitenta léguas antes que se juntasse ao Sirion em Nan-tathren, a terra dos salgueiros, ao sul de Nargothrond. Mas o reino de Nargothrond estendia-se também a oeste do Narog até mesmo ao mar, salvo apenas na região da Falas (ou Costa), ao sul de Nivrost. Lá habitavam os Elfos-escuros dos portos, Brithombar e Eglorest, e eles eram da antiga raça teleriana; mas tomaram Felagund, senhor de Nargothrond, como rei. E ao sul de Nan-tathren havia uma região de belos prados cheia de muitas flores onde pouca gente habitava; e, além, havia os charcos e as ilhas de juncos à volta das fozes do Sirion, e as areias de seu delta, vazias de todas as coisas vivas, salvo as aves do mar.

§110 Mas no lado esquerdo do Sirion estava Beleriand Leste, a qual, em sua maior extensão, tinha cem léguas do Sirion ao Gelion e às fronteiras de Ossiriand: primeiro as terras vazias sob as faces dos precipícios meridionais de Dorthonion, Dimbar entre o Sirion e o Mindeb, e Nan-dungorthin entre o Mindeb e as águas a montante do Esgalduin; e essas regiões eram repletas de medo pelos encantamentos de Melian, como uma defesa de Doriath contra o Norte, e após a queda dos Gnomos elas se tornaram locais de terror e mal. Além delas no Leste ficavam as marcas do norte de Beleriand, onde os filhos de Fëanor habitavam. A seguir ao sul ficava o reino de Doriath; primeiro a sua parte setentrional e menor, a Floresta de Neldoreth, tinha como fronteira leste e sul o escuro rio Esgalduin, o qual dobrava para o oeste no meio de Doriath; e, então, as matas mais densas e maiores de Region, entre o Esgalduin e o Aros. E Menegroth, os salões de Thingol, foram construídos na margem sul do Esgalduin, onde ele se voltava para o oeste; e toda Doriath ficava a leste do Sirion, salvo por uma região estreita de bosque entre o encontro do Taiglin e do Sirion e os Alagados do Crepúsculo. E esse bosque que a gente de Doriath chamava de Nivrim, a Marca-oeste, era muito belo, e carvalhos de grande beleza cresciam ali; e o bosque era incluído no cinturão de Melian, para que alguma porção do Sirion, que ela amava em reverência a Ulmo, estivesse totalmente sob o poder de Thingol.

§111 Para além de Doriath ao Leste ficavam as matas entre o Celon e o Gelion; aqui pouca gente habitava, mas Damrod e Díriel as tomaram como seu reino e campo de caça; e além, entre o Gelion e as Montanhas Azuis, ficava a ampla terra de Thargelion,[*] onde Cranthir habitara outrora. Mas no canto sul de Doriath, onde o Aros desaguava no Sirion, havia uma região de grandes lagoas e charcos em ambos os lados do rio,

---

[*] *Nota marginal ao texto:* ou Radhrost.

O QUENTA SILMARILLION

que ali detinha seu curso e se espalhava por muitos canais. Essa região os Elfos de Doriath chamavam de Umboth Muilin,* os Alagados do Crepúsculo, pois havia muitas brumas, e o encantamento de Doriath jazia sobre eles.

§112 Pois toda a metade norte de Beleriand inclinava-se para o sul até esse ponto e, então, em certo intervalo, ficava plana, e a corrente do Sirion se detinha. Mas ao sul de Umboth Muilin a terra decaía de modo repentino e íngreme, embora de modo algum com uma queda tão grande como no Norte. Contudo, toda a planície inferior do Sirion era dividida da planície superior por essa queda súbita, a qual, olhando para o Norte, aparecia como uma cadeia interminável de montes que iam de Eglorest, além do Narog, no Oeste, até Amon Ereb, no Leste, à vista distante do Gelion. O Narog atravessava para o sul um desfiladeiro profundo, e passava por corredeiras, mas não chegava a uma queda, e, na sua encosta oeste, a terra se elevava em grandes terras altas florestadas, Taur-na-Faroth, que se estendia em direção ao sul. No lado oeste dessa garganta sob Taur-na-Faroth, onde o riacho curto e espumejante chamado Ingwil se lança de cabeça das terras elevadas no Narog, Inglor estabeleceu Nargothrond.

§113 Mas, umas setenta milhas a leste da garganta de Nargothrond, o Sirion descia do Norte em uma grande queda d'água, abaixo dos alagados, e então mergulhava, de repente, debaixo da terra, em grandes túneis que o peso de suas águas que caíam tinha aberto; e saía de novo três léguas ao sul, com grande barulho e vapor, através de arcos rochosos nos sopés dos montes que eram chamados de Portões do Sirion. Mas essa queda que servia de divisa tinha o nome de Andram, ou a Longa Muralha, de Nargothrond até Ramdal, ou Fim da Muralha, em Beleriand Leste. E no Leste ela a muralha se tornava cada vez menos íngreme, pois o vale do Gelion se inclinava para o sul de modo constante, e o Gelion não tinha nem quedas d'água e nem corredeiras através de seu curso, mas era sempre mais rápido do que o Sirion. Mas entre Ramdal e o

---

* *Nota de rodapé ao texto:* Mas os nomes gnômicos eram Hithliniath, as lagoas de bruma, ou Aelin-uial, Lagos do Crepúsculo.

Gelion havia um único monte de grande extensão de encostas suaves, mas que parecia mais elevado do que era, pois estava isolado; e esse monte era chamado de Amon Ereb, e Maidros habitou lá depois da grande derrota. Mas até aquele tempo todas as vastas florestas de Beleriand Leste ao sul de Andram e entre o Sirion e o Gelion eram pouco habitadas, e os Gnomos lá iam raramente.

§114 E a leste dessa terra selvática ficava o país de Ossiriand, entre o Gelion e as Eredlindon. O Gelion era um grande rio, e ele nascia de duas fontes, e tinha, no começo, dois braços: O Pequeno Gelion, que vinha do monte de Himring, e o Grande Gelion, que vinha do Monte Rerir, um contraforte das Eredlindon; e entre esses braços estava a terra de Maglor, filho de Fëanor. Então, unindo seus dois braços, o Gelion corria para o sul, um rio ligeiro, mas de pequeno volume, até encontrar seus tributários cerca de quarenta léguas ao sul do encontro de seus braços. Antes que achasse o mar, o Gelion era duas vezes mais longo que o Sirion, mas ainda menos amplo e cheio; pois caía mais chuva em Hithlum e em Dorthonion, de onde o Sirion tirava suas águas, do que no Leste. Das Eredlindon saíam os tributários do Gelion. Esses eram seis: Ascar (que depois foi renomeado Rathlóriel), Thalos, Legolin, Brilthor, Duilwen e Adurant; eram velozes e turbulentos, descendo abruptamente das montanhas, mas rumo ao sul cada um era mais longo do que o anterior, uma vez que o Gelion afastava-se cada vez mais das Eredlindon. Entre o Ascar no Norte e o Adurant no Sul, e entre o Gelion e as montanhas, ficava Ossiriand, a Terra dos Sete Rios, repleta de matas verdes amplas e belas.

§115 Lá habitavam os Elfos danianos, que no princípio eram da raça gnômica, mas abandonaram a marcha desde Kuiviénen, e jamais chegaram a Valinor, e somente depois de muito vagarem atravessaram as montanhas nas eras sombrias; e alguns de sua gente habitam ainda a leste das Eredlindon. Outrora o senhor de Ossiriand havia sido Denethor, amigo de Thingol; mas ele foi morto em batalha ao marchar em auxílio de Thingol contra Melko, nos dias em que os Orques pela primeira vez foram feitos e romperam a paz estrelada de Beleriand. Desde então Doriath foi cercada com encantamentos, e muitos da gente de Denethor partiram para Doriath e se juntaram aos Elfos de Thingol; mas aqueles que permaneceram em Ossiriand não tinham rei, e viviam sob a proteção de seus rios. Pois, depois do Sirion, Ulmo amava o Gelion acima de todas as águas do mundo ocidental. Mas a arte mateira dos Elfos de Ossiriand era tal que um estranho podia atravessar sua terra de ponta a ponta e não ver nenhum deles. Trajavam-se mormente de verde na primavera e no verão, e por isso eram chamados de os Elfos-verdes; e se deleitavam em canções, e o som de seu canto podia ser ouvido do outro lado das águas do Gelion, como se toda a sua terra fosse tomada por coros de pássaros cujas belas vozes tivessem assumido pensamento e significado.

§116 Deste modo os chefes dos Gnomos mantinham suas terras e o sítio contra Morgoth após a derrota dele na Segunda Batalha. Fingolfin e Fingon, seu filho, mantinham Hithlum, e sua principal fortaleza era em Eithel Sirion, a leste das Eredwethion, donde montavam guarda sobre Bladorion; e sua cavalaria passava por aquela planície, chegando mesmo à sombra das Thangorodrim, e seus cavalos se multiplicavam, pois a relva era boa. Daqueles cavalos, muitos dos antepassados tinham vindo de Valinor. Mas Turgon, o sábio, segundo filho de Fingolfin, manteve Nivrost até a Segunda Batalha, e retornou para lá depois, e sua gente era numerosa. Mas a inquietação de Ulmo que estava sobre ele aumentou, e após alguns anos ele se levantou e tomou consigo uma grande hoste dos Gnomos, que chegava a um terço do povo de Fingolfin, e seus bens e esposas e filhos, e partiu para o leste. Sua viagem foi à noite e sua marcha, veloz e silenciosa, e dele sua gente não soube mais nada. Mas chegou a Gondolin e construiu lá uma cidade à semelhança de Tûn de Valinor, e fortificou os montes em volta; e Gondolin jazeu oculta por muitos anos.

§117 Os filhos de Finrod mantinham a marca do norte desde o passo do Sirion entre Hithlum e Dorthonion até a extremidade leste de Dorthonion, onde fica a ravina profunda de Aglon. E Inglor guardava o passo do Sirion, e construiu uma grande torre de vigia, Minnastirith, sobre uma ilha no meio do rio; mas, depois da fundação de Nargothrond, essa fortaleza ele entregou mormente aos cuidados de seu irmão,

Orodreth. Mas Angrod e Egnor vigiavam Bladorion das encostas do norte de Dorthonion; e sua gente não era numerosa, pois a terra era estéril, e as grandes terras altas atrás deles eram consideradas um baluarte que Morgoth não buscaria cruzar levianamente.

§118 Mas a leste de Dorthonion as marcas de Beleriand eram mais abertas a ataques, e apenas colinas de não grande altura guardavam o vale do Gelion do Norte. Portanto, os filhos de Fëanor, com muita gente, quase metade do povo dos Gnomos, habitavam naquela região, nas Marcas de Maidros e nas terras detrás dela; e os cavaleiros da gente de Fëanor cavalgavam amiúde na grande planície do norte, Lothland, a vasta e vazia, a leste de Bladorion, caso Morgoth tentasse qualquer surtida em direção a Beleriand Leste. E a principal cidadela de Maidros ficava sobre o monte de Himring, o Sempre-frio; e esse era de encostas largas, desnudo de árvores, e plano no cimo, cercado por muitos montes menores. Esse nome tinha porque havia um passo, muitíssimo íngreme no oeste, entre ele e Dorthonion, e esse era o passo do Aglon, uma entrada para Doriath; e um vento cortante soprava sempre atrás dele vindo do Norte. Mas Celegorn e Curufin fortificaram Aglon, e o guarneceram com grande exército, e mantinham toda a terra ao sul, entre o rio Aros, que nascia em Dorthonion, e seu tributário, o Celon, que vinha de Himring. E entre o Celon e o Pequeno Gelion ficava o posto de Damrod e Díriel. E entre os braços do Gelion ficava o posto de Maglor, e lá, em certo lugar, os montes cessavam de todo; e foi ali que os Orques entraram em Beleriand Leste antes da Segunda Batalha. Portanto, os Gnomos mantinham muita cavalaria nas planícies daquele lugar; e o povo de Cranthir fortificou as montanhas a leste da Brecha de Maglor. Pois o Monte Rerir e, à volta dele, muitas elevações menores, destacava-se da cadeia principal das Eredlindon no rumo oeste; e, no ângulo entre Rerir e Eredlindon, havia um lago, sombreado por montanhas em todos os lados, salvo o sul. Esse era o Lago Helevorn, profundo e escuro, e ao lado dele Cranthir tinha sua morada; mas toda a grande região entre o Gelion e as Eredlindon, e entre Rerir e o rio Ascar, era chamada pelos Gnomos de Thargelion (isto é, a terra além do Gelion), ou

O QUENTA SILMARILLION

Dor Granthir, a terra de Cranthir; e foi aqui que os Gnomos primeiro encontraram os Anãos.*

§119 Assim, os filhos de Fëanor, sob a liderança de Maidros, eram senhores de Beleriand Leste, mas sua gente vivia, naquele tempo, mormente no norte da terra; e no sul eles cavalgavam apenas para caçar, e para buscar solidão por um tempo. E para lá por motivos similares os outros senhores-élficos por vezes iam, pois a terra era selvagem, mas muito bela; e, daqueles, Inglor era o que vinha mais amiúde, pois tinha grande amor por andanças, e entrou até mesmo em Ossiriand, e granjeou a amizade dos Elfos-verdes. Mas Inglor era Rei de Nargothrond e suserano dos Elfos-escuros dos portos ocidentais; e com seu auxílio Brithombar e Eglorest foram reconstruídos e torna-ram-se belas cidades, lembrando em certa medida os portos do Elfos-escuros nas costas de Valinor.

§120 E Inglor mandou construir a torre de Tindobel num cabo a oeste de Eglorest para vigiar o Mar do Oeste; e alguns do povo de Nargothrond, com o auxílio dos Teleri dos portos, construíram novos navios, e partiram para explorar a grande ilha de Balar, pensando em aqui preparar um refúgio último, se viesse o mal. Mas não era a sina deles jamais habitar ali. E o reino de Inglor ia até o norte em Tolsirion, a ilha no rio anteriormente mencionado, e seus irmãos mantinham Dorthonion e eram seus vassalos. Assim, seu reino era de longe o maior, embora ele fosse o mais jovem dos grandes senhores dos Gnomos: Fingolfin, Fingon, e Maidros, e Inglor Felagund. Mas Fingolfin era considerado suserano de todos os Gnomos, e Fingon depois dele, embora o reino deles não fosse mais que as terras setentrionais de Nivrost e Hithlum. Contudo, era seu povo o mais pertinaz e valente, e o mais temido pelos Orques e o mais odiado por Morgoth.

§121 E em Doriath habitava Thingol, o rei oculto, e em seu reino ninguém entrava, salvo por sua vontade, e quando con-vocado; e por mais magnos que fossem os Reis do Noldor naqueles dias, e cheios do fogo e da glória de Valinor, o nome de Thingol era tido em reverência entre eles.

---

* *Nota marginal ao texto:* Mas Dor Granthir era antes chamada pelos Elfos-escuros de Radhrost, o Vale Leste.

316

A ESTRADA PERDIDA E OUTROS ESCRITOS

Comentário ao Capítulo 9

§105 Essa é a primeira ocorrência da forma final *Ered-engrin* (no lugar de *Eiglir Engrin*, IV. 256). A descrição das Montanhas de Ferro aqui está de acordo com o mapa IV do *Ambarkanta* (IV. 293), onde são representadas como uma grande muralha cortando o Norte, levemente curvada para o sul, e onde, como afirmado no QS, não se estendem até as praias dos Mares do Oeste ou do Leste. Discuti em IV. 304–07 a relação do mapa V do *Ambarkanta* com a descrição aqui das mudanças nas montanhas setentrionais e de Angband e Thangorodrim.

§106 Hithlum é chamada de "Terra(s) da Bruma" na *Balada dos Filhos de Húrin*, no Q e no AB 1, "reino da bruma" em QS §88, mas essa explicação do nome não havia sido dada antes. É interessante relembrar a ideia original (I. 141): "*Dor Lómin* ou 'Terra de Sombra' era a região chamada pelos Eldar *Hisilómë* (e isto significa 'Crepúsculos Sombreados') [...] e chama-se assim em virtude do escasso sol que espia sobre as Montanhas de Ferro [isto é, as Montanhas de Sombra] a leste e ao sul".

Nivrost, sempre alterado desde o início a partir de *Nivros*, agora se situa geograficamente na região anteriormente não nomeada que já aparece no primeiro Mapa (IV. 271), e é aqui explicitamente considerada uma parte de Hithlum (mas em §120 há uma referência às "terras setentrionais de Nivrost e Hithlum"). A nota marginal que traduz o nome como "Vale do Oeste" ("Vales-do-Oeste" nas *Etimologias*, radical NIB) é contemporânea à composição do manuscrito (em *O Silmarillion*, a forma tardia *Nevrast* é traduzida "Costa de Cá", p. 170). Quanto à exposição de Hithlum ao Norte, ver a nota sobre a geografia do extremo Norte, pp. 321–24.

Essa é a primeira ocorrência de *Taras*, mas a grande montanha foi claramente marcada no segundo Mapa como desenhado originalmente, e antes de o nome ser inserido (p. 498, quadrado D2).

A nota marginal que define *Dorthonion* como um nome ilkorin (estando de acordo com as *Etimologias*, radical THŌN) parece como se pertencesse à composição original do manuscrito, embora contradiga a afirmação no texto: "o grande planalto que os Gnomos chamaram pela primeira vez de Dorthonion".

317

O QUENTA SILMARILLION

§108 Na primeira ocorrência de *Eredlindon* nesse parágrafo há uma nota de rodapé ao texto acrescentada após a composição do manuscrito:

> Que significa as Montanhas de Ossiriand; pois os Gnomos chamaram aquela terra de Lindon, a região da música, e viram pela primeira vez essas montanhas a partir de Ossiriand. Mas o nome correto era Eredluin, as Montanhas Azuis, ou Luindirien, as Torres Azuis.

Não incluí esse trecho no texto impresso, por não ter certeza de sua data. Nas passagens da revisão da segunda versão de *A Queda de Númenor* aparece o nome *Lindon*. Mostrei que essas revisões são de um período durante a composição de *O Senhor dos Anéis* (ver pp. 43–7) — embora isso não signifique necessariamente que *Lindon* não tenha surgido antes. Originalmente, *Eredlindon* com certeza significava "Montanhas Azuis": ver IV. 385, 399; e na *Lista de Nomes* (p. 495) uma palavra *lind* "azul" é apresentada (cf. as *Etimologias*, radical GLINDI).

Com o relato da extensão de Beleriand, cf. a legenda no primeiro Mapa (IV. 269). — A presente passagem é a primeira afirmação acerca do curso inferior do Gelion; no mapa V do *Ambarkanta* (IV. 295), o rio (sem nome) é mostrado voltando-se para o oeste e correndo para o mar em outra grande baía ao sul de Balar. No mapa V também está representado o "Grande Golfo", e o "estreito de terra montanhosa" (lá chamado de "Estreitos do Mundo") "entre o golfo e o mar interior de Helkar" (ver IV. 305).

§109 *Nan-tathren* foi alterado a partir de *Nan-tathrin*, como no AB 2 (nota 5). — no AB 2 (anal 52), Fingolfin era "Senhor da Falas ou Costa do Oeste, e soberano dos Elfos-escuros até Eglorest no sul e a oeste do rio Eglor", enquanto Felagund possuía as terras a leste do Eglor (entre o Eglor e o Sirion). Mudanças feitas naquele manuscrito (notas 12 e 13) alteraram o texto para dizer que era Felagund que era "considerado senhor supremo da Falas, e dos Elfos-escuros dos portos de Brithombar e Eglorest"; e aqui no QS os Elfos do Portos "tomaram Felagund como rei".

§110 Aqui é a primeira ocorrência do nome *Dimbar*. Cf. AB 2, anal 52: "entre o Sirion e o rio Mindeb ninguém habitava". Quanto a *Nan-dungorthin*, ver IV. 262–63. Aqui também é a

A ESTRADA PERDIDA E OUTROS ESCRITOS

primeira ocorrência de *Nivrim*, "a Marca-oeste". No segundo Mapa. como no primeiro, a região é marcada como "Doriath além do Sirion"; ver IV. 266, 387.

§111 *Thargelion*, que aparece aqui pela primeira vez, foi uma alteração inicial a partir de Targelion (mas em §122 *Thargelion* é original no manuscrito). A nota marginal "ou Radhrost" provavelmente foi um acréscimo subsequente, mas certamente pertence ao período inicial; ver §118 abaixo. A segunda nota de rodapé certamente é original. Embora *Umboth Muilin* remonte aos *Contos Perdidos* (Ver II. 271, 418), nem *Hithliniath*, nem *Aelin-uial*, haviam ocorrido anteriormente.

§112 Aqui aparece pela primeira vez o nome *Taur-na-Faroth* para os planaltos chamados anteriormente em *As Baladas de Beleriand* "os Morros dos Caçadores", "o Descampado dos Caçadores" e, no primeiro Mapa, *Duil Rewinion* (IV. 266), onde esses morros são representados estendendo-se muito ao sul de Nargothrond.

§113 Esse relato da Inclinação de Beleriand e da grande queda divisora é inteiramente novo, como o são os nomes *Andram*, "a Longa Muralha", e *Ramdal*, "Fim da Muralha" (ambos escritos nas duas ocorrências sobre outros nomes que foram completamente apagados). Características antigas dos rios de Beleriand — o torrencial Narog, as Lagoas do Crepúsculo, o mergulho subterrâneo do Sirion — são agora relatadas em uma concepção geográfica abrangente. Os "Portões do Sirion" são novos como nome e concepção (embora estejam marcados e nomeados no segundo Mapa como desenhado originalmente, p. 500): nada havia sido dito até agora acerca da saída do rio de sua passagem subterrânea.

§114 Os dois braços tributários do Gelion estão representados no segundo Mapa, mas aqui pela primeira vez recebem nomes; e agora ocorre pela primeira vez *Monte Rerir*, onde o Grande Gelion nascia. A forma *Himring* já havia aparecido no *Lhammas B*, p. 223 (mas ainda era *Himling* no segundo Mapa como desenhado originalmente).

No nome *Adurant* há uma nota de rodapé ao texto acrescentada após a composição do manuscrito:

E em um ponto quase no meio de seu curso a corrente do Adurant se dividia e depois se juntava de novo, encerrando

O QUENTA SILMARILLION

uma bela ilha; e esta era chamada de Tolgalen, a Ilhota Verde. Ali Beren e Lúthien habitaram depois de seu retorno.

Como a nota de rodapé em §108, não incluí esse trecho no texto por não ter certeza de quando o acréscimo foi feito. O segundo Mapa não mostra a ilha formada pelo curso dividido do Adurant; por outro lado, um acréscimo ao radical AT(AT) nas *Etimologias* explica o significado real de *Adurant* precisamente a partir do curso dividido (ilkorin *adu*, *ado* "duplo"). Essa é a primeira ocorrência do nome Tolgalen, e dessa localização precisa da morada de Beren e Lúthien após o retorno deles. No primeiro Mapa, "a Terra dos Mortos que Vivem" foi movida várias vezes, sendo que o posicionamento final foi em Ossiriand (IV. 266, 274), como no Q (IV. 154).

§115 Com "em que os Orques pela primeira vez foram feitos", cf. QS §62: "ele trouxe à existência a raça dos Orques" (isto é, quando Morgoth voltou à Terra-média).

Ver-se-á que esse relato dos Elfos-verdes ("Elfos danianos") está muito de acordo com *Lhammas* §7. Não é dito lá que eles eram chamados de Elfos-verdes porque se trajavam de verde na primavera e no verão (mas "a casa de Denethor amava o verde acima de todas as cores"); e há agora a primeira menção ao canto deles, o que levou a sua terra ser chamada de *Lindon* (ver o comentário a §108, mas também as *Etimologias*, radical LIN[2]).

§116 Do início desse parágrafo o texto é derivado, com muitas alterações e expansões, do AB 2, anal 52.

Quanto ao lapso de tempo entre a descoberta de Turgon do vale oculto de Gondolin e a sua última partida de Nivrost, ver pp. 306–07. No AB 2 ele "partiu para o sul", isto é, de Hithlum, posteriormente alterado (nota 8) para ficar de acordo com o QS, onde ele "partiu para o leste", isto é, de Nivrost. Essa é a primeira menção da semelhança de Gondolin com a cidade dos Elfos em Valinor, embora, como sugeri (II. 250–51), talvez fosse uma antiga ideia subjacente.

§§117 O nome *Minnastirith* está escrito sobre uma palavra apagada por completo, mas o nome apagado é claramente *Inglormindon*, que aparece como um acréscimo ao AB 2 (nota 14), lá também alterado para *Minnastirith* (e depois para *Minastirith*).

Outro elemento na história alterada de Orodreth é inserido agora, um aspecto de sua associação com Inglor Felagund em

A ESTRADA PERDIDA E OUTROS ESCRITOS

vez de com Angrod e Egnor (ver o comentário a §73): ele não mais possui uma terra no leste de Dorthonion, próximo aos seus amigos Celegorn e Curufin, mas é o guardião da torre de Inglor em Tol Sirion. Essa nova história foi introduzia no AB 2 através de correções tardias (notas 10, 25 e 29).

§118 O relato das defesas de Beleriand no Nordeste e as terras dos príncipes fëanorianos não difere em essência daquele no AB 2, mas é mais completo e mais preciso nos detalhes. O nome *Lothland* aparece aqui pela primeira vez, e essa é a primeira vez que Himring (Himling) é descrito, ou que uma interpretação é dada para alguma das formas. O território de Damrod e Díriel torna-se mais definido, e aparentemente mais para o norte (anteriormente nesse capítulo, em §111, seus limites são "entre o Celon e o Gelion"). O Lago Helevorn, às margens do qual Cranthir habitava, é agora mencionado pela primeira vez (o nome estando escrito sobre uma palavra apagada, talvez *Elivorn*, ver p. 495); ele não está representado no segundo Mapa como desenhado orginalmente.

As palavras "pelos Gnomos de Thargelion (isto é, a terra além do Gelion), ou Dor Granthir" foram um acréscimo, junto com a nota marginal sobre o nome élfico-escuro *Radhrost*, mas feito com muito cuidado em um período anterior. Quanto a *Granthir* junto a *Cranthir*, ver a nota sobre *Gorgoroth*, pp. 356–57. O encontro do povo de Cranthir com os Anãos nas Eredlindon é apresentado no AB 2 no ano 104 (> 154), mas o relato dos Anãos nesse ponto nos *Anais* é reservado no QS ao novo capítulo que se segue.

§§119–20 Não é dito no AB 2 (anal 65) que Felagund auxiliou os Elfos da Falas a reconstruir os seus Portos, nem que foi ele que ergueu a Torre de Tindobel: pois Fingolfin ainda era o Senhor da Falas (ver §109 acima). O nome aqui foi primeiramente escrito *Tindabel*, como também no segundo Mapa: empreguei a grafia *Tindobel* partindo do pressuposto de que essa foi uma alteração inicial, uma reversão à forma no primeiro Mapa e nos AB 1 e 2.

Nota sobre a geografia do extremo Norte

Comentei (IV. 306) ao discutir os mapas do *Ambarkanta* que é interessante ver o quão próximo Hithlum é colocado no Mapa V da borda do mundo, o Abismo de Ilmen; e este é um lugar conveniente para levar em consideração um outro aspecto da questão. Em QS §105 é dito:

> Na guerra dos Deuses as montanhas de Melko foram partidas e distorcidas no Oeste, e de seus fragmentos foram feitas as Eredwethion e as Eredlómin; mas as Montanhas de Ferro se curvavam para trás no rumo norte, e havia cem léguas entre elas e os estreitos congelados no Helkaraksë.

Apesar de bastante amontoado e de ter sido esboçado às pressas, o Mapa V parece estar de acordo com esse trecho. Tento aqui aumentar e esclarecer a representação dessas regiões no mapa, acrescentando letras para tornar mais claras as referências a ele.

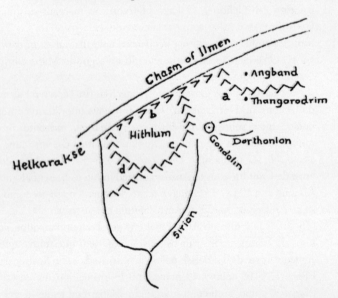

A extremidade oeste das Montanhas de Ferro (marcada com um *a* no esboço) agora se volta de maneira abrupta para o norte até o Abismo de Ilmen; Eredwethion (*c*) e Eredlómin (*d*) são claramente identificáveis. A linha de aspas angulares (*b*) que segue ao longo da borda do Abismo está a lápis, enquanto as outras cadeias são à tinta sobre lápis, mas não está claro se isso possui alguma importância. A afirmação no QS recém-citada de que havia cem léguas entre a extremidade das Montanhas de Ferro e o Helkaraksë sugere que não havia grandes elevações entre Hithlum e o Abismo — e cf QS §106: "Nivrost era... abrigada do Norte" (pelas Eredlómin), enquanto "Hithlum era aberto aos ventos frios".

Por outro lado, anteriormente no QS (§103) o exército enviado por Morgoth para testar as defesas dos Noldor "virando-se para o oeste nos limites externos das Montanhas de Ferro, [chegou] às praias do mar", conseguindo "invadir Hithlum por trás". Esse exército foi para o sul ao longo da costa e foi destruído por Fingon no Estreito de Drengist. Isso significa que a hoste-órquica não podia invadir Hithlum pelo Norte devido às elevações defensáveis entre Hithlum e o Abismo de Ilmen? Nesse caso, é possível supor uma certa configuração da seguinte maneira:

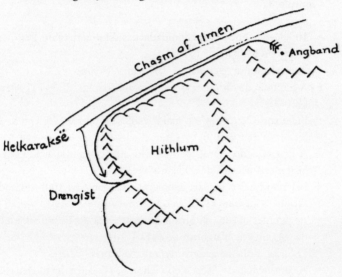

Porém, as evidências parecem não permitir uma resposta exata; e o segundo Mapa não é de ajuda — na verdade, ele apresenta um problema adicional na representação das Thangorodrim (p. 499). Aqui os três picos colossais das Thangorodrim são cercados por um círculo fechado de elevações menores, e não há indicação da "grande muralha encurvada" das Montanhas de Ferro a partir da qual "as torres das Thangorodrim se projetavam" (QS §103). Não sei como explicar isso; mas durante todos os anos em que meu pai usou este mapa ele nunca fez qualquer marca nele que sugerisse que o desenho deveria ser modificado.

O QUENTA SILMARILLION

Nessa época, as Thangorodrim eram concebidas com uma localização bastante próxima: o segundo Mapa está bastante de acordo com o mapa V do *Ambarkanta* nesse ponto. No material pós-*Senhor dos Anéis*, é dito que "os portões de Morgoth estavam a não mais que cento e cinquenta léguas de distância da ponte de Menegroth" (*O Silmarillion*, p. 140); enquanto de acordo com a escala do segundo Mapa (ver abaixo), a distância era pouco mais de setenta léguas.

Nota sobre distâncias

Listo aqui as definições de distância que são apresentadas no Capítulo 9:

- 100 léguas entre a extremidade das Montanhas de Ferro no Oeste e o Helkaraksë (§105).
- Dorthonion se estendia por 100 léguas (§106).
- A extensão do Sirion desde o Passo até o Delta era de 121 léguas (§107).
- Beleriand Oeste, em sua maior extensão, possuía 70 léguas, do Sirion ao mar (§109).
- A extensão do Narog desde Ivrin até sua confluência com o Sirion era de cerca de 80 léguas (§109).
- Beleriand Leste, em sua maior extensão, possuía 100 léguas, do Sirion ao Gelion (§110).
- As grandes quedas do Sirion ficavam cerca de 70 *milhas* a leste da garganta de Nargothrond (§113).
- O Sirion fluía debaixo da terra por 3 léguas (§113).
- A confluência do Ascar e do Gelion ficava cerca de 40 léguas ao sul da confluência do Grande e do Pequeno Gelion (§114).

Uma nota no verso do Mapa fornece uma escala de 50 milhas para 3,2 cm. (o comprimento dos lados dos quadrados). Nessa escala, a maioria das distâncias apresentadas no QS está bem ou muito de acordo com as medidas no Mapa (como seria de esperar). Os rios foram medidos numa linha reta, no caso do Sirion desde a abertura setentrional do Passo. Mas há duas afirmações no QS que não se encontram em harmonia de forma alguma com o Mapa. Essas são a extensão de Dorthonion (100 léguas) e Beleriand Oeste em sua

A ESTRADA PERDIDA E OUTROS ESCRITOS

maior extensão (70 léguas do Sirion ao mar). Com um olhar rápido vê-se que Dorthonion era muito menor que Beleriand Leste em sua maior extensão, embora ambas as distâncias sejam dadas no QS como 100 léguas, e que Beleriand Oeste em sua maior extensão era praticamente tão grande quanto Beleriand Leste. Creio que essas afirmações sejam simplesmente erros, sem maiores significados; e eles na verdade foram corrigidos (muito tempo depois), e a extensão de Dorthonion tornou-se 60 léguas e Beleriand Oeste em sua maior extensão passou a ter 99 léguas, ficando em harmonia com o Mapa.

10. DOS HOMENS E DOS ANÕES

§122 Ora, com o tempo a construção de Nargothrond foi terminada, e Gondolin havia sido erigida em segredo. Mas nos dias do Cerco de Angband os Gnomos tinham ainda pouca necessidade de esconderijos, e vagavam por toda a parte entre o Mar do Oeste e as Montanhas Azuis no Leste. É dito que eles subiram as Eredlindon e olharam para o leste com assombro, pois as terras da Terra-média pareciam selvagens e vastas; mas não atravessaram as montanhas, enquanto Angband durou. Naqueles dias a gente de Cranthir topou com os Anões, a quem os Elfos-escuros chamam Naug-rim; pois as principais moradas daquela raça ficavam nas montanhas a leste de Thargelion, a terra de Cranthir, e eram escavadas fundo nas encostas orientais das Eredlindon. De lá viajavam amiúde para Beleriand, e eram recebidos por vezes até mesmo em Doriath. Naquela época não havia inimizade entre Elfos e Anões, mas, no entanto, pouco amor havia. Pois embora os Anões não servissem Morgoth, ainda assim em algumas coisas eram mais parecidos com o povo dele do que com os Elfos.

§123 Os Naugrim não eram da raça-élfica nem da gente mortal, tampouco crias de Morgoth; e naqueles dias os Gnomos não sabiam de onde eles vinham. [Mas* é dito pelos sábios em Valinor, como tomamos conhecimento desde então, que Aulë fez os Anões enquanto o mundo ainda estava escuro, por desejar a chegada dos Filhos de Ilúvatar, para que pudesse

---

* *Nota marginal ao texto junto à passagem entre colchetes:* disse Pengolod.

O QUENTA SILMARILLION

ter aprendizes aos quais pudesse ensinar seu saber e ofício, e por não querer aguardar o cumprimento dos desígnios de Ilúvatar. Donde os Anões são como os Orques nisso, por terem vindo da obstinação de um dos Valar; mas não foram feitos por malícia e zombaria, e não foram gerados por um propósito maligno. Contudo, eles derivam seu pensamento e ser segundo sua medida de apenas um dos Poderes, enquanto os Elfos e os Homens, seja a quem for que eles principalmente se voltem entre os Valar, possuem afinidade com todos em certa medida. Portanto, as obras dos Anões possuem grande engenho e ofício, porém pouca beleza, exceto quando imitam as artes dos Eldar; e os Anões retornam para a terra e pedra dos montes de onde foram feitos.]*

§124 Ferro trabalhavam em vez de ouro e prata, e a feitura de armas e de malhas era o seu principal ofício. Ajudaram os Gnomos grandemente na guerra destes com os Orques de Morgoth; mas não se pensava que teriam recusado também a forja a Morgoth, caso tivesse tido necessidade do trabalho deles, ou estivesse aberto ao seu comércio. Pois comprar e vender e permutar eram o deleite deles, e o acúmulo de riquezas. Mas essas eles juntavam antes para acumular do que para usar, ou para gastar, exceto em comércio. Sua estatura era baixa e atarracada; tinham braços fortes e pernas robustas, e suas barbas eram longas. A si mesmo davam o nome de Khuzûd, mas os Gnomos os chamavam de Neweg, os mirrados, e aqueles que habitavam em Nogrod eles chamavam de Enfeng, os Barbas-longas, pois suas barbas roçavam o chão diante de seus pés. Suas principais cidades naqueles dias eram Khazaddûm e Gabilgathol, que os Elfos de Beleriand chamavam, de acordo com o significado que tinham no idioma de Doriath, de Nogrod, a Mina-anânica, e Belegost, a Grande

---

* *Nota de rodapé ao texto:* Aulë, por seu amor pela invenção, engendrou uma nova fala para os Anões, e suas línguas não são aparentadas com outras; no uso as tornaram ásperas e intrincadas, e poucos tentaram aprendê-las. Em seu colóquio com os Elfos de outrora eles usavam, de acordo com suas habilidades, o idioma dos Elfos-escuros de Doriath. Mas as suas próprias línguas eles mantinham em segredo, e sobrevivem ainda na Terra-média e, em parte, certos idiomas dos Homens são derivados delas. *Junto a esse trecho está escrito na margem:* Assim, o *Lhammas*.

A ESTRADA PERDIDA E OUTROS ESCRITOS

Fortaleza. Mas poucos dos Elfos, salvo Meglin de Gondolin, iam lá, e os Anões comerciavam em Beleriand, e construíram uma grande estrada, que passava sob as encostas do Monte Dolmed, e que seguia de lá o curso do Ascar, e cruzava o Gelion em Sarn-athrad. Ali mais tarde uma batalha foi travada, mas por ora os Anões pouco preocupavam os Elfos, enquanto o poder dos Gnomos durava.

§125 É considerado que o primeiro encontro de Gnomos e Anões ocorreu na terra de Cranthir por volta da época em que Fingolfin destruiu os Orques em Drengist, cento e cinquenta e cinco anos após a travessia do Gelo, e cento e cinco antes da primeira aparição de Glómund, o Dragão. Após a derrota dele houve uma longa praz, e ela durou por quase duzentos anos do Sol. Durante esse tempo, os pais das casas dos Homens de Beleriand, isto é, dos Amigos-dos-Elfos de outrora, nasceram nas terras da Terra-média, a leste das montanhas; Bëor, o Vassalo, Haleth, o Caçador, e Hador, o de Cabelos Dourados.

§126 Ora, veio a se dar que, quando cerca de quatrocentos anos haviam se passado desde que os Gnomos haviam chegado a Beleriand, Felagund viajou a leste do Sirion e foi caçar com os filhos de Fëanor. Mas apartou-se de seus companheiros, e entrou em Ossiriand, e lá vagou sozinho. Certa altura da noite, topou com um vale nos contrafortes ocidentais das Eredlindon, e avistou luzes no vale e ouviu de longe o som de uma canção agreste; e grandemente se admirou, pois os Elfos-verdes daquela terra não acendiam fogueiras e não cantavam à noite. E o idioma da canção, que ele ouviu ao se aproximar, não era aquele dos Eldar ou dos Elfos-escuros, nem dos Gnomos, nem era aquele dos Anões. Portanto, temeu que uma incursão dos Orques tivesse escapado do sítio do Norte, mas descobriu que não era isso. Pois observou o acampamento sob os montes, e lá contemplou um povo estranho. Altos eles eram, e fortes, e belos de rosto, porém rudes e pouco vestidos.

§127 Ora, esses eram o povo de Bëor, um poderoso guerreiro entre os Homens, cujo filho era Barahir, o audaz, que mais tarde nasceu na terra dos Gnomos. Eram eles os primeiros Homens que ao vagarem para o oeste desde a distante Hildórien passaram por sobre as Eredlindon e chegaram a Beleriand.

Depois de Bëor veio Haleth, pai de Hundor, e mais uma vez, um pouco mais tarde, veio Hador, o de Cabelos Dourados, cujos filhos têm renome nas canções. Pois os filhos de Hador eram Gumlin e Gundor; e os filhos de Gumlin eram Húrin e Huor, e o filho de Húrin era Túrin, a ruína de Glómund, e o filho de Huor era Tuor, pai de Eärendel, o abençoado. Todos esses foram apanhados na rede do fado dos Gnomos e realizaram grandes feitos que os Elfos lembram ainda entre os feitos de seus senhores e reis de outrora. Mas Haleth e Hador naquele tempo ainda se encontravam nas terras agrestes a leste das montanhas.

§128 Felagund por entre as árvores aproximou-se do acampamento de Bëor e permaneceu escondido, até que todos estivessem adormecidos. Então foi ao meio dos homens que dormiam, e se sentou ao lado de sua fogueira, que se apagava porque ninguém montava guarda; e tomou uma harpa rude, que Bëor pusera de lado, e fez música com ela tal como ouvido mortal algum jamais tinha ouvido. Pois os Homens ainda não tinham mestres nessas artes, salvo apenas os Elfos-escuros nas terras agrestes. Ora, os homens despertaram e escutaram Felagund tocar a harpa de cantar; e se maravilharam, pois havia grande sabedoria naquela canção e também beleza, de modo que se tornava mais sábio o coração que a escutava. Assim foi que os Homens chamaram ao Rei Felagund, a quem encontraram primeiro entre todos os Noldor, de Gnomo ou Sabedoria;* e por causa dele chamaram sua raça de Sábios, a quem chamamos Gnomos. No começo acreditaram que Felagund fosse um dos Deuses, a respeito dos quais tinham ouvido rumores de que habitavam longe no Oeste. Mas Felagund lhes ensinou saber verdadeiro, e eles o amaram, e se tornaram seus seguidores; e, assim, Bëor, o Vassalo, recebeu seu nome entre os Gnomos.

§129 Bëor viveu a serviço de Felagund enquanto sua vida durou; e Barahir, seu filho, também serviu os filhos de Finrod, mas ele habitava mormente nas marcas do norte com Angrod e

---

* *Nota de rodapé ao texto:* Está registrado que a palavra na antiga fala desses Homens, que eles mais tarde abandonaram em Beleriand pela língua dos Gnomos, de maneira que agora em sua maior parte está esquecida, era *Widris. Junto a esse trecho está escrito na margem:* disse Pengolod. *Acrescentado a isso:* e Ælfwine.

A ESTRADA PERDIDA E OUTROS ESCRITOS

Egnor. Os filhos de Hador eram aliados à casa de Fingolfin, e o senhorio de Gumlin era em Hithlum; e lá mais tarde seu filho Húrin habitou, cuja esposa era Morwen da casa de Bëor. Ela era cognominada Eledhwen, o Brilho-élfico, pois sua beleza era como a beleza das filhas dos Eldalië. Mas Haleth e sua gente não ficaram a serviço de ninguém e habitaram nas matas nos confins de Doriath, naquela floresta que era chamada Brethil.

§130 Nessa época, a força dos Homens foi acrescentada a dos Gnomos, e a gente das três casas cresceu e se multiplicou. A maior era a casa de Hador, e a mais amada pelos Elfos. Sua gente era loura e de olhos azuis, em sua maioria; embora Túrin tivesse cabelos escuros, pois sua mãe Morwen era do povo de Bëor. Eram de maior força e estatura em corpo do que os Elfos; rápidos para a ira e o riso, ferozes em batalha, generosos com os amigos, ligeiros na determinação, firmes na lealdade, jovens de coração, os Filhos de Ilúvatar na juventude da gente dos Homens. Semelhantes a eles era o povo das florestas de Haleth, mas não eram tão altos; suas costas eram mais largas e suas pernas mais curtas e menos velozes. Menos inflamados eram seus espíritos; mais lento, porém mais profundo, era o movimento de seus pensamentos; suas palavras eram poucas, pois tinham regozijo no silêncio, vagando livres nas matas verdes enquanto as maravilhas do mundo lhes eram novas. Mas o povo de Bëor tinha cabelos morenos ou castanhos; seus olhos eram cinzentos e, seus rostos, belos de contemplar; formosos eram, porém fortes e resistentes. Sua altura não era maior do que a dos Elfos naquele tempo, e eram os mais semelhantes aos Gnomos; pois eram de mente ávida, de mãos hábeis, rápidos no entendimento, de longa memória. Mas eram de vida curta, e seus fados eram infelizes, e seu júbilo mesclado com pesar.

§131 Bëor morreu depois de viver apenas oitenta anos, cinquenta dos quais a serviço de Felagund; e diz-se que quando jazeu morto, por nenhuma arma ou enfermidade, mas afetado pela idade, os Elfos viram então pela primeira vez a morte de cansaço, e lamentaram pelo tempo curto designado à gente dos Homens. Mesmo assim, esses Homens de outrora, sendo de raças jovens e ávidas, aprenderam rapidamente dos

O QUENTA SILMARILLION

Elfos toda arte e conhecimento que pudessem lhes ser ensinados; e em seu engenho e sabedoria superaram muito todos os outros de sua gente, que habitavam ainda a leste das montanhas, e não sabiam dos Eldar do Oeste, antes da ruína se abater sobre Beleriand.

Comentário ao Capítulo 10

§122 O uso passageiro nesse capítulo e subsequentemente da forma plural *Dwarfs* [Anões] é curioso (*Dwarves* [Anãos], que remonta ao início, e era a forma em *O Hobbit*, é usada no capítulo anterior, §118). No AB 2, *Dwarves* [Anãos] em apenas uma ocorrência (nota 41) foi alterado para *Dwarfs* [Anões]. A forma *Naugrim* ocorre aqui pela primeira vez; os Anãos eram *Nauglath* nos *Contos Perdidos*, *Nauglir* no Q. Na terceira Árvore das Línguas (p. 232), seu idioma é *naugliano*.

No AB 2 (anal 104), "os Anãos possuíam grandes minas e cidades no leste das Eredlindon, *muito ao sul de Beleriand*, e as principais dentre essas cidades eram Nogrod e Belegost", como na indicação no primeiro Mapa (Expansão a Leste), IV. 275–76; mas as cidades-anânicas estão agora situadas no QS como viriam a permanecer, nas montanhas a leste de Thargelion, e o AB 2 foi corrigido de maneira correspondente (nota 17). Não havia sido dito antes que os Anãos "eram recebidos por vezes até mesmo em Doriath", mas a ideia de que eles já eram bem conhecidos pelos Elfos-escuros de Beleriand quando os Gnomos os encontraram pela primeira vez nas Montanhas Azuis apareceu na segunda versão do AB 1 (ver IV. 389, 394, e é dito lá que sua antiga estrada se estendia até o rio Aros, isto é, até os confins de Doriath.

É notável que nessa época a afirmação de que os Anãos "em algumas coisas eram mais parecidos com o povo de Morgoth do que com os Elfos" ainda estava preservada do Q (IV. 123); mas isso agora é mitigado pelo que é dito em §123, onde a semelhança dos Anãos com os Orques é representada somente como uma limitação análoga de poderes naturais resultantes de suas origens.

§123 Esse é o terceiro relato da lenda da origem dos Anãos, após os presentes no AB 2 (anal 104) e em *Lhammas* §9, ambos os quais possuem a afirmação notável de que os Anãos "não possuem um espírito que lhes habita"; ver os comentários àquelas passagens.

As duas versões foram modificadas nesse ponto; foi rabiscada uma emenda ao texto do *Lhammas* com uma indicação específica de seguir a passagem aqui no QS que começa com "Contudo, eles derivam seu pensamento e ser segundo sua medida de apenas um dos Poderes..." Mas essa própria passagem no QS foi escrita sobre outro trecho completamente apagado. É muito provável, então, que o QS também tivesse aqui uma frase acerca da ausência de um "espírito que habita" os Anãos, e meu pai corrigiu tanto o QS como o *Lhammas* na mesma época, como o fez em outros lugares. Ademais, o relato do destino dos Anãos apresentado aqui, o seu retorno "para a terra e pedra dos montes de onde foram feitos", foi tirado da mesma passagem no AB 2 (encontra-se ausente na do *Lhammas*), e isso sem dúvida é concomitante com o conceito de que "os Anãos não possuem um espírito que lhes habita".

É possível ver que os colchetes em volta dessa passagem pertençam à composição do manuscrito; eles evidentemente demonstram a que parte do texto a expressão "disse Pengolod" se refere. É levantada mais uma vez a questão (ver §49) de por que Pengolod aparece como anotador se ele era o autor, como ele certamente parece ser no preâmbulo do *Quenta Silmarillion* apresentado na p. 238: "Este Relato foi composto primeiro por Pengolod de Gondolin". Uma possível explicação encontra-se nas outras formas de preâmbulo nas pp. 240–41 Pode-se concluir a partir da primeira dessas que a referência é a "O Silmarillion" num sentido mais amplo (isto é, como incluindo os *Anais* e o *Lhammas*), visto que é dito que Pengolod "usou muito dos escritos de Rúmil... *mormente nos anais de Valinor e no relato de línguas*". A segunda forma (datilografada) desse preâmbulo torna o fraseado menos preciso: "ele usou muito dos escritos de Rúmil... acerca de outros assuntos que não as guerras de Beleriand". As duas versões dizem que ele usou os relatos preservados no Livro Dourado, embora não haja indicação do conteúdo do Livro Dourado. Em ambos os casos não há qualquer tipo de afirmação especificamente sobre o *Quenta Silmarillion*. Portanto, é possível que meu pai agora considerasse Pengolod como redator ou compilador e não como autor, pelo menos em certas partes do livro, e nessas Pengolod marcou suas próprias contribuições e se designou como a autoridade para as

O QUENTA SILMARILLION

mesmas — assim como o fez nos *Anais de Valinor* e no *Lhammas*. Assim, aqui, como em *Lhammas* §9, a passagem acerca da origem dos Anãos é um acréscimo de Pengolod ao material mais antigo (nesse caso, composto por Rúmil).

A nota de rodapé sobre o idioma anânico, que faz referência específica ao *Lhammas*, certamente é da mesma época que a composição original do manuscrito.

§124 *Khuzûd:* a primeira aparição desse nome, ou de qualquer nome anânico para os Anãos. Cf. *O Senhor dos Anéis*, Apêndice F: "*Khazad-dûm*, a Mansão dos Khazad; pois esse é seu próprio nome para sua própria raça, e tem sido desde que Aulë lho deu quando foram feitos nas profundas do tempo".

Enfeng: cf. Q (IV. 123): "aqueles que habitavam em Nogrod eles chamavam de Indrafangs, os Barbas-longas, pois suas barbas roçavam o chão diante de seus pés". O nome *Enfeng* aparece aqui pela primeira vez. Originalmente, os Barbas-longas eram os Anãos de Belegost (II. 296).

Khazaddûm é a primeira ocorrência do famoso nome. É interessante notar que ele já existia — mas como o nome anânico de Nogrod — nessa época. Posteriormente, o nome anânico de Nogrod veio a ser *Tumunzahar* (*O Silmarillion*, p. 135); *Gabilgathol*, que aparece agora pela primeira vez, permaneceu o nome anânico de Belegost.

Nesse parágrafo há a primeira referência à associação de Meglin com os Anãos. — *Dolmed* agora substitui *Dolm* (e o AB 2 foi corrigido de maneira correspondente, nota 17).

§125 Em QS §103 é dito que foi Fingon que destruiu os Orques em Drengist. — Quanto à nova datação, presente agora desde a primeira composição do manuscrito, ver a nota sobre a cronologia, pp. 306–07.

§126 Paralelo com a extensão do Cerco de Angband em duzentos anos, o encontro de Felagund e Bëor, originalmente datado no ano 200 no AB 2, sofreu um adiamento correspondente.

§128 A nota de rodapé ao texto é original. Enquanto em *O Silmarillion* a palavra no idioma do povo de Bëor para "Sabedoria" era *Nóm* (ver IV. 199), aqui ela é *Widris*, e é difícil duvidar que seja relacionada ao radical indo-europeu visto, por exemplo, no sânscrito *veda* "eu sei"; grego *idein* (de *widein) "ver" e *oida* (de *woida) "(eu tenho visto/eu vi >) eu sei"; latim *vidēre* "ver";

inglês antigo *witan* "saber" e *wāt* "eu sei" [*I know*] (> arcaico *I wot*), e nas palavras que ainda sobrevivem, *wit* [engenho], *wise* [sábio], *wisdom* [sabedoria]. Cf. *Lhammas* §10: "Contudo, outros Homens havia, ao que parece, que permaneceram a leste das Eredlindon, que mantiveram sua língua, e desta, de estreito parentesco com o taliska, vieram após muitas eras de mudanças idiomas que ainda vivem no Norte da terra". — Quanto ao abandono dos Homens de sua própria língua em Beleriand, ver *Lhammas* §10 e comentário; e quanto à atribuição da nota de rodapé a Pengolod, ver o comentário a §123 acima.

"Assim, Bëor, o Vassalo, recebeu seu nome entre os Gnomos": nas *Etimologias*, o nome Bëor "seguidor, vassalo" é um nome noldorin (radical BEW), enquanto em *O Silmarillion* (p. 200) é dito que "Bëor significa 'Vassalo' na língua de seu povo".

§131 De acordo com a datação original do AB 2, Bëor nasceu no ano 170 e morreu em 250; com a cronologia alterada, ele nasceu em 370 e morreu em 450.

11. DA RUÍNA DE BELERIAND E DA QUEDA DE FINGOLFIN

§132 Ora, Fingolfin, Rei do Norte, e Alto-rei dos Noldor, vendo que sua gente se tornara numerosa e forte e que os Homens aliados a eles eram muitos e valentes, ponderou, mais uma vez, um ataque a Angband. Pois sabia que viviam em perigo enquanto o círculo do cerco estivesse incompleto, e Morgoth fosse livre para labutar nas trevas sob a terra. Esse plano era sábio de acordo com a medida de seu conhecimento; pois os Gnomos ainda não compreendiam a plenitude do poder de Morgoth, nem entendiam que sua guerra sem auxílio contra ele era sem esperança derradeira, e tanto fazia se apressarem quanto tardarem. Mas, porque a terra era bela e seus reinos, vastos, a maioria dos Noldor estava contente com as coisas como estavam, confiando que durassem. Portanto, estavam pouco dispostos a escutar Fingolfin, e os filhos de Fëanor, naquele tempo, menos que os demais. Entre os chefes dos Gnomos, apenas Angrod e Egnor eram de opinião semelhante à do Rei; pois habitavam em regiões donde as Thangorodrim se podiam descortinar, e a ameaça de Morgoth estava presente em seus pensamentos. De modo que os desígnios de

Fingolfin não chegaram a nada, e a terra teve ainda paz por algum tempo.

§133 Mas, quando os filhos dos filhos dos Pais de Homens haviam recém chegado à vida adulta, fazendo então quatrocentos anos e cinco e cinquenta desde a chegada de Fingolfin, sobreveio o mal que havia muito ele temia, e ainda mais tremendo e repentino do que seu medo mais sombrio. Pois Morgoth preparara, havia muito, sua força em segredo, enquanto a malícia de seu coração ficava sempre maior e seu ódio dos Gnomos, mais amargo; e ele desejava não apenas eliminar seus inimigos, mas destruir também, e profanar as terras que tinham tomado e tornado belas. E conta-se que seu ódio sobrepujou seus planos, de modo que, se tivesse suportado esperar um pouco mais, até que seus desígnios estivessem completos, então os Gnomos teriam perecido de todo. Mas, de sua parte, ele julgava mui levianamente o valor dos Elfos e aos Homens ainda não levava em conta.

§134 Veio um tempo de inverno, quando a noite era escura e sem lua; e a vasta planície de Bladorion se estendia sombria sob as estrelas gélidas dos fortes monteses dos Gnomos até os pés das Thangorodrim. As fogueiras dos vigias ardiam fracas, e os guardas eram poucos; e na planície poucos despertavam nos acampamentos dos cavaleiros de Hithlum. Então, de repente, Morgoth lançou grandes rios de chama que se derramaram, mais velozes que a cavalaria dos Balrogs, por toda a planície; e as Montanhas de Ferro arrotavam fogos de muitas cores, e o fumo empesteava o ar e era mortal. Assim, Bladorion pereceu, e o fogo devorou sua relva; e ela se tornou um deserto abrasado e desolado, cheio de uma poeira asfixiante, estéril e sem vida; e seu nome foi mudado, e para sempre depois disso foi chamada de a Terra da Sede, Dor-na-Fauglith na língua gnômica. Muitos ossos calcinados tiveram lá sua tumba a descoberto. Pois muitos dos Gnomos pereceram naquele incêndio, pegos pelos rios de chama, e não conseguiram fugir para os montes. As alturas de Dorthonion e das Eredwethion detiveram as torrentes de fogo, mas suas matas, nas encostas que davam para Angband, foram todas incendiadas, e a fumaça fez grande confusão entre os defensores. Essa foi a Terceira das grandes Batalhas, Dagor Vreged-úr, a Batalha do Fogo Repentino.

A ESTRADA PERDIDA E OUTROS ESCRITOS

§135 À frente daquele fogo vinha Glómund, o dourado, o pai de dragóes, e depois dele estavam Balrogs, e detrás vinham os exércitos sombrios dos Orques em multidóes tais como os Gnomos nunca tinham visto ou imaginado. E eles atacaram as fortalezas dos Gnomos, e romperam o sítio à volta de Angband, e mataram, onde quer que os achassem, tanto os Gnomos como os seus aliados, Elfos-escuros e Homens. Muitos dos mais robustos inimigos de Morgoth foram destruídos nos primeiros dias daquela guerra, desconcertados, e dispersos, e incapazes de reunir suas forças. A guerra nunca mais cessou de todo em Beleriand; mas se considera que a Batalha do Fogo Repentino terminou com a chegada da primavera, quando o assédio de Morgoth amainou. Pois ele viu então que não congregara forças suficientes, nem medira corretamente o valor dos Gnomos. Ademais, seus capitães e espióes lhe trouxeram notícias dos Amigos-dos-Elfos, os Homens de Beleriand, e de sua força guerreira; e uma nova fúria tomou conta de seu coração, e voltou-se para pensamentos de mais males.

§136 Assim terminou o Cerco de Angband; e os inimigos de Morgoth foram espalhados e separados uns dos outros. Os Elfos-escuros fugiram para o sul e abandonaram a guerra no norte. Muitos foram recebidos em Doriath, e o reino e a força de Thingol aumentaram naquele tempo; pois o poder da rainha Melian estava tecido à volta de suas fronteiras, e o mal ainda não conseguia entrar naquele domínio oculto. Outros tiveram refúgio nas fortalezas à beira do mar, ou em Nargothrond; mas a maioria fugiu daquela terra e se escondeu em Ossiriand ou, atravessando as montanhas, vagou sem lar nos ermos. E rumores sobre a guerra e o rompimento do cerco alcançaram os ouvidos dos Homens na Terra-média.

§137 Os filhos de Finrod sofreram mais pesadamente o golpe do ataque, e Angrod e Egnor foram mortos; e Bregolas, filho de Bëor, que era senhor daquela casa de Homens após a morte de seu pai, foi morto ao lado deles. Naquela batalha o Rei Inglor Felagund foi separado de sua gente e cercado pelos Orques, e teria sido morto ou capturado, mas Barahir, filho de Bëor, chegou com os seus homens, o resgatou e fez uma muralha de lanças à volta dele; e abriram caminho para fora da batalha com grandes perdas. Assim Felagund escapou e foi para

335

o sul até Nargothrond, sua funda fortaleza preparada para o dia maligno; mas fez um juramento de constante amizade e auxílio em toda necessidade a Barahir e a toda a sua gente e descendência e, em sinal de seu voto, deu a Barahir seu anel.

§138 Barahir era então por direito senhor dos remanescentes da gente de Bëor; mas a maioria desses fugira agora de Dorthonion e buscou abrigo entre o povo de Hador nos recônditos de Hithlum. Mas Barahir não fugia de Dorthonion e continuava a disputar a terra pedaço a pedaço com os serviçais de Morgoth. Mas Morgoth perseguiu seu povo até a morte, até que poucos restaram; e ele tomou toda a floresta e o planalto de Dorthonion, salvo a região mais elevada e interna, e a transformou, pouco a pouco, em um lugar de tamanho terror e mal espreitante que até os Orques não entravam ali, a não ser por necessidade premente. Portanto, ela depois foi chamada pelos Gnomos de Taur-na-Fuin, que é Trevamata, e Deldúwath, Sombra Mortal da Noite; pois as árvores que cresciam lá depois do incêndio eram pretas e sombrias, e suas raízes eram trançadas, tateando no escuro feito garras; e aqueles que vagueavam em meio a elas se perdiam, e ficavam cegos, e eram estrangulados ou perseguidos até a loucura por espectros de terror.

§139 Por fim, apenas doze homens restavam a Barahir: Beren, seu filho, e Baragund e Belegund, filhos de Bregolas, seus sobrinhos, e nove serviçais fiéis de sua casa, cujos nomes ainda são lembrados pelos Gnomos: eram Radhruin e Dairuin, Dagnir e Ragnor, Gildor e Gorlim, o infeliz, Arthod e Urthel, e Hathaldir, o jovem. Proscritos se tornaram, um bando desatinado que não podia escapar e não queria ceder; pois suas habitações estavam destruídas, e suas mulheres e filhos, capturados, ou mortos, exceto apenas por Morwen Eledhwen, filha de Baragund, e Rian, filha de Belegund. Pois as esposas dos filhos de Bregolas estavam em Hithlum, e estavam residindo lá entre seus parentes quando a chama da guerra foi acesa. Mas de Hithlum agora não vinham nem novas nem ajuda, e Barahir e seus homens foram caçados feito feras selvagens, e Morgoth enviou muitos lobos contra eles; e recuaram para a estéril terra alta acima da floresta, e vagaram em meio aos alagados e charnecas rochosas daquela região, o mais longe possível dos espiões e dos feitiços de Morgoth. Sua cama era a urze, e seu teto, o céu nublado.

§140 Tão grande foi a violência de Morgoth que Fingolfin e Fingon não puderam vir ao socorro de Felagund e seus irmãos; e as hostes de Hithlum foram rechaçadas com grandes perdas para as fortalezas das Eredwithion, e essas eles mal conseguiram defender dos Orques. Hador, o de cabelos dourados, príncipe de Homens, tombou em batalha diante das muralhas defendendo a retaguarda de seu senhor Fingolfin, tendo então sessenta e seis anos de idade, e com ele tombou Gundor, seu filho mais novo; e foram chorados pelos Elfos. Mas Gumlin assumiu o senhorio de seu pai. E, por causa da força e da altura das Montanhas Sombrias, que resistiram à torrente de fogo, e pelo valor dos Elfos e dos Homens do Norte, os quais nem Orque nem Balrog ainda podiam sobrepujar, Hithlum permaneceu por ora inconquistada, uma ameaça ao flanco do ataque de Morgoth. Mas Fingolfin foi separado por um mar de inimigos de seus parentes.

§141 Pois a guerra andara mal para os filhos de Fëanor, e quase todas as marcas do leste foram tomadas de assalto. O passo do Aglon foi capturado, embora com grande custo para as hostes de Morgoth; e Celegorn e Curufin, tendo sido derrotados, fugiram para o sul e para o oeste, pelas marcas de Doriath, e chegaram enfim a Nargothrond, e buscaram asilo com seu amigo Orodreth. Assim veio a se passar que o povo de Celegorn aumentou a força de Felagund, mas teria sido melhor, como depois se viu, se eles tivessem permanecido no Leste, no meio de sua própria gente. Maidros, o principal dos filhos de Fëanor, operou façanhas de valor insuperável, e os Orques não podiam suportar a luz de seu rosto; pois, desde seu tormento sobre as Thangorodrim, seu espírito ardia como um fogo branco dentro dele, e ele era como quem retorna dos mortos, aferrado e terrível; e eles fugiram diante dele. Assim, a sua cidadela sobre o monte de Himring não pôde naquela época ser tomada, e muitos dos mais valentes que restavam, tanto da gente de Dorthonion como das marcas do leste, juntaram-se lá a Maidros; e, por algum tempo, ele fechou mais uma vez o passo do Aglon, de modo que os Orques não conseguiam entrar em Beleriand por aquela estrada.

O QUENTA SILMARILLION

§142 Mas eles sobrepujaram os cavaleiros da gente de Fëanor em Lothland, pois Glómund foi até lá, e atravessaram a Brecha de Maglor, e destruíram toda a terra entre os braços do Gelion. E os Orques tomaram a fortaleza sobre as encostas ocidentais do Monte Rerir, e devastaram toda Thargelion, a terra de Cranthir; e conspurcaram o Lago Helevorn. De lá, atravessaram o Gelion com fogo e terror e chegaram longe, em Beleriand Leste. Maglor se uniu a Maidros sobre o Himring; mas Cranthir fugiu e uniu o remanescente de seu povo à gente dispersa dos caçadores, Damrod e Díriel, e eles recuaram e passaram por Rhamdal no Sul. Sobre o Amon Ereb mantinham uma guarda e alguma força de guerra, e tinham auxílio dos Elfos-verdes; e os Orques não entraram por ora em Ossiriand, nem nos ermos de Beleriand Sul.

§143 Por quase dois anos os Gnomos ainda defenderam o passo oeste em volta das nascentes do Sirion, pois o poder de Ulmo estava naquela água, e Glómund ainda não se aventuraria naquela direção, pois o tempo de sua força plena ainda não havia chegado; e Minnastirith resistia aos Orques. Mas afinal, depois da queda de Fingolfin, que se conta a seguir, Sauron veio contra Orodreth, o guardião da torre, com uma hoste de Balrogs. Sauron era o principal serviçal do maligno Vala, a quem corrompera ao seu serviço em Valinor dentre o povo dos Deuses. Ele se tornara um mago de poder horrendo, mestre de necromancia, de saber imundo, de força cruel, desfigurando o que tocava, distorcendo o que regia, senhor de lobisomens: seu domínio era tormento. Tomou Minnastirith de assalto, a torre de Inglor na ilha de Sirion, pois uma nuvem escura de medo caiu sobre aqueles que a defendiam; e a transformou em uma praça-forte do mal, e uma ameaça;* pois nenhuma criatura viva podia atravessar aquele vale sem que ele a espiasse da torre onde se assentava. E Morgoth agora era também senhor do passo oeste, e seu terror enchia os campos e matas de Beleriand.

§144 *A morte de Fingolfin.* Veio a se dar que chegaram notícias a Hithlum de que Dorthonion estava perdida, e os filhos de

---

* *Nota de rodapé ao texto:* E passou a ser chamada de Tol-na-Gaurhoth, a Ilha dos Lobisomens.

338

Finrod, derrotados, e que os filhos de Fëanor tinham sido varridos de suas terras. Então Fingolfin viu que a ruína dos Gnomos estava próxima, e ficou cheio de ira e desespero, e uma loucura abateu-se sobre ele. E cavalgou sozinho até os portões de Angband, e soou sua trompa e golpeou portões brônzeos e desafiou Morgoth a vir para fora para combate singular. E Morgoth veio. Foi a última vez nestas guerras em que ele atravessou as portas de sua fortaleza, e conta-se que não aceitou o desafio de bom grado; pois, embora seu poder seja o maior de todas as coisas neste mundo, é o único dos Valar a conhecer o medo. Mas não podia agora se negar ao desafio diante do rosto de seus capitães; pois as rochas ecoavam com a música estridente da trompa prateada de Fingolfin, e sua voz chegava penetrante e clara até as profundezas de Angband; e Fingolfin chamava Morgoth de poltrão, e senhor de escravos. Portanto, Morgoth veio, subindo devagar de seu trono subterrâneo, e o rumor de seus pés era como trovão sob a terra. E saiu trajado em armadura negra; e se pôs diante do Rei como uma torre, coroado de ferro, e seu vasto escudo, ébano sem brasão, lançava uma sombra sobre ele que era como nuvem de tempestade. Mas Fingolfin luzia debaixo dela feito uma estrela; pois sua cota de malha fora banhada em prata, e seu escudo azul, incrustado com cristais; e desembainhou sua espada, Ringil, e ela brilhava como gelo, gélida e cinzenta e mortal.

§145 Então Morgoth ergueu alto como uma maça Grond, o martelo do Mundo Ínfero, e o abaixou como se fosse raio e trovão. Mas Fingolfin saltou de lado, e Grond abriu uma enorme cova na terra, donde fumaça e fogo brotaram. Muitas vezes Morgoth tentou golpeá-lo, e, a cada vez, Fingolfin pulava para longe, como um relâmpago dispara debaixo de uma nuvem escura; e feriu Morgoth com sete feridas, e sete vezes Morgoth deu um urro de angústia, com o que as rochas estremeceram, e as hostes de Angband caíam sobre suas faces em desespero.

§146 Mas, por fim, o rei se cansou, e Morgoth empurrou seu escudo sobre ele. Três vezes foi esmagado até se ajoelhar, e três vezes se levantou de novo e ergueu seu escudo quebrado e seu elmo golpeado. Mas a terra estava toda rachada e cavada à sua volta, e ele tropeçou e caiu para trás diante dos pés de

Morgoth; e Morgoth pôs seu pé esquerdo sobre o pescoço dele, e o peso era como um monte tombado. Porém, com seu último e desesperado ataque, Fingolfin lhe talhou o pé com Ringil, e o sangue brotou, negro e cheio de fumaça, e encheu as covas feitas por Grond.

§147 Assim morreu Fingolfin, Alto-rei dos Gnomos, mais orgulhoso e valente dos reis-élficos de outrora. Os Orques não fazem bravata daquele duelo no portão; nem os Elfos cantam sobre ele, pela tristeza. Mas a história é recordada, pois Thorondor, rei das águias, trouxe notícias a Gondolin, e a Hithlum. Pois Morgoth tomou o corpo do Rei-élfico e o destroçou, e estava a ponto de fazê-lo em pedaços e lançá-lo a seus lobos; mas Thorondor veio com toda pressa de seu ninho, em meio aos picos das Gochressiel, e pousou sobre Morgoth e lhe golpeou o rosto com seu bico dourado. A força de suas asas era como o ruído dos ventos de Manwë, e ele agarrou o corpo com suas garras poderosas e, erguendo-se de repente acima dos dardos dos Orques, levou o rei-élfico para longe. E o depôs no topo de uma montanha que dava, do Norte, para o vale oculto de Gondolin; e Turgon, chegando, construiu um alto teso de pedras sobre ele. Nenhum Orque ou Balrog jamais ousou passar por sobre o monte de Fingolfin ou se aproximar de sua tumba, até que a sina de Gondolin chegou, e a traição nasceu em meio à sua gente. Morgoth ficou para sempre manco de um pé desde daquele dia, e a dor de suas feridas não pode ser curada; e em seu rosto está a cicatriz feita por Thorondor.

§148 Houve lamentação em Hithlum quando a queda de Fingolfin tornou-se conhecida; mas Fingon assumiu o reinado dos Noldor, e mantinha ainda o seu reino atrás da Montanhas Sombrias no Norte. Mas fora de Hithlum Morgoth perseguia seus inimigos sem descanso, e vasculhava seus locais de refúgio, e tomava suas fortalezas uma a uma. E os Orques, cada vez mais ousados, vagavam à vontade por toda parte, descendo o Sirion no Oeste e o Celon no Leste, e cercaram Doriath; e assombravam as terras, de modo que feras e aves fugiam diante deles, e silêncio e desolação se espalhavam sem cessar desde o Norte. Um grande número dos Gnomos e dos Elfos-escuros eles tomaram como prisioneiros e levaram a Angband, e fizeram

A ESTRADA PERDIDA E OUTROS ESCRITOS

deles escravos, forçando-os a usar seu engenho e conhecimento a serviço de Morgoth. Labutavam sem descanso em suas minas e forjas, e o tormento era a sua paga.

§149 Contudo, Morgoth enviou também seus espiões e emissários em meio aos Elfos-escuros e os Gnomos-servos, e entre os livres; e eles estavam trajados em formas falsas e o engodo estava em sua fala, e faziam promessas mentirosas de recompensa e, com palavras matreiras, buscavam atiçar medo e ciúme entre os povos, acusando seus reis e chefes de cobiça e de traição um contra o outro. E, por causa da maldição do fratricídio em Alqualondë, tais mentiras amiúde pareciam críveis; e, de fato, conforme os tempos se tornavam sombrios, tinham uma medida de verdade, pois os corações e mentes dos Elfos de Beleriand nublaram-se de desespero e medo. E a maioria dos Gnomos temia mormente a traição daqueles de sua própria gente que tinham sido servos em Angband; pois Morgoth usava alguns desses para seus propósitos malignos e, fingindo dar-lhes liberdade, mandava-os para longe, mas suas vontades estavam acorrentadas à dele, e saíam apenas para retornar a ele de novo. Portanto, se qualquer dos cativos escapava de verdade, e retornava a seu próprio povo, tinha pouca acolhida e vagava sozinho, proscrito e desesperado.

§150 *Dos Homens Tisnados.* Dos Homens Morgoth fingia ter piedade, se algum deles escutasse suas mensagens, dizendo que seus males vinham apenas de servirem aos Gnomos rebeldes, mas que, nas mãos do correto senhor da terra, obteriam honra e uma justa recompensa por seu valor, se deixassem a rebelião. Mas das Três Casas poucos homens lhe davam ouvidos, nem mesmo se fossem levados aos tormentos de Angband. Portanto, ele os perseguiu com ódio, mas enviou seus mensageiros ao leste através das montanhas. E diz-se que nesse tempo os Homens Tisnados chegaram pela primeira vez a Beleriand; e alguns já estavam secretamente sob o domínio de Morgoth e vieram ao seu chamado; mas não todos, pois os rumores sobre Beleriand, sobre suas terras e águas, suas guerras e riquezas, espalhavam-se por toda parte, e os pés vagantes dos Homens se voltavam sempre para o oeste naqueles dias. E Morgoth alegrou-se com a chegada deles, pois pensou que se mostrariam mais suscetíveis ao seu serviço, e que por meio deles poderia ainda causar grande agravo aos Elfos.

O QUENTA SILMARILLION

§151 Ora, os Lestenses, ou Rómenildi, como os Elfos chamaram esses recém-chegados, eram baixos e de ombros largos, de braços compridos e fortes; seus cabelos eram negros, e cresciam também muitos pelos em seus rostos e peitos; suas peles eram morenas ou acobreadas, e seus olhos castanhos; porém seus semblantes em sua maioria não eram de menos beleza, embora alguns fossem sombrios e ferozes. Suas casas e tribos eram muitas, e alguns tinham mais gosto pelos Anões das montanhas do que pelos Elfos. Mas os filhos de Fëanor, vendo a fraqueza dos Noldor, e o poderio crescente dos exércitos de Morgoth, fizeram alianças com esses homens, e deram sua amizade aos maiores de seus chefes, Bór e Ulfang. E Morgoth estava mui contente; pois isso seguia seus desígnios. Os filhos de Bór eram Borlas, Boromir e Borthandos; e eles seguiram a Maidros e Maglor, e não corresponderam à esperança de Morgoth, e foram fiéis. Os filhos de Ulfang, o Negro, eram Ulfast e Ulwarth, e Uldor, o Maldito; e seguiram a Cranthir, e lhe juraram lealdade, e se mostraram infiéis.

§152 Havia pouco amor entre as Três Casas e os Homens Tisnados; e raro se encontravam. Pois os recém-chegados moraram longamente em Beleriand Leste; mas o povo de Hador estava encerrado em Hithlum, e a casa de Bëor, quase destruída. Contudo, Haleth e seus homens ainda permaneciam livres; pois não haviam sido tocados pela guerra no norte, visto que habitavam mais ao sul nas matas às margens do Sirion. Lá agora havia guerra entre eles e os Orques invasores; pois eram homens de coração valoroso e não abandonariam tão fácil as matas que amavam. E, em meio às histórias de derrota desse tempo, seus feitos são lembrados com honra: pois, depois da captura de Minnastirith, os Orques atravessaram o passo oeste, e talvez tivessem devastado até mesmo as fozes do Sirion; mas Haleth mandou rápido uma mensagem a Thingol, pois tinha amizade com muitos dos Elfos que guardavam as fronteiras de Doriath. E Thingol enviou Beleg, o arqueiro, chefe dos guardiões das marcas, em seu auxílio com muitos arqueiros; e Haleth e Beleg pegaram de surpresa uma legião de Orques e a destruíram; e o avanço do poder de Morgoth para o sul, descendo o curso do Sirion, foi detido. Assim, a gente de Haleth viveu ainda por muitos anos em paz vigilante na floresta de Brethil; e, detrás de sua proteção, o reino de Nargothrond pôde respirar e preservou sua força.

§153 Diz-se que Húrin, filho de Gumlin, filho de Hador, de Hithlum, estava com Haleth naquela batalha, e tinha dezessete anos de idade; e esse foi o seu primeiro feito de guerreiro, mas não o último. Pois Húrin, filho de Gumlin, foi criado durante um período na infância por Haleth, de acordo com o costume dos Homens e dos Elfos naquele tempo. E está registrado que, no outono do ano do Fogo Repentino, Haleth pegou Húrin, então recém-chegado da casa de seu pai, e foram caçar ao norte no vale do Sirion; e por acaso, ou pela vontade de Ulmo, toparam com a entrada secreta para o vale oculto de Tumladin, onde Gondolin foi construída. Mas eles foram capturados pelos guardas e levados diante de Turgon; e contemplaram a cidade proibida, acerca da qual ninguém do mundo exterior ainda tinha qualquer conhecimento, salvo Thorondor, rei das águias. Turgon os recebeu; pois mensagens e sonhos lhe tinham chegado subindo o Sirion, vindos do mar, de Ulmo, Senhor das Águas, advertindo-o sobre males que viriam e prevendo que o auxílio dos homens mortais seria necessário, caso quisesse salvar os Gnomos de sua sina. Mas Turgon julgava que Gondolin era forte, e o tempo, ainda não propício para que se revelasse; e não permitiria que os homens partissem. Diz-se que ele tinha grande apreço pelo menino Húrin, e o amor uniu-se à política; pois desejava manter Húrin ao seu lado em Gondolin. Mas notícias chegaram da grande batalha, e do apuro dos Gnomos e dos Homens; e Haleth e Húrin pediram a Turgon permissão para partir em auxílio de sua própria gente. Turgon então lhes atendeu a súplica, mas eles lhe fizeram juramentos profundos, e jamais revelaram o segredo do rei; e os conselhos de Turgon que Húrin compreendera ele manteve ocultos em seu coração.

§154 Turgon por ora não permitiu que ninguém de sua própria gente saísse para a guerra, e Haleth e Húrin partiram de Gondolin sozinhos. Mas Turgon, julgando com razão que o rompimento do Cerco de Angband era o princípio da queda dos Noldor, a menos que viesse auxílio, enviou em segredo mensageiros para as fozes do Sirion, e para a Ilha de Balar. Ali construíram navios, e muitos içaram vela dali, buscando a Valinor para pedir auxílio e perdão. E imploraram às aves do mar que os guiassem. Mas os mares eram selvagens e vastos, e sombra e encantamento jaziam sobre eles, e Valinor estava oculta. Portanto, nenhum dos mensageiros de Gondolin chegou alguma vez ao Oeste naquele tempo; e muitos se perderam, e poucos retornaram; mas a sina de Gondolin se aproximava.

§155 Rumores chegaram a Morgoth dessas coisas, e ele se inquietou em meio a suas vitórias; e desejava grandemente ter notícias de Felagund e Turgon. Pois tinham sumido sem deixar rastro e, contudo, não estavam mortos; e ele temia o que ainda podiam realizar contra ele. De Nargothrond ele conhecia, de fato, o nome, mas nem onde ficava nem sua força; mas de Gondolin nada sabia, e pensar em Turgon o atormentava ainda mais. Portanto, enviou ainda mais espiões a Beleriand; mas convocou as hostes principais dos Orques e reuniu mais uma vez suas forças. E diz-se que ele ficou aturdido ao descobrir quão grande havia sido sua perda, percebendo que ainda não conseguiria travar uma batalha definitiva e vitoriosa, até que reunisse mais forças. Assim, Beleriand, ao Sul, teve uma semelhança de paz por alguns poucos anos; mas as forjas de Angband enchiam-se de labor.

§156 *Cerco de Eithel Sirion e Queda de Gumlin.* Tampouco o ataque às praças-fortes do norte cessou. Himring Morgoth sitiou de tal maneira que auxílio algum podia vir de Maidros, e ele lançou de súbito uma grande força contra Hithlum. Os Orques conquistaram muitos dos passos, e alguns até mesmo entraram em Mithrim; mas Fingon os repeliu no fim da terra com pesada mortandade, e os perseguiu a fundo pelas areias de Fauglith. Contudo, o pesar maculou a sua vitória, pois Gumlin, filho de Hador, foi morto por uma flecha no cerco à fortaleza de Fingon em Eithel Sirion. Húrin, seu filho, era então recém-chegado à idade adulta, mas era de grande força, tanto de mente como de corpo; e governava então a casa de Hador, e servia a Fingon.* E nesse tempo também os proscritos de Dorthonion foram destruídos, e Beren, filho de Barahir, escapando sozinho, mal conseguiu chegar a Doriath.

---

* *Nota de rodapé ao texto:* Pois ele retornou à sua própria gente após a vitória das matas de Brethil, enquanto os caminhos ao norte de Hithlum podiam ser transpostos devido à derrota dos Orques naquele tempo.

Comentário ao Capítulo 11

§132 Esse parágrafo foi desenvolvido a partir da primeira parte do anal 222 no AB 2 (não há nada dele nas fontes mais antigas).

§133 "Os filhos dos filhos dos Pais de Homens" são a segunda geração depois de Bëor, Hador e Haleth (Baragund, Belegund, Beren; Húrin, Huor; Handir), cujas datas de nascimento, de acordo com a cronologia revisada no AB 2, caem entre 424 (Baragund) e 444 (Huor).

§138 A aplicação de Trevamata a Taur-na-Fuin é interessante. Cf. o caso oposto em *Contos Inacabados*, p. 377, onde (muito depois) em uma nota em *O Desastre dos Campos de Lis* meu pai escreveu: "a sombra de Sauron se espalhou por toda Verdemata, a Grande, e mudou seu nome de Eryn Galen para Taur-nu-Fuin (traduzido como Trevamata)".

§139 Os únicos nomes dos homens do bando de Barahir apresentados no AB 2 (anal 257), além dos de seu filho e sobrinhos, são Gorlim, Radros (> Radruin), Dagnir e Gildor. — Quanto à história de que Morwen e Rian se encontravam em Hithlum, e estavam vivendo lá na época da Batalha do Fogo Repentino, ver o AB 2, anal 257 e comentário.

§140 De acordo com a datação revisada, Hador nasceu em 390 e morreu com Gundor em 456. Tal como o AB 2 foi originalmente escrito, Gundor era o filho mais velho, mas se tornou o mais novo (nota 20), nascido em 419 "sob as sombras das Eredlindon" (isto é, antes de Hador atravessar as montanhas e entrar em Beleriand).

§141 *Celegorn*, e não *Celegorm*, foi a forma escrita primeiro aqui (ver o comentário a §41). — É dito em QS §117 que após a fundação de Nargothrond Inglor Felagund entregou a torre de Minnastirith a Orodreth; e depois no presente capítulo (§143) é recontado como Sauron veio contra Orodreth e tomou a torre de assalto (o destino dos defensores não é mencionado lá). A afirmação aqui de que Celegorn e Curufin "buscaram asilo com seu amigo Orodreth" — em vez de "buscaram asilo com Felagund" — também se encontra em uma emenda do AB 2 (nota 25); a implicação é de que Orodreth chegou a Nargothrond antes deles, e que sua amizade com ele foi o motivo de irem a Nargothrond. Essa amizade sobreviveu à mudança do senhorio de Orodreth do leste de Dorthonion ("o mais próximo dos filhos

O QUENTA SILMARILLION

de Fëanor", AB 2, anal 52, como originalmente escrito) para a guarda da torre em Tol Sirion. A frase "o povo de Celegorn aumentou a força de Felagund, mas teria sido melhor... se eles tivessem permanecido no Leste, no meio de sua própria gente" remonta ao Q (IV. 125), apesar de no Q Celegorm e Curufin chegarem a Nargothrond junto com Orodreth.

§142 A fortaleza sobre as encostas ocidentais do Monte Rerir é aqui mencionada pela primeira vez.

§143 Quanto à representação cambiante do crescimento do grande Dragão até seu poder e terror plenos, ver IV. 208, 371. A afirmação no AB 2, anal 255, de que Glómund estava "em seu poderio pleno" na Batalha do Fogo Repentino não foi retomada em QS §135, e na presente passagem "o tempo de sua força plena ainda não havia chegado". Em *O Silmarillion* (p. 210) Glaurung estava mais uma vez "em seu poderio pleno" na época da batalha: esse trecho foi tirado da versão final dos *Anais* (os *Anais Cinzentos*).

Essa é a primeira ocorrência do nome *Sauron* na tradição do "Silmarillion"; mas a sua primeira ocorrência de fato (em um texto como escrito inicialmente) se dá em *A Estrada Perdida* ou na segunda versão de *A Queda de Númenor* (ver o comentário a QdN II, §5). A afirmação de que Morgoth corrompeu Sauron "*em Valinor* dentre o povo dos Deuses" é notável. A implicação deve ser de que nesse período meu pai concebia Sauron como tendo seguido Morgoth quando este fugiu para a Terra-média acompanhado por Ungoliantë.

Quanto às palavras "uma hoste de Balrogs", cf. o comentário a §89.

§§144–7 O relato da morte de Fingolfin no QS foi baseado em grande parte no Canto XII de *A Balada de Leithian* (ver III. 342–43) — que, por sua vez, havia seguido a versão em prosa no Q (IV. 201–03).

§147 Em Q §9 (IV. 126), "Os Orques cantam sobre aquele duelo nos portões", e em *A Balada de Leithian* (versos 3584–585) "Foi dentre os Orques escárnio eterno / combate no portal do inferno".

O nome *Thorondor* (no lugar de *Thorndor*) aparece agora nessa forma como escrito inicialmente (ver o comentário a §§96–7).

Gochressiel: esse nome (a respeito do qual ver as *Etimologias*, radical KHARÁS) foi posteriormente alterado para *Crisaegrim*.

346

A ESTRADA PERDIDA E OUTROS ESCRITOS

Em Q §15, Thorndor habitou sobre as Thangorodrim até a Batalha das Lágrimas Inumeráveis, quando removeu seus ninhos "para as elevações ao norte das Montanhas Circundantes", e lá manteve vigia, "sentando-se sobre o marco do Rei Fingolfin". Isso remonta ao Esb (§15; ver IV. 81). Posteriormente, é dito expressamente as *Crissaegrim* "morada de águias" são os picos ao sul de Gondolin, e o nome foi marcado dessa forma no segundo Mapa; mas *Gochressiel* no QS não precisa ter tido esse significado mais específico.

Em Q §9 foi Thorndor que "ergueu" o teso de Fingolfin no topo da montanha, assim como em *A Balada de Leithian* (versos 3626–627) "pilha de pedras faz montar / pro rei no pico sepultar"; mas no QS, com a história alterada da fundação de Gondolin, é Turgon que sobe da cidade no vale abaixo e constrói o túmulo de seu pai.

§150 As fontes mais antigas não possuem nada do conteúdo desse parágrafo, no qual aparece pela primeira vez o desenvolvimento importante de que alguns dos Homens Tisnados já se encontravam sob o domínio de Morgoth antes de entrarem em Beleriand (ver IV. 205).

§151 Na descrição dos Homens Tisnados, ou *Rómenildi* ("Homens do Leste", Lestenses), como são chamados aqui, meu pai estava seguindo o AB 2, anal 263 (463), o ano da primeira chegada deles a Beleriand Leste. A forma *Bór* foi alterada a partir de *Bor* após a composição do manuscrito, como no AB 2 (nota 33); mas *Ulfang* e *Ulwarth* (que aparecem somente por meio de uma emenda no AB 2) são originais.

§152 Há aqui a afirmação explícita de que a casa de Bëor estava "quase destruída"; anteriormente nesse capítulo (§138) foi dito que após a Batalha do Fogo Repentino "Barahir era então por direito senhor dos remanescentes da gente de Bëor; mas a maioria desses fugira agora de Dorthonion e buscou abrigo entre o povo de Hador nos recônditos de Hithlum".

A passagem acerca do povo de Haleth e da destruição dos Orques em Brethil por Haleth e Beleg com arqueiros vindos de Doriath deriva do anal 258 no AB 2, e foi muito expandida.

§153 A história da estada de Húrin em Gondolin encontra-se no AB 2 (anal 256) basicamente na mesma forma em que é contada aqui. A afirmação na frase inicial do parágrafo de que Haleth

O QUENTA SILMARILLION

e Húrin (então com dezessete anos) estavam "naquela batalha" refere-se à destruição dos Orques em Brethil no ano 458; Húrin nasceu em 441. Ver nota 32 do AB 2.

§154 O relato da tentativa vã de Turgon de enviar mensageiros pelo oceano até Valinor foi desenvolvido a partir daquele no anal 256 do AB 2.

§156 O ataque a Hithlum ocorreu no ano 462, o ano em que Beren fugiu de Dorthonion. — O nome *Fauglith* foi escrito *Dor-na-Fauglith*, mas foi alterado na época da composição.

Quanto à nota de rodapé (contemporânea à composição do manuscrito), cf. o acréscimo ao AB 2, anal 258 (nota 32): "Húrin de Hithlum estava com Haleth; mas ele partiu mais tarde, uma vez que a vitória [em Brethil] tornara a viagem possível, e retornou à sua própria gente".

12–15. DE BEREN E TINÚVIEL

O *Quenta Silmarillion* chegou ao fim não de forma abrupta, mas de maneira irregular. A história textual torna-se agora muito complexa, mas, visto que ela possui forte ligação com a questão da situação do material quando *O Senhor dos Anéis* foi iniciado, forneço aqui um relato dela. Uma vez que, como acredito, a história do que aconteceu, e quando, pode ser organizada com um alto grau de probabilidade, apresento-a com base na minha reconstrução e na ordem de eventos que deduzo, visto que tal abordagem será mais breve e mais clara do que fornecer todas as evidências primeiros e só então chegar a conclusões.

Observei anteriormente (p. 235) que agora não há traço de quaisquer rascunhos subjacentes ao belo e refinado manuscrito do QS (embora devam ter existido) até se chegar ao conto de Beren e Lúthien; mas nesse ponto eles aparecem de forma abundante. O primeiro deles é um manuscrito muito descuidado que chamarei de "QS(A)", ou simplesmente "A"; estou certo de que ele representa o primeiro ensaio de uma versão em prosa do conto desde o *Conto de Tinúviel* original, uma "saga" em prosa a ser contada em uma escala muito mais ampla do que o breve relato no Q (§10). A traição de Gorlim, a tomada de surpresa do esconderijo de Barahir em Dorthonion e a retomada do anel por Beren, tirado dos Orques, são contadas na íntegra; e em cerca de duas mil e quinhentas palavras esse

348

A ESTRADA PERDIDA E OUTROS ESCRITOS

texto vai apenas até as palavras do povo de Thingol quando as matas de Doriath ficam em silêncio (*A Balada de Leithian*, versos 861-62).

Com base no A (ou talvez em uma outra versão rascunhada agora perdida), meu pai então continuou o QS com uma letra cuidadosa do capítulo 12 ao 13, fornecendo o título *Beren e Tinúviel* aos dois, mas intitulando os capítulos individuais como *Do Encontro de Beren e Lúthien* e *A Demanda da Silmaril*. Aqui também a história foi contada de modo bastante integral, mas menos do que no rascunho A; pois a história de Gorlim e a traição de Barahir são tratadas em menos de uma página, e Dairon foi completamente excluído da narrativa. O texto termina no ponto em que Inglor Felagund entregou a coroa de Nargothrond a Orodreth. Apenas para os propósitos dessa discussão, *é conveniente chamá-lo de "QS I"*.

O QS I termina aqui porque meu pai percebeu que ele seria longo demais, desequilibrando a obra inteira. Ele levara mais de 4.000 palavras para chegar à partida de Beren e Felagund de Nargothrond — e isso não incluía a história do aprisionamento de Lúthien na casa da árvore e a fuga dela de lá, que na Balada antecede o relato de Beren em Nargothrond. (É óbvio que o QS I originalmente era simplesmente a continuação do QS pelo fato de que no decorrer dele há o novo título de capítulo numerado como 13.) Portanto, ele deixou o texto de lado e recomeçou com uma versão menos ampla, embora ainda de modo algum severamente condensada (essa versão vai até a partida de Beren e Felagund de Nargothrond em cerca de 1.800 palavras); mas ele manteve a primeira página do QS I, que considerava ser suficientemente "condensada". Essa página leva a história até as palavras [*Beren*] *fez por ele um juramento de vingança* (*O Silmarillion*, p. 225). Por essa razão, o QS I, tal como se encontra agora, não possui início, mas retoma a narrativa no alto da segunda página com as palavras *Primeiro, portanto, perseguiu os Orques que tinham matado seu pai*.

Como base para a versão "curta" planejada da história, meu pai fez escreveu então uma versão rascunhada do todo. Esse manuscrito, "QS(B)", ou "B", começa de forma bastante legível, mas não tarda a ser rabiscado de maneira quase ilegível. Ele começa, na página 1, com as palavras *Primeiro, portanto, perseguiu os Orques que tinham matado seu pai* — pois a primeira página do QS I, que se estende precisamente até esse ponto, foi mantida para a nova versão.

Do texto B foi derivada a forma "curta" da história ("QS II") no manuscrito do QS, escrita com a mesma letra cuidadosa. Essa forma

O QUENTA SILMARILLION

mantém a divisão 12/13 dos capítulos no mesmo ponto que foi feita no QS I, onde Beren partiu de Doriath; o capítulo 13 termina com o enterro de Felagund em Tol Sirion; e o capítulo 14 é intitulado *A Demanda da Silmaril 2*. Perto do final desse capítulo, a caligrafia muda levemente, mas de maneira notável, de uma página para a outra. A primeira letra, extremamente uniforme no decorrer do manuscrito desde o início, acaba no pé da página 91 com as palavras *mas a joia aceitou seu toque* (*O Silmarillion*, p. 247), e a nova começa no alto da página 92 com *e não o feriu*, continuando até o final do capítulo 14, passadas algumas linhas na página 93, em *pois o poder da Silmaril se ocultava dentro dele*. Tenho certeza de que foi no pé da página 91 que meu pai parou quando o manuscrito do QS foi enviado para a Allen & Unwin em 15 de novembro de 1937.

Porém, ele estava relutante em colocar a sua obra (o desenvolvimento do rascunho B na narrativa acabada QS II) subitamente de lado. Portanto, ele começou de imediato um manuscrito intermediário, "QS(C)", ou "C", numa forma com uma letra menos cuidadosa e menos demorada (com a intenção de copiar esse texto no manuscrito do QS quando o recebesse de volta). Deduzo isso do fato de a primeira página do texto C estar numerada 92 e começar com as palavras *e não o feriu*, assim como a faz a parte do QS II na letra diferente.

Quando o QS voltou da editora em 16 de dezembro de 1937, meu pai começou imediatamente (ver III. 426) "uma nova história sobre Hobbits", e não creio que depois dessa época ele tenha estendido a narrativa do *Quenta Silmarillion*. Contudo, enquanto o manuscrito do QS esteve ausente, ele estendeu o texto C de forma considerável, completando a história de Beren e Lúthien por meio de um capítulo final (15) intitulado *A Demanda da Silmaril 3: A Caça ao Lobo de Carcharoth*, escrevendo um capítulo adicional (16) *Da Quarta Batalha: Nírnaith Arnediad*, e começando o 17, *De Túrin, o Infeliz*. Nesse estágio o manuscrito, como de costume, passara a ser escrito numa letra quase ilegível, e ele o abandonou com Túrin colocando o Elmo-de-dragão e tornando-se o companheiro de Beleg nas marcas do norte de Doriath.

Entretanto, ainda antes (caso eu esteja certo) do retorno do manuscrito do QS ele deu seguimento ao texto C dessa maneira intermitente com um outro manuscrito mais nítido, "QS(D)", ou "D", que retomava o C no meio do capítulo 16 (*Da Quarta

350

Batalha) no ponto onde se conta que Maidros foi atrasado pelos engodos de Uldor, o Maldito (*O Silmarillion*, p. 259), e continuou até certa altura do capítulo 17 (aqui chamado *De Túrin Turamarth, ou Túrin, o Infeliz*), até as palavras (referindo-se ao bando de proscritos de Túrin) *e suas mãos se voltavam contra todos os que cruzavam o seu caminho, Elfos, Homens e Orques* (*O Silmarillion*, p. 270). Aqui o *Quenta Silmarillion* é interrompido; e é possível que essas últimas palavras tenham sido escritas em 16 de dezembro de 1937, e *Quando Bilbo, filho de Bungo, da família dos Bolseiros, preparava-se para celebrar o seu septuagésimo aniversário* no dia seguinte.*

Não é possível determinar quando a passagem curta na letra diferente no final do capítulo 14 no manuscrito do QS (ver pp. 349–50) foi copiada do texto C; meu pai pode tê-la inserido quando recebeu de volta o manuscrito. Mas com o início do capítulo 15 (*A Caça ao Lobo de Carcharoth*) a composição do manuscrito muda mais uma vez e de maneira notável, para uma forma mais pesada, mais adornada, com um bico de pena mais grosso; essa terceira letra termina o capítulo e a história de Beren e Lúthien, e essa é efetivamente a conclusão do manuscrito (uma pequena parte foi acrescentada posteriormente em uma quarta letra).

Na verdade, o capítulo 15 foi acrescentado ao manuscrito do QS muito tempo depois, na época que se seguiu ao término de *O Senhor dos Anéis*. Baseio essa afirmação em várias evidências; em primeiro lugar, na própria letra, que possui estreita afinidade com aquela de manuscritos que sem dúvida pertencem à época posterior. Além disso, o rascunho C, iniciado quando o manuscrito do QS foi enviado para a editora, recebeu acréscimos e alterações importantes que podem ser datados, pois no final do capítulo 15 no C meu pai anotou: "revisado até aqui, 10 de maio de 1951". Entre essas revisões de 1951 está a frase (*O Silmarillion*, p. 254) "das Duas Gentes que foram criadas por Ilúvatar para habitar *em Arda, o Reino da Terra em meio às estrelas inumeráveis*". Essa frase também se encontra no *Ainulindalë* tardio, onde uma cosmologia decididamente diferente daquela do *Ambarkanta* havia sido

---

* Como se verá subsequentemente (pp. 387–89), uma reescrita do final da narrativa do "Silmarillion" no Q também pertence à essa época, e é possível, embora eu creia que seja menos provável, que essa tenha sido a última obra composta por meu pai antes de dar início à "nova história sobre Hobbits".

O QUENTA SILMARILLION

inserida; ademais, uma nota de meu pai fornece uma breve lista de "Alterações na última revisão 1951", que inclui *Arda* ("nome élfico da Terra = nosso mundo"). Quanto a essa lista, ver pp. 405–06. Foi o texto de C *com essas revisões* que foi copiado no manuscrito do QS; e, assim, ele por fim realizou (ainda que só até este ponto) a sua intenção de catorze anos antes.

A história pode ser resumida da seguinte forma:

1. Um rascunho "A", no qual a contação do conto de Beren e Lúthien foi concebida de maneira muito ampla, foi logo abandonado.
2. A versão do manuscrito do QS do conto foi iniciada, mais uma vez numa forma bastante integral, mas menos do que em A, e por sua vez foi abandonada sem avançar muito no conto ("QS I").
3. Um rascunho "B" para a história inteira de Beren e Lúthien foi terminado, e esse foi a base para:
4. Uma segunda versão mais condensada para substituir o manuscrito do QS ("QS II"); essa versão foi interrompida perto do final do conto quando o manuscrito foi enviado para a editora.
5. Um texto "C" intermediário, retomando a partir desse ponto, foi continuado como um substituto enquanto o manuscrito do QS estava com a editora, e esse texto terminava a história de Beren e Lúthien, estendia-se pelo capítulo acerca da Batalha das Lágrimas Inumeráveis e seguia até certo ponto da história de Túrin.
6. Quando o C se tornou quase ilegível, ele foi substituído por um texto "D" que, começando no decorrer do capítulo acerca da Batalha das Lágrimas Inumeráveis, estendeu-se de forma considerável pela história de Túrin; esse texto foi abandonado quando o manuscrito do QS retornou em dezembro de 1937.
7. Em 1951, a conclusão do conto de Beren e Lúthien (capítulo 15) foi enfim acrescentada ao manuscrito do QS.

Em uma página que servia de capa à versão QS I "mais completa" meu pai escreveu: *Fragmento de uma forma mais completa da Gesta de Beren e Lúthien, contada como um conto separado*; e em uma carta de novembro de 1949 ele disse:

A intenção original era contar alguns dos Contos incluídos em maiores detalhes, fosse dentro da Crônica [isto é, o *Quenta Silmarillion*], fosse como acréscimos. Uma amostra do que era pretendido será vista no Conto de Lúthien...

Porém, como mostrei, o "fragmento de uma forma mais completa" apenas passou a sê-lo quando foi rejeitado como inadequado em sua escala para ser a versão da história no QS. Contudo, isso não quer dizer que meu pai jamais pretendeu de fato contar a história como uma "saga" em prosa longa; pelo contrário, ele queria muito fazê-lo. O rascunho A abandonado e o QS I abandonado são evidências da relutância dele em fazer a condensação: a história continuava a ultrapassar os limites. No final de 1937, quando enfim terminara uma versão em prosa, ele ainda deve ter tido a impressão de que, mesmo se um dia conseguisse publicar "O Silmarillion", a história ainda não seria contada da maneira que ele gostaria de contá-la. Assim, na época em que ele retornou à *Balada de Leithian* (ver III. 387), com *O Senhor dos Anéis* terminado, mas com sua publicação muito duvidosa, ele também embarcou mais uma vez em uma "saga" em prosa de Beren e Lúthien. Esse é um texto substancial, embora a história não vá além da traição da presença de Beren em Doriath a Thingol por Dairon, e é baseado tão de perto na forma reescrita da Balada a ponto de em determinados trechos ser quase uma paráfrase em prosa dos versos. Ele foi escrito no verso das páginas do texto AB 2 dos *Anais de Beleriand*, e eu não tinha conhecimento dele quando *O Silmarillion* foi preparado para publicação.

Para apresentar esses textos seriam necessárias muitas páginas, e isso envolveria uma grande quantidade de pura repetição em relação à versão publicada, e, portanto, limito-me aqui a apontar características específicas e a indicar a gênese do capítulo 19 de *O Silmarillion*. O texto publicado foi essencialmente baseado na forma "mais completa", QS I, até onde ele se estende, e então segue a forma completa "mais curta", QS II. A história também foi contada de modo breve na versão final dos *Anais de Beleriand*, os *Anais Cinzentos*, e algumas passagens na versão publicada são derivadas daquela fonte.

Mencionei acima que a página inicial do QS I, o início do capítulo 12, foi mantida como o começo do QS II, e apresento aqui o texto daquela página, pois ele foi muito modificado e expandido na obra publicada (p. 193).

Dentre os relatos de tristeza e de ruína que nos chegam da escuridão daqueles dias, ainda há alguns que são belos na memória,

O QUENTA SILMARILLION

nos quais, em meio ao pranto, há um som de música, e, entre as lágrimas, regozijo e, sob a sombra da morte, uma luz que perdura. E, dessas histórias, a que ainda é a mais bela aos ouvidos dos Elfos é o conto de Beren e Lúthien; pois é triste e jubiloso, e menciona mistérios, e não está terminado.*

Sobre suas vidas foi feita a *Balada de Leithian*, Libertação do Cativeiro, que é a segunda mais longa das canções dos Noldor acerca do mundo de outrora; mas aqui o conto precisa ser contado em menos palavras e sem canção. Quando [Bëor >] Bregolas foi morto, como foi recontado, Barahir, seu [filho >] irmão, salvou o Rei Felagund, e recebeu o anel deste em sinal de amizade infalível. Mas Barahir não queria abandonar Dorthonion, e lá Morgoth o perseguiu sem trégua. Por fim, lhe restaram apenas doze companheiros, Beren, seu filho, e os filhos de Bregolas, e nove outros homens. Desses era um Gorlim, filho de Angrim, um homem de valor. Mas Gorlim foi capturado pelos engodos de Sauron, o mago, como conta a balada, e Morgoth arrancou dele conhecimento acerca do esconderijo de Barahir; mas Gorlim ele recompensou com a morte. Assim Morgoth lançou sua rede à volta de Barahir, e ele foi pego de surpresa e morto com todos os seus companheiros, salvo um. Pois, por sorte, Beren não estava com eles naquele momento, mas estava caçando sozinho nas matas, como era amiúde seu costume, pois assim obtinha notícias da movimentação de seus inimigos. Mas Beren foi avisado por uma visão de Gorlim, o infeliz, que lhe aparecera enquanto dormia, e ele retornou às pressas, e, ainda assim, tarde demais. Pois seu pai já estava morto, e as aves carniceiras levantaram voo quando Beren se aproximou, e se sentaram nos amieiros, e grasnaram em zombaria. Pois havia um alagado elevado em meio às charnecas, e à margem dele Barahir fizera seu esconderijo.

Ali Beren enterrou os ossos de seu pai, e ergueu um teso de pedras sobre Barahir, e fez por ele um juramento de vingança.

O pai de Gorlim, Angrim, agora aparece. As palavras primeiro escritas "Quando Bëor foi morto... Barahir, seu filho, salvou o Rei Felagund" são intrigantes. O rascunho manuscrito A original da mesma

---

* Quanto ao significado das palavras "e não está terminado" (que não deveriam ter sido omitidas em *O Silmarillion*), ver pp. 364–65: a ideia subjacente à última frase do conto é muito mais explícita no rascunho B.

forma possuía aqui "Quando Bëor e Bregolas foram mortos..." Foi dito em Q §9 que "Bëor morou com Felagund até morrer", mas em §10 que Bëor foi morto na Batalha do Fogo Repentino; isso considerei como uma (surpreendente) inconsistência dentro do Q (IV. 204). Em QS §131 (e no AB 2, anal 250) Bëor morreu de velhice, cinco anos antes da Batalha do Fogo Repentino, e em sua morte "os Elfos viram então pela primeira vez a morte de cansaço, e lamentaram pelo tempo curto designado à gente dos Homens"; assim, a inconsistência aparece mais uma vez e de maneira ainda mais surpreendente nesta versão. Mas as correções ao QS aqui foram feitas, quase que certamente, à época da composição.

É dito aqui que "Gorlim foi capturado pelos engodos de Sauron, o mago, como conta a balada, e Morgoth arrancou dele conhecimento acerca do esconderijo de Barahir". No rascunho A muito mais completo, a história ainda era quase que exatamente como na *Balada de Leithian* (III. 197–300): Gorlim quase foi capturado ao olhar pela janela da casa para a figura de sua esposa Eilinel, ele retornou aos seus companheiros, mas nada disse, e, por fim, com uma traição muito mais deliberada do que na história posterior, entregou-se aos serviçais de Morgoth, que o levaram a Angband. Um desenvolvimento menor é que, enquanto na Balada a casa em que ele pensou ter visto Eilinel não era sua, agora é contado que ele ia com frequência à sua própria casa abandonada, e os espiões de Morgoth sabiam disso (cf. a *Balada de Leithian Recomeçada*, III. 393). E, ainda mais importante, em A Morgoth "revelou a Gorlim que ele tinha visto apenas um espectro criado pela feitiçaria de Sauron para servir de armadilha", que mais uma vez avança a história até aquela da Balada reescrita, onde o espectro foi expressamente criado por Sauron (III. 394, e ver III. 406). Não vejo razão para crer que a frase breve que é tudo o que é dito acerca de Gorlim na versão do QS reflita uma história de algum modo diferente daquela em A. Anos mais tarde, quando, como mencionado acima (p. 353), meu pai mais uma vez tentou uma versão em prosa mais completa da história, ele voltou para A e o emendou em preparação para essa nova obra. A história agora afirmava que Gorlim fora capturado na primeira vez em que viu a imagem de Eilinel pela janela; mas ele ainda foi levado a Angband, e o próprio Morgoth falou com ele. Esse estágio está representado na primeira versão da Balada reescrita nesse ponto (ver III. 406). Por fim, alterações a

O QUENTA SILMARILLION

lápis em A mudaram Angband para o acampamento de Sauron, e Morgoth para Sauron, e, assim, chegaram à história final, como na segunda versão da Balada reescrita.

Quando compus o texto do início do Capítulo 19 em *O Silmarillion*, eu não previa de modo algum a possibilidade da publicação da *Balada de Leithian*, e eu queria incluir a história de Gorlim, que se encontra praticamente excluída do QS. O segundo parágrafo do capítulo, desde "Ora, a floresta de Dorthonion se erguia no rumo sul até virar uma charneca montanhosa", foi tirado dos *Anais Cinzentos*; e para a história de Gorlim que se segue usei o texto de A — em sua forma final, como recém-descrito.

Na história da vida solitária de Beren em Dorthonion, sua fuga para o sul pelas Montanhas de Terror e seu encontro com Lúthien — até "embora o tempo fosse breve", *O Silmarillion*, p. 228 —, as duas versões do QS na verdade não são muito diferentes em extensão, e aqui entrelacei alguns elementos da versão "mais curta", QS II; mas desde o ponto em que Thingol fica sabendo da presença de Beren na floresta, o QS I foi seguido até seu final nas palavras "e Celegorm e Curufin nada disseram, mas sorriram e deixaram aqueles salões" (*O Silmarillion*, p. 234), pois toda essa narrativa foi condensada em dois parágrafos no QS II. Depois disso, o QS II foi seguido até o final da história.

Assim, as versões do QS de "Beren e Lúthien" encontram-se no capítulo 19 da obra publicada, e não são apresentadas aqui; mas é preciso mencionar pontos significativos nos quais os textos do QS foram alterados editorialmente. Listo esses pontos na ordem de sua ocorrência, com referências às páginas de *O Silmarillion* (edição em capa dura).

Tarn Aeluin (pp. 223–25): introduzido de fontes tardias (*Anais Cinzentos*, Balada reescrita, etc.).

Poço do Rivil e o *Pântano de Serech* (p. 225): introduzidos de fontes tardias.

Noldor no lugar de *Gnomos* (p. 226 e do início ao fim, onde quer que *Gnomos* apareça no QS).

Gorgoroth, Ered Gorgoroth (p. 226). No QS I, o segundo é *Ered--orgoroth*, e em A e no QS II *Ered-'orgoroth* (além de *Gorgoroth* sozinho). Pelo que compreendo da questão, essa variação deve--se ao fenômeno em "noldorin exílico" (isto é, o idioma dos

356

A ESTRADA PERDIDA E OUTROS ESCRITOS

Noldor na Terra-média, em exílio de Valinor) chamado "Variação Inicial de Consoantes", onde uma consoante no início do segundo elemento de uma palavra composta (ou da segunda palavra em duas palavras que se encontram em uma relação sintática muito estreita, como substantivo e artigo) passou pela mesma mudança que passaria ao se encontrar em uma posição mediana usual. Por exemplo, as oclusivas surdas originais *p*, *t* e *k* permaneciam inalteradas em noldorin exílico antes de vogais, mas eram sonorizadas para *b*, *d* e *g* medialmente; assim, *tâl* "pé", mas *i·dâl* "o pé", ou *Thorondor* (*thoron* + *taur* "rei"). Medialmente, a oclusiva sonora *-g-* original tornava-se "aberta" para -ʒ-, que então enfraquecia e desaparecia; nesse caso, portanto, a "variação inicial" é entre *g* e nada, com a consoante perdida sendo representada por um sinal chamado *gasdil* ("tapa-buraco", ver as *Etimologias*, radical DIL), transcrito como '. Assim, *galað* "árvore", *i·alað* "a árvore"; *Gorgoroth, Ered-'orgoroth*. (Esse era um antigo conceito linguístico, como se por formas presentes no "dicionário gnômico" original, como *Balrog*, mas *i'Malrog*, a partir de uma combinação consonantal inicial *mb-* (I. 302).) Em textos pós-*Senhor dos Anéis*, a forma é *Ered Orgoroth* (*-ath*), junto a *Gorgoroth* (*-ath*), mas em dois casos a forma após *Ered* aparentemente foi emendada para *Gorgoroth*.

surgir da Lua [no original, *rising of the Moon*] (p. 226) é um erro; todos os textos possuem *raising*.

Dungortheb (p. 226): forma tardia para *Dungorthin* do QS; mais uma vez na p. 241.

Ungoliant (p. 226): introduzido para ficar de acordo com a ocorrência do nome em *O Senhor dos Anéis*; *Ungoliantë* no QS.

E atravessou os labirintos que Melian tecera à volta do reino de Thingol, tal como ela mesma previra; pois uma grande sina estava sobre ele (p. 226). Aqui a frase no QS I é a seguinte: "ele não poderia ter encontrado o caminho se o seu destino assim não tivesse decretado. Tampouco poderia ter atravessado os labirintos que Melian tecera à volta de Doriath, a não ser que ela assim o quisesse; mas ela previra muitas coisas que estavam ocultas dos Elfos". O QS II é similar. A razão para a mudança em *O Silmarillion* é a predição anterior de Melian a Galadriel de que "um dos Homens da própria casa de Bëor há de vir, de fato, e o Cinturão de Melian não há de impedi-lo, pois uma

O QUENTA SILMARILLION

sina maior que o meu poder há de enviá-lo" (*ibid.*, p. 202), uma passagem introduzida dos *Anais Cinzentos*; a frase citada acima foi retirada da mesma fonte.

na língua dos Elfos-cinzentos (p. 227). O QS I possui "na fala de Beleriand", com uma nota marginal "disse Ælfwine".

Mas Daeron, o menestrel, também amava Lúthien, e espiou seus encontros com Beren, e os denunciou a Thingol (p. 228). Como observado anteriormente, Dairon foi omitido do QS I (ele aparece no QS II, mas muito mais tarde na história. Contudo, em vista de uma nota a lápis no QS I (*Dairon*, com uma marca de inserção), introduzi essa frase (derivada dos *Anais Cinzentos*). O QS I aqui possui simplesmente: "Mas veio a acontecer que a vinda de Beren chegou ao conhecimento de Thingol, e ele ficou irado"; de modo similar no QS II.

"Quem és tu?", disse o Rei (p. 228). Aqui e subsequentemente no decorrer de todo o texto, "thou", "thy" (e "ye" plural) do QS foram substituídos por "you", "your", exceto nas palavras de Lúthien a Sauron, p. 240.*

o emblema de Finarfin (p. 230): *o emblema de Finrod* no QS.

o fado de Arda (p. 230): *o fado do mundo* no QS.

Talath Dirnen (p. 231): forma tardia para *Dalath Dirnen* do QS — a primeira ocorrência do nome élfico da Planície Protegida.

Taur-en-Faroth (p. 231): forma tardia para *Taur-na-Faroth* do QS.

Finrod Felagund (p. 232): *Felagund* no QS; mais uma vez na p. 238.

e soube que a jura que fizera estava vindo sobre ele para causar a sua morte, como, muito antes, predissera a Galadriel (p. 232). Acrescentado dos Anais Cinzentos; a referência é a *O Silmarillion*, p. 185, onde Felagund disse a Galadriel: "Um juramento também hei de fazer, e devo estar livre para cumpri-lo e adentrar a escuridão" (também derivado dos *Anais Cinzentos*).

Celegorm (p. 232): *Celegorn* no QS, e subsequentemente.

---

* Na tradução de *O Silmarillion* (2019), assim como em outros textos do legendário, optou-se pelo uso em português da 2ª pessoa do singular ("tu") e do plural ("vós") para representar a fala dos personagens, que seriam traduções mais diretas de *thou* ("tu") e *ye* ("vós"), o que também se aplica a pronomes demonstrativos como *thine* ("teu"). Contudo, os pronomes de 2ª pessoa portugueses "tu" e "vós" também são traduções viáveis das formas inglesas *you*, assim como o pronome demonstrativo "vosso" é de *your*, principalmente ao se levar em consideração o contexto e a formalidade do texto. [N.T.]

A ESTRADA PERDIDA E OUTROS ESCRITOS

filho de Finarfin (p. 232): *filho de Finrod* no QS; mais uma vez na p. 233.

Então Celegorm se levantou em meio à multidão (p. 233). No QS, esse trecho é seguido por "dourado eram seus longos cabelos". Neste ponto na Balada (verso 1844), Celegorm tem "brilhantes cabelos"; seu nome em inglês antigo era *Cynegrim Fægerfeax* ("Louro"), IV. 248. A frase foi removida no texto de *O Silmarillion* devido aos cabelos escuros dos príncipes noldorin, exceto na "casa dourada de Finarfin" (ver I. 60); mas ele permanece "Celegorm, o alvo" em *O Silmarillion*, p. 95.

Edrahil (p. 234). Esse nome foi tirado dos *Anais Cinzentos*; no QS, o líder dos fiéis a Felagund é *Enedrion*.

Taur-nu-Fuin (p. 234): forma tardia para *Taur-na-Fuin* do QS (e subsequentemente).

Citação da *Balada de Leithian* (pp. 234–35). O QS (onde a narrativa agora é somente aquela da versão "mais curta", QS II) possui: "Sauron prevaleceu, e arrancou-lhes seu disfarce". A introdução de uma passagem da Balada era justificada, ou assim eu pensava, pela passagem citada posteriormente no QS (pp. 243–44).

Tol-in-Gaurhoth (p. 236): forma tardia para *Tol-na-Gaurhoth* do QS.

mas buscou o auxílio de Daeron, e ele denunciou sua intenção ao Rei (p. 236). Um acréscimo, derivado como aquele na p. 228 dos *Anais Cinzentos*; o QS possui apenas "Thingol, ao tomar conhecimento do que ela pensava, se encheu de temor e assombro".

as Montanhas de Aman (p. 238): *as Montanhas dos Deuses* no QS.

as sinas de nossas gentes são separadas (p. 238). No QS, esse trecho é seguido por: "Mas, quiçá, mesmo esse pesar há de no fim ser curado".

em Tol-in-Gaurhoth, cuja grande torre ele mesmo construíra (p. 238) foi um acréscimo editorial.

o mais belo e o mais amado da casa de Finwë (p. 238) foi acrescentado dos Anais Cinzentos.

Ered Wethrin (p. 239): forma tardia para *Eredwethion* do QS.

a menos que me entregues o comando de tua torre (p. 240). No QS, esse trecho é seguido por: "e reveles o feitiço que junta pedra a pedra". Um pouco adiante, as palavras *e soltou-se o feitiço que juntava pedra a pedra* foram um acréscimo ao texto do QS. Esse rearranjo foi um equívoco. (O rascunho B possui aqui: "Então antes que fosse forçado para fora do corpo contra a vontade,

O QUENTA SILMARILLION

que é uma dor atroz a tais espíritos, ele se entregou. E Lúthien e Huan arrancaram dele as chaves da torre, e o feitiço que juntava pedra a pedra".)

que estava pura de novo (p. 240). A passagem após essa em *O Silmarillion* foi uma reescrita editorial do QS, que possui:

> que estava pura de novo, e para sempre depois disso permaneceu inviolada; pois Sauron jamais voltou para lá. Lá faz ainda o túmulo verdejante de Inglor, filho de Finrod, o mais belo de todos os príncipes dos Elfos, até que a terra seja transformada e destroçada, ou naufrague sob os mares da destruição. Mas Inglor caminha com Finrod, seu pai, entre sua gente na luz do Reino Abençoado, e não está escrito que tenha voltado à Terra-média.

Cf. a *Balada de Leithian*, versos 2871–877; e para "as árvores de Eldamar" no trecho reescrito, ver a Balada reescrita, III. 416, versos 20–1.

Naquele tempo, Celebrimbor, filho de Curufin, repudiou os feitos de seu pai e permaneceu em Nargothrond (p. 241). Esse foi um acréscimo editorial derivado de uma nota tardia.

Maedhros (p. 241): forma tardia para *Maidros* do QS. Após "onde Maidros, seu irmão, vivia", o QS possui: "Nos dias do Cerco, a estrada elevada seguira aquele caminho, e ainda podia ser atravessada com rapidez, já que ficava perto", etc. Não me recordo agora por que essa alteração foi feita. Essa é a primeira referência a uma estrada elevada que ia de Leste a Oeste.

Anfauglith (p. 243): *Fauglith* no QS.

Ali Beren se enfiou, em forma de lobo, sob o trono dele (p. 246): um acréscimo, tirado dos *Anais Cinzentos*; cf. a Balada, versos 3939–943.

Os olhos dele não a intimidaram (p. 246). O QS possui: "somente ela dentre todas as coisas da Terra-média não podia ser intimidada pelos olhos dele".

com asas mais velozes que o vento (p. 248). O rascunho B (ver p. 293) possui nesse ponto: "Thorondor os conduziu, e os outros eram Lhandroval (Asa-larga) e Gwaewar, seu vassalo". No texto C seguinte, também de 1937, esse trecho se tornou: "Thorondor era seu líder; e com ele estavam seus mais poderosos vassalos,

A ESTRADA PERDIDA E OUTROS ESCRITOS

Lhandroval de asas largas e Gwaewar, senhor do vento". Esse trecho foi emendado (em 1951, ver p. 352) para "Gwaihir, o senhor da tempestade", e a passagem encontra-se nessa forma no manuscrito do QS. Ela foi omitida em *O Silmarillion* devido à passagem em *O Retorno do Rei* (VI. 4): "Vieram Gwaihir, Senhor-dos-Ventos, e seu irmão Landroval... *mais poderoso dos descendentes do velho Thorondor*, que construiu seus ninhos nos picos inacessíveis das Montanhas Circundantes quando a Terra- -média era jovem". Na época, eu não compreendia a natureza e a datação do final do QS. Agora parece que não havia razão para suprimir os nomes; na verdade, parece que *Gwaewar* foi alterado para *Gwaihir* a fim de deixá-lo de acordo com *O Senhor dos Anéis* — seja como for que isso deva ser interpretado.

Gondolin, a bela, onde Turgon habitava (p. 249). No QS, esse trecho é seguido por: "Mas é dito em canção que as lágrimas dela, ao descerem das alturas quando ela passou, caíram como gotas de chuva prateada sobre a planície, e lá uma nascente brotou: a Fonte de Tinúviel, Eithel Nínui, água mui curadora, até secar na chama". Essa passagem, que já se encontrava no rascunho C, não devia ter sido omitida.

Crissaegrim (p. 249). Os rascunhos B e C, e também o manuscrito do QS como foi escrito, possuem aqui *Gochressiel* (ver QS §147 e comentário); no QS, esse nome foi emendado (como também em QS §147) para *Crisaegrim*.

Daeron (p. 250). *Dairon* (assim escrito) aparece aqui pela primeira vez na versão do QS.

e estava entre os grandes em Arda (p. 252). Um acréscimo, tirado dos *Anais Cinzentos*.

Beren Erchamion (p. 252): *Beren Gamlost* no QS; *Beren Camlost* (p. 253): *Beren Gamlost* no QS; mas na ocorrência na p. 251, onde o nome encontra-se sozinho, o QS também possui *Camlost*. A variação C/G também é encontrada nos rascunhos B e C, e é outro exemplo da "variação inicial de consoantes" mencionada na nota sobre *Gorgoroth* acima (oclusiva surda original $k > g$ medialmente). Mas aqui também, como no caso de *Ered Orgoroth*, mudanças tardias alteraram *Beren Gamlost* para *Beren Camlost*. — *Erchamion* é original (e já aparece no rascunho B) em sua ocorrência na p. 249, e é a primeira aparição do nome sem ser por emenda tardia.

O QUENTA SILMARILLION

Carregaram Beren Camlost (p. 253). Nesse ponto, meu pai inseriu (posteriormente) um novo título de capítulo no manuscrito do QS: 16 *A Canção de Lúthien em Mandos.* Em C, o capítulo 16 é *Da Quarta Batalha.*

das Duas Gentes que foram criadas por Ilúvatar para habitar em Arda, o Reino da Terra em meio às estrelas inumeráveis (p. 254). Esse trecho é original, derivado do QS conforme revisado em 1951 (ver p. 352).

Por causa de seus trabalhos e de seu pesar (p. 255). "porque ela era a filha de Melian, e por causa de seus trabalhos e de seu pesar" no QS; ver p. 365.

Essa não é uma lista completa de todas as alterações feitas na versão (ou versões) do QS no texto publicado, mas ela inclui todas as mudanças em nomes, e todas as omissões e acréscimos de alguma relevância. Não abordarei aqui a questão da justificabilidade de se construir um texto a partir de fontes diferentes. Espero que seja possível mais tarde apresentar os principais textos do período pós--*Senhor dos Anéis*, e com base neles, e na sua relação com o que foi publicado até agora, quase todos os detalhes do texto "construído" serão determináveis. O conto de Beren e Lúthien é apenas um elemento pequeno e relativamente muito simples nessa construção, e está longe de fornecer evidências suficientes pelas quais julgá-la ou a sua justificativa. No entanto, posso dizer agora que me arrependo de certas mudanças feitas nessa história.

É apropriado mencionar que aqui, assim como em outros lugares, quase que cada uma das alterações substanciais foi discutida com Guy Kay, que trabalhou comigo em 1974-5 na preparação de *O Silmarillion.* Ele de fato fez muitas sugestões para a construção do texto (tais como, no conto de Beren e Lúthien, a introdução de uma passagem da *Balada de Leithian*), e propôs soluções a problemas que surgiram na criação de uma narrativa compósita — em alguns casos, de maior importância à estrutura, como espero venha a ser mostrado em um livro posterior. Naturalmente, a responsabilidade pela forma final publicada é unicamente minha.

As diferenças mais importantes entre as narrativas de a *Balada de Leithian* e *O Silmarillion* foram suficientemente discutidas no Vol. III, e não farei outras análises gerais aqui. Muitas outras

A ESTRADA PERDIDA E OUTROS ESCRITOS

pequenas divergências serão vistas com uma comparação atenta das duas obras. Entretanto, há certos pontos específicos na versão do QS e nos rascunhos preparatórios que ainda precisam ser mencionados.

No QS I, a canção de Lúthien no início da primavera (*O Silmarillion*, p. 227) é comparada ao canto da cotovia que "se ergue dos portões da noite e derrama sua voz em meio às estrelas moribundas, *vendo o sol detrás das muralhas do mundo*". Isso obviamente contradiz o *Ambarkanta*; mas uma explicação possível é que meu pai na verdade estava pensando não nas *Ilurambar*, além das quais está o Vazio, mas nas Muralhas do Sol, a cadeia de montanhas no extremo Leste em oposição às Montanhas de Valinor no Oeste: ver o *Ambarkanta*, IV. 280–81, 283 e o mapa o mundo, IV. 293. A cotovia voando alto no início da aurora vê o sol que ainda não se ergueu para além das montanhas orientais. Por outro lado, esse não é o único lugar onde a expressão "as Muralhas do Mundo" é usada de uma maneira que parece anômala em relação ao *Ambarkanta*: ver IV. 297, e o comentário a QS §9.

No Q (IV. 132), quando o punhal (sem nome) que Beren tomou de Curufin se quebra na sua tentativa de arrancar uma segunda Silmaril da Coroa de Ferro, ele é chamado de "o punhal dos Anãos traiçoeiros"; ver a Balada, versos 4160–161: "A faca de artesãos matreiros / feita em Nogrod por ferreiros". A ausência desse elemento no QS pode ser significante, mas é mais provável que se deva meramente à concisão. No rascunho B, "o punhal dos Anões se quebrou", que faz alusão a essa ideia; o C possui simplesmente "o punhal se quebrou". — O nome *Angrist* do punhal está presente em B, mas lá não é atribuído a Telchar; essa ideia é encontrada primeiro no QS (*O Silmarillion*, p. 242), onde também Telchar se torna um Anão de Nogrod, não de Belegost como no Q (mencionado como o criador do Elmo-de-dragão, IV. 138).

O desenvolvimento da conclusão da história (*O Silmarillion*, p. 254, a partir de "Assim terminou a Demanda da Silmaril; mas a 'Balada de Leithian, Libertação do Cativeiro', não termina aí") é muito interessante. O rascunho B original, escrito rapidamente de maneira quase ilegível, já se encontrava próximo à forma final até "Manwë buscou conselho em seu pensamento mais íntimo, no qual a vontade de Ilúvatar foi revelada". O texto C, quase uma cópia exata do B até esse ponto, foi emendado muito mais tarde (1951) para produzir a forma no manuscrito do QS, mas uma nota de rodapé na

O QUENTA SILMARILLION

frase que começa com "Mas o espírito de Lúthien caiu em escuridão" pertence à época anterior (que não foi retomada no texto final):

Embora alguns tenham dito que Melian convocou Thorondor e lhe pediu que carregasse Lúthien viva até Valinor, afirmando que ela tinha uma parte na raça divina dos Deuses.

Com isso, cf. Esb §10 (IV. 33): "Algumas canções dizem que Lúthien chegou a atravessar o Gelo Pungente, auxiliada pelo poder de sua mãe divina Melian, até os salões de Mandos, e o resgatou", e Q §10 (IV. 134): "apesar de algumas canções dizerem que Melian convocou Thorndor, e ele carregou [Lúthien] viva até Valinor". — O texto de B continua:

E esta foi a escolha que decretou para Beren e Lúthien. Haveriam agora de habitar em Valinor, até o fim do mundo, em felicidade, mas no fim Beren e Lúthien deveriam ir cada um ao fado que fora determinado para sua gente, quando todas as coisas forem mudadas: e sobre o pensamento de Ilúvatar acerca dos Homens Manwë nada sabe. Ou poderiam retornar à Terra-média sem certeza de felicidade nem de vida; então Lúthien dever-se-ia tornar mortal como Beren e sujeita a uma segunda morte e no fim deveria deixar a terra para sempre, e sua beleza se tornaria apenas uma lembrança nas canções. E escolheram esse destino, de que assim, qualquer que pudesse ser o pesar em seu futuro, seus destinos haveriam de se unir e suas trilhas prosseguirem juntas para além dos confins do mundo. Assim foi que Lúthien, só ela entre os Eldalië, morreu e deixou o mundo muito tempo atrás, porém foi por ela que as Duas Gentes se uniram, e ela é antepassada de muitos. Pois sua linhagem ainda não se extinguiu, embora o mundo esteja mudado, e os Eldalië honram ainda os filhos dos Homens. E apesar de se tornarem soberbos e fortes, e amiúde cegos, os Elfos estão diminuídos: frequentam ainda os caminhos dos Homens, ou buscam colóquio com aqueles se apartam, pois porventura esses descendem de Lúthien, a quem perderam.

Encontramos aqui o conceito da "escolha de destino" de Beren e Lúthien diante de Mandos. Nos relatos mais antigos não havia tal escolha. No antigo *Conto de Tinúviel* — onde Beren era um

A ESTRADA PERDIDA E OUTROS ESCRITOS

Elfo —, o destino de Beren e Lúthien foi o simples decreto de Mandos (II. 54); e no Q (IV. 135) ocorre a mesma coisa, apesar de o decreto ser diferente, uma vez que Beren agora era um Homem. Discuti minuciosamente o significado dessas passagens (II. 78–9; IV. 77–8, 119–20). No presente texto, caso a primeira escolha fosse aceita, Beren e Lúthien deveriam por fim se separar, apesar dessa separação ser projetada em um futuro indefinidamente remoto — o fim do mundo; e essa separação se daria pelos princípios diferentes de seus seres, o que levaria inevitavelmente a um destino ou sina final diferente. Beren não poderia *por fim* escapar da necessidade imposta sobre ele devido à sua "gente", a necessidade de deixar os Círculos do Mundo, a Dádiva de Ilúvatar que não pode ser recusada, embora ele possa habitar — por um privilégio sem precedente, como uma recompensa sem precedente — em Valinor até o Fim. A união de Beren e Lúthien "além do mundo" só poderia ocorrer com a aceitação da segunda escolha, pela qual a própria Lúthien teria permissão para mudar sua "gente", e "morrer de fato".

No texto C seguinte, essa passagem foi remodelada por completo, praticamente para a forma na qual foi posteriormente escrita no manuscrito do QS. Aqui as escolhas são impostas apenas sobre Lúthien (na margem do QS, está escrito *As Escolhas de Lúthien*), e elas foram mudadas; pois a possibilidade de Beren acompanhar Lúthien ao Reino Abençoado não está disponível. Portanto, a escolha torna-se de certo modo mais simples: Lúthien pode partir com Beren *agora*, e seus destinos serão separados para sempre, *agora*; ou ela pode permanecer com ele "para sempre", ao se tornar mortal, mudando sua natureza e seu destino.

A forma da primeira escolha começa em C: "Ela, por ser a filha de Melian, e por causa de seu pesar, seria libertada de Mandos", tornando-se no QS: "Ela, porque era a filha de Melian, e por causa de seus trabalhos e de seu pesar, seria libertada de Mandos". Esse trecho retoma a ideia da nota de rodapé em C citada acima (pp. 363–64): Melian afirmou que Lúthien "tinha uma parte na raça divina dos Deuses". As palavras "porque era a filha de Melian" lamentavelmente foram omitidas do texto de *O Silmarillion*.

É possível notar um outro ponto na passagem citada do texto B (p. 364). É dito lá que "sobre o pensamento de Ilúvatar acerca dos Homens Manwë nada sabe". Com isso, cf. QS §86: "... somente Mandos, sob Ilúvatar, *salvo Manwë*, sabe para onde vão [os

Homens] depois do tempo de recolhimento naqueles salões silenciosos à beira do Mar do Oeste". Na passagem do Q da qual deriva esse trecho (IV. 119) é dito que "somente Mandos, sob Ilúvatar, sabia para onde iam".

O texto B continua a partir de "Lúthien, a quem perderam" da seguinte forma:

Mas Beren e Lúthien habitaram juntos por algum tempo, como homem e mulher viventes; e Mandos lhes concedeu uma longa duração de vida. Porém, não habitaram em Doriath, e, retomando suas formas mortais, partiram e saíram a vagar, sem terem sede nem fome, e, atravessando o rio, entraram em Ossiriand, Terra dos Sete Rios. Lá habitaram, e Gwerth-i-cuina os Gnomos chamaram sua morada, a Terra dos Mortos que Vivem, e depois disso nenhum homem mortal falou com Beren, filho de Barahir.

Em C essa passagem se torna o parágrafo inicial do capítulo 16, *Da Quarta Batalha* (e assim é tratado em *O Silmarillion*, onde ele começa o capítulo 20, *Da Quinta Batalha*), mas não foi alterado a partir de B de nenhuma maneira significativa. No manuscrito do QS essa passagem foi inserida em uma página final, numa quarta letra, cuidadosa, mas muito menos adornada, e aqui é mais uma vez a conclusão do capítulo anterior e o fim do conto de Beren e Lúthien. No QS, ela assumiu a seguinte forma:

Conta-se que Beren e Lúthien retornaram às terras do norte da Terra-média e habitaram juntos por algum tempo como homem e mulher viventes; pois, retomando sua forma mortal em Doriath, partiram sozinhos, sem temer sede nem fome, e passaram além dos rios e entraram em Ossiriand, e habitaram ali na ilha verde, Tol-galen, em meio ao Adurant, até que todas as notícias sobre eles cessaram. Portanto, os Noldor mais tarde chamaram aquela terra de Gyrth-i-Guinar, o país dos Mortos que Vivem, e nenhum homem mortal jamais falou de novo com Beren, filho de Barahir; e se a segunda duração de sua vida foi breve ou longa, isso não é conhecido dos Elfos ou dos Homens, pois ninguém viu Beren e Lúthien deixar o mundo ou relatou onde, enfim, seus corpos jazeram.

A forma mais longa que aparece em *O Silmarillion* foi "integrada" com o texto dos *Anais Cinzentos*. No QS, começa então o

A ESTRADA PERDIDA E OUTROS ESCRITOS

capítulo 16, com o título *Da União de Maedros* (apesar da inserção 16 *A Canção de Lúthien em Mandos*, p. 362, como um título de capítulo); mas depois das palavras "Naqueles dias, Maedros, filho de Fëanor, levantou seu coração", meu pai parou de escrever, e o manuscrito termina ali.

Em B e C é dito, como fora no Q (IV. 135), que a duração da segunda vida de Beren e Lúthien foi longa.[*] Nos *Anais de Beleriand*, a primeira morte de Beren, de acordo com a cronologia mais tardia, ocorreu em 465, e a partida final de Beren e Lúthien está registrada no ano 503. Essa data aparece novamente em versões pós-*Senhor dos Anéis* do *Conto dos Anos*; e, por esse motivo, as palavras "se a segunda duração de sua vida foi breve ou longa, isso não é conhecido dos Elfos ou dos homens" foram omitidas de *O Silmarillion*. Mas não isso não deveria ter sido feito. Também é dito no anal 503 que *o dia de suas mortes não é conhecido*: o anal registra como fato a chegada do mensageiro a Dior em Doriath à noite, trazendo a Silmaril no Colar dos Anões, mas como conjectura o que é dito pelos Elfos, que Beren e Lúthien deviam ter morrido, pois, do contrário, a Silmaril não teria sido enviada até o filho deles. Acredito agora que é assim que as palavras do QS devem ser interpretadas; a crença de que o recebimento da Silmaril por Dior era um sinal de suas mortes simplesmente não é mencionada.

O nome *Gwerth-i-Cuina* apareceu em emendas tardias do Q, e em uma emenda da Expansão a Leste do primeiro Mapa (IV. 277–78). A localização da morada de Beren e Lúthien após seu retorno na ilha de Tol-galen no rio Adurant aparece em um acréscimo a QS §114 (ver o comentário).

16. DA QUARTA BATALHA: NÍRNAITH ARNEDIAD

Os dois manuscritos desse capítulo foram descritos nas pp. 350–51: o primeiro, QS(C), era o texto intermediário começado enquanto o QS esteve ausente em novembro-dezembro de 1937, e ele fornece na íntegra do capítulo 16, enquanto o segundo, QS(D), do

---

[*] Em outra passagem do Q (IV. 154), a terra onde eles habitaram após retornarem teve apenas uma "breve hora de graça", assim como no *Conto do Nauglafring* (II. 288) "sobre Beren e Tinúviel abateu-se depressa a sina de mortalidade que Mandos proferira".

367

mesmo período, começa em meio ao texto do capítulo. Portanto, até o ponto em que D começa, C (rascunhado, mas legível) é o único texto. Como observado acima, no C o capítulo começa com o parágrafo acerca das segundas vidas de Beren e Lúthien, enquanto o manuscrito do QS o inclui no final do capítulo 15 e começa o 16 com a União de Maidros, sendo interrompido após as primeiras palavras. Recomeço aqui a numeração dos parágrafos a partir de §1.

A União de Maidros

§1 Diz-se que Beren e Lúthien retornaram para as terras do Norte, e habitaram juntos por algum tempo, como homem e mulher viventes; e a duração de sua segunda vida foi longa. Mas não habitaram em Doriath; pois, retomando sua forma mortal, partiram de lá e saíram a vagar sozinhos, sem temer sede nem fome. E passaram além dos rios e entraram em Ossiriand, a Terra dos Sete Rios, e habitaram entre os Elfos- -verdes em segredo. Portanto, os Gnomos chamaram aquela terra de Gwerth-i-Cuina, a Terra dos Mortos que Vivem; e depois disso nenhum homem mortal falou com Beren, filho de Barahir.

§2 Mas, naqueles dias, Maidros, filho de Fëanor, levantou seu coração, percebendo que Morgoth não era inexpugnável; pois os feitos de Beren e Lúthien e a destruição das torres de Sauron passaram a ser cantados em muitas canções por toda Beleriand. Contudo, Morgoth havia de destruí-los a todos, um a um, se não pudessem de novo se unir e fazer uma nova liga e concílio comum. Portanto, ele fez os planos para a União de Maidros, e planejou sabiamente.

§3 Pois ele renovou a amizade com Fingon no Oeste, e agiram depois disso de comum acordo. Maidros convocou mais uma vez ao seu auxílio os Elfos-escuros do Sul, e os Homens Tisnados foram congregados, e ele saiu de Himring em grande número. Ao mesmo tempo, Fingon saiu de Hithlum. Por um tempo os Gnomos tiveram mais uma vez a vitória, e os Orques foram varridos das regiões ao norte de Beleriand, e a esperança foi renovada. Morgoth recuou diante deles e cha- mou de volta seus serviçais; pois estava ciente de tudo que era feito, e precaveu-se contra o levante dos Gnomos. Ele enviou muitos espiões e emissários, em segredo ou disfarçados,

A ESTRADA PERDIDA E OUTROS ESCRITOS

para o meio de Elfos e Homens, e iam especialmente até os Lestenses, os Homens Tisnados e os filhos de Ulfang. As forjas de Nogrod e Belegost muito se ocupavam naqueles dias fazendo cotas de malha e espadas e lanças para muitos exércitos; e os Anões naquela época vieram a possuir muito da riqueza e das joias de Elfos e Homens, apesar de não irem para a guerra eles próprios. "Pois não sabemos as causas justas dessa querela", diziam, "e não favorecemos lado algum — até que algum prevaleça."

§4 Grande e bem armada era a hoste de Maidros no Leste. No Oeste, toda a força de Hithlum, Gnomos e Homens, estava pronta ao seu chamado: Fingon e Huor e Húrin eram seus chefes. Então Turgon, crendo que por acaso a hora da libertação estava próxima, veio sem ser esperado de Gondolin; e trouxe um grande exército e acampou na planície diante da abertura do passo oeste à vista das muralhas de Hithlum. Houve júbilo entre o povo de Fingon, seu irmão, ao ver seus parentes que há muito estiveram escondidos.

§5 O juramento de Fëanor, porém, e os atos malignos que tinha gerado feriram os desígnios de Maidros, e ele obteve menos auxílio do que deveria. Orodreth não marcharia de Nargothrond seguindo as palavras de qualquer filho de Fëanor por causa dos atos de Celegorn e Curufin. De lá veio apenas uma pequena companhia, que Orodreth permitiu que partisse, visto que não podiam suportar ficar ociosos enquanto seus parentes se reuniam para a guerra. Gwindor era seu líder, filho de Guilin, um príncipe muito valente; mas eles tomaram para si o emblema da casa de Fingolfin, e marcharam sob as bandeiras de Fingon, e nunca mais voltaram, exceto um.

§6 De Doriath veio pouca ajuda. Pois Maidros e seus irmãos, sendo forçados por seu juramento, tinham antes mandado mensagens a Thingol e o lembraram, com palavras soberbas, da reivindicação deles, convocando-o a lhes ceder a Silmaril ou se tornar seu inimigo. Melian o aconselhou a entregar a joia, e, quiçá, ele assim teria feito, mas as palavras deles foram orgulhosas e ameaçadoras, e ele ficou irado, pensando na angústia de Lúthien e no sangue de Beren pelos quais a joia fora conquistada, apesar da malícia de Celegorn e Curufin. E, a cada dia que contemplava a joia, mais o seu coração desejava

O QUENTA SILMARILLION

retê-la para sempre. Tal era o seu poder. Portanto, despediu os mensageiros de Maidros com palavras cheias de escárnio. Maidros nada respondeu, pois então começara a preparar a liga e a união dos Elfos; mas Celegorn e Curufin juraram abertamente matar Thingol e destruir a sua gente se voltassem vitoriosos da guerra e se a joia não fosse entregue de livre vontade. Por essa razão, Thingol fortificou as marcas de seu reino e não foi à guerra, nem foi nenhum outro de Doriath, salvo Mablung e Beleg, que não podiam ser contidos.

§7 A seta traiçoeira de Curufin que feriu Beren era lembrada entre os Homens. Portanto, da gente de Haleth, que habitava em Brethil, somente metade veio, e não foram para se juntar a Maidros, mas antes a Fingon e Turgon no Oeste.

§8 Tendo reunido por fim toda a força que podia, Maidros designou um dia, e mandou mensagens a Fingon e Turgon. No Leste, foi erguido o estandarte de Maidros, e a ele foi toda a gente de Fëanor, e eram muitos; e os Elfos-escuros do Sul; e, dos Elfos-verdes de Ossiriand, muitas companhias; e as tribos e os batalhões dos Lestenses com os filhos de Bór e Ulfang. No Oeste estava o estandarte de Fingon, e em volta dele foram reunidos os exércitos de Hithlum, tanto Gnomos como Homens; e Turgon, com a hoste de Gondolin; a ela foram acrescentados aqueles que vieram da Falas, e de Brethil, e de Nargothrond; e aguardaram nas divisas de Dor-na-Fauglith, à espera do sinal das bandeiras que avançavam do Leste.

[Nesse ponto o manuscrito D começa, e é seguido aqui. Ele é uma reelaboração muito próxima do C, incorpora as emendas preparatórias feitas no texto anterior, mas pouco o desenvolve, exceto em pequenos detalhes estilísticos.]

§9 Mas Maidros foi atrasado na estrada pelos ardis de Uldor, o Maldito, filho de Ulfang; e continuamente os emissários de Morgoth iam ter entre os acampamentos: e havia Gnomos-servos ou seres em forma élfica, e espalharam presságios de males e a suspeita de traição entre todos os que lhes davam ouvidos.

§10 Longamente os exércitos esperaram no Oeste, e o medo da traição cresceu em seus pensamentos quando Maidros se

A ESTRADA PERDIDA E OUTROS ESCRITOS

demorou. Os corações ardentes de Fingon e Turgon ficaram impacientes. Portanto, enviaram seus arautos à planície de Fauglith, e suas trombetas prateadas foram soadas, e convocaram as hostes de Morgoth a virem para fora.

§11 Então Morgoth enviou uma força, grande e, ainda assim, não grande demais. Fingon tinha em mente atacá-la das matas aos pés de Erydwethion, onde a maior parte de suas forças estava escondida. Mas Húrin falou contra isso. Portanto, Morgoth, vendo que hesitavam, trouxe o arauto de Fingon que ele iniquamente fizera prisioneiro, e o matou na planície, e mandou os outros de volta com a sua cabeça. Depois disso, a ira de Fingon foi inflamada, e seu exército saltou adiante numa investida repentina; e, antes que Turgon pudesse detê--los, uma grande parte de sua hoste juntou-se à batalha. A luz do desembainhar das espadas dos Noldor era como fogo repentino aceso num campo de palha.

§12 Isso estava de fato de acordo com os desígnios de Morgoth; mas diz-se que ele não havia contado com o verdadeiro número das forças de seus inimigos, nem medira corretamente a bravura deles, e quase seu plano foi frustrado. Antes que o exército que havia enviado pudesse ser fortalecido, ele foi sobrepujado; pois foi atacado de súbito pelo Oeste e pelo Sul; e naquele dia houve uma matança maior dos serviçais de Morgoth do que tinha havido até então. Alto ressoaram as trombetas. As bandeiras de Fingon foram erguidas diante das próprias muralhas de Angband. Conta-se que Gwindor, filho de Guilin, e a gente de Nargothrond, estavam na vanguarda da batalha, e atravessaram os portões, e mataram os Orques nas escadarias de Angband, e o medo chegou a Morgoth em seu trono profundo. Mas por fim Gwindor e seus homens foram capturados ou mortos, pois nenhum auxílio veio até eles. Por outras portas secretas nas montanhas das Thangorodrim Morgoth fizera sair sua hoste principal, que deixara a esperar; e Fingon e o exército de Hithlum foram rechaçados das muralhas.

§13 Então, na planície, teve início aquela Batalha que é chamada de Nírnaith Arnediad, Lágrimas Inumeráveis, pois nenhuma canção ou história pode conter toda a tristeza daquele dia, e as vozes daqueles que a cantam voltam-se para o lamento.

A hoste de Fingon recuou com grande perda pelas areias de Dor-na-Fauglith, e Hundor, filho de Haleth, foi morto na retaguarda, e com ele tombou a maioria dos Homens de Brethil, e eles nunca voltaram para os bosques. E Glorwendil, filha de Hador e esposa de Hundor, morreu de tristeza naquele ano infeliz. Mas os Orques se puseram entre Fingon e os passos de Erydwethion que levavam a Hithlum; portanto, ele recuou em direção ao vale do Sirion. Diante da entrada daquele vale, nas fronteiras de Taur-na-Fuin, ainda permanecia oculta uma grande parte da hoste de Turgon; e Turgon então soou suas trombetas, e veio em poderio com auxílio inesperado, e muitos dos Orques, pegos entre os dois exércitos, foram destruídos.

§14 Então a esperança se renovou nos corações dos Elfos. E, naquela hora, as trombetas de Maidros se ouviram vindas do Leste, e as bandeiras dos Filhos de Fëanor e de seus aliados caíram sobre o flanco do Inimigo. E alguns dizem que os Elfos, então, ainda poderiam ter sido vitoriosos, se todos tivessem se mostrado fiéis; pois os Orques hesitaram, e seu ataque foi detido, e já alguns estavam se voltando à fuga.

§15 Mas, na hora em que a vanguarda de Maidros enfrentava os Orques, Morgoth despejou sua última força, e o inferno foi esvaziado. Vieram lobos e serpentes, e vieram mil Balrogs, e veio Glómund, o Pai de Dragões. E a força e o terror da Serpe haviam agora crescido em muito; e Elfos e Homens feneceram diante dela. Assim Morgoth impediu a união das hostes dos Elfos; porém, ele não teria conseguido isso, nem com Balrog, nem com Dragão, se os capitães dos Lestenses tivessem permanecido fiéis. Muitos desses homens, então, viraram-se e fugiram; mas os filhos de Ulfang passaram para o lado de Morgoth, e caíram sobre a retaguarda de Maidros e causaram confusão. Desde aqueles dias os corações dos Elfos se distanciaram dos Homens, salvo apenas daqueles das Três Casas, os povos de Hador, e Bëor, e Haleth; pois os filhos de Bór, Boromir, Borlas e Borthandos, que dentre os Lestenses foram os únicos a se mostrarem fiéis na hora da necessidade, pereceram todos naquela batalha, e não deixaram herdeiros. Mas os filhos de Ulfang não ganharam a recompensa que Morgoth lhes prometera; pois Cranthir matou Uldor, o

A ESTRADA PERDIDA E OUTROS ESCRITOS

Maldito, o líder na traição, e Ulfast e Ulwarth foram mortos pelos filhos de Bór, antes que eles mesmos tombassem.

§16 Assim, os desígnios de Morgoth se cumpriram de uma maneira conforme seu próprio coração; pois Homens tiraram a vida de Homens, e traíram os Elfos, e o medo e o ódio surgiram entre aqueles que deveriam ter ficado unidos contra ele. E a hoste de Maidros, atacada pela vanguarda e pela retaguarda, foi dispersada e varrida da batalha em direção ao leste; e a Garganta de Aglon ficou tomada de Orques, e o Monte de Himring foi guarnecido pelos soldados de Angband, e os portões da terra ficaram em poder de Morgoth. Mas o destino salvou os Filhos de Fëanor, e, embora todos estivessem feridos, nenhum foi morto. Contudo, suas forças estavam dispersas, e seu povo, diminuído, e sua liga, despedaçada; e passaram a levar uma vida selvática nas matas, sob os pés das Eredlindon, misturando-se aos Elfos-escuros, desprovidos do poder e da glória de outrora.

§17 No oeste da batalha, Fingon tombou, e uma chama saltou de seu elmo quando foi rachado. Ele foi sobrepujado pelos Balrogs e abatido na terra, e suas bandeiras brancas foram pisoteadas. Mas Húrin, e Huor, seu irmão, e os homens da Casa de Hador, ficaram firmes, e os Orques não puderam ainda tomar o passo do Sirion. Assim foi a traição de Uldor compensada. A defesa derradeira de Húrin é o mais renomado dos feitos dos Homens entre os Elfos; pois ele ficou na retaguarda, enquanto o remanescente das hostes do Oeste recuava da batalha. Poucos conseguiram atravessar as Eredwethion de volta a Hithlum; mas Turgon reuniu todos os que restavam da gente de Gondolin, e tantos da gente de Fingon que podia congregar; e ele escapou Sirion abaixo até os vales e as montanhas, e ficou oculto dos olhos de Morgoth. Nem Elfo nem Homem nem espião de Angband sabia aonde ele tinha ido, tampouco descobriu a praça-forte oculta, até os dias de Tuor, filho de Huor. Assim a vitória de Morgoth foi maculada, e ele ficou irado.

§18 Mas os Orques então cercaram os valentes Homens de Hithlum como uma grande onda em torno de um rochedo isolado. Huor tombou atingido por uma flecha envenenada, e todos os filhos de Hador foram mortos à sua volta, até restar apenas Húrin. Então lançou de lado seu escudo e empunhou seu machado com as duas mãos; e diz-se que, resistindo sozinho, ele matou uma centena de Orques. Por fim foi capturado vivo por ordem de Morgoth, pois dessa maneira Morgoth pensava em lhe causar mais mal do que pela morte. Portanto, seus serviçais agarravam Húrin com as mãos, e embora ele os matasse, sempre seus números se renovavam, até que, afinal, ele tombou, enterrado debaixo deles, e agarravam-se a ele como sanguessugas. Então, atado, arrastaram-no com zombaria para Angband.

§19 Grande foi o triunfo de Morgoth. Os corpos de seus inimigos que foram mortos mandou que empilhassem em um grande teso no meio à planície; e foi chamado Hauð-na-Dengin, o Monte dos Mortos. Mas a relva surgiu ali e cresceu de novo, alta e verdejante sobre aquele monte, o único lugar onde isso se deu em todo o deserto que Morgoth criara; e nenhum Orque dali por diante pisou sobre a terra debaixo da qual as espadas dos Gnomos se desfaziam em ferrugem. O reinado de Fingon não mais existia; e os Filhos de Fëanor vagavam como folhas ao vento. Para Hithlum nenhum dos homens da casa de Hador retornou, nem quaisquer notícias da batalha e do destino de seus senhores. Mas Morgoth enviou para lá Homens que estavam sob seu domínio, Lestenses tisnados; e os fechou naquela terra e proibiu que saíssem, e tal foi toda a recompensa que lhes deu: pilhar e maltratar os idosos e as crianças e as mulheres do povo de Hador. O remanescente dos Elfos de Hithlum ele levou para as minas de Angband, e eles se tornaram seus servos, salvo por alguns que o enganaram e vagavam selvagens nas matas.

§20 Mas os Orques andavam livremente por todo o Norte e chegavam cada vez mais longe, ao sul, em Beleriand. Doriath, porém, resistia, e Nargothrond estava oculto; mas Morgoth lhes dava pouca atenção, ou porque pouco sabia deles, ou porque sua hora ainda não havia chegado nos propósitos profundos de sua malícia. Mas pensar em Turgon o atormentava sobremaneira; pois Turgon vinha da casa magna de Fingolfin e era agora por direito senhor de todos os Gnomos. E Morgoth temia e odiava muitíssimo a casa de Fingolfin, porque tinham escarnecido dele em Valinor, e por causa dos ferimentos que Fingolfin lhe dera em combate.

A ESTRADA PERDIDA E OUTROS ESCRITOS

§21 Húrin foi então trazido diante de Morgoth e o desafiou; e ele foi agrilhoado em tormento. Mas Morgoth lembrou-se que apenas traição, e o medo de traição, obrariam a ruína final dos Gnomos, e pensou em fazer uso de Húrin. Portanto, foi a Húrin onde este jazia em dor, e lhe ofereceu honra e liberdade e poder e riqueza, caso aceitasse servir em seus exércitos e liderasse uma hoste contra Turgon, ou mesmo se revelasse onde aquele rei tinha sua praça-forte oculta. Pois ficara sabendo que Húrin tinha conhecimento do segredo de Turgon, mas o mantinha em silêncio por juramento. Mas Húrin, o Destemido, zombou dele.

§22 Então Morgoth planejou um castigo cruel; e, tirando Húrin de sua prisão, colocou-o numa cadeira de pedra sobre um lugar alto das Thangorodrim. Ali foi atado pelo poder de Morgoth, e Morgoth, postando-se a seu lado, amaldiçoou-o com uma maldição de visão de vigília como a dos Deuses, mas sobre família e semente pôs uma sina de pesar e infortúnio sombrio.

§23 "Senta-te agora aqui", disse Morgoth, "e contempla o curso da sina que designei. Pois hás de ver com meus olhos, e de saber com meu pensamento, todas as coisas que hão de sobrevir àqueles a quem amas. Mas nunca hás tu de sair deste lugar antes que tudo esteja consumado até seu amargo fim". Assim aconteceu; pois Morgoth manteve a vida em Húrin. Mas ninguém diz que Húrin suplicou jamais pela morte ou por misericórdia para si mesmo ou seus filhos.

Comentário ao Capítulo 16

Ao se comparar Q §11 e AB 2, anal (272 >) 472, vê-se que o presente texto foi derivado em grande parte dessas duas fontes, que são interligadas. No tratamento do papel desempenhado por Turgon e pelo povo de Gondolin na Batalha das Lágrimas Inumeráveis, o resultado dessa combinação (surpreendentemente) não é de todo coerente, e isso é discutido em uma nota ao final do Comentário.

§1 Quanto ao desenvolvimento desse parágrafo, ver pp. 366–67. Na frase *habitaram entre os Elfos-verdes em segredo*, as palavras *em segredo* foram riscadas e substituídas por *em Tol-galen, a Ilhota Verde*; e *Gwerth-i-Cuina* foi alterado para *Gwerth-i-Guinar*.

375

O QUENTA SILMARILLION

Essas podem ter sido alterações muito posteriores como preparação para a inclusão do parágrafo como a última parte do manuscrito do QS (que, no entanto, possui *Gyrth-i-Guinar*).

§3 Não é dito em nenhum outro lugar que "Fingon saiu de Hithlum" durante o período inicial das hostilidades durante a União de Maidros, no qual os Noldor foram vitoriosos.

A passagem acerca dos cínicos e maquinadores Anãos deriva em muito do Q (IV. 136). Ao lado dela, meu pai escreveu "Não é essa a atitude anânica"; tenho certeza de que essa anotação foi feita muito tempo depois. A forma plural *Anões* associa o texto com os capítulos 10 e 11 do QS (ver o comentário a §122). Ela também foi usada no manuscrito QS(B) do conto de Beren e Lúthien (p. 363).

§7 O ferimento de Beren por Curufin, não mencionado nos *Anais* com relação à resposta dos Homens de Brethil à União de Maidros, reaparece (ver IV. 206), e "somente metade" do povo de Haleth foi à guerra, embora em §13 (como no AB 2) "a maioria dos Homens de Brethil" tenha sido morta.

§8 Nem no Q, nem nos *Anais*, os Elfos-verdes de Ossiriand são mencionados entre as forças de Maidros.

§11 Os arautos serem mandados de volta carregando a cabeça daquele que foi executado é um detalhe novo.

§13 A retirada da hoste ocidental em direção ao Passo do Sirion, e a destruição dos Homens de Brethil na retaguarda, deriva dos *Anais*, não do Q.

Um acréscimo ao AB 2 (nota 22) fornece um novo anal: "436. Hundor, filho de Haleth, desposou Glorwendel, filha de Hador", e um acréscimo ao anal que descreve a Batalha das Lágrimas Inumeráveis afirma: "Glorwendel, sua esposa, morreu naquele ano de pesar". Essas são as primeiras alusões a essa união entre a Casa de Hador e o Povo de Haleth. Em *O Silmarillion*, a filha de Hador é *Glóredhel*.

§15 O número de mil Balrogs (encontrado em ambas as versões dos *Anais*) ainda estava presente (ver o comentário a §89). — Após "pereceram todos naquela batalha", o texto anterior (C) possui o acréscimo "defendendo Maglor contra o ataque de Uldor", mas isso não foi retomado no D. Não é dito nos *Anais* que Ulfast e Ulwar(th) foram mortos pelos filhos de Bór ("antes que eles mesmos tombassem"), mas sim o oposto.

A ESTRADA PERDIDA E OUTROS ESCRITOS

§17 O texto D possui *Erydwethion* em §§11 e 13, mas *Eredwethion* aqui; o C possui *Eredwethion* em todo o texto.

§18 No Q, o Elmo-de-dragão, que reaparece da *Balada dos Filhos de Húrin*, é descrito pela primeira vez nesse ponto da narrativa (pois Húrin não o estava usando na batalha); mas uma anotação no Q o posterga para o conto de Túrin, como foi feito nessa versão.

§19 *Hauð-na-Dengin*: o C possuía *Cûm-na-Dengin* (ver nota 37 do AB 2), alterado para *Amon Dengin* (ver IV. 167), com *Hauð na* escrito acima de *Amon*. Essa é a primeira ocorrência de *Hauð-na-Dengin* (a forma no texto D); cf. *Hauð i Ndengin* nas *Etimologias*, radicais KHAG, NDAK.

O papel de Turgon na Batalha das Lágrimas Inumeráveis

Como ressaltado acima, a combinação do Q com os *Anais* produziu aqui uma incoerência bastante atípica. Turgon saiu de Gondolin sem ser esperado e acampou na planície diante do passo oeste à vista das muralhas de Hithlum (§4); quando o dia foi designado, "Maidros mandou mensagens a Fingon e Turgon", e a hoste de Gondolin entrou em formação sob o estandarte de Fingon (§8); Turgon e Fingon ficaram impacientes e enviaram seus arautos à planície de Fauglith (§10). Em tudo isso meu pai estava seguindo de perto o Q já emendado (IV. 140–41, notas 7 e 14), onde, como sugeri (IV. 207), parece haver um estágio intermediário entre a história original (na qual Turgon era um dos líderes dos Elfos do Oeste desde o início dos preparativos para a guerra) e aquela em *O Silmarillion*: "Turgon surge agora vindo de Gondolin, que há muito já existia, mas não marcha no último momento, no próprio dia, como na história posterior; ele chega, sem dúvida de forma inesperada, mas a tempo de tomar parte nos preparativos estratégicos finais".

Então, no presente relato, "uma grande parte" da hoste de Turgon juntou-se ao ataque prematuro, apesar de que ele os teria detido se pudesse (§11). Essa informação não se encontra no Q, cuja única outra menção a Turgon é a de sua escapada descendo o Sirion. Mas, *então*, Turgon "soou suas trombetas", e "uma grande parte" de sua hoste que havia permanecido oculta diante do Passo do Sirion e nas fronteiras de Taur-na-Fuin surgiu sem ser esperada, de modo que muitos Orques foram destruídos, pegos entre o exército de Turgon e o de Fingon, que recuava para o sul (§13). Parece que nesse ponto

O QUENTA SILMARILLION

meu pai passou para os *Anais*; mas eles (tanto o AB 1 como o AB 2) contam uma história diferente daquela no Q. Nos *Anais*, "novas chegaram a Turgon" muito antes da batalha, e "ele se preparou para guerra em segredo" (anais 465–70, de acordo com a datação final); não há indicação de que ele tenha desempenhado qualquer papel até que Fingon, impedido de chegar aos passos das Eredwethion, recuou na direção do Sirion — e então "Turgon e o exército de Gondolin soaram suas trompas e emergiram de Taur-na-Fuin": eles haviam sido "atrasados pelos engodos e males da floresta, mas chegaram agora como um auxílio inesperado". Lá então ocorreu, nos *Anais*, o alegre encontro de Turgon e Húrin (a história da estada de Húrin em Gondolin não havia surgido quando o Q foi escrito). Esse encontro não ocorre no presente relato; pois eles teriam se encontrado muito antes (quando "houve júbilo entre o povo de Fingon, ao ver seus parentes que há muito estiveram escondidos", §4).

Este capítulo aparece em cópias datilografadas subsequentes, mas meu pai nunca as alterou ou corrigiu de qualquer maneira.

17. DE TÚRIN TURAMARTH, OU TÚRIN, O INFELIZ

Os dois manuscritos, QS (C) e QS (D), continuam em mais um capítulo, e o D estende-se um tanto além nele do que o C (ver pp. 350–51). O C aqui é extremamente irregular, e o texto apresentado é o do D, visto que este seguiu muito de perto o C e pouco divergiu dele, salvo em pequenos pontos de expressões. O D foi substancialmente corrigido e aumentado, e as páginas finais foram riscadas por completo, mas creio que tudo isso pertença a uma fase muito mais tardia da obra acerca da "Saga de Túrin", e apresento aqui o texto como originalmente escrito.

Essa versão da história, até onde ela se estende, apresenta uma imensa expansão do relato muito breve em Q §12 — e teria tido o mesmo problema de tamanho que teve a versão do QS do conto de Beren e Lúthien. Na verdade, a fonte primária para este capítulo foi a *Balada dos Filhos de Húrin* na seção *A Criação de Túrin* (III. 18 ss., e na forma revisada do poema, III. 128 ss.), que, por sua vez, derivou de perto da história original, o *Conto de Turambar*. A evolução posterior da "Saga de Túrin" é tão confusa quanto Taur--na-Fuin, e não precisa ser levada em consideração aqui de modo

378

A ESTRADA PERDIDA E OUTROS ESCRITOS

algum; mas é possível notar que o presente capítulo (com exceção de algumas expressões) não é o antecedente do início do capítulo 21 de *O Silmarillion*. Por outro lado, ver-se-á que boa parte do capítulo na verdade está preservado inserido no *Narn i Hîn Húrin* em *Contos Inacabados* (desde "Túrin então foi preparado para a viagem", p. 107), apesar da introdução de diversos elementos novos importantes (a história do Elmo-de-dragão, Nellas, a amiga da infância de Túrin, e história alterada de Orgof/Saeros, etc.).

A dependência da Balada da nova versão é estreita em alguns trechos, e se estende até mesmo a fraseados em um ponto ou outro; por outro lado, algumas características da Balada foram alteradas (como, por exemplo, a provocação de Orgof), reduzidas (como o relato de Orgof e seu caráter), ou omitidas (como a fúria vingativa dos parentes de Orgof e os presentes de apaziguamento de Thingol). Porém, a comparação entre as duas agora é fácil de ser realizada, e restringi o comentário a alguns pontos específicos. Seja como for, a relação entre a Balada e o *Narn* foi estudada no comentário à Balada (III. 34–39).

§24 Rían, filha de Belegund, era a esposa de Huor. Quando nenhuma nova chegou de seu senhor, ela partiu, e seu filho Tuor nasceu no ermo. Ele foi entregue para ser criado pelos Elfos-escuros; mas Rían foi ao Hauð-na-Dengin e deitou-se ali e morreu. Mas Morwen, filha de Baragund, era a esposa de Húrin, e ela habitava em Hithlum, pois seu filho Túrin tinha então sete anos de idade, e ela carregava outra vez uma criança. Com ela permaneceram apenas idosos velhos demais para a guerra, e donzelas e meninos. Aqueles dias eram malignos; pois os Lestenses tratavam com crueldade o povo de Hador e roubavam tudo o que possuíam e os escravizavam. Mas tão grandes eram a beleza e a majestade da Senhora Morwen que eles lhe tinham medo e sussurravam entre si, dizendo que era perigosa e uma bruxa hábil em magia e em liga com os Elfos. Contudo, agora ela estava pobre e não tinha auxílio, salvo pelo fato de ser socorrida por sua parenta Airin, a quem Brodda tomara como esposa. Brodda era poderoso entre os Homens de fora, e rico (tal como riqueza era considerada naquele tempo de ruína); pois tomara para si próprio muitas das terras e gado de Húrin.

O QUENTA SILMARILLION

§25 Morwen não via esperança de que Túrin, filho de Húrin, se tornasse algo que não grosseiro ou servo dos Lestenses. Portanto, veio-lhe ao coração enviá-lo para longe, em segredo, e implorar que o Rei Thingol o abrigasse. Pois Beren, filho de Barahir, era primo do pai dela e, além do mais, ele tinha sido amigo de Húrin antes que viesse o mal. Mas ela própria naquela época não se aventurou para fora de Hithlum, pois a estrada era longa e perigosa, e ela carregava uma criança. Além disso, seu coração ainda a enganava com esperança, e por ora não queria deixar a casa na qual habitara com Húrin; e esperava ouvir o som de seus passos retornando nas vigílias da noite, pois seu mais íntimo pensamento pressagiava que ele não estava morto. E apesar de se dispor a deixar o filho ser criado nos salões de outro, segundo o costume da época, caso meninos fossem deixados sem pais, ela não rebaixaria seu orgulho a ponto de pedir esmola, nem mesmo ao Rei de Doriath. E assim foi a sina de Túrin tecida, ela que é contada inteira naquela balada que leva o nome de *iChúrinien*, os Filhos de Húrin, e é a maior de todas as baladas que falam daqueles dias. Aqui aquele conto é contado de modo breve, pois está tecido junto à sina das Silmarils e dos Elfos; e é chamado de Conto do Pesar, pois é cheio de tristeza, e nele são reveladas as piores obras de Morgoth Bauglir.

§26 Aconteceu que, certo dia, Túrin foi preparado para a viagem, e ele não compreendia os propósitos de sua mãe, Morwen, nem o pesar que via que no rosto dela. Mas, quando seus companheiros lhe disseram que se voltasse e olhasse a casa de seu pai, a angústia da partida o atingiu como uma espada, e ele exclamou: "Morwen, Morwen, quando hei de te ver outra vez?", e deixou-se cair na grama. Mas Morwen, de pé na soleira, ouviu o eco desse grito nos morros cobertos de árvores e agarrou-se ao batente da porta até ferir os dedos. Esse foi o primeiro dos desgostos de Túrin.

§27 Após a partida de Túrin, Morwen deu à luz sua criança, e era uma menina, e pôs nela o nome de Nienor, que significa Pranto. Mas Túrin não viu a irmã, pois ele estava em Doriath quando ela nasceu. Longo e maligno foi o caminho até lá, pois o poder de Morgoth se estendia largamente; mas Túrin tinha por guias Gethron e Grithron, que haviam sido jovens nos dias de Gumlin; e, apesar de velhos, eram valorosos, e conheciam bem todas as terras, pois muitas vezes tinham viajado por Beleriand nos tempos de outrora. Assim, por destino e coragem, atravessaram as Montanhas Sombrias e desceram ao Vale do Sirion e penetraram na Floresta de Brethil; e por fim, exaustos e esfarrapados, alcançaram os confins de Doriath. No entanto, ficaram desorientados, enredando-se nos labirintos da Rainha, e vagando perdidos entre as árvores sem trilha, até que suas provisões estivessem todas esgotadas. Ali chegaram próximo da morte, mas não era esse o destino de Túrin. Enquanto jaziam em desespero, ouviram o som de uma trompa. Beleg, o Arqueiro, caçava naquela região, pois habitava sempre nos limites de Doriath. Ouviu os gritos dos viajantes e foi até eles, e depois de lhes dar carne e bebida ficou sabendo seus nomes e de onde vinham, enchendo-se de admiração e pena. E olhou com grande apreço para Túrin, pois este tinha a beleza da mãe, Morwen Brilho-élfico, e os olhos do pai, e era robusto e forte de membros e demonstrava ter um coração valoroso.

§28 "Que obséquio desejas do Rei Thingol?", perguntou Beleg ao menino. "Desejo ser um capitão de seus cavaleiros, e liderá-los contra Morgoth e vingar meu pai", disse Túrin. "Isso bem pode acontecer quando os anos te fortalecerem", disse Beleg. "Pois tu, apesar de ainda pequeno, tens a substância de um homem valoroso, digno de ser filho de Húrin, o Resoluto, caso isso fosse possível." Pois o nome de Húrin era honrado em todas as terras dos Elfos. Portanto, Beleg tornou-se de bom grado o guia dos andarilhos, e conduziu-os através das marcas do Reino Oculto, pelas quais nenhum homem mortal antes passara, com exceção de Beren.

§29 Assim Túrin chegou por fim diante de Thingol e Melian; e Gethron pronunciou a mensagem de Morwen. Thingol os recebeu amavelmente, pondo Túrin em seu joelho em honra de Húrin, o mais poderoso dos Homens, e de seu parente Beren. E os que viram isso admiraram-se, pois era sinal de que Thingol tomava Túrin por filho de criação, e na época isso não era feito pelos reis. "Aqui, ó filho de Húrin, há de ser teu lar", disse ele; "e serás considerado meu filho, ainda que sejas Homem. Será concedida a ti sabedoria além do entendimento dos mortais, e as armas dos Elfos serão postas em tuas mãos. Quiçá chegue o dia em que recuperes as terras de teu pai em Hithlum; mas agora habita aqui com amor."

§30 Assim começou a estada de Túrin em Doriath. Com ele por algum tempo permaneceram Gethron e Grithron, seus guardiões, apesar de ansiarem por retornar a sua senhora, Morwen. Então a idade e a doença acometeram Grithron, e ele ficou ao lado de Túrin até morrer; mas Gethron partiu, e Thingol enviou com ele uma escolta para guiá-lo e guardá-lo, e eles levaram notícias de Thingol a Morwen. Chegaram por fim à casa de Morwen e, quando ela soube que Túrin fora recebido com honra nos salões de Thingol, seu pesar aliviou--se. E os Elfos levaram também ricos presentes de Melian e uma mensagem pedindo que ela voltasse a Doriath com a gente de Thingol. Porque Melian era sábia e previdente, e esperava assim prevenir o mal que estava preparado no pensamento de Morgoth. No entanto, Morwen não quis partir de sua casa, pois seu coração permanecia inalterado e seu orgulho era grande; ademais, Nienor era um bebê de colo. Assim, despediu os Elfos com agradecimentos e lhes deu como presente as últimas miudezas de ouro que lhe restavam, ocultando sua pobreza; e mandou que levassem de volta para Thingol o Elmo de Gumlin. E eis que Túrin esperava o tempo todo pelo retorno dos mensageiros de Thingol; e quando voltaram sozinhos, ele fugiu para a floresta e chorou, pois sabia do convite de Melian e esperava que Morwen viesse. Esse foi o segundo desgosto de Túrin.

§31 Quando os mensageiros trouxeram a resposta de Morwen, Melian foi tomada de compaixão, pois percebeu sua intenção e viu que o destino que pressagiava não podia ser facilmente abandonado. O Elmo de Gumlin foi entregue nas mãos de Thingol. Era feito em aço cinzento adornado de ouro, e nele estavam gravadas runas de vitória. Possuía um poder que protegia de ferimento ou morte quem o usasse, pois a espada que o golpeasse se partia e o dardo que o atingisse desviava-se para longe. Sobre esse elmo havia, como zombaria, uma imagem da cabeça do dragão Glómund, e muitas vezes Gumlin o usara à vitória, pois o medo acometia aqueles que o vissem erguido bem alto acima das cabeças dos Homens em batalha.

A ESTRADA PERDIDA E OUTROS ESCRITOS

Mas os Homens de Hithlum diziam: "Temos um dragão de mais valor que o de Angband." Esse elmo fora fabricado por Telchar, o ferreiro-anânico de Belegost, cujas obras eram renomadas. Mas Húrin não o usava, em reverência ao pai, a fim de que não fosse danificado ou perdido, tamanha era a estima que tinha pela herança de Gumlin.

§32 Ora, Thingol tinha em Menegroth profundos arsenais repletos de fartura de armas: metal trabalhado como escamas de peixe e reluzente como água ao luar; espadas e machados, escudos e elmos, fabricados pelo próprio Telchar ou por seu mestre Zirak, o velho, ou por artesãos-élficos ainda mais habilidosos. Pois recebera como presentes muitas coisas que vinham de Valinor e foram feitas com maestria por Fëanor, aquele que nenhum artífice superaria em todos os dias do mundo. Porém ele tomou nas mãos o Elmo de Gumlin como se não fosse detentor de um grande tesouro, e disse palavras corteses: "Altiva será a cabeça que usar este elmo, que foi usado por Gumlin, pai de Húrin."

§33 Então veio-lhe um pensamento ao coração, mandou vir Túrin e contou-lhe que Morwen enviara ao filho um objeto poderoso, herança de seu avô. "Toma agora a Cabeça-de-Dragão do Norte", declarou, "e usa-a bem quando chegar a hora!" Mas Túrin ainda era demasiado jovem para erguer o elmo e não lhe deu valor por causa do sofrimento que levava no coração.

§34 Por nove anos viveu Túrin nos salões de Thingol; e nesse tempo seu pesar foi diminuído; pois Thingol recebia novas de Hithlum conforme podia, e mensageiros iam por vezes entre Morwen e seu filho. Assim Túrin ficou sabendo que as dificuldades de Morwen haviam sido aliviadas e que sua irmã Nienor crescia bela, uma flor entre donzelas no Norte cinzento. Grandemente ele desejava vê-la.

§35 Entrementes, Túrin cresceu, até que, embora ainda menino, sua estatura veio a ser grande entre os Homens e ultrapassar a dos Elfos de Doriath; e sua força e coragem eram renomadas no reino de Thingol. Muito saber aprendeu, e era sábio nas palavras e hábil de mãos; contudo, a sorte pouco lhe favorecia, e amiúde o que fazia dava errado, e não conseguia obter o que desejava. Não fazia amigos facilmente, pois o pesar pairava sobre ele, e sua juventude foi maculada. Ora, quando

O QUENTA SILMARILLION

estava com dezessete anos e se encontrava no início da idade adulta, ele tinha braços fortes e era habilidoso com todas as armas, e no tecer de palavras em canções ou contos tinha grande engenho, fosse na língua dos Noldor ou de Doriath; mas não havia alegria em suas palavras ou obras, e ele remoía a queda dos Homens de Hithlum.

§36 Contudo, mais profundo tornou-se o seu desgosto quando, depois de nove anos, não mais chegaram novas de seu lar; pois o poder de Morgoth estava por sobre toda a terra de Hithlum, e sem dúvida ele sabia muito a respeito do povo de Húrin, e não os molestara mais para que seu desígnio pudesse se realizar. Mas agora, visando esse propósito, fez vigiar atentamente todas as passagens das montanhas a fim de que ninguém pudesse sair nem entrar de Hithlum; e havia enxames de Orques em torno das nascentes do Narog, do Taiglin e na cabeceira do Sirion. Assim chegou um tempo em que os mensageiros de Thingol não retornavam, e ele não enviou outros mais. Sempre fora avesso a deixar alguém vagar além das fronteiras vigiadas, e enviar sua gente por muitos perigos até Morwen fora a maior demonstração de boa vontade que pudera dar para Túrin.

§37 Então o coração de Túrin ficou sombrio e pesado, pois ele não sabia que mal se avizinhava, ou que grave destino tivesse acometido Morwen e Nienor. Portanto, ele envergou o elmo de Gumlin, e, pegando cota de malha e espada e escudo, foi ter com Thingol, e pediu que lhe concedesse guerreiros--élficos como companheiros; e partiu para as marcas da terra e travou combate contra os Orques. Assim, embora em idade fosse ainda um menino, ele provou seu valor; pois realizou muitos feitos audaciosos. Foram muitos os seus ferimentos de lança, ou de flecha, ou das lâminas tortas de Angband; porém, seu destino o livrou da morte. E corria o rumor pelas florestas de que o Elmo-de-dragão fora visto novamente em batalha; e os Homens diziam: "Quem despertou da morte o espírito de Gumlin? Ou Húrin de Hithlum verdadeiramente retornou das profundezas do inferno?"

§38 Apenas um era mais poderoso na guerra naquela época do que o menino Túrin, e este era Beleg, o Arqueiro; e eles se tornaram amigos e companheiros de armas, e caminhavam juntos

A ESTRADA PERDIDA E OUTROS ESCRITOS

por toda parte nas florestas selvagens. Túrin pouco ia aos salões de Thingol, e já não se preocupava mais com a aparência ou os trajes, e seus cabelos eram desgrenhados, e sua cota de malha estava coberta com um manto cinzento manchado pelas intempéries. Mas, certa vez, ocorreu que Thingol o convocou a um banquete, para honrá-lo por suas proezas; e Túrin foi e sentou-se à mesa do rei. E, à mesma mesa, estava sentado um dos Elfos-escuros, Orgof de nome, e ele era soberbo e não tinha apreço pelos Homens, e pensou que Túrin o menosprezara; pois Túrin amiúde não dava resposta às palavras que lhe dirigiam, se estivesse tomado pelo pesar ou pela reflexão. E então, enquanto bebiam, Orgof falou do outro lado da mesa a Túrin, e Túrin não lhe deu atenção, pois seu pensamento estava em Beleg, a quem deixara na floresta. Então Orgof tirou um pente de ouro e o lançou na direção de Túrin, e exclamou: "Sem dúvida, Homem de Hithlum, vieste com grande pressa a este banquete e podes ser desculpado por tua capa esfarrapada; mas não há por que deixar tua cabeça maltratada como uma moita de espinhos. E quem sabe, se tuas orelhas estivessem descobertas, ouvirias um pouco melhor."

§39 Então Túrin nada respondeu, mas voltou-se para Orgof, e este, por estar irado, não tomou como aviso a luz que havia nos olhos do outro. E disse a alguém sentado ao seu lado: "Se os Homens de Hithlum são tão selvagens e feros, de que sorte são as mulheres daquela terra? Será que correm como cervos, vestidas apenas com seus cabelos?"

§40 Então Túrin, não tomando conhecimento de sua força crescente, apanhou uma taça de bebida e a atirou no rosto de Orgof, que caiu para trás e morreu, pois a taça era pesada e seu rosto foi destroçado. Mas Túrin, com o ânimo esfriado de súbito, olhou perturbado para o sangue na mesa, e, sabendo que cometera uma grave ofensa, levantou-se de pronto e deixou o salão sem mais palavra; e ninguém o deteve, pois o rei estava em silêncio e não fez sinal algum. Mas Túrin saiu para a escuridão, e foi tomado por um ânimo sombrio, e, acreditando-se agora um proscrito que seria perseguido pelo rei, fugiu para longe de Menegroth, e, atravessando as fronteiras do reino, juntou-se a uma companhia de tal gente sem lar e desesperada como as que podiam ser achadas naqueles

O QUENTA SILMARILLION

dias malignos escondidas nos ermos; e suas mãos se voltavam contra todos os que cruzavam o seu caminho, Elfos e
Homens e Orques.

Comentário ao Capítulo 17

No título do capítulo (que, na verdade, não possui um número
tanto em C como em D), *Turamarth* foi emendado a partir de
Turumarth; a mesma alteração no Q (IV. 151, nota 12).

§24 *Hauð-na-Dengin*: O C possui aqui *Amon Dengin*; cf. o comentário ao capítulo 16, §19.

§25 No Q, é dito que a sina de Túrin é contada em "Filhos de Húrin",
o que certamente é uma referência à Balada aliterante, embora
esta tivesse sido abandonada muitos anos antes; agora a Balada
é expressamente mencionada, e com o nome élfico *iChúrinien*.
Essa forma é mais um exemplo do fenômeno da "Variação Inicial
de Consoantes" no noldorin exílico (ver pp. 356–57, 361). As
oclusivas aspiradas originais *ph*, *th* e *kh* eram "abertas" e o *kh* se
tornava a fricativa [x] (como no escocês *loch*), representada como
ch; esse som permanecia medialmente, mas em posições iniciais
era reduzido a [h]. Assim, *aran Chithlum* "Rei de Hithlum" (*Etimologias*, radical TĀ-), *iChúrinien*. Pode-se notar aqui que, posteriormente, *iChúrinien* foi substituído por *Narn i Chîn Húrin*,
que é grafado dessa forma em todas as ocorrências, mas que foi
impropriamente alterado por mim para *Narn i Hîn Húrin* em
Contos Inacabados (porque eu não queria que *Chîn* fosse pronunciado como a palavra *chin* do inglês moderno).

§27 *Gethron* e *Grithron* como os nomes dos guias de Túrin aparecem no AB 2, anal (273 >) 473. Ver §30 abaixo.

§28 Não há indício das palavras trocadas por Beleg e Túrin (preservadas no *Narn*, p. 108) na Balada.

§30 No AB 2, foi Gethron que morreu em Doriath, e Grithron
que retornou (ver o comentário ao anal 273). — Os presentes de
Melian para Morwen não são mencionados nas versões antigas.

§31 É curioso que, enquanto no conto de Beren e Lúthien no QS
Telchar é de Nogrod (p. 363), ele agora se torna um ferreiro
de Belegost, como havia sido no Q. (IV. 138). — Um novo
elemento nessa passagem é a afirmação de que Húrin jamais

386

A ESTRADA PERDIDA E OUTROS ESCRITOS

usou o Elmo-de-dragão, assim como as razões para tal; no Q, ele não o usou "naquele dia" (isto é, na Batalha das Lágrimas Inumeráveis), e na Balada ele o usava com frequência nas batalhas (verso 314). No relato muito ampliado do Elmo encontrado no *Narn*, as razões de Húrin para não o usar são bem diferentes (*Contos Inacabados*, p. 111).

§32 Aqui aparece pela primeira vez o mestre de Telchar, Zirak, e a história de que Thingol possuía muitos tesouros que tinham vindo de Valinor (ambos preservados no *Narn*).

§34 Quanto ao "alívio" das dificuldades de Morwen, ver II. 156.

§35 *Datas na juventude de Túrin*. De acordo com a datação (tardia) do AB 2, Túrin nasceu no inverno de 465 e partiu de Doriath em 473, quando tinha sete anos (como é dito aqui em §24); em 481, cessaram todas as novas vindas de Hithlum, e, estando "em seu décimo sexto ano", foi para a guerra nas marcas (seu aniversário de dezesseis anos caiu no inverno daquele ano). Contudo, no presente texto, as datas parecem ter um ano de diferença. A referência em §35 a Túrin ter dezessete anos presumivelmente foi feita por ter sido então que ele partiu para lutar; e em §§36–7 a interrupção das novas vindas de Hithlum e sua partida para as marcas ocorreram "depois de nove anos" (isto é, desde sua chegada a Doriath).

Deve-se supor que Túrin tivesse adquirido um conhecimento da língua noldorin com os Noldor em Hithlum — ou, talvez, antes com o pai e a mãe — quando era criança.

§38 No Conto e na Balada, o peculiar acabrunhamento de Túrin naquela noite foi causado por fato de que aquele era o décimo segundo aniversário de sua partida de Hithlum.

A CONCLUSÃO DO
QUENTA SILMARILLION

Resta mais um texto a ser considerado dentro da estrutura do *Quenta Silmarillion*. É um manuscrito claro, muito similar em estilo ao QS(D), que foi seguido até sua conclusão no último capítulo, e pode ser convenientemente chamado "QS(E)" ou "E". A primeira página está numerada como "55", e começa no meio de uma frase: "e viram a Ilha Solitária e não se demoraram", que se encontra na segunda versão do Q (Q II), §17, IV. 175. A passagem descreve a viagem de Eärendel e Elwing até Valinor:

O QUENTA SILMARILLION

chegaram até as Ilhas Encantadas e escaparam de seu encantamento; e chegaram aos Mares Sombrios e passaram por suas
sombras; [aqui a página 54 do Q II datilografado termina e a
página 55 começa] e viram a Ilha Solitária e não se demoraram lá...

Esse manuscrito E, na verdade, é uma outra versão da conclusão
do Q, e faz-se mister perguntar: quando foi escrito? Uma anotação
numa página encontrada com o Q fornece o que julgo ser uma
resposta clara. Ela diz o seguinte: "36–54 ainda estão incluídas na
versão principal, e não estão revisadas". Ora, na p. 36 do texto
datilografado do Q ocorre a frase (IV. 142):

Ele fugiu da corte e, pensando ser um proscrito, passou a guerrear contra todos, Elfos, Homens ou Orques, que cruzassem o
caminho do bando desesperado que reuniu à sua volta nas divisas do reino, Homens e Ilkorins e Gnomos perseguidos.

Essa é a antecedente da frase que encerra a versão QS(D) do conto
de Túrin (p. 385); e uma linha foi traçada nesse ponto no texto datilografado do Q, separando o que vinha antes do que vinha depois.

Com "versão principal", meu pai provavelmente estava se referindo ao *Quenta Noldorinwa*, e a implicação é de que a narrativa
de Túrin como proscrito até a viagem de Eärendel para Valinor
(isto é, páginas 36–54 no texto datilografado do Q) não haviam
sido reescritas e, assim, estavam ausentes do *Quenta Silmarillion*
(QS) e ainda se encontravam apenas no *Quenta Noldorinwa* (Q).
Portanto, creio ser certo que o texto QS(E) que agora será apresentado pertence ao mesmo período (ou seja, imediatamente anterior
ao início de *O Senhor dos Anéis*) dos outros capítulos (o final de
"Beren e Tinúviel", a Batalha das Lágrimas Inumeráveis, o início
de "Túrin") que têm seu lugar no manuscrito do QS, mas que não
foram acrescentados a ele (ou, no caso da última parte de "Beren e
Tinúviel", só muito tempo depois). * Não consigo explicar de modo
algum por que meu pai teria pulado para o final dessa maneira.

---

* A existência da conclusão reescrita deveria ter sido mencionada na nota de
rodapé em III. 426.

A ESTRADA PERDIDA E OUTROS ESCRITOS

Vê-se então que, no período de que trata este livro, as partes faltantes da narrativa do QS eram a maior parte do conto de Túrin, a destruição de Doriath, a queda de Gondolin e a parte inicial do conto de Eärendel. Porém, meu pai jamais retornou a esses contos (na estrita tradição do "Silmarillion": a história de Túrin, é claro, foi grandemente desenvolvida mais tarde, e encontram-se algumas leves elaborações para as outras partes em outros lugares. Os *Anais Cinzentos* foram abandonados no final do conto de Túrin, e o conto tardio de Tuor (apresentado em *Contos Inacabados*) antes de Tuor chegar a Gondolin).

O manuscrito E foi emendado, com frequência, mas não radicalmente, em diferentes momentos: algumas alterações foram feitas à época da composição original, ou muito próximo dela (e essas foram adotadas sem comentários no texto); outras, feitas de maneira muito descuidada a lápis, são claramente de um período muito posterior (e não são mencionadas aqui).

O texto tem estreita relação com Q II, §§17–19, e por extensões substanciais, especialmente perto do fim, a obra mais antiga foi seguida com incomum exatidão: assim, por exemplo, a Segunda Profecia de Mandos, com seus elementos misteriosos, foi repetida praticamente sem alterações. Naturalmente, as emendas posteriores feitas no Q II e apresentadas nas notas daquele texto foram, de acordo com a prática usual de meu pai, preparatórias para a presente versão, e muito provavelmente pertencem a essa época: portanto, a quantidade de alterações parece menor entre o material apresentado no Vol. IV e o presente capítulo. Teria sido possível restringir o texto impresso aqui àquelas passagens que diferem de maneira significativa do Q II (conforme revisado), mas achei melhor apresentá-lo na íntegra. O simples fato de que o final de "O Silmarillion" ainda tinha essa forma quando *O Senhor dos Anéis* foi iniciado é suficientemente notável, e, com sua inclusão integral, é fornecida uma visão completa da Matéria da Terra-média e de Valinor naquela época.

A numeração dos parágrafos recomeça aqui a partir do §1.

§1   E viram a Ilha Solitária e não se demoraram lá; e, por fim, lançaram âncora na Baía de Casadelfos sobre as fronteiras do mundo; e os Teleri viram a chegada daquele navio e ficaram cheios de assombro, fitando de longe a luz da Silmaril, e ela era muito grande. Mas Eärendel, único entre os Homens

O QUENTA SILMARILLION

viventes, desembarcou nas costas imortais; e falou a Elwing e àqueles que estavam com ele, e esses eram três marinheiros que tinham navegado todos os mares a seu lado, e Falathar, Airandir e Erellont eram os seus nomes: "Aqui ninguém além de mim há de pôr seus pés, para que a ira dos Deuses e a sina da morte não caia sobre vós; pois é proibido. Mas esse perigo tomarei sobre mim em favor das Duas Gentes."

§2 E Elwing respondeu: "Então nossos caminhos hão de ser separados para sempre. Eis que todos os teus perigos tomarei sobre mim também." E ela saltou na espuma branca e correu na direção dele; mas Eärendel estava pesaroso, pois julgava que agora ambos morreriam antes que se passassem muitos dias. E lá disseram adeus aos seus companheiros e foram apartados deles para sempre.

§3 E Eärendel disse a Elwing: "Espera-me aqui; pois um só pode levar as mensagens que me são confiadas"; e ele subiu sozinho pela terra, e lhe pareceu vazia e silenciosa. Pois tal como Morgoth e Ungoliantë chegaram em eras passadas, assim então Eärendel chegara em um tempo de festival, e quase todas as Gentes-élficas tinham ido para Valinor, ou haviam se reunido nos salões de Manwë, no alto de Taniquetil, e poucos tinham ficado para guardar os muros de Tûn.

§4 Esses vigias partiram, portanto, com grande pressa para Valmar; e todos os sinos em Valmar soaram. Mas Eärendel escalou o grande monte verdejante de Kôr e o encontrou desolado; e entrou nas ruas de Tûn, e elas estavam vazias; e seu coração pesava, pois ele temia que algum mal havia chegado até mesmo ao Reino Abençoado. Andou então pelos caminhos desertos de Tûn, e a poeira em sua vestimenta e seus sapatos era uma poeira de diamantes, e ele brilhava e faiscava enquanto subia as longas escadas brancas. E chamava em voz alta em muitas línguas, tanto de Elfos quanto de Homens, mas não havia ninguém para responder. Portanto, voltou-se enfim em direção às costas pensando em zarpar uma vez mais em Vingelot, seu navio, e abandonar sua missão, e viver para sempre no mar. Mas, no momento em que tomou a estrada para a costa e virou o rosto para longe das torres de Tûn, alguém de pé no alto do monte chamou por ele numa grande voz, gritando: "Salve, Eärendel, estrela radiante, mensageiro mais belo! Salve, ó tu, portador da luz antes do Sol e da Lua, esperado que vem repentino, ansiado que vem para além da esperança! Salve, esplendor dos filhos do mundo, destruidor da escuridão! Estrela do pôr do sol, salve! Salve, arauto d'alvor!"

§5 E essa era a voz de Fionwë, filho de Manwë; e ele vinha de Valmar e convocou Eärendel a ficar diante dos Deuses. E Eärendel foi a Valinor e aos salões de Valmar, e nunca mais pôs o pé sobre as terras dos Homens. Ali, diante das faces dos Deuses imortais, esteve ele, e entregou a mensagem das Duas Gentes. Perdão pediu pelos Noldor, e piedade por suas grandes tristezas, e misericórdia para os infelizes Homens e socorro para sua necessidade. E suas preces foram atendidas.

§6 Então os filhos dos Valar prepararam-se para a batalha, e o capitão de sua hoste era Fionwë, filho de Manwë. Sob sua bandeira branca marcharam também os Lindar, os Elfos-da--luz, o povo de Ingwë; e entre eles estavam também aqueles dos Noldor de outrora que nunca tinham partido de Valinor, e Ingwiel, filho de Ingwë, era seu chefe. Mas, recordando-se da matança em Porto-cisne e do roubo de seus navios, poucos dos Teleri estavam dispostos a sair para a guerra; mas Elwing foi em meio a eles, e por ela ser bela e gentil, e por também pelo lado do pai vir de Thingol, que era de sua própria gente, deram-lhe ouvidos; e mandaram marinheiros suficientes para guarnecer e guiar os navios nos quais a maior parte daquele exército foi levada para leste através do mar; mas ficaram a bordo de seus navios e nenhum jamais pôs pé nas costas das Terras de Cá.

§7 E foi assim que Elwing foi ter com os Teleri. Eärendel tinha partido havia muito e ela sentiu-se solitária e temerosa; e vagou ao longo das margens do mar, cantando tristemente para si mesma; e assim chegou a Alqualondë, o Porto-cisne, onde ficavam as frotas telerianas; e ali os Teleri se fizeram seus amigos. Portanto, quando Eärendel enfim retornou, à procura dela, encontrou-a entre eles, e escutaram os contos de Elwing acerca de Thingol e Melian e do Reino Oculto, e de Lúthien, a bela, e ficaram cheios de piedade e espanto.

§8 Ora, os Deuses reuniram-se em conselho para tratar de Eärendel, e convocaram Ulmo das profundezas; e, quando estavam congregados, Mandos falou, dizendo: "Agora ele decerto há de morrer, pois pisou nas costas proibidas." Mas Ulmo disse: "Para isso ele nasceu e veio ao mundo. Dize-me pois: é ele Eärendel, filho de Tuor, da linhagem de Hador, ou filho de Idril, filha de Turgon, da Casa-élfica de Finwë? Ou, sendo metade de cada gente, que metade há de morrer?" E Mandos respondeu: "Igualmente aos Noldor, que por sua vontade foram para o exílio, foi proibido retornar para cá."

§9 Então Manwë deu sua sentença e disse: "Sobre Eärendel anulo a interdição, e o perigo que ele tomou sobre si por amor às Duas Gentes não há de cair sobre ele; nem há de cair sobre Elwing, que, nesse perigo, entrou por amor a Eärendel, salvo apenas nisto: eles não hão de caminhar nunca mais de novo entre Elfos ou Homens nas Terras de Fora. Ora, todos aqueles que têm o sangue dos Homens mortais, em qualquer medida, grande ou pequena, são mortais, a menos que outra sina lhes seja concedida; mas nessa matéria o poder de julgamento me é dado. Este é meu decreto: a Eärendel e a Elwing e a seus filhos há de ser dada permissão a cada um para que escolham livremente sob qual gente hão de ser julgados."

§10 Então Eärendel e Elwing foram convocados, e esse decreto lhes foi declarado. Mas Eärendel disse a Elwing: "Escolhe tu, pois ora estou cansado do mundo." E ela escolheu ser julgada entre os Primogênitos, por causa de Lúthien, e por Elwing Eärendel escolheu o mesmo, embora seu coração estivesse mais com a gente dos Homens e com o povo de seu pai.

§11 Os Deuses então enviaram Fionwë, e ele foi à costa, onde os companheiros de Eärendel ainda permaneciam, aguardando notícias. E Fionwë tomou um barco e colocou nele os três marinheiros, e os Deuses os lançaram para o Leste com um grande vento. Mas eles tomaram Vingelot, e o abençoaram, e o carregaram através de Valinor até a borda última do mundo, e ali o navio [*acrescentado:* passou pela Porta da Noite e] foi erguido até os oceanos do céu. Ora, bela e maravilhosa se fez aquela nau, e estava cheia de uma chama ondeante, pura e fulgurosa; e Eärendel, o marinheiro, sentava-se ao leme, faiscando com a poeira de gemas-élficas; e a Silmaril ia atada sobre sua fronte. Em distantes jornadas partiu com aquele navio, até mesmo pelos vazios sem estrelas; mas amiúde era

A ESTRADA PERDIDA E OUTROS ESCRITOS

ele visto pela manhã ou ao anoitecer, iluminando a aurora ou o ocaso, conforme voltava a Valinor de viagens além dos confins do mundo.

§12 Naquelas jornadas Elwing não ia, pois não tinha a força para aguentar o frio e os vazios sem caminhos e amava outrossim a terra e os ventos doces que sopram sobre mar e monte. Portanto, fez que lhe fosse construída uma torre branca nas fronteiras do mundo exterior, na região do norte dos Mares Divisores; e para lá todas as aves marinhas da terra por vezes se dirigiam. E diz-se que Elwing aprendeu as línguas e o saber das aves, ela que certa vez também usara a forma delas; e fez asas para si, brancas e cinza-prateadas, e elas lhe ensinaram a arte do voo. E, por vezes, quando Eärendel, retornando, aproximava-se de novo da terra, ela voava para encontrá-lo, tal como ela voara muito antes, quando foi resgatada do mar. Então os de vista aguçada entre os Elfos que habitavam mais a oeste na Ilha Solitária viam-na como uma ave alva, brilhando, manchada de rosa no ocaso, conforme se alçava em júbilo para saudar a chegada de Vingelot ao porto.

§13 Ora, quando pela primeira vez Vingelot foi colocado a navegar os mares do céu, ele ergueu-se imprevisto, faiscando e brilhante; e a gente da terra o contemplou de longe e se admirou, e o tomaram por um sinal de esperança. E quando essa nova estrela ergueu-se no Oeste, Maidros disse a Maglor: "Certamente é uma Silmaril que brilha no céu?" E Maglor disse: "Se for em verdade a Silmaril que vimos ser lançada no mar a que se ergue de novo pelo poder dos Deuses, então fiquemos contentes; pois sua glória é vista agora por muitos e está, contudo, segura de todo mal." Então os Elfos ganharam ânimo e não mais se desesperaram; mas Morgoth ficou cheio de dúvida.

§14 Contudo, diz-se que Morgoth não esperava o ataque que lhe sobreveio do Oeste. Tão grande sua soberba se tornara que julgava que ninguém jamais viria de novo com guerra aberta contra ele. Além do mais, pensava que tinha para sempre apartado os Gnomos dos Deuses e de seus parentes; e que, contentes em seu Reino ditoso, os Valar não mais dariam ouvido a seus domínios no mundo de fora. Pois para aquele que é impiedoso os atos de piedade são sempre estranhos e além do entendimento.

O QUENTA SILMARILLION

§15 Da marcha da hoste de Fionwë para o Norte pouco se diz em qualquer conto; pois, em seus exércitos, não ia nenhum daqueles Elfos que tinham habitado e sofrido nas Terras de Cá, e que fizeram as histórias daqueles dias que ainda são conhecidas; e notícias dessas coisas eles ouviram muito mais tarde de seus parentes, os Elfos-da-luz de Valinor. Mas, por fim, Fionwë chegou do Oeste, e o desafio de suas trombetas encheu o céu; e ele convocou todos os Elfos e Homens, de Hithlum até o Leste; e Beleriand inflamou-se com a glória de suas armas, pois os filhos dos Deuses eram jovens e belos e terríveis, e as montanhas ressoavam debaixo de seus pés.

§16 O encontro das hostes do Oeste e do Norte recebe o nome de Grande Batalha, a Terrível Batalha, e a Guerra da Ira. Estava congregado o inteiro poder do Trono de Morgoth, e esse se tornara grande além da conta, de modo que Dor-na-Fauglith não podia contê-lo; e todo o Norte inflamara-se com guerra. Mas de nada valeu. Os Balrogs foram destruídos, exceto uns poucos que fugiram e se esconderam em cavernas inacessíveis nas raízes da terra. As legiões incontáveis dos Orques pereceram feito palha num grande fogo, ou foram varridas feito folhas despedaçadas diante de um vento ardente. Poucos restaram para atormentar o mundo por muitos anos depois. E diz-se que todos que ainda sobravam das três Casas dos Amigos-dos--Elfos, Pais de Homens, lutaram por Fionwë; e foram vingados contra os Orques naqueles dias por Baragund e Barahir, Gumlin e Gundor, Huor e Húrin, e muitos outros de seus senhores; e assim foram cumpridas, em parte, as palavras de Ulmo, pois por Eärendel, filho de Tuor, o auxílio foi dado aos Elfos, e pelas espadas dos Homens eles foram fortalecidos nos campos de guerra. Mas a maior parte dos filhos dos Homens, seja do povo de Uldor ou de outros recém-chegados do Leste, marchou com o Inimigo; e isso os Elfos não esquecem.

§17 Então, vendo que suas hostes tinham sido sobrepujadas e que seu poder fora disperso, Morgoth acovardou-se, e não ousou ele próprio vir para fora. Mas soltou sobre seus inimigos o último ataque desesperado que preparara, e das fossas de Angband saíram os dragões alados, que não tinham sido vistos antes; pois até aquele dia nenhuma criatura de seu pensamento cruel tinha assolado o ar. Tão repentina e ruinosa foi a investida daquela terrível frota que Fionwë foi rechaçado; pois a vinda dos dragões foi como um grande ribombar de trovão, e uma tempestade de fogo, e suas asas eram de aço.

§18 Então Eärendel veio, luzindo com chama branca, e à volta de Vingelot estavam reunidas todas as grandes aves do céu, e Thorondor era o capitão delas, e houve batalha nos ares todo o dia e durante uma noite escura de dúvida. E antes do nascer do sol Eärendel matou Ancalagon, o Negro, o mais poderoso da hoste dos dragões, e o lançou do céu, e em sua queda as torres das Thangorodrim foram derrubadas. Então nasceu o sol, e os Filhos dos Valar prevaleceram, e todos os dragões foram destruídos, salvo dois apenas; e fugiram para o Leste. Então todas as covas de Morgoth foram destroçadas e destelhadas, e o poderio de Fionwë desceu até as profundezas da terra. E ali Morgoth estava enfim acuado e, contudo, não valente. Fugiu para a mais funda de suas minas e suplicou paz e perdão; mas seus pés lhe foram cortados debaixo dele, e o lançaram sobre o seu rosto. Então foi atado com a corrente Angainor, que há muito estava preparada; e à sua coroa de ferro deram forma de coleira para seu pescoço, e curvaram-lhe a cabeça até os joelhos. Mas Fionwë tomou as duas Silmarils que restavam e guardou-as.

§19 Assim fez-se o fim do poder de Angband no Norte, e o reino maligno agora era nada; e das covas e fundas prisões uma multidão de servos saiu, para além de toda a esperança, à luz do dia, e contemplaram um mundo mudado por completo. Pois tão grande foi a fúria daqueles adversários que as regiões do norte do mundo ocidental foram rasgadas em pedaços, e o mar entrou rugindo por muitos abismos, e houve confusão e grande ruído; e rios pereceram ou acharam novos leitos, e os vales foram soerguidos, e os montes desabaram; e o Sirion não mais existia. Então os Homens, aqueles que não pereceram na ruína daqueles dias, fugiram para longe, e muito tardou antes que voltassem pelas Eredlindon para os lugares onde Beleriand existira antes.

§20 Mas Fionwë marchou pelas terras do oeste convocando o remanescente dos Noldor, e os Elfos-escuros que ainda não tinham visto Valinor, a se unir aos servos libertados e partir da Terra-média. Mas Maidros não quis ouvir, e preparou-se, ainda que então com cansaço e desgosto, para tentar em desespero o cumprimento de seu juramento. Pois Maidros teria batalhado pelas Silmarils, se lhe fossem negadas, mesmo contra a hoste vitoriosa de Valinor e o poderio e esplendor dos filhos dos Deuses: ainda que estivesse sozinho contra o mundo todo. E enviou uma mensagem a Fionwë, pedindo que cedesse então aquelas joias que outrora Fëanor fizera e que Morgoth roubara dele.

§21 Mas Fionwë disse que o direito à obra de suas mãos, que Fëanor e seus filhos anteriormente possuíam, tinha agora perecido por causa de seus muitos e impiedosos atos, estando cegados por seu voto e, acima de tudo, por causa do assassinato de Dior e do assalto a Elwing. A luz das Silmarils deveria agora ir para os Deuses, donde viera no princípio; e a Valinor deviam Maidros e Maglor retornar e lá aguardar o julgamento dos Valar, por cujo decreto, apenas, Fionwë cederia as joias sob seus cuidados.

§22 Então Maglor desejou de fato se submeter, pois seu coração estava cheio de pesar, e disse: "O juramento não diz que não podemos aguardar nossa hora, e pode ser que em Valinor tudo seja perdoado e esquecido, e que tenhamos nossa herança em paz." Mas Maidros disse que, se retornassem e o favor dos Deuses lhes fosse negado, então o voto deles ainda permaneceria, mas seu cumprimento estaria além de toda esperança. "E quem pode imaginar que destino horrendo havemos de ter, se desobedecermos aos Poderes em sua própria terra, ou se pretendermos algum dia levar guerra de novo a seu sacro reino?" E Maglor disse: "Contudo, se os próprios Manwë e Varda negarem o cumprimento de um voto no qual os citamos como testemunhas, não se torna nula nossa jura?" E Maidros respondeu: "Mas como nossas vozes hão de alcançar a Ilúvatar além dos círculos do Mundo? E por Ele juramos em nossa loucura e chamamos a Escuridão Sempiterna sobre nós se não mantivéssemos nossa palavra. Quem há de nos liberar?" "Se ninguém puder nos liberar", disse Maglor, "então de fato a Escuridão Sempiterna há de nos caber, tanto se mantivermos nosso juramento como se o quebrarmos; mas menos mal havemos de fazer quebrando-o." Contudo, ele cedeu à vontade de Maidros, e debateram entre si sobre como deitariam mãos sobre as Silmarils.

A ESTRADA PERDIDA E OUTROS ESCRITOS

§23 E assim se deu que chegaram disfarçados aos acampamentos de Fionwë, e à noite se esgueiraram até os lugares onde as Silmarils estavam guardadas, e mataram os guardas, e deitaram mãos sobre as joias; e então, como todo o acampamento se levantou contra eles, prepararam-se para morrer, defendendo-se até o fim. Mas Fionwë conteve sua gente; e os irmãos partiram desimpedidos, e fugiram para longe. Cada um tomou uma Silmaril, pois disseram: "Já que uma uma está perdida para nós, e só duas restam, e dois irmãos, então está claro que o destino quer que partilhemos as heranças de nosso pai."

§24 Mas a joia queimou a mão de Maidros com dor insuportável (e ele tinha apenas uma mão, como se contou antes); e ele percebeu que era como Fionwë dissera, e que seu direito se tornara nulo, e que o juramento era vão. E, estando cheio de angústia e desespero, lançou-se em um grande abismo cheio de fogo, e assim morreu; e a Silmaril que trazia consigo foi levada para o seio da Terra.

§25 E conta-se de Maglor que não podia aguentar a dor com a qual a Silmaril o atormentava; e lançou-a, enfim, ao mar e depois disso vagou sempre pelas costas, cantando em dor e arrependimento à beira das ondas. Pois Maglor era o mais poderoso dos cantores de outrora, mas nunca mais voltou ao meio do povo dos Elfos. E assim veio a acontecer que as Silmarils acharam seus últimos lares: uma nos ares do céu, uma nos fogos do coração do mundo, e uma nas águas profundas.

§26 Naqueles dias houve uma grande armação de navios nas costas do Mar do Oeste, e especialmente nas grandes ilhas, as quais, na ruptura do mundo do norte, foram formadas a partir da antiga Beleriand. De lá, em muitas frotas, os sobreviventes dos Gnomos e das companhias ocidentais dos Elfos-escuros de Doriath e Ossiriand içaram vela para o Oeste e nunca mais voltaram às regiões de pranto e de guerra. Mas os Lindar, os Elfos-da-luz, marcharam para casa sob as bandeiras de seu rei, e foram levados em triunfo a Valinor. Porém, seu regozijo na vitória foi diminuído, pois retornavam sem as Silmarils e a luz anterior ao Sol e à Lua, e sabiam que aquelas joias não podiam ser achadas ou reunidas de novo até que o mundo fosse quebrado e refeito.

§27 E, quando chegaram ao Oeste, a maioria dos Gnomos habitou na Ilha Solitária, que se volta tanto para o Oeste quanto para o Leste; e aquela terra tornou-se mui bela, e assim permanece. Mas alguns retornaram até mesmo a Valinor, como todos eram livres para fazer se desejassem; e lá os Gnomos foram de novo admitidos ao amor de Manwë e ao perdão dos Valar; e os Teleri perdoaram sua antiga mágoa, e a maldição foi posta de lado.

§28 Porém, nem todos os Eldalië estavam dispostos a abandonar as Terras de Cá, onde longamente sofreram e habitaram; e alguns se demoraram por muitas eras no Oeste e no Norte, e especialmente nas ilhas ocidentais e na Terra de Leithien. E entre esses estava Maglor, como foi contado; e com ele por um tempo estava Elrond Meio-Elfo, que escolheu, como lhe foi permitido, ser contado entre a gente-élfica; mas Elros, seu irmão, escolheu viver com os Homens. E somente desses irmãos o sangue dos Primogênitos e a semente divina de Valinor veio à Gente dos Homens; pois eram os filhos de Elwing, filha de Dior, filho de Lúthien, filha de Thingol e Melian; e Eärendel, seu pai, era o filho de Idril Celebrindal, a bela donzela de Gondolin. Mas sempre, conforme as eras passavam e o Povo-dos-Elfos se esvanecia na terra, ainda içavam vela ao anoitecer das costas do oeste desde mundo, como ainda fazem, quando agora se demoram poucas em qualquer lugar de suas companhias solitárias.

§29 Esta foi a sentença dos Deuses, quando Fionwë e os filhos dos Valar retornaram a Valmar e contaram sobre todas as coisas que haviam sido feitas. Dali por diante as Terras de Cá da Terra-média seriam da Gente dos Homens, os filhos mais novos do mundo; mas apenas para os Elfos, os Primogênitos, os portões do Oeste ficariam sempre abertos. E, se os Elfos não fossem para lá e tardassem nas terras dos Homens, então deveriam desvanecer e fraquejar lentamente. Este é o mais doloroso dos frutos das mentiras e das obras de Morgoth, que os Eldalië fossem apartados e alheados dos Homens. Por um tempo, outros males que ele concebera ou nutrira persistiram, embora ele próprio tenha sido levado embora; e Orques e Dragões, procriando de novo em lugares escuros, tornaram-se nomes de terror, e cometiam atos malignos, como em regiões distantes ainda o fazem; mas, antes do Fim, todos hão de perecer. Mas o próprio Morgoth os Deuses lançaram através da Porta da Noite que dá para o Vazio Atemporal, para além das Muralhas

A ESTRADA PERDIDA E OUTROS ESCRITOS

do Mundo; e uma guarda está a postos sempre naquela porta, e Eärendel mantém vigia sobre os baluartes do céu.

§30 Contudo, as mentiras que Melkor, poderoso e maldito, Morgoth Bauglir, o Poder do Terror e do Ódio, semeou nos corações de Elfos e Homens são uma semente que não morre e não pode pelos Deuses ser destruída; e de quando em vez brota de novo, e dá fruto sombrio até mesmo nestes últimos dias. Alguns dizem também que o próprio Morgoth, por vezes, insinua-se, secretamente como uma nuvem que não pode ser vista, mas ainda assim é venenosa, escalando as Muralhas e visita o mundo a fim de encorajar seus serviçais e provocar o mal quando tudo parece belo. Mas outros dizem que essa é a sombra negra de Sauron, a quem os Gnomos davam o nome de Gorthû, que servia a Morgoth ainda em Valinor e veio com ele, e era o maior e mais maligno de seus lacaios; e Sauron fugiu da Grande Batalha e escapou, e habitou em lugares escuros e perverteu os Homens para seu domínio horrendo e seu culto imundo.

§31 Assim falou Mandos em profecia, quando os Deuses se sentaram em julgamento em Valinor, e o rumor de suas palavras foi sussurrado entre todos os Elfos do Oeste. Quando o mundo for velho e os Poderes estiverem cansados, então Morgoth, vendo a guarda adormecida, há de voltar pela Porta da Noite, vindo do Vazio Atemporal; e ele há de destruir o Sol e a Lua. Mas Eärendel há de vir sobre ele como uma chama branca ardente e tirá-lo dos ares. Então a Última Batalha há de se ajuntar nos campos de Valinor. Naquele dia, Tulkas há de combater com Morgoth, e à sua mão direita há de estar Fionwë, e à sua esquerda, Túrin Turambar, filho de Húrin, vindo dos salões de Mandos; e a espada negra de Túrin há de dar a Morgoth sua morte e fim definitivo; e assim os filhos de Húrin e todos os Homens hão de ser vingados.

§32 Depois disso, a Terra há de ser partida e refeita, e as Silmarils hão de ser recuperadas do Ar e da Terra e do Mar; pois Eärendel há de descer e entregar aquela chama que está sob sua guarda. Então Fëanor há de tomar as Três Joias e levá-las a Yavanna Palúrien; e ela as quebrará e, com seu fogo, reacenderá as Duas Árvores, e uma grande luz virá. E as Montanhas

399

de Valinor hão de ser aplainadas, de modo que a Luz há de chegar a todo o mundo. Naquela luz os Deuses ficarão jovens de novo, e os Elfos despertarão, e todos os seus mortos levantar-se-ão, e o propósito de Ilúvatar acerca deles será cumprido. Mas dos Homens naquele dia a profecia de Mandos não fala, e Homem algum ela nomeia, salvo apenas Túrin, e a ele um lugar é dado entre os filhos dos Valar.

§33 Aqui termina *O Silmarillion*: que foi retirado com brevidade daquelas canções e histórias que ainda são cantadas e contadas pelos Elfos minguantes, e (com mais clareza e completude) pelos Elfos desaparecidos que habitam agora a Ilha Solitária, Tol Eressëa, aonde poucos marinheiros dos Homens algum dia chegaram, salvo uma ou duas vezes numa longa era, quando algum homem da raça de Eärendel passou para além das terras da visão mortal e avistou o bruxulear das lamparinas nos ancoradouros de Avallon, e sentiu ao longe o cheiro das flores imortais nos prados de Dorwinion. Dos quais Eriol é um, que os homens chamavam Ælfwine, e apenas ele retornou e trouxe novas de Cortirion às Terras de Cá.

Comentário à conclusão do Quenta Silmarillion

[Todas as referências ao Q são à segunda versão, Q II.]

§1 Após "desembarcou nas costas imortais", meu pai escreveu (seguindo o Q, IV. 175) "e nem Elwing nem ninguém de sua pequena companhia quis ele que o seguissem, para que não caíssem sob a ira dos Deuses", mas riscou esse trecho no momento da composição e o substituiu pela passagem apresentada. Os três marinheiros não são mencionados por nome no Q, onde é dito apenas que Eärendel tinha uma "pequena companhia". Cf. *A Estrada Perdida*, p. 76 e nota 8.

§2 A história aqui do salto de Elwing na água na Baía de Casadelfos, e (em §3) da ordem de Eärendel para que ela ficasse na costa e aguardasse o seu retorno, foi alterada a partir daquela encontrada nas revisões do texto do Q (IV. 178), onde Elwing foi separada para sempre de Eärendel (ver IV. 228–29).

§6 É notável que os Lindar são chamados aqui (e mais uma vez em §§15, 26) de os "Elfos-da-luz", sendo essa uma reversão à antiga aplicação do termo. No início do QS (§§25, 40), os Lindar são os "Altos Elfos", e "os Lindar e os Noldor e os Teleri são chamados de Elfos da Luz" (§29), distinguidos assim dos "Elfos Escuros", que nunca atravessaram o mar rumo a Valinor.

As palavras "e Ingwiel, filho de Ingwë, era seu chefe" apareceram pela primeira em um acréscimo ao Q (IV. 178, nota 19). Sugeri (IV. 227) que o que meu pai quis dizer era que Ingwiel era o chefe dos Lindar, entre os quais marcharam os Noldor de Valinor, e não que Ingwiel era o líder dos próprios Noldor — este era Finrod (posteriormente Finarfin).

§§6–7 Um novo elemento na história é estada de Elwing entre os Teleri; a implicação é claramente que os Teleri foram influenciados por ela a fim de fornecerem seus navios e marinheiros. Elwing era a sobrinha-bisneta de Elwë, Senhor de Alqualondë. No AB 2 (anal 333–43), seguindo o AB 1, nenhum dos Teleri partiu de Valinor, embora seja dito que "eles construíram uma quantidade incontável de navios".

§§8–11 Inteiramente nova é a matéria do concílio dos Deuses, o decreto de Manwë declarado a Eärendel e Elwing, suas escolhas de fado e o envio dos três marinheiros para o leste com um grande vento. — Quanto às "costas proibidas" e a Interdição dos Valar, ver o comentário a QdN I, §4.

§9 Deve-se ressaltar que, de acordo com o julgamento de Manwë, Dior, o Herdeiro de Thingol e filho de Beren, era mortal independentemente da escolha de sua mãe.

§11 Como o Q II foi originalmente escrito, Elwing fez asas para o navio de Eärendel, com o qual ele velejou para o céu portando a Silmaril (§17), mas *após* a Grande Batalha e a expulsão de Morgoth pela Porta da Noite, pois Eärendel foi chamuscado pelo Sol e caçado pela Lua, os Deuses tomaram seu navio Wingelot e o abençoaram, e lançaram-no através da Porta da Noite (§19). Em vista da afirmação no Q aqui de que Eärendel "içou velas na *vastidão sem estrelas*... viajando *pelas Trevas detrás do mundo*", e também em vista do relato bastante explícito da Porta no *Ambarkanta* (IV. 282) — ela "vaza as Muralhas e se abre para o Vazio" —, supus (IV. 236) que "esse ato dos Valar foi para proteger Eärendel, colocando-o para navegar no Vazio, acima dos trajetos do Sol e da Lua e das estrelas, onde ele também poderia guardar a Porta contra o retorno de Morgoth". Na mesma passagem do *Ambarkanta* é dito que os Valar fizeram a

O QUENTA SILMARILLION

Porta da Noite "quando Melko foi sobrepujado e lançado na Escuridão de Fora", e que ela é "guardada por Eärendel".

Entretanto, a passagem em Q §17 foi revisada (IV. 178, nota 20), e o lançamento de Wingelot pelos Deuses foi introduzido em um ponto anterior da narrativa, antes da Grande Batalha, e, assim, antes da feitura da Porta da Noite (de acordo com o *Ambarkanta*). Não é dito nessa passagem revisada que Eärendel atravessou a Porta, nem é explicitado para quais regiões elevadas ele passou: seu navio "foi elevado até mesmo aos oceanos do ar". Essa revisão é retomada aqui no presente texto, e mais uma vez (como originalmente escrito) a Porta da Noite não é mencionada: o navio "foi erguido até os oceanos do céu" — e Eärendel partiu em jornadas distantes nele, "até mesmo pelos vazios sem estrelas". Portanto, possivelmente haveria como ajustar a história revisada do lançamento de Eärendel em Vingelot ao *Ambarkanta* ao se presumir que não era mais a intenção de pai fazer com que ele passasse pela Porta da Noite (que ainda não existia): ele não passou para Ava-kúma, a Escuridão de Fora, mas permaneceu dentro dos "vazios sem estrelas" de Vaiya. Mas essa teoria foi desfeita quando meu pai acrescentou as próprias palavras em questão, "passou pela Porta da Noite", ao relato. (Esse acréscimo não foi um daqueles feitos à época da composição do manuscrito, mas foi feito de maneira cuidadosa à tinta e não tem lugar junto às alterações descuidadas feitas muito tempo depois.) Seja como for, as palavras "conforme voltava a Valinor de viagens *além dos confins do mundo*" sugerem que ele navegava para o Vazio. Logo, parece só ser possível explicar isso partindo do pressuposto que a concepção presente no *Ambarkanta* a essa altura havia sido abandonada, e que a Porta da Noite já existia antes da grande derrota de Morgoth.

§12 Quanto à história da torre branca para onde todas as aves marinhas do mundo por vezes se dirigiam, ver IV. 227. No Q II como escrito originalmente, foi Eärendel que construiu a torre; pela revisão (IV. 178, nota 20), ela foi construída por Elwing, que fez asas para si mesma para tentar voar até ele, mas em vão: "e eles estão separados até o fim do mundo". Agora a história muda mais vez. Elwing ainda constrói a torre, mas é acrescentado que ela aprende as línguas das aves e, com elas, a arte do voo; e agora ela não está separada para sempre de Eärendel após a

A ESTRADA PERDIDA E OUTROS ESCRITOS

transformação deste na Estrela: ela voa da torre para encontrá-lo quando ele retorna de suas viagens além dos confins do mundo.

§15   No texto, após §14, foi deixado um espaço substancial, e §15 começa com uma letra capitular ornamentada, sugerindo que meu pai previu o início de um novo capítulo aqui. De fato, o seguinte título foi inserido à época das emendas tardias a lápis: *Da Grande Batalha e da Guerra da Ira.*

§§15–16   No relato da Grande Batalha, meu pai simplesmente seguiu o início de Q II §18, embora o resumo de um conto muito mais completo tivesse aparecido ao final do AB 2: o desembarque de Ingwiel em Eglorest, a Batalha de Eglorest, o acampamento de Fionwë às margens do Sirion, a vinda atroante de Morgoth sobre Taur-na-fuin (a qual, se de fato não foi excluída, no mínimo feita com que parecesse muito improvável no Q e no QS), e a passagem de longa disputa do Sirion.

§16   Na minha opinião, não há dúvida de que as palavras (ausentes no Q) "exceto uns poucos [Balrogs] que fugiram e se esconderam em cavernas inacessíveis nas raízes da terra" precederam por um período de tempo razoável o Balrog de Moria (em todo o caso, há evidências de que um Balrog não foi a concepção original de meu pai para o adversário de Gandalf na Ponte de Khazad-dûm). Creio ter sido a ideia — que aparece pela primeira vez aqui — de que alguns Balrogs haviam sobrevivido desde o mundo antigo nos lugares profundos da Terra-média o que levou ao Balrog de Moria. Com relação a isso, é interessante uma carta de meu pai, escrita em abril de 1954 (*Cartas*, n. 144):

> Supunha-se que todos [os Balrogs] haviam sido destruídos na queda das Thangorodrim… Mas aqui é descoberto… que um escapara e se refugiara sob as montanhas de Hithaeglin [*sic*].

Quanto às palavras "todos que ainda sobravam das três Casas dos Amigos-dos-Elfos, Pais de Homens", ver o comentário a QdN I, §1.

§18   Quanto à retenção do motivo das aves que acompanharam Eärendel (que surgiu de uma forma mais antiga da lenda), ver IV. 236. Thorondor como o capitão das "grandes aves do céu" não é mencionado por nome no Q, que possui aqui "uma miríade de aves estava à volta dele".

403

O QUENTA SILMARILLION

§20 Um outro título foi escrito a lápis junto ao início desse parágrafo (ver §15 acima): *Do Fim Último do Juramento de Fëanor e seus Filhos.*

§22 O debate entre Maglor e Maidros foi articulado ainda mais do que no Q, com Maglor tendo a última e mais sábia palavra, embora o resultado seja o mesmo: pois Maidros prevaleceu sobre ele.

§26 Um último título foi escrito a lápis no início desse parágrafo: *Da Passagem dos Elfos.*

§28 Quanto ao relatos anteriores acerca da escolha de Elrond, ver p. 33. Aparecem agora tanto a sua decisão alterada, "ser contado entre a gente-élfica", como a escolha de seu irmão Elros, "viver com os Homens". Elros foi mencionado por nome em emendas ao Q (IV. 177) e em alterações tardias ao AB 2 (comentário ao anal 325), e embora esses acréscimos nada digam acerca dele, ele foi obviamente introduzido nesses textos após a lenda de Númenor ter começado a se desenvolver. Isso é evidenciado pelo fato de que, ainda no segundo texto de *A Queda de Númenor*, foi Elrond o mortal que se tornou o primeiro Rei de Númenor e o construtor de Númenos (§2), e Elros só aparece em seu lugar por meio de uma emenda.

Em vista da presença aqui de Elros ao lado de Elrond — enquanto Elros ainda está ausente em QS §87 — e das respectivas escolhas dos Meio-Elfos, talvez seja surpreendente que em §16 meu pai não tenha feito menção à terra de Númenor para os Homens das Três Casas (ver §§1–2 em QdN I e QdN II); ainda mais por ele ter seguido o Q tão de perto no tocante a elementos onde a "intrusão" de Númenor já havia introduzido novas concepções. Assim, ele ainda escreveu aqui em §19 que, após a Grande Batalha, "os Homens… fugiram para longe, e muito tardou antes que voltassem pelas Eredlindon para os lugares *onde Beleriand existira antes*", e, em §26, sobre a "grande armação de navios nas costas do Mar do Oeste, e especialmente nas grandes ilhas, as quais, na ruptura do mundo do norte, foram formadas a partir da antiga Beleriand".

Não é fácil traçar a evolução da concepção de meu pai da sobrevivência de Beleriand (especialmente em relação à destruição causada pela Queda de Númenor, ver pp. 182–84); mas, nos textos da QdN, já há claramente uma visão um tanto diferente daquela do Q. No QdN II (onde, como mencionado acima, Elros ainda não havia surgido e que, portanto, deve ter precedido o presente texto) a história da Última Aliança já estava desenvolvida (§14): Elendil, o Númenóreano, um rei em Beleriand,

> se aconselhava com os Elfos que permaneciam na Terra-média (e estes habitavam mormente em Beleriand); e ele fez uma aliança com Gil-galad... e seus exércitos se uniram, e atravessaram as montanhas e entraram nas terras interiores longe do Mar.

Apesar de as passagens citadas acima do presente texto não contradizerem isso necessária ou explicitamente, elas dificilmente são congruentes com essa informação. O fato de que meu pai mais tarde escreveu a lápis ao lado de §28 os nomes *Gilgalad* e *Lindon* pode realmente à primeira vista demonstrar que a concepção da terra não submersa a oeste das Montanhas Azuis, e da aliança entre os Homens e os Elfos que habitavam lá, surgiu após essa seção ser escrita; mas há evidências conclusivas de que esse não é o caso.

Não posso oferecer qualquer explicação convincente para essa situação. É possível sugerir que meu pai tivesse a intenção consciente de representar "tradições" diferentes e, em certa medida, divergentes acerca dos eventos após a derrocada de Morgoth e a grande partida dos Elfos para o Oeste; mas isso me parece improvável. (Quanto ao nome *Lindon* para a terra não submersa, ver pp. 43–7 e o comentário a QS §108.)

§30 É notável, e desconcertante para o editor, a forma *Melkor* (em vez de *Melko*), que com certeza é original aqui. Em IV. 332, eu disse que *"Melkor para Melko não [foi] introduzido antes de 1951". A evidência para isso se encontra na nota mencionada na* p. 352, que fornece uma lista de "Alterações na última revisão [isto é, de "O Silmarillion"] 1951": essas incluem *Aman*, *Arda*, *Atani / Edain*, *Eä*, *Eru*, *Melkor* e alguns nomes menos significativos. Esse importante pedaço de papel apresenta uma data externa — boa sorte rara neste estudo — pela qual textos pré- e pós-*Senhor dos Anéis* podem com frequência ser distinguidos; e as confirmações que ele fornece estão em completa harmonia

O QUENTA SILMARILLION

com o que pode ser cautelosamente deduzido por outros motivos. Em nenhum lugar encontrei qualquer razão para suspeitar que *Aman, Arda,* etc. tenham sido usados no período pré-*Senhor dos Anéis*; e, portanto, presumi muito prontamente que o mesmo se aplicava a *Melkor* (que difere dos outros por não ser um nome inteiramente novo, mas apenas uma nova forma), sem notar que ele ocorria na presente passagem como uma forma original. Note-se que *Melko* foi alterado para *Melkor* no texto do Q no mesmo ponto (IV. 188, nota 1).

Sem dúvida a explicação para meu pai ter incluído *Melkor* como uma alteração feita em 1951 quando já havia usado o nome muito tempo antes na verdade é bem simples: ele se decidiu por *Melkor* nessa época e, quando retornou a "O Silmarillion" após *O Senhor dos Anéis* ser concluído, ele usou o nome em suas revisões e reescritas do QS, e, portanto, foi uma alteração de 1951. Esse é um bom exemplo das armadilhas que ele armava sem perceber, e das quais não posso esperar ter me esquivado em questões mais significativas que essa.

A difícil passagem acerca de Morgoth "escalando" as Muralhas do Mundo sobrevive do Q (IV. 186): ver IV. 297.

Gorthû: dessa maneira o nome *Thû*, na forma composta *Gorthû*, reaparece como o nome de Sauron na língua noldorin (ver as *Etimologias*, radical THUS). *Gorthû* ocorreu em emendas à *Balada de Leithian* (III. 275), e em uma alteração ao texto datilografado do QdN II (p. 45). — Com a afirmação de que Sauron serviu Morgoth em Valinor, cf. QS §143 e comentário ("Sauron era o principal serviçal do maligno Vala, a quem corrompera ao seu serviço em Valinor dentre o povo dos Deuses"). No Q aqui, "outros dizem que essa é a sombra negra de Thû, *que foi feito por Morgoth*" foi alterado (IV. 188, nota 3) para um fraseado similar àquele do presente texto.

§33 *Nos ancoradouros de Avallon.* Nessa época, Avallon era um nome de Tol Eressëa: "a Ilha Solitária, que foi renomeada Avallon", QdN II, §1. Os *prados de Dorwinion* devem ficar em Tol Eressëa. O nome ocorreu anteriormente como uma terra de videiras nos "fogos do sul" na *Balada dos Filhos de Húrin*, no vinho de Dorwinion em *O Hobbit*, e foi marcado no mapa feito por Pauline Baynes; ver III. 37–8, que precisa ser corrigida com o acréscimo de uma referência a essa passagem.

PARTE TRÊS

As Etimologias

O modo de construção linguística de meu pai, que, como bem se sabe, continuou no decorrer de sua vida e em relação estreita com a evolução das narrativas, apresenta o mesmo movimento incessante que elas: uma qualidade fundamental à arte, na qual (como acredito) finalidade e um sistema fixo a todo momento não eram o seu objetivo subjacente. Contudo, embora suas "línguas" e sua "literatura" estivessem tão interligadas, traçar a história do processo literário através de muitos textos (ainda que a trilha pudesse se encontrar muito obscurecida) é por sua natureza consideravelmente mais fácil do que traçar a espantosa complexidade da evolução fonológica e gramatical das línguas élficas.

Naturalmente, essas línguas foram concebidas desde o início de uma maneira profundamente "histórica": elas foram personificadas em uma história, a história dos Elfos que as falavam, na qual, conforme evoluía, viria a ser encontrado um terreno rico para separações e interações linguísticas: "um idioma necessita de uma habitação adequada e uma história na qual possa desenvolver-se" (*Cartas*, n. 294). Cada elemento nas línguas, cada elemento em cada palavra, é em princípio historicamente "explicável" — como o são os elementos em línguas que não são "inventadas" —, e as sucessivas fases da evolução intricada deles eram o deleite de seu criador. Assim, a "invenção" era completamente distinta da "artificialidade". Em seu ensaio "Um Vício Secreto" (*The Monsters and the Critics and Other Essays* [Os Monstros e os Críticos e Outros Ensaios], 1983, p. 198), meu pai escreveu sobre seu apreço pelo esperanto, um apreço que, ele disse, surgiu "até pelo fato de que é basicamente a criação de um só homem, que não era um filólogo, e é, portanto, algo como uma 'língua humana desprovida das inconveniências causadas por um excesso de sucessivos cozinheiros' — que é a melhor descrição que posso fazer da língua artificial ideal

AS ETIMOLOGIAS

(em um sentido particular)". Nesse sentido, as línguas élficas são de fato muito inconvenientes, e elas refletem as atividades de incontáveis cozinheiros (incônscios, é claro, do que estavam fazendo com os ingredientes que obtiveram): em outras palavras, refletem a língua não como uma "estrutura pura", sem "antes" e "depois", mas como crescimento, no decorrer do tempo.

Por outro lado, as histórias linguísticas ainda assim eram "imagens", inventadas por um inventor, que tinha liberdade de alterar aquelas histórias assim como tinha liberdade de alterar a história do mundo em que ocorriam; e ele assim o fez, copiosamente. As dificuldades inerentes ao estudo da história de qualquer língua ou grupo de línguas são, portanto, aumentadas aqui: pois essa história não é um compilado de fatos históricos a serem descobertos, mas uma visão instável e cambiante do que a história era. Ademais, as alterações na história não se restringiram a características do desenvolvimento linguístico "interno": a concepção "externa" das línguas e suas relações passou por mudanças, mesmo profundas; e não se deve pensar que a representação das línguas em letras, em *tengwar*, não passou pelo mesmo processo.

É preciso acrescentar que o método de trabalho característico de meu pai — inícios elaborados que se tornavam algo quase ilegível; manuscritos cobertos por camadas sucessivas de emendas — encontra aqui a sua expressão mais extrema; e também que os documentos filológicos foram deixados em absoluta desordem. Sem datações externas, a única maneira de determinar sequenciamento (à exceção do guia bastante geral e incerto da mudança de caligrafia) encontra-se nas evidências internas da própria filologia cambiante; e isso, por sua natureza, não fornece o tipo de pistas que conduzem através do labirinto dos textos literários. As pistas que esse processo fornece são muito mais elusivas. Infelizmente, também é verdade que aqui a caligrafia apressada e letras malformadas são muito mais destrutivas; e creio que boa parte dos escritos filológicos tardios de meu pai seja estritamente inutilizável.

Ver-se-á então que o componente filológico na evolução da Terra-média mal pode ser analisado, e certamente não pode ser apresentado, como o podem os textos literários. Seja como for, meu pai talvez estivesse mais interessado nos processos de mudança do que em mostrar a estrutura e o uso das línguas em algum período específico — embora isso sem dúvida deva-se em certa medida ao

A ESTRADA PERDIDA E OUTROS ESCRITOS

fato de que ele com frequência recomeçava desde o início com os sons primordiais dos idiomas quendianos, embarcando em um projeto grandioso que não podia ser mantido (de fato, parece que a própria tentativa de escrever um relato definitivo acarretava numa insatisfação imediata e no desejo por novas construções: assim, os manuscritos mais belos eram logo tratados com desdém).

Talvez mais surpreendente seja o fato de que ele pouco se preocupava em criar vocabulários abrangentes para as línguas élficas. Ele jamais tornou a fazer algo similar ao copioso pequeno "dicionário" da língua gnômica original que usei para os apêndices de *O Livro dos Contos Perdidos*. É possível que tal empreitada fosse sempre postergada até o dia, que jamais chegaria, em que uma finalidade suficiente tivesse sido alcançada; entrementes, para ele essa não era uma necessidade primordial. Afinal, ele não "inventava" novos nomes e palavras arbitrariamente: em princípio, ele os elaborava a partir do interior da estrutura histórica, prosseguindo desde as "bases" ou radicais primitivos, acrescentando sufixos ou prefixos ou formando palavras compostas, decidindo (ou, como ele teria dito, "descobrindo") quando a palavra entrou na língua, aplicando as mudanças regulares de forma pelas quais ela teria passado, e observando as possibilidades de influências formais ou semânticas de outras palavras no curso de sua história. Tal palavra passava então a existir para ele, e ele a conhecia. Conforme todo o sistema evoluía e se expandia, as possibilidades para palavras e nomes tornavam-se cada vez maiores.

O mais próximo que ele chegou de um relato prolongado de vocabulário élfico não se encontra na forma de um dicionário no sentido comum (nem fora pretendido para servir como um), mas na de um dicionário etimológico de relações entre palavras: uma lista em ordem alfabética de radicais primários, ou "bases", com seus derivados (seguindo-se assim diretamente em forma ao "Léxico Qenya" original, que descrevi em I. 297). É essa obra que está incluída aqui. Meu pai escreveu extensamente acerca da teoria de *sundokarme* ou "estrutura de base" (ver SUD e KAR nas *Etimologias*), mas, como tudo o mais, essa teoria com frequência passou por elaborações e alterações, e não tentarei apresentá-la aqui. Meu objetivo ao fornecer as *Etimologias*[*] neste livro é antes como uma

---

[*] Em uma folha de rosto do manuscrito está escrito *Etimologias*, e também *Nomes e palavras beleriândicos e noldorin: Etimologias*.

AS ETIMOLOGIAS

indicação do desenvolvimento, e o modo de desenvolvimento, dos vocabulários das línguas élficas nesse período, do que como um primeiro passo na elucidação da história linguística; e também porque esse material forma um acompanhamento instrutivo às obras narrativas desse período.

É um documento notável, que deve ser considerado entre os mais difíceis de todos os papéis que contêm materiais singulares deixados por meu pai. As dificuldades inerentes do texto são aumentadas pela péssima condição do manuscrito, que na maior parte de sua extensão encontra-se gasto, rasgado, amassado nos cantos e descolorido (boa parte do que foi escrito levemente a lápis agora mal está visível e é extremamente difícil de se decifrar). Em algumas seções, o labirinto de formas e cancelamentos é tão denso, e na maior parte escrito tão rapidamente, que não é possível se ter certeza de qual era a intenção final de meu pai: nessas partes ele estava elaborando ligações e derivações potenciais na hora, e de modo algum registrando histórias já determinadas. Há muitos caminhos pelos quais um nome pode ter evoluído, e o sistema etimológico inteiro era uma como um caleidoscópio, pois era provável que uma decisão num lugar desencadeasse efeitos inquietantes em relações etimológicas entre grupos de palavras bastante distintos. Ademais, a complexidade estava embutida (por assim dizer), pois a própria natureza das "bases" colocava palavras em rotas de colisão fonética desde as suas origens.

Entretanto, a obra varia bastante entre as suas seções (que são os grupos de radicais-base que começam pela mesma letra). As piores partes, tanto em condição física como na desorganização do conteúdo, são as letras centrais do alfabeto, começando com E. À medida que o texto prossegue, a quantidade de alterações e acréscimos subsequentes, e a confusão resultante, diminui, e, ao se chegar em P e R, as etimologias, embora descuidadas e apressadas, estão mais em ordem. Com esses grupos, meu pai começou a usar folhas de papel menores, que se encontram mais bem preservadas, e, partir de S até o fim, o material não apresenta sérias dificuldades, e a seção final (W) foi escrita de maneira bastante legível à tinta (neste livro, a última seção é Y, mas não era assim no original: ver p. 416). Esses verbetes relativamente claros e organizados encontram-se também nos radicais-A, enquanto os radicais-B são distintos de todo o resto por terem sido escritos como um manuscrito muito acabado e realmente belo. Os verbetes em D são de duas formas: material muito descuidado que foi parcialmente escrito por cima à tinta de maneira mais legível, e então uma segunda versão mais clara e organizada nas folhas menores.

Não fui capaz de chegar a qualquer interpretação segura para tudo isso, ou de encontrar uma explicação que satisfaça todas as condições detalhadamente. De modo geral, estou inclinado a pensar que a explicação mais simples muito provavelmente esteja correta em essência. Tenho poucas dúvidas de que o dicionário foi composto progressivamente, através das letras do alfabeto de forma sucessiva; e é possível que a própria criação de um dicionário assim tenha levado a uma maior exatidão em todo o sistema etimológico, e a uma maior clareza e certeza em seu estabelecimento, à medida que a obra prosseguia — mas isso também ocasionou muitas mudanças nas partes mais antigas. Ao chegar ao final do alfabeto, meu pai então voltou ao início, com a intenção de organizar melhor as seções que haviam sido criadas primeiro e que haviam sofrido as maiores alterações; mas esse impulso esgotou-se após os primeiros verbetes em D. Se isso de fato ocorreu, os verbetes A e B originais foram subsequentemente destruídos ou perdidos, enquanto no caso de D ambos sobrevivem (e é notável que a segunda versão dos verbetes D difere da anterior principalmente na organização e não em desenvolvimentos etimológicos adicionais).

Passando agora para a questão da datação, apresento alguns exemplos característicos das evidências nas quais creio que conclusões firmes podem ser baseadas.

O verbete original ELED fornecia o significado do radical como "partir, ir embora", com um derivado *Elda* "aquele que partiu". Uma vez que essa era a interpretação de *Eldar* em *Lhammas* §2 e em QS §23 conforme essas obras foram originalmente escritas, e aparece pela primeira vez nelas, os verbetes originais em E claramente pertencem a essa época. Essa interpretação foi substituída no *Lhammas* e no QS por emendas feitas com cuidado que mudaram o significado para "Povo-das-estrelas", e introduziram o termo *Avari*, com o significado de "Os Que Partem". Agora o significado "Povo-das-estrelas" aparece em um segundo verbete ELED, em substituição ao primeiro (e tudo indica que foi escrito pouco tempo depois); enquanto o radical AB, ABAR possuía, como escrito inicialmente, o significado "partir, ir embora", e o derivado *Avari*

AS ETIMOLOGIAS

foi definido como "Elfos que deixaram a Terra-média". Assim, os verbetes A originais e pelo menos algumas das alterações em E pertencem à fase das alterações mais antigas do QS.

No QS, o significado de *Avari* foi então alterado para "os Indesejosos" (ver p. 260), e, na mesma época, o significado-raiz de AB, ABAR nas *Etimologias* foi alterado para "recusar, negar", e a interpretação de *Avari* para "Elfos que jamais deixaram a Terra-média ou iniciaram a marcha". Essa mudança pode ser datada da nota de 20 de novembro de 1937 (apresentada na p. 236), na qual meu pai disse que *Avari* deveria substituir *Lembi* como o nome dos Elfos que permaneceram no Leste, enquanto *Lembi* viriam a ser "Teleri ilkorin", isto é, os Eldar que permaneceram em Beleriand (ver QS §§29–30 e p. 260). Essas mudanças foram incorporadas ao texto datilografado do QS, que parecia já existir no início de fevereiro de 1938 (p. 237). (O verbete adicional LEB, LEM mostra esse desenvolvimento, visto que *Lembi* é traduzido lá como "Elfos que ficaram para trás = Ilkorins telerin".)

Na nota datada de 3 de fevereiro de 1938 (p. 237), meu pai disse que, enquanto *Tintallë* "Inflamadora" podia permanecer como um nome de Varda, *Tinwerontar* "Rainha das Estrelas" devia ser alterado para *Elentári*, porque "*tinwë* apenas em qenya = centelha (*tinta-* inflamar, acender)". No verbete TIN, os nomes *Tinwetar* e *Tinwerontar* de Varda foram riscados do material original, e na margem foi escrito: "*Tintanië*, *Tintallë* Inflamadora = Varda; qen. *tinta-* inflamar, acender, faiscar". Portanto, os verbetes T originais podem ser datados de antes de fevereiro de 1938.

No verbete do radical MEN aparece a forma *harmen* "sul", que não foi subsequentemente alterada, e mais uma vez no verbete (adicional) KHAR, mas nesse caso o radical-base foi posteriormente alterado para KHYAR e *harmen* para *hyarmen*. A inserção de *y* nessa palavra foi uma das alterações necessárias na nota de 20 de novembro de 1937.

Ao reunir essas e diversas outras evidências similares, parece-me claro que, apesar de sua aparência muito variegada, as *Etimologias* não se estenderam por um período longo, sendo antes contemporâneas ao QS; e que alguns dos acréscimos e correções podem ser datados com segurança ao final de 1937 e ao início de 1938, a época do abandono do QS e do início de *O Senhor dos Anéis*. Por quanto tempo mais meu pai manteve a obra em existência com acréscimos e melhorias adicionais é uma outra questão, mas aqui também creio que é possível dar uma resposta que seja suficiente para o propósito da discussão. Ela se encontra nas observações de que há relativamente poucos nomes que pertencem especificamente a *O Senhor dos Anéis*; que todos eles são claramente acréscimos a verbetes existentes ou que introduzem radicais-base adicionais; que quase todos foram inseridos muito rapidamente, meros memorandos, e não foram de fato acomodados ou explicados em relação aos radicais-base; e que a grande maioria é originária da parte inicial de *O Senhor dos Anéis* — antes do rompimento da sociedade. Assim, encontramos, por exemplo, *Baranduin* (BARÁN); o imperativo *daro!* "parem!" (DAR; essa foi a ordem da sentinela à Comitiva do Anel nas fronteiras de Lothlórien); *Azevim* acrescentado a ERÉK; o acréscimo rabiscado de uma base ETER com o imperativo *edro!* "abra!" (a palavra gritada por Gandalf diante das Portas de Moria); *Celebrimbor* (KWAR); *Caradras* (RAS; em substituição no rascunho original do capítulo *O Anel Vai para Sul* ao nome *Taragaer*, ele próprio encontrado nas *Etimologias* na base acrescentada TARÁK); *Celebrant* (RAT); *Imladris* (RIS). As palavras *caras* (KAR) e *naith* (SNAS), ambas acréscimos, provavelmente sustentam a existência de *Caras Galadon* e do *Naith* de Lothlórien, e a palavra acrescentada *rhandir* "peregrino" em RAN, unida à palavra acrescentada *mith* "cinza, cinzento" em mith, produz *Mithrandir*. Casos claros de nomes de partes posteriores de *O Senhor dos Anéis* de fato ocorrem (como *Palantir* em PAL e TIR, *Dolbaran* em BARÁN), mas são muito poucos.

Concluo, portanto, que, embora meu pai por mais dois ou três anos tenha inserido verbetes inconstantes nas *Etimologias* à medida que novos nomes surgiam em *O Senhor dos Anéis*, ele acabou deixando essa prática de lado conforme a nova obra avançava; e que as *Etimologias*, como apresentadas aqui, ilustram o desenvolvimento dos léxicos quenya e noldorin (posteriormente > sindarin) no período decisivo alcançado neste livro, e de fato fornecem um ponto de vista notável.

As *Etimologias*, então, refletem a situação linguística em Beleriand concebida no *Lhammas* (ver especialmente a terceira versão, *Lammasethen*, pp. 229–30), com o noldorin inteiramente preservado como a língua dos Exilados, apesar de profundamente modificado em relação à sua forma valinoriana e de possuir relações complexas com o "beleriândico" (ilkorin) no que diz respeito a nomes, especialmente na fala de Doriath. Posteriormente, meu

AS ETIMOLOGIAS

pai desenvolveu o conceito de uma espécie de amalgamação entre o noldorin e a fala nativa de Beleriand, embora no fim tenha surgido a situação descrita em *O Silmarillion* (p. 185): os Noldor abandonaram a sua própria fala e adotaram a dos Elfos de Beleriand (o sindarin). Essa reforma foi tão extensa que as próprias estruturas linguísticas pré-existentes foram movidas para novas relações históricas e receberam novos nomes; mas não há necessidade de se entrar aqui nesse território por demais desconcertante.

A apresentação de um texto como este obviamente não pode ser exata: nas partes mais caóticas, uma medida de interpretação pessoal do que foi pretendido é de todo inevitável. Seja como for, há uma muitas inconsistências de detalhes entre as diferentes partes do manuscrito — por exemplo, no uso de sinais para indicar o comprimento de vogais, que varia de forma incessante entre acento agudo, mácron (marca longa) e circunflexo. Apenas "padronizei" os verbetes de uma maneira bastante limitada, e somente onde me senti seguro de que corria pouco risco de interpretar mal a intenção original. Em particular, nada fiz para harmonizar formas divergentes, como entre uma parte das *Etimologias* e outra, por compreender que a evolução das "bases" e das palavras derivadas é uma parte essencial da história; e, de fato, nas partes mais complexas do manuscrito (iniciais E, G, K) tentei distinguir as diferentes "camadas" de acumulações e alterações, embora em outras lugares eu tenha sido bastante seletivo ao indicar acréscimos à lista original. "Padronizei" os verbetes ao apresentar as "bases" sempre em maiúsculas, e ao usar o acento agudo para indicar vogais longas em todas as formas "registradas" (em vez de formas antecedentes "hipotéticas"), com o circunflexo para vogais longas em sílabas finais enfatizadas no noldorin exílico e no ilkorin, como foi feito em grande medida no original. Uso *y* no lugar *j* do original por todo o texto (por ex., KUY, DYEL em vez de KUJ, DJEL), uma vez que é menos confuso e essa foi a prática de meu pai em outros lugares (vista aqui e ali nas *Etimologias*); os radicais com J inicial, ao se tornarem Y, foram deslocados de seu lugar original antes de K para o final da lista. Grafei a nasal velar (como na palavra inglesa *king*) com um *til (ñ), mais uma vez seguindo a prática frequente de meu pai, embora* nas *Etimologias* ele tenha usado formas especiais da letra *n*. Suas abreviações gramaticais foram mantidas, da seguinte maneira:

416

A ESTRADA PERDIDA E OUTROS ESCRITOS

adj.	adjetivo	*pret.*	pretérito
adv.	advérbio	*pl.*	plural
comp.	palavra composta	*part. pass.*	particípio passado
f.	feminino	*prep.*	preposição
gen. sing.	genitivo singular	*q.v.*	*quod vide*, "o qual se veja"
inf.	infinitivo	*sing.*	singular
intr.	intransitivo	*tr.*	transitivo
m.	masculino		

O símbolo † significa "poético ou arcaico". As abreviações usadas para as diferentes línguas são as seguintes (o manuscrito não é acompanhado por uma lista explanatória delas):

dan. daniano
dori. doriathrin
eld. eldarin
nold. exíl. noldorin exílico (também mencionado como "exílico", mas com maior frequência simplesmente como nold.)
ilk. ilkorin
lind. lindarin
nold. noldorin
nold. ant. noldorin antigo (isto é, a *korolambë* ou *kornoldorin*, ver *Lhammas* §5)
oss. ossiriandeb (o nome no *Lhammas*, onde, entretanto, encontra-se também a forma *ossiriândico*)
quend. prim. quendiano primitivo
tele. telerin

Um asterisco prefixado a uma forma significa que ela é "hipotética", cuja existência é inferida de formas tardias registradas.

Minhas próprias contribuições estão sempre entre colchetes. Um ponto de interrogação dentro desses colchetes indica dúvida quanto à precisão de minha leitura, mas em outros casos é original. Onde considerei palavras totalmente ilegíveis ou sobre as quais não posso fazer mais do que aventar uma suposição (uma proporção muito pequena do todo, na verdade), em geral as omiti sem comentários, e fiz o mesmo com anotações dispersas onde nenhum significado está ligado a formas, ou onde nenhuma ligação pode

AS ETIMOLOGIAS

ser fornecida. Mantive as minhas próprias notas ao mínimo e, em particular, em grande parte evitei a tentação de discutir as etimologias com relação a formas élficas mais antigas e tardias publicadas em outros lugares. Por outro lado, embora meu pai tenha inserido muitas referências internas a outros radicais, aumentei substancialmente a quantidade dessas (as de minha autoria estão entre colchetes), uma vez que com frequência é difícil encontrar um elemento após este ter sido muito alterado desde a sua "base" essencial. O Índice Remissivo neste livro foi elaborado de modo a auxiliar na procura de elementos de nomes que aparecem nas *Etimologias*.

A

AB-, ABAR- recusar, negar, **ábāro** recusador, alguém que não parte: qen. *Avar* (ou *Avaro*), pl. *Avari* = Elfos que nunca jamais deixaram a Terra-média iniciaram a marcha; nold. *Afor,* pl. *Efuir, Efyr* (nold. ant. *abóro.*) Cf. AWA.

[Esse verbete, como escrito inicialmente, dava o significado-raiz como "ir embora, partir", traduzia **ábāro** como "partidor, alguém que parte" e definia *Avari* como "Elfos que deixaram a Terra-média" (ver p. 414). Um verbete adicional parece levar em conta ambos os desenvolvimentos a partir do significado-raiz: "AB- retirar-se, recuar, recusar".]

AD- entrada, portão, **adnō*: qen. *ando* portão; nold. *annon,* pl. *ennyn* grande portão, quen. *andon* (pl. *andondi*).

AIWĒ- (pequeno) pássaro, (pequena) ave. Qen. *aiwe,* nold. *aew.* Cf. *Aiwenor* "Terra-das-aves" = ar inferior. [Quanto a *Aiwenor(ë)*, ver o *Ambarkanta* e diagramas, IV. 280 etc.]

AK- estreito, confinado. **akrā*: qen. *arka* estreito; nold. *agr, agor.* Cf. nold. *Aglond, Aglon* desfiladeiro, passar entre muralhas altas, também como nome próprio; cf. *lond, lonn* caminho [LOD]. Qen. *aksa* caminho estreito, ravina.

AKLA-R- Ver KAL. Qen. *alka* raio de luz; *alkar* ou *alkare* radiância, brilho; *alkarinqa* radiante, glorioso. Nold. *aglar* glória, *aglareb* glorioso.

ÁLAK- mover-se rápido. **álākō* movimento rápido, voo apressado, vento violento: nold. *alag* precipitado, impetuoso; *alagos* vendaval. Cf. *Anc-alagon* nome de dragão [NAK]. Relacionado a LAK[2].

*alk-wā cisne: qen. *alqa*; tele. *alpa*; nold. ant. *alpha*; nold. *alf*; ilk. *alch*; dan. *ealc.* Cf. *Alqalonde* Estrada-dos-cisnes ou Porto-cisne, cidade dos Teleri [LOD].

ÁLAM- olmo. Qen. *alalme*, também *lalme*; nold. *lalf (lelf)* ou *lalven*, pl. *lelvin*; ilk. *lalm,* pl. *lelmin*; dan. *alm.* O radical talvez seja LÁLAM, q.v., mas alguns afirmam que seja relacionado a ALA, uma vez que o olmo era considerado abençoado e era amado pelos Eldar. [O final desse verbete, desde "mas alguns afirmam", foi um acréscimo. Provavelmente na mesma época um radical AL- foi acrescentado, com os derivados *alma* "boa sorte", *alya* "rico", etc.; mas esse verbete foi riscado. As mesmas palavras derivadas encontram-se em GALA.]

ÁLAT- grande (em tamanho). Qen. *alta [...] alat-* como em *Alataire = Belegoer* [AY].

AM[1]- mãe. Qen. *amil* ou *amme* **mãe; ilk.** *aman,* pl. *emuin.* (O nold. usa uma palavra diferente, *naneth*, hipocorístico [forma carinhosa] *nana* [NAN]).

AM[2]- acima, em cima: geralmente na forma *amba-*. Qen. prefixo *am-* acima; *amba* adv. acima, para cima; *amban* inclinação ascendente, ladeira, encosta; *ambapenda, ampenda* ascendente, íngreme (adj.); ver PEN. Nold. *am* acima; *am-bend, amben* ascendente, íngreme; *amon* colina, pl. *emuin, emyn; am-rûn* subida, nascer do sol, Oriente = qen. *ambaron* (gen. sing. *ambarónen*) ou *Ambaróne*.

ANA[1]- Cf. NA[1]. Para, em direção a. **anta-* presentear, dar: qen. *anta-* dar; *anna* presente, dádiva; *ante* (f.), *anto* (m.) doador, provedor. Cf. *Yav-anna* [YAB]; *Aryante* [AR[1]]. Nold. *anno* dar; *ant* presente, dádiva. [Acrescentado:] qen. *anta* rosto, face.

ANA[2]- Cf. NA[2]. ser, existir. [Acrescentado:] *anwa* real, efetivo, verdadeiro.

ANAD-, ANDA- **andā* longo: qen. *anda*; nold. *and, ann*. Cf. os nomes *Andram* muralha-longa [RAMBĀ], *Andfang, Anfang* Barba-longa, uma das tribos dos Anãos (pl. *Enfeng*) [SPÁNAG].

ÁNAK- Cf. NAK morder. Qen. *anca* mandíbula; nold. *anc*; cf. *Ancalagon* [ÁLAK].

ANÁR- sol; derivado de NAR[1]. **anār-*: qen. *Anar* sol; EN *Anor*.

ANGĀ- ferro. Qen. *anga*; nold. *ang*. Qen. *angaina* de ferro; nold. *angren*, pl. *engrin*.

ANGWA- ou ANGU- cobra. Qen. *ango*, pl. *angwi*; nold. *am-* em *amlug* dragão: ver LOK.

AP- *apsa* comida cozida, carne. Nold. *aes*; ilk. *ass*.

AR[1]- dia. **ari*: qen. *are*, pl. *ari*; nold. *ar-* apenas em nomes de dias da semana, como *Arvanwe* [ver LEP]. Cf. o nome *Aryante* O Que

Traz o Dia [ANA¹], nold. *Eriant.* Qen. *arin* manhã, *arinya* matutino, cedo; *arie* (período do) dia; *ára* aurora, amanhecer; *Arien* a Donzela-do-Sol. Nold. *aur* dia, manhã; *arad* (período do) dia, um dia (= qen. *arya* doze horas, dia).

AR²- qen. *ara* do lado de fora, ao lado; também o prefixo *ar-* como em *Arvalin* (= fora de Valinor). Em qen. o sentido é puramente local. Da mesma forma em ilkorin, cf. *Argad* local "fora da cerca", ou *Argador* (no dialeto falathrin, *Ariad*, *Ariador*) terras fora de Doriath (em ilkorin, *Eglador*), especialmente aplicado a Beleriand Oeste, onde vivia uma quantidade considerável de Elfos-escuros. Em nold., *ar-* desenvolveu um sentido de privação (como *sem*), provavelmente ao ser combinado com **al*, que se encontra preservado apenas em *Alchoron* = qen. *Ilkorin* [LA]. Assim, *arnediad* sem conta = incontável [NOT]. Nesse sentido o qen. usa *ava-*, como *avanóte* (ver AWA). Daí o qen. *ar* e.

ÁS-AT- qen. *asto* poeira, pó; nold. *ast.*

ATA- pai. Quend. prim. **atū, *atar*: qen. *atar*, pl. *atari*; hipocorístico *atto.* Nold. *adar*, pl. *edeir*, *eder*; *ada.* Cf. *Ilúv-atar.* Ilk. *adar*, pl. *edrin*; *adda.*

AT(AT)- de novo, de volta. Qen. *ata* de novo, *ata-*, *at-* de volta, de novo, re-; nold. *ad.* Cf. TAT, ATTA = dois; qen. *atta* dois, nold. *tad.* O prefixo nold. *ath-* em ambos os lados, através de, provavelmente é relacionado; *athrad* vau, travessia (ver RAT). Ilk. *adu*, *ado* duplo; cf. *Adurant*, um rio em Ossiriand que é em parte de seu curso possui correntes divididas. [Ilk. *adu*, *ado* "duplo" e a explicação de *Adurant* foram um acréscimo; aqui se vê a concepção da ilha de Tol-galen (ver o comentário a QS §114). Outros acréscimos feitos em épocas diferentes a esse verbete foram o qen. *atwa* duplo e o nold. *eden* novo, recomeçado.]

AWA- ausente, (para) fora. Qen. *ava* fora; *Avakúma* [KUM] Vazio Exterior além do Mundo; *au-*, *ava-* prefixo de privação = nold. *ar* (ver AR²), como *avanóte* sem número, incontável [NOT]. [Acrescentado:] *Avalóna*, cf. *lóna* [LONO].

AY- **ai-lin-* lagoa, lago: qen. *ailin* (gen. sing. *ailinen*); nold. *oel*, pl. *oelin*; cf. *Oelinuial* Lagoas do Crepúsculo [LIN¹; YŪ, KAL].

AYAR-, **AIR-** mar, usado somente para os mares internos da Terra-média. Qen. *ear* (*earen*) e *aire* (*airen*); nold. *oear*, *oer.* Cf. *Earráme*, um nome qen. = Asas do Mar, nome do navio de Tuor. *Belegoer* "grande mar", nome do Oceano do Oeste entre Beleriand e Valinor, qen. *Alataire* (ver ÁLAT).

A ESTRADA PERDIDA E OUTROS ESCRITOS

AYAK- afiado, aguçado, pontudo. Qen. *aika* afiado, *aikale* um pico; nold. *oeg* afiado, pontudo, agudo, *oegas* (= qen. *aikasse*) pico de montanha. Cf. nold. *Oeges engrin* Picos de Ferro, *oeglir* cadeira de picos de montanhas. ?Relacionado ao qen. *aiqa* íngreme, cf. ilk. *taig* fundo (combinado com *tára*, ver TĀ).

AYAN- Ver YAN. **ayan*- sagrado, sacro: qen. *Ainu*, f. *Aini*, sacro, espírito angélico; *aina* sagrado, sacro; *Ainulindale* Música dos Ainur, Canção da Criação.

B

[Quanto ao manuscrito distintivo dos verbetes B, ver p. 412. Os seguintes verbetes foram acrescentados a lápis: BAD, BARÁN, BARAT, BARATH, BEN, e na mesma época certas mudanças foram feitas em verbetes existentes. Nessa seção apresento os verbetes originais como foram escritos, e menciono as alterações.]

BAD- **bad*- julgar. Cf. MBAD. Não está presente em qen. Nold. *bauð* (*bād*-) julgamento; *badhor*, *baðron* juiz. [Acréscimo a lápis.]

BAL- **bálā*: Q *Vala* Poder, Deus (pl. *Valar* ou *Vali* = quend. prim. **bal-ī*, formado diretamente do radical, cf. *Valinor*); não há uma forma f. especial, onde necessário, o comp. *Valatári* "Rainha- -Vala" é usado, f. de *Valatar* (gen. sing. *Valatáren*) "Rei-Vala", aplicado somente aos nove Valar principais: Manwe, Ulmo, Aule, Mandos, Lorien, Tulkas, Osse, Orome e Melko. As *Valatári* eram Varda, Yavanna, Nienna, Vana, Vaire, Este, Nessa e Uinen. Tele. *Bala*. Nold. ant. *Bala*, e *Balano* m., *Balane* f.; nold. exíl. *Balan* m. e f., pl. *Belein*, *Belen*. Em ilk., *tórin* "reis" era usado, ou o comp. *Balthor*, *Balthorin* (**bal'tar*-).

Qen. *valya* possuidor de autoridade ou poder (divino); *valaina* dos ou pertencente aos Valar, divino; *valasse* divindade. Qen. *Valinor*, para **bálī-ndǒre*, reformado segundo a palavra simples *nóre* "terra", também na forma *Valinóre*, terra dos Deuses no Oeste; nold. ant. *Balandor* (**bala-ndore*), nold. exíl. *Balannor*. Cf. também o nold. ant. *Balthil*, um dos nomes da Árvore Branca de Valinor, geralmente chamada em qen. *Silpion*; nold. exíl. *Belthil*, mas esse nome em geral era aplicado à imagem da árvore divina feita em Gondolin, e a árvore em si era chamada *Galathilion*. De provável relação é o nome *Balar* da grande ilha na foz do Sirion, onde os Ilkorins que se recusaram a ir para o Oeste com Ulmo longamente habitaram; com base nessa palavra deram a *Beleriand* seu nome, região esta que colonizaram a partir da ilha na era sombria. *Balar* provavelmente vem de **bálāre*, e assim era chamada porque ali Ossë visitava os Teleri que aguardavam. [A explicação de *Balar, Beleriand* apresentada aqui não está necessariamente em desacordo com história contada em QS §35 de que a Ilha de Balar era "o cabo leste da Ilha Solitária, que se quebrou em dois e parte dele ficou para trás, quando Ulmo tornou a levar aquela terra para o Oeste"; mas mal pode ser deixada de acordo com a história (QS §36) de que "os Teleri habitaram por muito tempo junto às costas do mar do oeste, à espera do retorno de Ulmo" e de que Ossë instruiu os Teleri que aguardavam "sentado numa rocha perto da margem do mar". Ademais, a "colonização" de Beleriand a partir de Balar parece não levar em consideração Thingol e aqueles de seu povo "que não partiram porque se demoraram à procura de Thingol nas matas": "e esses se multiplicaram e, no entanto, a princípio encontravam-se espalhados por toda parte entre Eredlindon e o mar" (*Lhammas* §6). Deve ter havido um significado maior do que simplesmente que os Elfos de Balar se mudaram para o continente, pois essa "colonização" a partir de Balar torna-se aqui a própria base do nome *Beleriand*.]

BAN- **bánā*: qen. *Vana* nome da Vala, esposa de Orome, e irmã de Varda e Yavanna; nold. ant. e tele. *Bana*; em nold. ant. também chamada *Bana-wende*, daí o nold. exíl. *Banwend, Banwen* (ver WEN). **bányā*: qen. *vanya* belo, lindo; nold. exíl. *bein*. Cf. qen. *vanima* belo; *Vanimo*, pl. *Vanimor* "os belos", filhos dos Valar; Úvanimo monstro (criatura de Melko); nold. exíl. úan (**ŭbanō*) monstro; *uanui* monstruoso, hediondo.

BAR- Significado original provavelmente "erguer"; cf. BARÁD, MBAR. Daí levantar, salvar, resgatar(?). **barnā́*: qen. *varna* salvo, protegido, seguro; [riscado: *varne* proteção;] *varnasse* segurança. **baryā́*: qen. *varya*- proteger; nold. exíl. *berio* proteger. [A remoção de *varne* "proteção" deveu-se ao surgimento de BARAN "marrom, castanho" com o derivado qen. *varne* "marrom, castanho".]

BARÁD- [Acrescentado: é combinado com BARATH, q.v.] **barádā* elevado, sublime: [acrescentado: nold. ant. *barada*, nold. exíl. *baradh*, acentuado;] qen. *Varda*, principal das Valatári, esposa de Manwe; tele. *Barada* [> *Baradis*]. [Riscado: nold. ant. *Bradil*, nold. exíl. *Breðil* (**b'radil*-).] **b'randā* elevado, nobre, eminente: tele. *branda*; nold. ant. *branda*, nold. exíl. *brand, brann* (daí *brannon* senhor, *brennil* senhora); cf. nome *Brandir* (*brand-dīr*: ver DER).

A ESTRADA PERDIDA E OUTROS ESCRITOS

BARÁN- qen. *varne* (*varni*-) castanho, marrom, moreno, casta-nho-escuro. Nold. ant. *barane*, nold. exíl. *baran*. Cf. nome de rio *Baranduin*, *Branduin*. *Dolbaran*. [Acréscimo a lápis. Quanto a *Dolbaran* (provavelmente um outro acréscimo), ver p. 415]

BARÁS- Radical encontrado apenas em noldorin: *barasá quente, ardente: nold. ant. *barasa*, *baraha*; nold. exíl. *bara* inflamado, chamejante, também ávido; frequente em nomes masculinos como *Baragund*, *Barahir* [KHER], etc. **b'rás-sē* calor: nold. ant. *brasse*, incandescência, nold. exíl. *brass:* daí *brassen* incandescente.

BARAT- nold. *barad* torre, fortaleza. [Acréscimo a lápis.]

BARATH- Provavelmente relacionado a BAR e BARÁD. *Barathī esposa de Manwe, Rainha das Estrelas: nold. ant. *Barathi(l)*; nold. exíl. *Berethil* e *El-bereth*. Qen. *Varda*, tele. *Baradis* mos-tram influência de *barádā* elevado. [Acréscimo a lápis. A apli-cação do nome *Elbereth* a Varda parece ter surgido no hino dos Elfos à Deusa no segundo capítulo original (*Três não é Demais*) de *O Senhor dos Anéis*, escrito no início de 1938 (onde em ras-cunhos da canção o nome aparece como *Elberil*). Concomitante a isso, os nomes ilkorin *Elbereth* (de significado diferente) e *Elboron* foram removidos dos verbetes originais BER e BOR. Esses eram os nomes dos filhos de Dior no AB 1 e 2 (anal 206/306), substituídos no AB 2 (nota 42) por *Eldûn* e *Elrûn* (que também foram acrescentados a Q §14); *Elrûn* aparece nas *Etimologias* em um acréscimo ao radical RŌ.]

BAT- andar, caminhar. *bátá: nold. ant. *bata* caminho trilhado, vereda, senda; nold. exíl. *bâd*. *battá (com a consoante média alongada em uma formação frequentativa): nold. ant. *batthŏ*-pisar (com força), nold. exíl. *batho*. Nold. ant. *tre-batie* atra-versar, percorrer, nold. exíl. *trevedi* (pret. *trevant)* [ver TER]. Cf. qen. *vanta*- caminhar, *vanta* uma caminhada.

BEL- forte. Cf. BAL(?). Radical não encontrado em qen. Tele. *belle* força (física); *belda* forte. Ilk. *bel* (*belē) força; *Beleg* o Forte, nome do arqueiro ilkorin de Doriath. *bélek: *bélekā: nold. ant. *beleka* poderoso, imenso, grande; nold. exíl. *beleg* grande (n.b. essa palavra é distinta em forma, embora seja relacionada, ao nome ilk. *Beleg*); cf. nold. exíl. *Beleg-ol* [GAWA] = qen. Aule; *Belegoer* Grande Mar [AY], nome do mar entre a Terra-média e o Oeste; *Belegost* Grande Cidade [OS], nome de uma das principais localidades dos Anãos. Tele. *belka* "excessivo" possivelmente vem do nold. ant.; nold. ant. *belda* forte, *belle* força (nold. exíl. *belt*

423

AS ETIMOLOGIAS

forte de corpo, *bellas* força corporal) possivelmente vêm do tele. Cf. nome *Belthronding* do arco de teixo de Beleg: ver STAR, DING.

BEN- canto (de dentro), ângulo. Nold. *bennas* ângulo [NAS]. [Acréscimo a lápis.]

BER- valente. **bérya*-: qen. *verya*- ousar; *verya* ousado, destemido; *verie* ousadia, audácia. Nold. ant. *berina* ousado, corajoso; *bértha*- ousar, ser ousado; nold. exíl. *beren* ousado, *bertho* ousar; cf. o nome próprio *Beren*. Ilk. *ber* homene valente, guerreiro (**berō*); *bereth* valor, bravura; [riscado: cf. nome ilk. *El-bereth*.] daniano *beorn* homem; provavelmente combinado com **besnō*: ver bes. [Quanto à remoção de *El-bereth*, ver BARATH.]

BERÉK- **berékā*: qen. *verka* indômito, selvagem; nold. exíl. *bregol* violento, repentino, cf. o nome próprio *Bregolas* ferocidade, impetuosidade; *breged* violência, subitaneidade, brusquidão; *breitho* (**b'rekta*-) irromper subitamente. Cf. *Dagor Vregedúr* [UR] Batalha do Fogo Repentino (nold. exíl. *bregedur* fogo incontrolável). [Ver MERÉK.]

BERÉTH- tele. *bredele* faia; ilk. *breth* (**b'rethā*) noz de faia, mas a faia era chamada *galbreth* [GALAD] na Falasse, e *neldor* em Doriath (ver NEL). A faia provavelmente em origem era chamada **phéren*, qen. *feren* ou *feme* (pl. *ferni*), nold. ant. *pheren*; mas em nold. exíl. *fêr* pl. *ferin* geralmente era substituído pelo ilk. *breth* bolota, noz, daí o nold. exíl. *brethil* faia; cf. *Brethiliand, -ian* "Floresta de Brethil" [ver PHER].

BES- casar. **besnō* esposo: qen. *verno*; nold. ant. *benno*, nold. exíl. *benn* homem, substituindo em uso comum a antiga palavra *dîr* (ver DER); *hervenn, herven* esposo (ver KHER). Ilk. *benn* esposo; daniano *beorn* homem, combinado com **ber(n)ō*: ver BER.

**besē* esposa: qen. *vesse*; nold. ant. *besse*, nold. exíl. *bess* mulher, em substituição às antigas palavras *dî, dîs* (ver NĪ[1], NDIS); *herves* esposa (ver KHER). No f. a mudança de sentido em nold. ant. foi auxiliada provavelmente pela combinação com **dess* mulher jovem, moça, nold. ant. *dissa*.

**besū* dual, esposo e esposa, casal (de esposos): qen. *veru*. Cf. qen. *Arveruen* terceiro dia (da semana valinoriana de 5 dias) dedicada a Aule e Yavanna [LEP].

**bestā*: qen. *vesta* matrimônio; *vesta*- casar; *vestale* casamento.

BEW- seguir, servir. **beurō* seguidor, vassalo: nold. ant. *biuro*, *bioro*, nold. exíl *bior, beor*; cf. o nome próprio *Bëor*. **beuyā*- seguir, servir: nold. ant. *buióbe* servir, seguir, nold. exíl. *buio*

424

servir, ser fiel a. Tele. *búro* vassalo, *búa-* servir. [Quanto ao nome *Bëor*, ver o comentário a QS §128.]

BIRÍT- Radical encontrado apenas em ilkorin. **b'rittē*: ilk. *brith* pedras quebradas, cascalho. Cf. o nome de rio *Brithon* (donde *Brithombar* recebe seu nome) "seixoso". O exílico tardio *brith* cascalho vem do ilkorin.

BOR- (per)durar, suportar. Qen. *voro* sempre, continuamente; prefixo *vor, voro-* como em *voro-gandele* "harpejar numa mesma melodia", repetição contínua; *vorima* contínuo, repetido. **bóron-*: nold. ant. *boron* (pl. *boroni*) resoluto, homem de confiança, vassalo fiel; nold. exíl. *bór* e pl. *býr* para os mais antigos *berein, beren*; ilk. *boron*, pl. *burnin*. Cf. nomes nold. dados aos "Homens Fiéis": *Bór, Borthandos, Borlas, Boromir. Borthandos = Borth* (ver abaixo) [mas esse elemento não é mais mencionado] + *handos* (ver KHAN). *Borlas = Bór + glass* júbilo, alegria (ver GALÁS). *Boromir* é um antigo nome nold. de origem ancestral também usado por Gnomos: nold. ant. *Boronmíro, Boromíro*: ver MIR. [Riscado: "Cf. também o ilk. *boron* no nome dori. *El-boron*". Quanto à remoção de *El-boron*, ver BARATH.]

BORÓN- extensão do radical acima (originalmente uma forma verbal do radical visto em **bóron-* acima). Qen. *voronwa* duradouro; *voronwie* permanência, persistência, qualidade duradoura; cf. o nome *Voronwe* = nold. ant. *Bronwega*, nold. exíl. *Bronwe* [WEG]. Nold. ant. *bronie* durar, perdurar, permanecer, sobreviver; nold. exíl. *bronio* perdurar, *brono* durar, permanecer, sobreviver; *bronadui* duradouro. **b'rōnā*: nold. ant. *brūna* que perdurou por muito tempo, antigo (usado apenas para coisas, e a implicação é de que são antigas, mas não alteradas ou desgastadas); nold. exíl. *brûn* velho, antigo, que perdurou, ou foi estabelecido, ou tem estado em uso por muito tempo.

Brodda Nome de um homem em Hithlum. Ele não era de uma das raças de Amigos-dos-Elfos e seu nome, portanto, provavelmente não é nold. exíl. ou ilkorin.

BUD- projetar-se. Cf. MBUD.

D

[Uma lista muito descuidada a lápis foi na maior parte escrita por cima à tinta, e quase todos estes verbetes aparecem em uma segunda lista a lápis, e as diferenças entre as duas são principalmente uma questão de organização; ver p. 413.]

AS ETIMOLOGIAS

DAB- dar passagem, abrir espaço, permitir. Qen. *lav*- ceder, permitir, conceder. Nold. *dâf* permissão.

DAL- plano, chato (variante ou alteração de LAD). Qen. *lára* "plano, chato" pode derivar de **dāla* ou de **lāda*. Nold. exíl. *dalw* plano, chato; *dalath* superfície plana, plano, planície [ver TIR]. Nold. ant. *dalma* (provavelmente = *dal* + *mã* mão) palma da mão; nold. exíl. *dalf*. Ilk. *dôl* plano, vale baixo.

DAN- Elemento encontrado em nomes dos Elfos-verdes, que chamavam a si mesmos de *Danas* (qen. *Nanar*, nold. *Danath*). Cf. *Dan, Denethor* e outros nomes. Ver NDAN?

DAR- ficar, esperar, parar, permanecer. Nold. *deri*, imperativo *daro!* pare; *dartha* esperar, ficar, durar.

DARÁK- **d'rāk*: qen. *ráka* lobo; nold. exíl. *draug*; dori. *drôg*.

DARÁM- bater, cortar. Nold. exíl. *dramb*, *dram(m)* uma pancada pesada, um golpe (por exemplo, de machado); *dravo* cortar (pret. *drammen*, †*dramp*); *drafn* tora cortada; *drambor* punho cerrado, daí golpe com punho (ver KWAR); *gondrafn*, *gondram* pedra talhada. [Cf. o nome do machado de Tuor nos *Contos Perdidos*: *Drambor, Dramborleg*; ver II. 406.]

DAT-, DANT- cair. Nold. exíl. *dad* para baixo, abaixo, cf. *dadben* descendente (ver PEN); *dath* (**dattā*) buraco, cova, qen. *latta*. Qen. *lanta* uma queda, *lanta*- cair; nold. *dant*- cair, *dannen* caído. Cf. *Atalante* "a Decaída", e *lasselanta* "queda-das-folhas", outono [ver TALÁT].

DAY- sombra. Qen. *leo* (**daio*) sombra lançada por qualquer objeto; *laime* sombra; *laira* sombreado. Nold. exíl. *dae* sombra; cf. *Daeðelos* = Sombra de Medo. Dori., ilk. *dair* sombra de árvores; cf. os nomes *Dairon* e *Nan-dairon*.

DEM- triste, melancólico. Ilk. *dimb* triste (cf. *Dimbar*); *dim* melancolia, tristeza (**dimbē*); *dem* triste, melancólico (**dimbā*).

DEN- buraco; fenda, brecha, passagem. Nold. *dîn* abertura, brecha, passo em montanhas, como em *Din-Caradras, Din-Dûhir*, etc. [Na primeira lista, DEN recebeu o significado "encosta, ladeira", daí o qen. *nende* ladeira, *nenda* inclinado; nold. *dend*, *denn*, inclinado, *dadðenn* descendente, *amdenn* ascendente, íngreme. Esse verbete foi riscado e o material, transformado e transferido para PEN (daí *dadbenn, ambenn*). Cf. AM²; os verbetes A pertencem à segunda fase, posterior à primeira forma dos verbetes D (ver pp. 412–13)]

426

A ESTRADA PERDIDA E OUTROS ESCRITOS

DER- adulto, homem (elfo, mortal ou de outra raça falante). Qen. *nér*, pl. *neri*, com o *n* em parte devido a ΝĪ, ΝΙS mulher, em parte ao radical reforçado *ndere* noivo, nold. ant. *daer* [ver ΝDER]. Nold. ant. *dîr*, nold. exíl. †*dîr* preservado principalmente em nomes próprios (como *Diriel*, do mais antigo *Dirghel* [gyel], *Haldir, Brandir*) e como uma desinência agentiva (como *ceredir* fazedor, feitor). Devido à influência de *dîr* (e do reforçado *ndisi* noiva), o nold. segue o caminho oposto do qen. e possui *dî* mulher (ver ΝDIS). Em uso comum, o nold. exíl. possui *benn* (propriamente = esposo) [ver ΒES].

DIL- preencher, encher um buraco, etc. Nold. exí. *dîl* rolha, tampa, fechamento, enchimento, cf. *gasdil* tampão [GAS]; *dilio* tampar. [A palavra um tanto improvável *gasdil* é mencionada porque era o nome de um sinal usado para indicar que *g* havia desaparecido; ver pp. 356–57, nota sobre *Gorgoroth*.]

DING- Onomatopeico, var. de ΤΙΝG, ΤΑΝG, q.v. Ilk. *ding, dang*, som; cf. o nome *Bel-thron(d)-ding* [BEL, STAR].

DOƷ, DÔ- qen. *ló* noite, uma noite; *lóme* Noite, (período da) noite, sombras da noite. Nold. ant. *dogme, dougme, doume*; nold. exíl. *daw* (período da) noite, treva; *dû* (associada com ΝDŪ) anoitecer, tarde da noite — em nold. exíl. noite, horas mortas é *fuin*; *Dú(w)ath* sombra-da-noite; *dûr* escuro, sombrio; cf. qen. *lóna* escuro. Ilk. *daum* = nold. *daw*. Cf. nold. *durion* um Elfo-escuro = *dureðel*. Qen. *lómelinde* rouxinol; nold. *dúlind, dúlin(n)*. Cf. *Del-du-thling* [DYEL, SLIG.]

DOMO- Possivelmente relacionado ao anterior (e certamente em alguns derivados combinado com ele); tênue, obscuro. *dōmi- crepúsculo em qen. uniu-se a *doʒmē* de DOƷ em *lóme* noite. Ilk. *dûm* crepúsculo; qen. *tindóme* crepúsculo estrelado = ilk. *tindum* = nold. *tinnu* (ver ΤΙΝ).

DÓRON- carvalho. Qen. *norno*; nold. *doron* (pl. *deren*); dori., ilk. *dorn*. Cf. qen. *lindornea* adj. com muitos carvalhos [LI].

DRING- Radical noldorin = bater, golpear. Nold. exíl. *dringo* bater. Cf. o nome de espada *Glamdring*. [Em *O Hobbit*, *Glamdring* é traduzida "Martelo-do-inimigo", chamada pelos Orques de "Batedora".]

DUB- jazer, oprimir, assomar, pairar de forma opressiva (usado para nuvens). Qen. *lumna* que oprime, penoso, opressivo, ominoso; *lumna*- oprimir. Nold. *dofn* soturno.

AS ETIMOLOGIAS

DUI- ilk. *duin* água, rio; cf. *Esgalduin*, cf. *duil* rio em *Duilwen*.

DUL- esconder, ocultar. Nold. *doelio, delio* e *doltha* ocultar, pret. †*daul*, part. pass. *dolen* ocultado, oculto, secreto. Cf. *Gondolind*, *-inn, -in* "coração de rocha oculta" [ver ID]. Há relação com **ndulna* secreto: qen. *nulla, nulda*; nold. *doll* (*dolt*) obscuro. Cf. o nome *Terendul*. [Ver NDUL, e quanto a *Terendul*, ver TER.]

DUN- escuro (de cor). Dori. *dunn* preto; dan. *dunna*; nold. *donn* moreno, tisnado. Cf. o topônimo *(Nan) Dungorthin* = nold. *Nan Don-goroth*, ou *Nann Orothvor* Vale do Horror Negro [ver ÑGOROTH], usado em Doriath.

DYEL- sentir medo e aversão; abominar. Nold. exíl. *delos, deloth* (provavelmente < *del* + *gos, goth*) aversão, repugnância, abominação, cf. *Dor-deloth* Terra Repugnante; *deleb* horrível, abominável, repugnante; *delw* odiodo, mortal, cruel; cf. *Daedhelos* Sombra de Abominação, *Deldú(w)ath* Sombra Mortal da Noite, um nome de Taur-na-Fuin, *Delduthling*, nome nold. de Ungoliantë [DAY, DO3]. Qen. *yelma* repugnante, *yelwa* repulsivo, *yelta*- repugnar.

E

[Os verbetes em E são particularmente confusos e difíceis. Um pequeno número de verbetes originais e claros foi em sua maioria riscado e as páginas cobertas por anotações leves a lápis que com frequência são difíceis de serem interpretadas.]

EK-, EKTE- lança. Qen. *ehte* lança, *ehtar* lanceiro. Nold. *aith* ponta-de-lança, *êg* espinho, cf. *Egthelion, Ecthelion* [STELEG]. [Esse verbete original foi mantido, com a alteração de EKTE para EKTI, qen. *ehtar* para *ehtyar*, e com os seguintes acréscimos:] [nold.] *ech* lança, qen. *ekko*. Cf. *Eg-nor*.

EL- estrela. qen. poético *él* estrela (*elen*). Dori. *el*; nold. apenas em nomes, como *Elwing*. [Esse verbete original passou por muitas alterações:] **EL**- estrela, céu estrelado. Qen. poético *elen* (*ellen* ou *elena*) estrela. Dori. *el*; nold. apenas em nomes, como *Elwing, Elbereth*. Cf. *Eled*- Povo-das-estrelas, isto é, Elfos. *Elrond* = domo-estrelado, céu [ROD]. [Acrescentado à margem:] qen. *Elerína* coroada-de-estrelas = Taniquetil; *Elentári* Rainha das Estrelas = Varda; nold. *Elbereth* = Varda. [Quanto a *Elbereth*, ver a nota a BARATH; quanto a *Elerína* e *Elentári*, ver p. 237.]

428

A ESTRADA PERDIDA E OUTROS ESCRITOS

ELED- ir, partir, ir embora, sair. Qen. *Elda* Elfo "que partiu"; nold. *eledh*. Qen. *lesta*- sair, pret. *lende*. [Esse verbete original foi substituído pelo seguinte, escrito com o mesmo cuidado e clareza que o primeiro:] *ÉLED*- "Povo-das-estrelas", Elfo. Qen. *Elda* (*Eldamar* ou *Elende* = Casadelfos, *Eldalie, eldarin*); nold. *Eledh*, pl. *Elidh*, cf. *Eledhrim, Eledhwen* [Bela-élfica >] Donzela-élfica, *Elennor* (*Eledandore* > *Eleðndor*). Dori. *Eld*, pl. *Eldin*. Dan. *Elda*. [As formas dori. e dan. foram subsequentemente riscadas e o seguinte trecho foi acrescentado:] Em dori. e dan. transposto > *edel*-, daí o dori. *Egla, Eglath* (cf. *Eglamar, Eglorest*); dan. *Edel. Eglador* = Doriath em doriathrin; *Ariador* = terras além de Eglador. Cf. *Eglor* (Rio-élfico), nome ilkorin de um rio em Beleriand O. [Quanto aos verbetes ELED antigos e tardios, ver pp. 413–14. Outros trechos escritos levemente a lápis demonstram que meu pai estava em dúvida acerca da derivação de *Eldar* a partir de uma base com o significado de "estrela", e sugerem que, embora o nome fosse interpretado dessa maneira, era provável que na verdade tivesse sido alterado a partir de *edela* "o mais velho" — e *eðel, eðil* também são encontrados em noldorin. Foi proposta uma base EDE-, EDEL- "preceder, adiantar-se", com o derivado *edela* (= *eleda*) "primogênito", mas isso foi riscado.]

EN- elemento ou prefixo = lá, além, acolá. Qen. *EN lá, veja lá. Adj. enta* aquele lá. *Entar, Entarda* (*Enta* + *harda* [ʒAR]) Terras de Lá, Terra-média, Terras de Fora, Leste.

ÉNED- centro. Qen. *endya, enya* meio; *ende* meio, centro. Nold. *enedh*. [A esse verbete original foi acrescentado:] *Endamar* Terra-média. *Endor* centro do mundo. [Ver NÉD.]

ÉNEK- seis. Qen. *enqe*; nold. *eneg*.

ERE- estar sozinho, privado. Qen. *er* um, sozinho; *erya* único; *eresse* solidão; *eressea* solitário, só. Nold. *ereb* isolado (*ereqa*); *eriol* sozinho, único. Cf. *Tol-eressea, Amon Ereb*. Qen. *erume* deserto, cf. *Eruman* deserto a nordeste de Valinor; nold. *eru* ermo, deserto.

ERÉD- *eredē* semente: qen. *erde* semente, germe; nold. *eredh*; ilk. *erdh*. [Ver RED.]

ERÉK- espinho. Qen. *erka* espinho, ponta; *erka*- espetar, furar; *erkasse* azevinho. Nold. *ercho* espetar, furar; *erch* um espinho; *ereg* (e *eregdos* [TUS]) azevinho, pl. *erig*. Cf. *Taur-nan-Erig* ou *Eregion* = dori. Floresta de Region: dor. *regorn* azevinho (pl. *regin*, gen. pl. *region*) [ver OR-NÍ]. [Outro acréscimo:] *Regornion* = Azevim.

AS ETIMOLOGIAS

ES- indicar, nomear. Qen. *esta* nomear, *esse* um nome.

ESE-, ESET- preceder. Qen. *esta* primeiro; *esse* início, princípio; *essea* [?primário]; *Estanesse* os Primogênitos. [Nenhum desses dois verbetes foi rejeitado, embora com certeza sejam mutuamente exclusivos, mas o segundo por marcado com uma interrogação.]

ESEK- ilk. *esg* junça, *esgar* juncal. Cf. *Esgaroth* Juncágua, devido aos juncais a oeste.

ET- (para) fora. Prefixo qen. *et-*, nold. *ed-*. Cf. *ehtele* em KEL. [A esse verbete original foi acrescentado:] *etsiri*: qen. *etsir* foz de um rio, nold. *ethir* [SIR]. *ette* exterior, lado de fora; *ettele* terras de fora; *ettelen* [?estrangeiro].

ETER- Cf. ET fora. abrir, descerrar, romper (surgir, para flores, o sol, etc.). *edro!* abra!

EY- eterno, perpétuo, sempiterno. Qen. *aira* eterno; *aire* eternidade; *ia* (**eyā*) sempre. Cf. *Iolosse* sempre-neve, nold. *Uiloss* (**Eigolosse*). Nold. *uir* eternidade, *uireb* eterno. [Esse verbete original foi riscado, e o material reaparece em GEY. *Iolosse* provavelmente era a forma subjacente à emenda inicial que resultou em *Oiolosse* em QS §13. *Oiolosse* surgiu com a transformação adicional dessa base em OY, q.v.]

EZDĒ- "descanso", nome da esposa de Lórien. Qen. *Este*; nold. ant. *Ezde, Eide, Ide*; nold. *Idh*. Ver SED.

EZGE- farfalhar, barulho de folhas. Qen. *eske*; ilk. *esg*; cf. *Esgalduin*. [Esse verbete, que pode ser um dos originais, foi riscado. Cf. ESEK e, quanto a *Esgalduin*, ver SKAL[1].]

G

[Os verbetes em G possuem basicamente a mesma aparência daqueles em E: uma camada inicial de alguns poucos verbetes claros à tinta, e uma grande quantidade de alterações e acréscimos inseridos posteriormente de forma bastante descuidada.]

GAL- brilhar; variante de KAL.

GALA- medrar (prosperar, ser saudável — ser feliz). Qen. *'al* nas seguintes formas, que não devem ser confundidas com ALA- "não": *alya* próspero, rico, abundante, abençoado; *alma* boa sorte, prosperidade, riqueza; *almie, almare* ventura, bem--aventurança, "bênçãos", boa sorte; *almárea* abençoado. Cf. o nome *Almáriel*. Nold. *galw*; cf. os nomes *Galadhor, Galdor*

A ESTRADA PERDIDA E OUTROS ESCRITOS

(posteriormente *Gallor*) — embora esses possam conter GÁLAD. Nold. *galas* crescimento, planta; *galo-* crescer. Os radicais GÁLAD, GALÁS possivelmente são relacionados. [*Almáriel* é o nome de uma garota em Númenor em *A Estrada Perdida*, p. 76.]

GALAD- árvore. Qen. *alda*; nold. *galadh*. Cf. *Galadloriel* (*Galagloriel*), *Galathilvion*. [*Galadlóriel* e *Galathilion* (não como *Galathilvion* aqui) aparecem em emendas iniciais a QS §16. A forma *Galagloriel* encontra-se em um rascunho inicial do capítulo *Um Punhal no Escuro* em *A Sociedade do Anel*. — Esse verbete, um dos originais, não foi riscado ou alterado (exceto por *Galathilvion > Galathilion*), mas um novo verbete para o radical foi criado:] GÁLAD- árvore. Qen. *alda*; nold. *galadh*. Cf. os nomes *Galadhor*, *Galdor*, etc. Qen. *Aldaron* nome de Oromë. *Aldalemnar*, ver LEP. Dori. *gald*, cf. *galbreth* faia [BERÉTH].

GALÁS- júbilo, alegre, ser feliz. Nold. *glas* júbilo, alegria; cf. nomes como *Borlas*. Qen. *alasse* júbilo, alegria, regozijo.

GAP- nold. *gamp* gancho, garra; qen. *ampa* gancho.

GAR- TER, possuir. Nold. *gar-*. [Um verbete original, riscado; ver 3AR.]

GAS- voragem, abertura. *gassā*: Nold. *gas* buraco, abertura larga; *gasdil* tampão [dil]; qen. *assa* buraco, perfuração, abertura, boca. [Cf. *Ilmen-assa*, o Abismo de Ilmen, IV. 284. — Esse verbete original foi mantido, mas o seguinte acréscimo foi feito:] *gāsa*: nold. ant. *gása* = qen. *kúma*; nold. exíl. *gaw*, *Belego* o Vazio.

GAT- qen. *atsa* fecho, gancho, garra; nold. *gad-*, *gedi* fecho.

GAT(H)- nold. *gath* (*gattā*) caverna; *Doriath* "Terra da Caverna" é um nome noldorin para o dori. *Eglador* = Terra dos Elfos. Os Ilkorins chamavam [?a si mesmos] de *Eglath* = Eldar. O resto de Beleriand era chamado de *Ariador* "terra além/de fora". Nold. *gadr*, *gador* prisão, masmorra; *gathrod* caverna. Outro nome é *Garthurian* = Reino Cercado = nold. *Ardholen* (que também se aplicava a Gondolin). [Acrescentado posteriormente:] Dori. *gad* cerca; *argad* "fora da cerca", o exterior, o lado de fora. Cf. *Argador*, falathrin *Ariador*. [Ver AR², ÉLED, 3AR, LED.]

GAWA- ou GOWO- idealizar, delinear, planejar. Qen. *auta* inventar, originar, elaborar; *aule* invenção, também como nome próprio do deus *Aule*, também chamado *Martan*: nold. *Gaul* geralmente chamado *Belegol* (= grande Aule) ou *Barthan*: ver TAN, MBAR. Nold. *gaud* artifício, aparelho, máquina.

AS ETIMOLOGIAS

GAY- qen. *aira* vermelho, cúpreo, rubro; nold. *gaer, goer.*

GÁYAS- medo. **gais-:* qen. *aista* temer; nold. ant. *gaia* temor, pavor; nold. *gae. *gaisrā:* nold. ant. *gāesra, gērrha;* nold. *gaer* terrível, pavoroso.

GENG-WĀ- qen. *engwa* enfermiço, doente. Nold. *gemb, gem;* cf. *ingem* "doente-de-anos" [YEN], sofrendo de velhice (palavra nova cunhada após o encontro com os Homens). Nold. *iaur* antigo [YA], *ifant* "cheio-de-anos" [YEN, KWAT] não possuía conotação de fraqueza. [*Engwar* "os Enfermiços" encontra-se na lista de nomes élficos para os Homens em QS §83.]

GEY- eterno, perpétuo, sempiterno. Qen. *ia* sempre (**geiā*); *iale* sempiterno; *íra* eterno; *íre* eterno [?leia-se "eternidade"]; *Iolosse* Neve Sempterna (**Geigolosse*) = Taniquetil. Nold. *Guilos, Amon Uilos* (*guir* eternidade, *guireb* eternidade [leia-se "eterno"]). Nold. *Guir* é confundido com *Gui* = qen. *Vaiya* (**wāyā*) [WAY]. [Essa nota, que substitui o verbete rejeitado EY, foi por sua vez riscada e substituída por OY.]

GIL- (cf. GAL, KAL; SIL, THIL; GUL, KUL) brilhar (com cor branca ou palidamente). **gilya:* Nold. *gîl* estrela (pl. *giliath*). [Esse verbete original foi mantido, com o acréscimo a *gîl:* "pl. *geil,* pl. coletivo *giliath*", e o seguinte trecho também foi acrescentado:] *gael pálido, reluzente; gilgalad* luz das estrelas; *Gilbrennil, Gilthoniel* = Varda. Qen. *Ilma* luz das estrelas (cf. *Ilmare*), nold. [?*Gilwen*] ou *Gilith; Ilmen* região acima do ar onde se encontram as estrelas. [Quanto a *Ilma* e *Ilmen,* ver o comentário a QS §4.]

GIR- tremer, estremecer. Nold. *giri* estremecer; *girith* estremecimento, horror.

GLAM- Forma nold. de LAM, também influenciada por ÑGAL(AM). Nold. *glamb, glamm* gritaria, barulho confuso; *Glamhoth* = "a hoste bárbara", Orques [KHOTH]. *glambr, glamor* eco; *glamren* ecoante, ressoante; cf. *Eredlemrin* = dori. *Lóminorthin. glavro* balbuciar, *glavrol* balbuciante.

GLAW(-R)- qen. *laure* ouro (propriamente a luz da Árvore *Laurelin*); nold. *glaur* ouro. O elemento *glaur,* reduzido em polissílabos a*glor, lor,* aparece em muitos nomes, como *Glorfindel, Glaurfindel, Galadloriel.* [Esse verbete original foi riscado e substituído por:] **GLAWAR-** alteração nold. LAWAR, q.v.

GLIN- cantar. Qen. *lin-;* nold. *glin-.* Qen. *linde* canção, toada, melodia; nold. *glinn.* Cf. *Laurelin.* [Verbete original, riscado. Ver LIN².]

A ESTRADA PERDIDA E OUTROS ESCRITOS

GLINDI- azul-claro. Nold. *glind, glinn*; qen. *ilin*. [Verbete original, riscado. Cf. o significado original de *Eredlindon*, Montanhas Azuis, comentário a QS §108, e ver LIN².]

GLING- pender, suspender. Qen. *linga*; nold. *gling*. Cf. *Glingal*. [Verbete original, riscado e substituído por:] **GLING**- alteração nold. de LING "pender, suspender", q.v.

GLIR- forma nold. de LIR¹ cantar. Nold. *glîr* canção, poema, balada; *glin* cantar, recitar poema; *glær* balada longa, poema narrativo. Qen. *laire* poema, *lirin* eu canto.

GÓLOB- *golbā* ramo, galho: Qen. *olwa*; nold. *golf*. Cf. *Gurtholf* [> *Gurtholf*] [ÑGUR]. [Quanto à forma *Gurtholf* (antiga *Gurtholfin*), ver p. 496.]

GOLÓS- qen. *olosse* neve, neve caída; nold. *gloss* neve. Cf. *Uilos*. Nold. *gloss* também é o adj. branco-como-a-neve. [Um verbete original, que foi mantido com a alteração do qen. *olosse* para †*olos*, †*olosse* e com a nota: "apenas poético: confundido com *losse* flor, ver LOS, que talvez possuísse ligação originalmente". O radical em questão na verdade aparece como LOT(H).]

GOND- pedra. Qen. *ondo* pedra (como um material); nold. *gonn* uma grande pedra ou rocha. [Esse verbete original foi mantido, mas a base foi alterada para GONOD-, GONDO-, e o seguinte trecho foi acrescentado:] Cf. *Gondolin* (ver DUL); *Gondobar* (antiga *Gondambar*), *Gonnobar* = Pedra do Mundo = Gondolin. Outro nome de Gondolin *Gondost* [OS], daí *Gondothrim, Gondothrimbar*. [Cf. *Gondothlim, Gondothlimbar* nos *Contos Perdidos* (II. 411).]

GOR- violência, ímpeto, precipitação. Qen. *orme* precipitação, violência, ira; *orna* precipitado. Nold. *gormh, gorf* ímpeto, vigor; *gorn* impetuoso. [Fora a remoção da forma *gormh*, esse verbete original foi mantido, com estes acréscimos:] Cf. *Celegorn* [KYELEK]; e cf. *Huor, Tuor*: *Khôgore* [KHÔ-N], *Tûgore* [TUG].

GOS-, GOTH- pavor. Qen. *osse* terror, como nome *Osse*. Cf. *Mandos* (ver MBAD). O nold. possui *Oeros* para *Osse* (*Goss). Cf. *Taur-os* [TÁWAR]. Nold. *gost* pavor, terror; *gosta*- temer excessivamente; cf. *Gothrog* = Demônio de Pavor [RUK]; *Gothmog* [MBAW]. *Gostir* "olhar de pavor", nome de dragão [THĒ].

GŪ- Prefixo *gū*- não, como em qen. *ū*- não (com conotação maligna); *Uvanimor* [BAN].

GUL- luzir, brilha com luz dourada ou rubra (cf. GIL); também *yul*- arder lentamente [YUL]. Nold. *goll* vermelho, rubro (*guldā). [Esse verbete original foi riscado. Ver KUL.]

433

GWEN- (distinguir de WEN(ED)). Qen. *wenya* verde, verde-ama-relado, viçoso, verdejante; *wēn* verdor, juventude, frescor (combinado com *wende* donzela). Nold. *bein* belo, combinado com BAN. Ilk. *gwên* verdor; *gwene* verde; cf. *Duilwen* [DUI].

GYEL- [< GEL-] qen. *yello* [= *ello*] brado, grito de triunfo. Nold. *gell* alegria, triunfo; *gellui* triunfante; *gellam* júbilo. Cf. *Diriel* [DER]. *Gelion* canto jovial, cognome de Tinfang. [*Tinfang Gelion* ocorre na *Balada de Leithian*: III. 210, 217.] *Gelion* nome mais curto de um grande rio em Beleriand L.; uma interpretação gnômica (esse nome teria sido **Dilion* em ilkorin); cf. ilk. *gelion* = brilhante, raiz GAL. [A interpretação dessa nota um tanto des- concertante parece estar certa.]

GYER- **gyernā* velho, antigo, gasto, decrépito (para coisas): Qen. *yerna* velho, antigo, gasto; *yerya* gastar-se, desgastar-se, envelhe-cer. Nold. *gern* gasto, velho (para coisas).

3

[Os poucos verbetes sob a fricativa posterior inicial 3 foram risca-dos e substituídos de modo mais legível.]

3AN- macho, varão. Qen. *hanu* um varão (dos Homens ou dos Elfos), animal macho; nold. ant. *anu*, nold. *anw*; dori. *ganu*. (O feminino é INI.)

3AR- Os radicais 3AR, TER, possuir e os relacionados GAR, GARAT, GARAD eram muitos combinados em eldarin. De 3AR vêm: qen. *harya-* possuir; *harma* tesouro, algo entesourado; *harwe* tesouro; *haryon* (herdeiro), príncipe; *haran* (pl. *harni*) rei, chefe (ver TĀ). Nold. *ardh* reino (mas qen. *arda* = GAR); *aran* rei (pl. *erain*). Dori. *garth* reino, *Gar-thurian* (Reino Cercado = Doriath), *garon* senhor, pode vir de 3AR ou GAR.

De GAR: qen. *arda* reino — frequente em nomes como *Elenarda* "Reino-das-estrelas", céu superior; *armar* pl. bens; *aryon* herdeiro; *arwa* adj. (com genitivo) em controle de, possuidor, etc., e como semissufixo *-arwa*, como *aldarwa*, arbóreo, arborizado. Nold. *garo- (gerin)* possuo, tenho; *garn* "posse", propriedade.

GARAT- qen. *arta* forte, fortaleza. Nold. *garth*: cf. *Garth(th) oren* "Forte Cercado" = Gondolin — distinguir de *Ardh-thoren* = Garthurian. [Essa nota é a forma final de duas versões anteriores,

A ESTRADA PERDIDA E OUTROS ESCRITOS

nas quais as palavras em qenya são todas derivadas de ȝAR. Em uma dessas versões, é dito que o nold. *Arthurien* é uma forma noldorinizada de *Garthurian, Arthoren*, uma tradução; na outra, que o nold. *Arthurien* é "uma tradução parcial = nold. *Arthoren*"; ver THUR.]

ȝARAM- dori. *garm* lobo; nold. *araf.* [Riscado. Outra versão também fornecia o qen. *harma*, dan. *garma.*]

ȝEL- céu. Qen. *helle*, nold. ant. *elle*, céu. Em noldorin e telerin, essa palavra é confundida com EL estrela. Outros derivados: qen. *helwa*, nold. ant. *elwa* azul (claro), nold. *elw*; cf. o nome de *Elwe* Rei dos Teleri [WEG]; e nomes como *Elulind, Elwing, Elrond.* Qen. *helyanwe* "ponte-do-céu", arco-íris, nold. ant. *elyadme*, nold. *eilian(w)* [YAT]. Dori. *gell* céu, *gelu* azul-celeste. [Uma nota tardia indica que *Elwe* seja transferido para EL estrela. *Elrond, Elwing* também são apresentados em EL.]

ȝŌ- de, desde, dentre. Esse elemento é encontrado no antigo partitivo em qen. *-on (ȝō* + plural *m*). Qen. *ho* de, desde; ilk. *go*; nold. *o* de, desde. Em ilk. *go* era usado para patronímicos, como *go-Thingol.*

I

[A página única de verbetes em I é composta apenas de notas muito descuidadas.]

I- esse, aquele (partícula díctica) em qen. equivale a um artigo indeclinável "o(s), a(s)". Nold. *i*- "o, a", plural *in* ou *i*-.

I- prefixo intensificador onde *i* é a vogal básica. ITHIL- Lua (THIL, SIL): qen. *Isil*; nold. *Ithil*; dori. *Istil*. INDIS- = *ndis* noiva; *Indis* nome da deusa Nessa (ver NDIS, NĪ). [*Ithil* ocorre em *A Estrada Perdida* (p. 54) como o nome "beleriândico" da Lua — isto é, o nome na língua (noldorin) que Alboin Errol percebeu que era falada em Beleriand.]

ID- *ídī*: coração, desejo, vontade. Qen. *íre* desejo; *írima* adorável, desejável. Qen. *indo* coração, ânimo; cf. *Indlour, Inglor* (*Indo-klār* ou *Indo-glaurē*). Nold. *inn, ind* pensamento íntimo, significado, âmago, coração; *idhren* contemplativo, sábio, pensativo; *idher* (*idrē*) consideração, ponderação. Cf. *Idhril; Túrin(n)* [TUR], *Húrin(n)* [KHOR]. [A palavra qen. *írima* ocorre na canção em *A Estrada Perdida* (p. 89): *Toi írimar; Írima ye Númenor;* cf. também

435

Írimor "Formosos", nome dos Lindar nas Genealogias, p. 492. — Quanto à etimologia original de *Idril, Idhril,* ver II. 412.]

IL- tudo, todo. Qen. *ilya* tudo, o todo. **ILU**- universo: Qen. *ilu, ilúve*: cf. *Ilúvatar, Ilurambar* Muralhas do Mundo. *Ilumíre* = Silmaril. *ilqa* tudo.

ING- primeiro, primordial, *inga* primeiro. Elemento em nomes élficos* e especialmente lindarin. Cf. *Ingwe* príncipe dos Elfos. A forma qen.-lind. [isto é, qenya-lindarin] é sempre usada (*Ingwe*): não *ngw > mb* [isto é, em noldorin] porque a forma lind. persistiu e também porque se tinha a impressão de que a composição era *ing + wege* [WEG]. Cf. *Ingil.* [*Elfin* nesse período é uma reversão estranha ao uso antigo.]

INI- fêmea, mulher. Ver nī: qenya *ní* fêmea, mulher. Qen. *hanwa* macho, *inya* fêmea; *hanuvoite, inimeite.* Nold. *inw* à maneira de *anw* [ver 3AN].

INK-, INIK-? qen. *intya-* conjecturar, supor; *intya* conjectura, suposição, ideia; *intyale* imaginação. Nold. *inc* conjectura, ideia, noção.

IS- qen. *ista-* saber, conhecer (pret. *sinte*); *ista* conhecimento; *istima* conhecedor, sábio, instruído, erudito, *Istimor* = Gnomos [cf. p. 492]. Qen. *istya* conhecimento; *istyar* estudioso, erudito. Nold. *ist* saber, conhecimento; *istui* instruído; *isto* TER conhecimento. Cf. *Isfin* (= *Istfin*) [PHIN].

K

[Os numerosos verbetes em K são talvez os mais difíceis da obra. Uma primeira camada de etimologias escrita com cuidado e clareza à tinta foi coberta por uma grande quantidade de anotações rápidas a lápis que agora estão quase invisíveis em alguns lugares.]

KAB- concavidade. Qen. *kambe* concha (de mão); nold. *camb, cam* mão, cf. *Camlost* "Mão-vazia" [LUS] (= dori. *Mablost*). *Erchamui* "Uma-Mão". [Uma versão mais antiga desse verbete também traz *Cambant* "mão cheia"; ver KWAT.]

KAL- brilhar (palavra geral). Formas variantes AKLA-, KALAR-, AKLAR-. Qen. *kala* luz; *kalma* uma luz, lamparina; *kalya* iluminar;

---

* No original, *Elfin*; daí a relevância do comentário entre colchetes no final desse verbete. [N.T.]

kalina claro, luminoso. Em nold., a variante GAL aparece: *gail* (*galyā*) luz brilhante, *glaw* radiância (*g'lā*, cf. qen. *kala* = *k'lā*). Mas em formas mais longas, KAL também ocorre em nold., como *aglar, aglareb*, ver AKLA-R. Também *celeir* brilhante (*kalaryā*); qen. *kallo* nobre, herói (*kalrō*), nold. *callon* (*kalrondō*) herói; nold. poética *claur* esplendor, glória — com frequência em nomes na forma *-glor. gôl* luz (*gālæ-*) em *Thingol*. [Partes desse verbete original foram rejeitadas: a etimologia de *Thingol* (ver THIN) e a ideia de que GAL era uma variante noldorin de KAL. Não está claro nesse estágio como essas bases eram relacionadas. O verbete foi coberto por um labirinto de novas formas, frequentemente rejeitadas assim que eram escritas. Os seguintes termos podem ser discernidos:] nold. *calad* luz (cf. *Gilgalad*); *calen* de cor brilhante = verde. Qen. *kalta-* brilhar; *Kalakilya*; *Kalaqendi*, nold. *Kalamor*; *Kalamando* = Manwe [ver MBAD]. *Ankale* "radiante", Sol. *yúkale, yuale* crepúsculo, nold. *uial* [YŪ].

KALPA- vasilha. Qen. *kalpa*; nold. *calf*. Qen. *kalpa-* tirar água. [Verbete acrescentado.]

KAN- ousar. Qen. *káne* bravura, coragem; nold. *caun, -gon* (cf. *Turgon, Fingon*). Qen. *kanya* ousado, destemido. Nold. *cann* (*kandā*). *Eldakan* (nome) = *Ælfnoþ*. [Verbete acrescentado.]

KÁNAT- quatro. Qen. *kanta-, kan-*; nold. *canad*. [Verbete acrescentado.]

KAP- saltar, pular. [Acrescentado:] nold. *cabr, cabor* rā.

KAR- fazer. Qen. *KAR* (*kard-*) feito; nold. *carð, carth* ação, feito, façanha. Cf. KYAR causa. Qen. *karo* fazedor, feito, agente; *ohtakaro* guerreiro. [Esse radical foi reescrito de forma bastante descuidada:] **KAR**- fazer, erigir, construir. Qen. *KAR* (*kard-*) construção, casa; nold. *car* casa, também *carð*. Qen. *karin, karne*, faço, construo. Cf. **KYAR**- causar, fazer. Qen. *tyaro* fazedor, feitor, agente; *ohtatyaro* guerreiro. Nold. *caras* uma cidade (construída sobre o solo).

KARAK- presa afiada, espigão, esporão, dente. Qen. *karakse* divisa de esporões serrilhados; cf. *Helkarakse*, nold. *elcharaes* [KHEL]. [Esse verbete foi mantido, com KARAK > KÁRAK e *elcharaes* > *helcharaes*, e os seguintes acréscimos quase invisíveis foram feitos:] qen. *karka* dente, *karkane* fileira de dentes. Nold. *carag* esporão, dente de rocha; *carch* dente, presa (*Carcharoth*).

KARÁN- vermelho. Qen. *karne* (*karani*) vermelho; nold. *caran*. *k'rannā*: nold. *crann* corado (de rosto), cf. *Cranthir* [THĒ],

AS ETIMOLOGIAS

[?como substantivo] como o inglês antigo *rudu*, face, rosto, rubor, as maçãs do rosto. [Verbete adicionado.]

KARKA- corvo. Qen. *karko*; nold. *carach*. [Esse radical foi alterado da seguinte forma:] KORKA- corvo. Qen. *korko*; nold. *corch*.

KAS- cabeça. Qen. *kár* (*kas-*); nold. *caw* topo. [Acrescentado:] **kas-sa*, **kas-ma*: Qen. *cassa* elmo.

KAT- formar. Qen. *kanta* formado, e como semissufixo, como em *lassekanta* em forma de folha; *kanta-* formar; nold. *cant*. [O significado "contorno" foi atribuído a *cant*, e os seguintes termos foram acrescentados:] **katwā*: nold. ant. *katwe* formado, modelado, nold. *cadw, -gadu*. **katwārā* bem-formado, formoso: nold. *cadwor, cadwar*. Nold. *echedi*, pret. *echant* (**et-kat*) formar, moldar, dar feitio. [Cf. *Im Narvi hain echant* acima das Portas de Moria.]

KAY- deitar. Qen. *kaima* leito, cama. Nold. *caew* covil, local de descanso; *cael* (qen. *kaila*) acamamento, doença, enfermidade; *caeleb* acamado, doente, enfermo: cf. qen. *kaimasse, kaimassea*.

KAYAN-, KAYAR- dez. Qen. *kainen*; nold. *caer*. [Verbete acrescentado.]

KEL- ir, correr (especialmente água). **et-kelē* nascente, fonte, saída de água: qen. *ehtele*, nold. *eithel* (a partir da forma metatética [isto é, com consoantes invertidas] **ektele*). Qen. *kelume* rio, córrego, corrente, torrente; nold. *celon* rio; qen. *kelma* canal. Cf. KYEL esgotar, chegar ao fim; KWEL desvanecer, desaparecer. [Estas alterações foram feitas: "nold. *celon* rio" > "ilk. *celon* rio, e como nome próprio, *kelu + n*"; "nold. *celw* fonte, nascente" acrescentado.]

KEM- solo, terra. Qen. *kén* (*kemen*). Nold. *coe* terra (indeclinável), *cef* sol, pl. *ceif*. Qen. *kemina* da terra, térreo, terroso; [nold.] *cevn*. Qen. *kemnaro* oleiro. [Verbete acrescentado.]

KEPER- saliência, protuberância, cabeça, topo [alterado para "espinhaço, cume, crista". Esse verbete consiste em anotações desconexas, todas riscadas, mas que dizem respeito ao nold. *ceber* pl. *cebir* e *Sern Gebir*, cujo significado parece ser "pedras solitárias".]

KHAG- **khagda* pilha, monte; qen. *hahta*; nold. *hauð* monte, teso, túmulo, tumba (cf. *Hauð iNdengin*). [Verbete acrescentado.]

KHAL[1]- (pequeno) peixe. Qen. *hala*; cf. qen. *halatir* "vigia-dos-peixes", martim-pescador, nold. *heledir*. [Verbete acrescentado. A mesma origem de *halatir* encontra-se em TIR; mas aqui KHAL foi alterado para KHOL e o *-a-* das formas qen. para *-o-*, antes de

438

A ESTRADA PERDIDA E OUTROS ESCRITOS

o verbete ser riscado com uma referência à base SKAL — a qual (um acréscimo tardio aos radicais S) é claramente a formulação mais recente.]

KHAL[2]- elevar, exaltar. Nold. ant. *khalla* nobre, excelso (**khalná*); *orkhalla* superior. Nold. *hall* excelso, elevado, sublime; *orchel* [o *e* é incerto] superior, elevado, eminente. [Verbete acrescentado.]

KHAM- sentar. Qen. *ham-* sentar. [Os outros derivados são caóticos e incertos demais para serem apresentados.]

KHAN- entender, compreender. Qen. *hanya* compreender, saber sobre, ser hábil em lidar com; *hande* conhecimento, compreensão; *handa* sabedor, inteligente; *handele* intelecto; *handasse* inteligência. Nold. exíl. *henio* entender, compreender; *hann, hand* inteligente; *hannas* compreensão, inteligência. Cf. *Handir, Borthandos*. [Verbete acrescentado.]

KHAP- envolver. Nold. *hab-* vestir; *hamp* vestimenta; *hamnia-* vestir; *hammad* roupa.

KHARÁS- (cf. KARAK). **khrassē*: precipício: nold. *rhass* (*i-rass*, mais antigo *i-chrass*); dan. *hrassa*. Cf. *Gochressiel* [= *Gochrass*] uma muralha montanhosa escarpada. [Verbete acrescentado. Quanto a *Gochressiel*, ver QS §147 e comentário.]

KHAT- lançar, arremessar. Nold. *hedi*, pret. *hennin, hant*; *hador* ou *hadron* arremessador (de lanças ou dardos), cf. *Hador*; *hadlath, haglath* uma funda (ver LATH). [Verbete acrescentado.]

KHAW- (= KAY, q.v.) Nold. *haust* leito, cama. [Esse verbete original foi expandido da seguinte maneira:] **KHAW**- descansar, deitar à vontade (= KAY, q.v.) Nold. *haust* leito, cama (**khau-stā*, literalmente "rest-ing" [descanso]). Em nold. associado com *hauđ* monte, teso (ver KHAG). Cf. qen. *hauta-* cessar, descansar, parar.

KHAYA- longe, distante. Qen. *haira* adj. remoto, longe, [?também] *ekkaira, avahaira. hāya* adv. ao longe, distante. [Verbete acrescentado.]

KHEL- congelar. Qen. *helle* geada; nold. *hell*. **KHELEK**- gelo. Nold. *heleg* gelo, *helch* frio enregelante; qen. *helke* gelo, *helk* gélido. [A base KHEL e derivados foram riscados, mas KHELEK e derivados foram mantidos.]

KHEN-D-E- olho. Qen. hen (*hendi*); nold. *hent*, pl. *hinn > hent, hint*, ou *henn, hinn*. [As formas nold. foram alteradas para *hên, hîn*.]

KHER- reger, governar, possuir. Qen. *heru* mestre, *heri* senhora; *héra* principal. Nold. ant. *khéro* mestre, *khíril* senhora; nold.

AS ETIMOLOGIAS

hîr, hiril. Nold. *herth* casa, tropa sob o comando de um *hîr*; cf. *Bara-chir* [BARÁS]. Cf. nold. *hervenn* esposa, *hervess* esposa [BES]. Qen. *heren* fortuna, sorte (= governança), e, assim, o que está guardado para alguém é aquilo que alguém tem guardado; *herenya* afortunado, abastado, abençoado, rico; cf. *Herendil* = Eadwine. [Verbete adicionado. *"Herendil* = Eadwine" deriva de *A Estrada Perdida*: Herendil é Audoin/Eadwine/Edwin em Númenor, filho de Elendil. Quanto ao significado do inglês antigo *éad*, ver *ibid.*, p. 59, e cf. IV. 247.]

KHIL- seguir. Qen. *hilya*- seguir; *hildi* seguidores = homens mortais (cf. *Hildórien*), também *-hildi* como sufixo. Em nold., *fir* era usado [PHIR]. Cf. *Tarkil* (**tāra-khil*). [Verbete acrescentado. Cf. *Rómenildi* em QS §151.]

KHIM- prender, aderir. Qen. *himya*- aderir a, cumprir; *himba* aderente. Nold. *him* firme, duradouro, e, como adv., continuamente. Cf. nold. *hîw* pegajoso, viscoso (**khīmā*); *hæw* costume, hábito (**khaimē*) = qen. *haime* hábito. [Verbete adicionado.]

KHIS-, KHITH- névoa, neblina, bruma. **khīthi*: qen. *híse*; nold. *hith*, cf. *Hithlum* [LUM]. **khithme*: qen. *hiswe*; nold. *hithw* neblina. **khithwa*: qen. *hiswa* cinza, cinzento; nold. *hethw* nebuloso, obscuro, vago; dori. *heðu.* Cf. *Hithliniath* ou *Eilinuial* = dori. *Umboth Muilin.* [Verbete adicionado. Quanto a *Hithliniath* "lagoas de bruma" (LIN[1]), ver QS §111.]

KHŌ-N- coração (físico). Qen. *hōn*; nold. *hûn.* Cf. *Hundor. Khō-gorē*, qen. *Huore*, nold. *Huor* "vigor do coração", coragem [GOR]. [Verbete acrescentado.]

KHOP- qen. *hópa* porto, ancoradouro, pequena baía cercada por terra; *hopasse* refúgio. Nold. *hûb*; *hobas*, cf. *Alfobas* ou *hobas in Elf* = *Alqalonde* capital dos Teleri. [Verbete acrescentado; ver KOP.]

KHOR- iniciar, pôr em movimento/marcha, incitar, etc. Qen. *horta*- despachar, apressar, instar, urgir *hortale* apressamento, incitação; *horme* urgência (confundido com *orme* arremetida [GOR]); *hóre* impulso, *hórea* impulsão. Nold. *hûr* prontidão para ação, presteza, vigor, espírito ardente; *hortha*- incitar, apressar; *horn* coagido, impelido; *hoeno, heno* começar súbita e vigorosamente. Cf. *Húr-ind, Húrin* [ID]. [Verbete acrescentado.]

KHOTH- reunir, congregar. **khotsē* assembleia, reunião: nold. *hoth* hoste, multidão, frequente em etnônimos, como *Glamhoth.* Cf. *host* grosa (144). Qen. *hosta* grande número, *hosta*- reunir, coligir. Nold. *hûd* assembleia.

A ESTRADA PERDIDA E OUTROS ESCRITOS

KHUGAN- qen. *huan* (*húnen*) mastim; nold. *huan*. [Esse verbete foi alterado para:] KHUG- latir, ladrar. *khugan: qen. *huan* (*húnen*) mastim; nold. *Huan* (nome de cão); qen. *huo cão; nold. hû.*

KHYAR- mão esquerda. Qen. *hyarmen* sul, *hyarmenya* meridional; *hyarya* esquerdo, *hyarmaite* canhoto [MAƷ]. Nold. *heir* (mão) esquerda, *hargam* canhoto [KAB]; *harad* sul, *haradren, harn* meridional. [Verbete acrescentado. O -*y*- no radical-base foi um outro acréscimo, e na mesma época as formas qen. foram alteradas de *har*- para *hyar*-; ver p. 414.]

KHYEL(ES)- vidro. Qen. *hyelle* (*khyelesẽ*); nold. ant. *khelesa, khelelia*; nold. *hele*, cf. *Helevorn* "vidro-negro" [MOR], nome de lago. Cf. KHELEK. [Verbete acrescentado. *Helevorn* foi escrito sobre uma palavra apagada em QS §118.]

KIL- dividir (também SKIL). Qen. *kilya* fenda, passo entre colinas, desfiladeiro, garganta. [A base SKIL não se encontra nas *Etimologias*. A esse verbete foi acrescentado:] nold. *cîl* Cf. *Kalakilya* "Passo da Luz", no qual Kôr foi construída. Nold. *Cilgalad; Cilthoron* ou *Cilthorondor*.

KIR- qen. *kirya* navio; nold. *ceir*. [Acrescentado:] *cirdan* armador [TAN].

KIRIK- qen. *kirka* foice; nold. *cerch*. Qen. *Valakirka*, nold. *Cerch iMbelain* [BAL], Foice dos Deuses = Ursa Maior. Nold. *critho* ceifar, colher (*k'riktã*).

KIRIS- cortar. Qen. *kirisse* corte, talho; nold. *criss* fenda, corte. [Acrescentado:] *Cristhoron* – gen. sing. de *thôr* águia. Nold. *crist* um cortador, espada. Cf. RIS.

KOP- qen. *kópa* porto, baía. [Esse verbete foi riscado; ver KHOP.]

KOR- redondo. *kornã: qen. *korna* redondo, esférico; *koron* (*kornen*) esfera, bola; *koromindo* cúpula, domo, abóbada. *Kôr* colina arredondada sobre a qual Túna (Tûn) foi construída. Nold. *corn, coron, Côr* (*koro*). [*Côr > Caur*, e o seguinte foi acrescentado:] [qen.] *korin* local circular cercado [cf. I. 311]; nold. *cerin*. Nold. *rhin-gorn* círculo [RIN]. Cf. ilk. *basgorn* [isto é, *bast-gorn* "pão redondo": MBAS].

KOT- lutar, disputar. *okta disputa, contenda: qen. *ohta* guerra. Nold. *auth* guerra, batalha; *cost* rixa, querela (*kot-t-*), qen. *kosta-* disputar. [A base foi alterada para **KOTH**, e o seguinte foi acrescentado:] qen. *kotumo* inimigo, *kotya* hostil. [nold.] *coth* inimizade, inimigo; cf. *Morgoth* — mas esse nome também pode conter GOTH. [Ver OKTÃ.]

KRAB- comprimir, pressionar. Nold. *cramb*, *cram* biscoito de farinha comprimida ou refeição (contendo geralmente mel e leite), usado em longas jornadas. [Verbete acrescentado.]

KŪ- **kukūwā* pomba; qen. *ku*, *kua*, nold. ant. *ku*, *kua*, (= *kūua*); nold. *cugu*. [Verbete acrescentado. O radical-base não foi fornecido, mas foi tirado de uma nota etimológica tardia.]

KUB- qen. *kumbe* monte, pilha; nold. *cumb*, *cum*. [Verbete acrescentado.]

KUƷ- arco. > *kuw*: qen. *kú* arco; nold. *cû* arco, crescente; *cúran* a lua crescente, ver RAN. [Acrescentado:] **kuʒnā*: nold. *cûn* curvado, dobrado; mas ilk. **kogna* > *coun*, *caun*, dan. *cogn*.

KUL- ouro (metal). Qen. *kulu*, nold. *côl*; qen. *kuluinn* de ouro. **KULU**- ouro (substância). Qen. *kulo*. [Esse verbete foi riscado e substituído de maneira descuidada pelo seguinte:] **KUL**-vermelho-dourado. Qen. †*kullo* ouro vermelho; *kulda*, *kulina* de cor de chama, vermelho-dourado; *kuluina* laranja; *kuluma* uma laranja; nold. *coll* vermelho (**kuldā*).

KUM- vazio. Qen. *kúma* o Vazio; *kumna* vazio; nold. *cûn* vazio. [As formas qen. foram mantidas, mas as noldorin foram alteradas para:] nold. ant. *kúma*, nold. *cofn*, *caun* vazio, mas em nold. exíl. [o Vazio era] chamado *Gast*, *Belegast* [cf. GAS].

KUNDŪ- príncipe. Qen. *kundu*; nold. *cunn*, especialmente em nomes como *Felagund*, *Baragund*. [Verbete acrescentado.]

KUR- ofício, arte. Qen. *kurwe* ofício. Nold. *curw*, curu; *curunir* mago; cf. *Curufin* [PHIN]. Cf. nold. *crum* ardil, manha; *corw* matreiro, ardiloso. [Verbete acrescentado. Nold. *crum* foi rejeitado; ver KURÚM.]

KURÚM- nold. *crum* a mão esquerda; *crom* esquerda; *crumui* canhoto (**krumbē, -ā*). [Verbete acrescentado. Cf. KHYAR.]

KUY- ganhar vida, acordar, reanimar. Qen. *kuile* vida, estar vivo; *kuina* vivo; *kuive* (substantivo) despertar; *kuivea* (adj.) desperto; *kuivie* = *kuive*, cf. *Kuiviénen*. Nold. *cuil* vida; *cuin* vivo; *echui(w)* despertar (**et-kuiwē*), daí *Nen-Echui* = qen. *Kuiviénen*. [Os seguintes acréscimos foram feitos:] nold. *cuino* estar vivo; *Dor Firn i guinar* Terra dos Mortos que Vivem.

KWAL- morrer com dor, agonizar. Qen. *qalme* agonia, morte; *qalin* morto; *unqale* agonia, morte. [Verbete acrescentado. Ver WAN.]

KWAM- qen. *qáme* doença, enfermidade; nold. *paw*; ilk. *côm*. [Verbete acrescentado.]

KWAR- mão cerrada, punho. Qen. *qár* mão (*qari*); nold. *paur* punho. [Esse radical não foi riscado, mas uma segunda forma dele foi inserida em outro lugar na lista:] **KWAR**- qen. *qáre* punho; nold. ant. *póre*; nold. *paur, -bor*, cf. *Celebrimbor* Punho-de-prata.

KWAT- qen. *qanta* repleto, cheio; nold. ant. *panta*; nold. *pant* repleto, cheio, cf. *Cambant* [KAB]; *pathred* plenitude; *pannod* ou *pathro* encher. [Verbete acrescentado.]

KWEL- desvanecer, definhar, mirrar. Cf. *Narqelion* esvanecer-do--fogo, outono, nold. *lhasbelin* [LAS[1]]. *kwelett*- cadáver: qen. *qelet, qeletsi.*

KWEN(ED)- Elfo. *kwenedē*: qen. *qende* Elfo; nold. *penedh*, pl. *penidh*; dan. *cwenda*. Qen. *Qendelie*, nold. *Penedhrim*. A palavra *Eledh* geralmente é empregada. [Verbete acrescentado.]

KWES- *kwessē*: qen. *qesse* pena; ilk. *cwess* penugem; nold. *pesseg* travesseiro, almofada (qen. *qesset*). [Verbete acrescentado.]

KWET- (e **PET**-) dizer. *kwetta*: nold. *peth* palavra. *kwentā* conto, história: nold. *pent*, qen. *qenta*; nold. *pennas* história. *kwentro* narrador: qen. *qentaro;* nold. *pethron*; dori. *cwindor*. [Acrescentado:] qen. *qetil* língua, idioma; *qentale* relato, história; *lúmeqentale* história [LU]. Nold. *gobennas* história, *gobennathren* histórico. Qen. *avaqet*- recusar, proibir [AWA]. [Quanto ao prefixo *go-*, ver WO.]

KWIG- Cf. KU3. *kwingā*: qen. *qinga* arco (para disparar); nold. *peng*. [Verbete adicionado.]

KYAB- provar, experimentar. Qen. *tyavin* eu provo.

KYAR- causar (cf. KAR). Qen. *tyar*- causar.

KYEL- chegar ao fim. Qen. *tyel*- terminar, cessar; *tyel* (*tyelde*) fim; *tyelima* final. Cf. TELES. [Verbete acrescentado.]

KYELEK- rápido, ligeiro, ágil. Qen. *tyelka*; nold. *celeg*, cf. *Celegorn* [GOR].

KYELEP- e **TELEP**- prata. Nold. *celeb* prata; qen. *telpe* e *tyelpe* prata; *telepsa* de prata, prateado = *telpina*, nold. *celebren*. Cf. *Irilde Taltelepsa = Idhril Gelebrendal*. [*celebren, Gelebrendal* foram alterados logo cedo a partir de *celebrin, Celebrindal*. O verbete foi reescrito assim:] **KYELEP**- (e **TELEP**?) prata. Nold. ant. *kelepe*, nold. *celeb*, prata; qen. *telpe* e *tyelpe* prata; *telemna*, nold. *celefn, celevon = telpina*, nold. *celebren*. Cf. *Irilde Taltelemna = Idhril Gelebrendal*. Tele. *telpe*; ilk. *telf*. O qen. *telpe* pode ser uma

AS ETIMOLOGIAS

forma telerin (os Teleri apreciavam especialmente a prata, assim como os Lindar o ouro), e nesse caso todas as formas podem se referir a KYELEP. [Quanto a *Idril* (*Idhril*), ver ID, e cf. *Irilde Taltelepta* nos *Contos Perdidos*, II. 261.]

L

[Os radicais L consistem em verbetes escritos levemente a lápis, por si só difíceis de serem lidos, mas que não foram muito alterados subsequentemente.]

LA- não. Qen. *lá* e *lala*, também *lau, laume* (= *lá ume* [UGU]), não, não, realmente não, pelo contrário; também usado para se fazer perguntas incrédulas. Como prefixo, *la-* > *l* [vocálico] > qen. *il*, nold. *al*, como em *Ilkorin*, nold. *Alchoron*, pl. *Elcheryn*. Qen. *lala-* negar. [Ver AR².]

LAB- lamber. Qen. *lamba* língua, nold. *lham(b)*. Qen. *lavin* eu lambo, também *lapsa* lamber (frequentativo). Nold. *lhefi* (*lhâf*).

LAD- Cf. DAL, LAT. Qen. *landa* vasto, amplo, largo, nold. *lhand, lhann*. Nold. *camland* palma da mão. Cf. *Lhothland, Lhothlann* (vazia e vasta), nome de uma região [LUS].

LAG- qen. *lango* espada larga; também a proa de um navio. Nold. *lhang* cutelo, espada.

LAIK- aguçado, afiado, agudo. Qen. *laike*, nold. *lhaeg*. Qen. *laike* agudeza, sutileza de percepção. Ilk. *laig* aguçado, afiado, fresco, vivaz (combinado com *laikwa* [ver LÁYAK]).

LAK¹- engolir; cf. LANK. Qen. *lanko* garganta.

LAK²- veloz, ligeiro (cf. ÁLAK). *lakra*: qen. *larka* veloz, ligeiro, rápido, também *alarka*; nold. *lhagr, lhegin*.

LÁLAM- olmo. Qen. *alalme*; nold. *lhalwen* (*lelwin*), *lhalorn*; dori. *lalm*. [Ver ÁLAM.]

LAM- qen. *lamya* soar; *láma* som ressoante, eco; *lamma* um som; *lámina* ecoante, ressoante; *nallǎma* eco. Dori. *lóm* eco, *lómen* ecoante, ressoante. Assim, em dori. *Lómendor, Lóminorthin*, noldorinizados > *Dorlómen, Ered Lómin*; nold. puro *Eredlemrin, Dorlamren*. Ver GLAM.

LAN- tecer. Qen. *lanya* tecer; *lanwa* tear; *lanat* trama; *lanne* tecido, pano.

LANK- qen. *lanko* garganta; nold. *lhanc*. [Esse radical foi escrito inicialmente LANG, com os derivados qen. *lango* (*langwi*), nold. *lhang*. Ver LAK¹.]

444

A ESTRADA PERDIDA E OUTROS ESCRITOS

LAP- qen. *lapse* bebê; nold. *lhaes.*

LAS¹- **lassē* folha: qen. *lasse,* nold. *lhass;* qen. *lasselanta* queda--das-folhas, outono, nold. *lhasbelin* (**lassekwelēne*), cf. qen. *Narqelion* [KWEL]. *Lhasgalen* Verdefolha, nome gnômico de Laurelin. (Alguns acreditam que esse radical é relacionado ao seguinte e a **lassē* "orelha". As orelhas quendianas eram mais pontudas e com forma de folha do que [?as humanas].)

LAS²- escutar, ouvir. Nold. *lhaw* orelhas (de uma pessoa, antigo dual **lasū -,* daí o singular *lhewig.* Qen. *lár, lasta-* escutar, ouvir; *lasta* ouvinte — *Lastalaika* "ouvidos-aguçados", um nome, cf. nold. *Lhathleg.* Nold. *lhathron* ouvinte, bisbilhoteiro (= **la(n)sro-ndo*); *lhathro* ou *lhathrado* ouvir/escutar às escondidas.

LAT- abrir. Qen. *latin(a)* aberto, livre, limpo (com relação a terreno); cf. *Tumbo-latsin.* Cf. *Tumladen* planície de Gondolin. Nold. *lhaden,* pl. *lhedin* aberto, desimpedido; *lhand* espaço aberto, superfície plana; *lhant* clareira em floresta. [Cf. LAD.]

LATH- fio, tira. Qen. *latta* correia; nold. *lhath* tira de [?couro]; cf. *hadlath, haglath* funda (KHAT).

LAW- quente, morno. **lauka* quente, morno: qen. *lauka,* nold. *lhaug.*

LÁWAR-, nold. **GLÁWAR-** **laurē* (luz da Árvore dourada *Laurelin*) ouro — o metal era propriamente *smalta,* ver SMAL; qen. *laure,* nold. *glaur,* oss. dori. *laur.* Daí nold. *glor-, lor-* em nomes, como *Glorfindel* [SPIN], *Inglor* [ID]. Cf. *Laurelin,* nold. *Galad-loriel; Rathloriel* [RAT]. Nold. *glawar* luz do sol, radiância de Laurelin; †*Glewellin.* [Ver GLAW(-R). Cf. QS §16: "Glewellin (que é o mesmo que Laurelin, canção de ouro)".]

LAYAK- **laik-wā:* qen. *laiqa* verde; nold. *lhoeb* visçoso, verdejante — "verde" somente no qen. *Laiqendi* Elfos-verdes, nold. *Lhoebenidh* ou *Lhoebelidh.* O ilk. *laig* é combinado com *laika* [LAIK].

LEB-, LEM- ficar, prender, aderir, permanecer, demorar. Qen. *lemba* (**lebnā*) deixado para trás, pl. *Lembi* Elfos que permanecem para trás = Ilkorins telerin; nold. *lhevon, Ihifnir.* [Ver p. 414.]

LED- ir, passar, viajar. Cf. qen. *lende* foi, partiu (*linna* ir). Nold. ant. *lende* foi, passou; *etledie* ir para o exterior, ir para o exílio; nold. *egledhi* ou *eglehio* ir para o exílio, *egledhron* exilado (nold. ant. *etledro*), *eglenn* exilado (nold. ant. *etlenna*). Em nold. *egledhron* com frequência era usado com o significado do ilk. *Eglath* = Eldar = Ilkorins [ver ÉLED, GAT(H)].

445

AS ETIMOLOGIAS

LEK- soltar, libertar. Nold. *lhein, lhain* livre, liberto; *lheitho* libertar, soltar; *lheithian* libertação, soltura. Qen. *leuka, lehta* soltar, afrouxar. Ilk. *legol* ágil, ativo, que corre livremente; cf. *Legolin*, o nome de um rio. [Uma anotação num pedaço de papel que acompanha essas etimologias diz o seguinte: "*Leth*- soltar, libertar (cf. LED); nold. exíl. *leithia* libertar, *leithian* libertação; cf. *Balada de Leithian*". Mencionei essa nota em III. 188, e na época o presente verbete me passou despercebido.]

LEP-, LEPET dedo. Qen. *lepse*; nold. *Ihebed*.

Cf. **LEP- (LEPEN, LEPEK)** cinco. Qen. *lempe*; nold. *lheben*. Qen. *lemnar* semana. A semana valiana tinha cinco dias, dedicados (1) a Manwe: *(Ar) Manwen*; (2) a Ulmo: *(Ar) Ulmo*; (3) a Aule e Yavanna: *(Ar) Veruen*, isto é, dos Cônjuges [BES]; (4) a Mandos e Lorien: *(Ar) Fanturion* [SPAN]; (5) aos três Deuses mais jovens, Osse, Orome e Tulkas, chamados *Nessaron* ou *Neldion* [NETH, NEL]. As 73 semanas eram divididas em 12 meses de 6 semanas. No meio do Ano havia uma semana separada, a seman do Meio-do-ano ou semana das Árvores, *Endien* [YEN] ou *Aldalemnar*, nold. *Enedhim, Galadlevnar*.

Nomes nold.: *Ar Vanwe*; *Ar Uiar* (Ulmo) [WAY]; *Ar Vedhwen* (*Bedū + ina*), ou *Ar Velegol* (Aule [ver GAWA]); *Ar Fennuir*; *Ar Nethwelein* = dos jovens Deuses, ou *Ar Neleduir* dos três reis.

[A forma dual "esposo e esposa" é dada como *besū* no verbete BES "casar", não como *bedū* aqui; de modo similar, em KHER, NDIS e NĪ são feitas referências no original a BED, não a BES. No então, não há indicação de qualquer alteração no próprio verbete BES. — Quanto ao elemento *Ar*, ver AR[1]. Nos nomes quenya dos dias, *Ae* foi escrito acima de *Ar*, mas *Ar* não foi riscado. — Quanto a "jovens Deuses", ver p. 145.]

LI- muitos. Qen. *lie* povo; *-li* sufixo pl., *lin-* prefixo = muitos, como *lintyulussea* que possui muitos choupos [TYUL], *lindornea* que possui muitos carvalhos [DÓRON]. Em nold., a desinência *-lin* "muitos" foi combinada com *rhim* > *lim, rim*.

LIB[1]- pingar, gotejar. Qen. *limba* uma gota; cf. *helkelimbe* [KHELEK].

LIB[2]- **laibā*: qen. *laive* unguento. O nold. apresenta GLIB-: *glaew* bálsamo. **libda*: qen. *lipsa*; nold. [*lhúð* >] *glúð* sabão.

LILT- dançar. Qen. *lilta-* dançar.

LIN[1]- lagoa. Qen. *linya* lagoa; nold. *lhîn*; ilk. *line*. Cf. *Ailin* [AY], *Taiglin*.

A ESTRADA PERDIDA E OUTROS ESCRITOS

LIN²- (originalmente GLIN) cantar. Qen. *linde* toada, melodia; nold. *lhind, lhinn*. Qen. *lindo* cantor, pássaro canoro: cf. *tuilindo* andorinha, nold. *tuilinn* [tuy], qen. *lómelinde* rouxinol, nold. *dúlinn*. Qen. *lindele música*. Cf. *Laurelin* (gen. sing. *Laurelinden*), mas esse nome também é compreendido como "ouro-pendente" (gen. sing. *Laure-lingen*): ver LING. *Lindon, Lhinnon* nome ilk. de Ossiriand: "terra musical" (*Lindān-d*), devido a água e pássaros; daí *Eredlindon*, = Montanhas de Lindon.
[*tuilindo* ("cantor-da-primavera"): cf. I. 324. Quanto à origem de *Lindon, Eredlindon* ver comentário a QS §108. — Ver GLIN.]

LIND- belo (especialmente com relação à voz); em qen. combinado com *slindā* (ver SLIN). Qen. *linda* belo, bonito, cf. *Lindar*; nold. *lhend* melodioso, doce; ilk. *lind*.

LING-, nold. **GLING**- pender. Qen. *linga*- pender, suspender; nold. *gling*. Cf. *Glingal* [e ver LIN²].

LINKWI- qen. *linqe* molhado, úmido. Nold. *lhimp*; *lhimmid* umedecer (pret. *lhimmint*).

LIP- qen. *limpe* (vinho), bebida dos Valar. [a primeira aparição de *limpe* desde os *Contos Perdidos*, onde era a bebida dos Elfos; quanto à antiga etimologia, ver I. 312.]

LIR¹- cantar, gorjear; em nold. *g-lir*- [ver GLIR]. Qen. *lirin* eu entoo.

LIR²- nold. ant. *líre* fileira, cadeia, nold. *lhîr* fileira. Cf. *oeglir* cadeia de picos de montanhas.

LIS- mel. Qen. *lis* (*lissen*); nold. *glî, g-lisi*. Cf. *megli* (*meglin* adj.) urso (*mad-lī* comedor-de-mel [MAT], kenning para *brôg*, ver MORÓK). Cf. *Meglivorn* = Urso-negro.

LIT- qen. *litse* areia; nold. ant. *litse* > *litthe*, nold. *lith*; cf. *Fauglith* [PHAU].

LIW- *liñwi* peixe: qen. *lingwe*; nold. *lhimb, lhim*; dori. *líw*.

LOD- *londē* caminho estreito, estreito, passo: nold. *lhonn* (cf. *Aglon*); cf. nold. *othlond, othlon* caminho pavimentado (*ost* cidade + *lond*). Qen. *londe* rota (no mar), entrada de enseada, cf. *Alqalonde*.

LOK- grande serpente, dragão. Qen. *lóke* (-*ī*) dragão; *angulóke* dragão [ANGWA], *rámalóke* dragão alado [RAM], *urulóke* dragão-de-fogo [UR], *fealóke* dragão-de-fagulha [PHAY], *lingwilóke* dragão-peixe, serpente-marinha [LIW]. Cf. nold. *lhûg, amlug, lhimlug*.

LOKH- qen. *lokse* cabelo; nold. *lhaws, lhoch* (*lokko*) cacho.

LONO- *lóna* ilha, terra remota difícil de ser alcançada. Cf. *Avalóna* [AWA] = Tol Eressea = a ilha exterior. [*A-val-lon* foi acrescentado aqui. *Avallon* aparece pela primeira vez na segunda versão de *A Queda de Númenor (§1)* como um nome de Tol Eressea com a explicação *"pois fica perto de Valinor".*]

LOS- sono. Qen. *olor* sonho, cf. *Lórien* = nold. *Lhuien*. Qen. *lóre* sono, *lorna* adormecido. Nold. *ôl* sonho, *oltha* [sonhar]. [Ver ÓLOS.]

LOT(H) flor. Qen. *lóte* (uma única) flor (grande); *losse* flor (geralmente, devido à associação com *olosse* neve, usado apenas para uma flor branca [ver GOLÓS]). Nold. *lhoth* flor; *gwaloth* flor, agrupamento de flores [WO]. Cf. *Wingelot, Wingelóte* Flor-de-Espuma, nold. *Gwingeloth* [WIG]; *Nimloth* [NIK-W] = Galathilion.

LU- qen. *lúme* tempo (cf. *lúmeqenta* história, relato cronológico, *lúmeqentale* história, *lúmeqentalea* histórico); *lú* uma época, ocasião. Nold. *lhû*. [Ver KWET.]

LUG¹- **lungā* pesado: qen. *lunga*; nold. *lhong*; dori. *lung*; cf. dori. *Mablung* [MAP].

LUG²- **lugni* azul: qen. *lúne*; nold. *lhûn* (dori. *luin* claro, pálido, fraco, dan. *lygn*). Cf. *Lúnoronti* Montanhas Azuis, nold. *Eredluin* (também *Lhúnorodrim, Lhúndirien* Torres Azuis) = *Eredlindon* Montanhas de Lindon (= Ossiriand). [Para uma ocorrência de *Lunoronti*, ver p. 44. *Luindirien* Torres azuis ocorre em uma nota de rodapé acrescentada a QS §108 (comentário).]

LUK- magia, encantamento. Nold. *lhûth* feitiço, encantamento; *lhûtha* encantar; *Lhúthien* feiticeira (dori. *Luithien*). Qen. *lúke* encantamento; *luhta* encantar. [A etimologia de *Lúthien* foi alterada para o seguinte:] dori. *luth*, daí *Luthien* (noldorizado como *Lhūthien*): **luktiēnē*.

LUM- qen. *lumbe* treva, sombra; *Hísilumbe*, nold. *Hithlum* [KHIS]. Em qen. a forma geralmente é *Hísilóme* por atração de *lóme* noite [DO3]. Nold. *lhum* sombra, *lhumren* sombreado.

LUS- nold. *lhost* vazio, cf. [*Mablothren* >] *Camlost* [KAB], *Lothlann* [LAD]. Qen. *lusta* vazio.

LUT- boiar, nadar. Qen. *lunte* barco; nold. *lhunt*. Nold. *lhoda* boiar.

M

[Os verbetes M estão meio apagados e são difíceis de interpretar, e alguns são muito confusos. Meu pai começou uma nova lista, escrevendo as etimologias de novo e claramente, mas a abandonou depois de lidar com os radicais em MA- e alguns outros (MBAD, MBER, MEL).]

A ESTRADA PERDIDA E OUTROS ESCRITOS

MAD- qen. *marya* pálido, claro, fulvo, castanho-amarelado. Nold. *meið, maið,* daí *Maidhros* (anglicizado *Maidros*) = "brilho--claro" [RUS].

MAȝ- mão. Quen. prim. **māȝ* (*maȝ-*) mão: qen. *mā;* nold. ant. *mō* (pl. *mai*) geralmente substituído por *kamba* (nold. *camm*): ver KAB. Daí **maȝiti* hábil, habilidoso, qen. *maite* (pl. *maisi*); nold. ant. *maite,* nold. *moed.* **maȝ-tā* lidar: eld. **mahtā-:* qen. *mahta-,* nold. ant. *matthō-be,* nold. *matho* passar a mão, sentir, lidar, manusear; empunhar, brandir (confundido com **maktā,* ver MAK).

Relacionado a **MAG**- usar, manusear, em **magrā* útil, próprio, bom (com relação a coisas): qen. *mára,* nold. *maer;* **magnā* habilidoso: nold. ant. *magnā,* nold. *maen* habilidoso, engenhoso, *maenas* ofício, habilidade manual, arte. [Na forma original desse verbete, o nome *Maidros* (ver MAD) foi colocado em MAG: *Maedhros = Maenros.*]

MAK- espada, ou como radical verbal: lutar (com espada), fender. **makla:* qen. *makil* espada; nold. *magl, magol.* **maktā:* qen. *mahta-* empunhar uma arma (combinado com *maȝ-tā,* ver MAȝ), lutar: daí *mahtar* guerreiro = nold. *maethor.* Nold. *maeth* batalha, luta (não de uma hoste em geral, mas de dois ou alguns combatentes), *maetha* lutar. Cf. *Maglaðûr* [cf. DOȝ?] ou *Maglaðhonn* = Espada-negra (como nome). Qen. *Makalaure* = Cortador-de--ouro, nome do quinto filho de Feanor, nold. *Maglor.*

[Na forma original desse verbete, as formas nold. do substantivo "espada" eram *megil, magol,* e o nome "Espada-negra" era *Megildur* (> *Magladhûr, Maglavorn*). Mesmo que essas formas fossem substituir *Mormakil, Mormegil* etc. como o nome de Túrin em Nargothrond, elas jamais apareceram nos textos.]

MAN- espírito sacro (um que não nasceu ou que passou pela morte). Qen. *manu* espírito que partiu; nold. *mān.* Cf. qen. *Manwe* (também emprestado e usado em nold. [ver WEG]).

MANAD- sina, fim último, fado, sorte (geralmente = ventura final). Qen. *manar, mande.* Nold. *manað.* Cf. nold. *manathon.* Em qen., esse radical é em parte combinado com MBAD, q.v. e cf. *Mandos, Kalamando.*

MAP- pegar com a mão, agarrar. Qen. *mapa-* segurar, agarrar. Nold. ant. *map-* agarrar, tomar à força. Ilk. (dor.) *mab* mão *(*mapā),* cf. *Mablung* [LUG[1]]. Ilk. *Ermab(r)in* uma-mão (de Beren: cf. *Mablosgen* mão-vazia = nold. *Erchamron, Camlost*). [As formas *Ermab(r)in* e *Erchamron* são certas.]

AS ETIMOLOGIAS

MASAG- sovar, tornar macio esfregando, sovando, etc. *mazgā*: qen. *maksa* maleável, macio; nold. ant. *mazga > maiga*, nold. *moe*, macio. *mazgē*: qen. *makse* massa (de farinha), nold. *moeas* massa. Ilk. *maig* massa.

MAT- comer. Qen. *mat*-; nold. *medi*. Quanto a *megli* urso, ver LIS.

MBAD- coação, constrangimento, prisão, sentença, inferno. *mbanda*: nold. *band, bann* coação, constrangimento, prisão; *Angband* Inferno (Prisão-de-ferro) (qen. *Angamanda*). Qen. *Mando* o Aprisionador ou Atador, geralmente alongado como *Mand-os* (*Mandosse* = Aprisionador Temível, nold. *Bannos* [GOS]. Combinado em qen. com MAN — daí *Kalamando* Mando da Luz = Manwe, *Morimando* Mando da Treva = Mandos. MBAD por sua vez é relacionado a BAD, q.v.

MBAKH- trocar. Qen. *manka*- comerciar; *makar* comerciante; *mankale* comércio. Nold. *banc, banga; bachor* mascate; *bach* artigo (para troca), mercadoria, coisa (*mbakhā*).

MBAL- qen. *malle* rua; *ambal* pedra modelada, laje.

MBAR- morar, habitar. Qen. *a-mbar* (*ambaron*) "oikoumenē", Terra; *Endamar, Ambarenya* Terra-média. Nold. *ambar, amar* Terra; *Emmerein, Emerin* (*Ambarenya*) Terra-média. *Martan(ō)* Construtor-da-Terra = Aule (nold. *Barthan*) [TAN]. *Gondobar, Findobar* [PHIN]. [Com o uso da palavra grega *oikoumenē* aqui, cf. *Cartas*, n. 154. — *Ambarendya* ocorre no *Ambarkanta*, IV. 285–87. — Com *Martan*, cf. I. 321, verbete *Talka Marda*. — *Findobar* era o filho de Fingon (p. 491).]

MBARAT- qen. *umbar* (*umbarten*) fado, sina, destino; nold. *ammarth*. Qen. *marta* predestinado, fadado; *maranwe* destino; *martya*- destinar. Nold. *barad* fadado; *bartho* fadar. Cf. *Turamarth*, qen. *Turambar* [aparentemente escrito assim sobre *Turumbar*].

MBAS- sovar. Qen. *masta*- assar, *masta* pão. Nold. *bast* pão; *basgorn* pão (redondo) [KOR].

MBAW- compelir, forçar, sujeitar, oprimir. Qen. *mauya*- compelir; *mausta* compulsão; *maure* necessidade. Nold. *baug* tirânico, cruel, opressivo; *bauglo* oprimir; *bauglir* tirano, opressor; *bui* (*mauy-*) (impessoal); *baur* necessidade. Cf. *Gothmog* (*Gothombauk-*) [GOS].

MBER- qen. *meren* (*merend-*) ou *merende* festa, festival; nold. *bereth*. Qen. *merya* festivo; *meryale* feriado. Nold. *beren* festivo,

450

alegre, jubiloso. [Esse radical foi primeiro MER, e as palavras nold., *mereth, meren*; mas um novo radical MER foi então introduzido e o antigo MER foi alterado para MBER, com as palavras nold. se tornando *bereth, beren*. O nome *Mereth Aderthad* nunca foi alterado nos textos.]

MBIRIL- (composto de MIR e RIL, q.v.) Qen. *miril* (*mirilli*) joia brilhante; *mirilya*- cintilar. Ilk. *bril* vidro, cristal; cf. *Brilthor* torrente cintilante.

MBOTH- dori. *moth* lagoa, *umboth* grande lagoa. Cf. qen. *motto* nódoa, nold. *both* poça, pequeno charco. Cf. *Umboth Muilin* [MUY] = nold. *Elinuial* ou *Hithliniath*.

MBUD- projetar. **mbundu*: qen. *mundo* focinho, nariz, cabo, promontório; nold. *bund, bunn*. Cf. **andambundā* de focinho longo, qen. *andamunda* elefante, nold. *andabon, annabon* [ÁNAD].

MEL- amar (como amigo). Qen. *mel*-; *melin* caro, querido, *melda* amado, caro, querido; *melme* amor; *melisse* (f.), *melindo* (m.) amante; *melima* amável, belo, *Melimar* = Lindar. Vocalismo irregular: **mālō* amigo, qen. *málo*. Nold. *meleth* amor; *mell* caro, querido; *mellon* amigo; *meldir* amigo, f. *meldis*; *melethron, melethril* amante, *mîl* amor, afeição; *milui* amigável, afetuoso, gentil.

MEN- qen. *men* lugar, local; *ména* região. Cf. *Númen, Rómen, Harmen* [ver KHYAR], *Tormen* [que é a forma no *Ambarkanta*, IV. 288–89, 292–93, alterado posteriormente para *Formen* (PHOR).]

MER- desejar, querer. Qen. *mere*, pret. *merne*. [Ver MBER.]

MERÉK- [Esse verbete foi riscado, e o radical MBERÉK foi escrito ao lado dele. Era o mesmo verbete BERÉK, q.v., exceto que a forma qen. aqui era *merka* "selvagem, indômito" em vez de *verka*, uma forma nold. *brerg* "selvagem, feroz" foi dada, e *bregol* foi traduzida "feroz".]

MET- fim, término. Qen. *mente* ponta, extremidade, fim; nold. *ment* ponta; *meth* fim (**metta*); *methen* fim. Qen. *metya*- pôr fim em.

MI- interior. Qen. *mi* em, dentro; *mir* e *minna* para dentro; *mitya* adj. interior.

MIL-IK- qen. *milme* desejo, ganância; *maile* luxúria; *mailea* luxurioso; *milya*- ansiar; *milka* ganancioso; *Melko* (**Mailikō*), nold. *Maeleg* (**-kā*). Nold. *melch* ganancioso; *mael* luxúria; *maelui* luxurioso. [A vogal temática *ae* nas palavras nold. foi alterada para *oe*: *Moeleg*, etc. O nome gnômico *Moeleg* de Melko ocorre no Q (IV. 97, 186).]

AS ETIMOLOGIAS

MINI- estar sozinho, destacar-se. Qen. *mine* um; *minya* primeiro; *minda* proeminente, conspícuo; *mindo* torre isolada. Nold. *min* um, *minei* (*miniia) único, distinto, singular; *minnas* torre, também *mindon* (*minitaun, cf. *tunn* [ver TUN]).

MINIK-W- qen. *minqe* onze.

MIR- qen., nold. ant. *míre*, nold. *mîr* joia, coisa preciosa, tesouro. Cf. *Nauglamîr* (forma doriathrin). *Mirion* nome nold. usual da *Silevril* (*Silmarilli*), pl. *Miruin*; = nold. *Golo(ð)vir* ou *Mîr in Geleið*, dori. *Goldamir*. [O nome *Borommīro* foi inserido: ver BOR.]

MIS- ir em liberdade, desviar-se, vagar, errar. Qen. *mirima* livre; cf. *Mirimor* = os Teleri. *mista-* perambular, vagar. Nold. *mist* error, vagueação; *misto* desviar-se; *mistrad* vagueação, error. [Na longa nota a QS §29 que fornece nomes "em canção e conto" das Gentes dos Elfos, um nome dos Teleri é "os Livres" (e outro, "os Errantes").]

MISK- qen. *miksa* molhado, úmido; nold. *mesg, mesc*.

MITH- nold. *mith* neblina branca, bruma úmida; cf. *Mithrim* [RINGI]. [Acréscimo posterior: *mith* = cinza, cinzento.]

MIW- lamuriar. Qen. *maiwe* gaivota, nold. *maew*. Qen. *miule* lamúria, piado.

MIZD- *mizdē: qen. *miste* chuva fina, chuvisco, garoa; nold. *mídh* orvalho; dori. *míd* umidade (adj. *méd* molhado, úmido, *mizdā); dan. *meord* chuva vida, chuvisco, garoa. Cf. nome dori. *Dolmed* 'Wet-head' [NDOL]. [Os radicais MISK-, MITH-, MIZD- evidentemente são relacionados, mas é quase impossível depreender pelas alterações no manuscrito qual era a intenção final de meu pai.]

MŌ- **mōl-*: qen. *mól* escravo, servo; nold. *mûl*. Qen. *móta-* labutar, trabalhar; nold. *mudo* (pret. *mudas*). [Cf. *Lhammas* §8: *múlanoldorin* > mólanoldorin, idioma dos Noldor escravizados por Morgoth.]

MOR- *mori preto, negro: qen. *more* preto, negro (nold. †*môr*); *mordo* sombra, obscuridade, mancha; *móre* negrume, escuridão, noite; *morna* escuro, sombrio; *morilinde* rouxinol (ilk. *murulind, myrilind*). Nold. *maur* treva; *moru* preto, negro. Ilk. *môr* noite. *Meglivorn*: ver LIS, MAT. *Morgoth* Sombrio Inimigo [KOT] = Melko. *Morimando* = Mandos [ver MBAD]. *Moriqendi* Elfos Escuros = *Morimor*, nold. *Duveledh* ou *Dúrion* [DOƷ]. [Esse verbete é extremamente confuso pelas alterações e acréscimos posteriores, e tentei organizar o material de uma forma

A ESTRADA PERDIDA E OUTROS ESCRITOS

mais sequencial. No entanto, não está claro que a intenção era de que todas as formas apresentadas permanecessem.]

MORÓK- *_mórókō_ urso: qen. _morko_; nold. _brôg_; ilk. _broga_. [Ver LIS.]

MOY- qen. _moina_ familiar, caro, prezado; nold. ant. _muina_, nold. _muin_ caro, prezado. [Ver TOR.]

MŪ- não. [Ver UGU, UMU.]

MUY- qen. _muina_ oculto, secreto; _muile_ segredo, sigilo. Dori. _muilin_ secreto, velado; _Umboth Muilin_ lagoa velada = nold. _Lhîn Uial_ ou _Eilinuial_. Dori. _muil_ crepúsculo, sombra, imprecisão. (Não em nold., pois se tornou idêntico a _moina_ [MOY].)

N

[Os verbetes N não foram refeitos, e permanecem em suas formas originais extremamente difíceis. Os radicais com uma consoante nasal posterior inicial (seguida pela oclusiva _g_), representados no manuscrito por uma forma especial da letra _n_, foram impressos ÑG- aqui.]

NĀ[1]- [Cf. ANA[1]] qem. _an, ana, na_ para, a, em direção a, prefixo _ana-_. Nold. _na_ com, por, prefixo _an-_. Também usado como sinal genitivo.

NĀ[2]- [Cf. ANA[2]] ser, estar. Radical do verbo "ser, estar" no qen. Cf. _nat_ coisa, nold. _nad_.

NAD- qen. _nanda_ prado-d'água, planície irrigada. Nold. _nand, nann_ vasta pastagem; _naðor, naðras_ pasto. Dori. _nand_ campo, vale. Cf. _Nandungorthin, Nan Tathren_.

NAK- [Cf. ÁNAK] morder. Qen. NAK- morder; nold. _nag-_. Qen. _nahta_ uma mordida; nold. _naeth_ mordida, ranger de dentes [ver NAY]. Nold. _naew_ (*_nakma_), qen. _nangwa_ mandíbula. Cf. *_an-kā_ mandíbula, fileira de dentes: qen. _anka_, nold. _anc_; _Anc-alagon_ "Tormenta-Mordedora", nome de dragão [ÁLAK].

NAN- nold. _nana_ (hipocorístico) mãe; _naneth_. [Ver AM[1].]

NAR[1]- chama, fogo. Qen. _nár_ e _náre_ chama, cf. _Anar_ Sol; _narwā_ vermelho ardente. Nold. _naur_ chama; _Anar_ Sol; _narw, naru_ vermelho. Cf. _Egnor_ [EK], etc.; quanto a _Feanor_, ver PHAY. Qen. _narqelion_ "esvanecer-do-fogo", outono [KWEL]. [A forma nold. _Anar_ está clara. Ver ANÁR.]

NAR[2]- (qen. _nyar-_) contar, relatar. Qen. _nyáre_ conto, saga, história, _lumenyáre_ [LU]; _nyarin_ eu conto. Nold. ant. _naróbe_ ele conta uma história (pret. *narne*), *trenare* ele reconta, conta até o final (inf. *trenarie*). Nold. †*naro* contar; *treneri* (*nennar*), pret. *trenor*, *trener*; *trenarn* relato, conto (nold. ant. *trenárna*); *narn* conto, saga (qen. *nyarna*). [Quanto ao prefixo *tre*-, ver TER.]

NÁRAK- despedaçar, rasgar (tr. e intr.). *narāka precipitado, rápido, violento: qen. *naraka* duro, severo, despedaçador, violento; nold. *narcha*- despedaçar, qen. *narki*. Nold. *Narog* nome de rio; *Nar(o)gothrond* [os] = fortaleza de Narog; *Narogardh* = reino de Narog.

NAS- ponta, extremidade afiada. Qen. *nasse* espinho, cravo; *nasta*-espetar, picar. Nold. *nass* ponta, extremidade afiada; ângulo ou canto (cf. BEN); *nasta* espetar, apontar, fincar, enfiar. Cf. SNAS, SNAT.

NAT- (cf. NUT) amarrar, tecer, atar. Qen. *natse* teia, rede; nold. *nath* teia; dori. *nass*. Nold. *nathron* tecelão, tecedor; *gonathra*-enredar, emaranhar, *gonathras* emaranhamento. [Quanto ao prefixo *go*-, ver WŎ.]

NAUK- qen. *nauko* anão. Nold. *naug*. Cf. *Nogrod* cidade-anânica [cf. ROD?]. Também na forma diminutiva *naugol* (*naugl*-). O nome *Nauglamîr* é estritamente doriathrin, onde o genitivo em *-a(n)* vinha primeiro. A expressão em noldorin verdadeiro é *mîr na Nauglin* ou *Nauglvir* > *Nauglavir*.

[O nold. *naug* foi riscado e substituído por: "nold. *nawag* (pl. *neweig, neweg*); dori. *naugol*, donde o nold. exíl. *naugl*'; mas o resto do verbete permaneceu como tal. O radical NÁWAK foi escrito ao lado de NAUK.]

NAY- lamentar, *naeth* (*nakt*-) "mordida" é associado em nold. com esse radical, e possui sentidos de ranger os dentes de pesar: cf. *Nírnaeth Arnediad* (ou *Aronoded*) [NOT]. Qen. *naire* lamento, *naina*- lamentar. Nold. *noer* adj. triste, lamentável; *nae* ai (de mim), qen. *nai*. Qen, nold. ant. *noi, nui* lamento (*naye); *Nuinoer, Nuinor*, nome da irmã de Túrin.

NÁYAK- (ou talvez NAYKA-, elaboração de NAK, q.v.) dor. Qen. *naike* dor aguda; *naikele*; *naikelea* doloroso. Nold. *naeg* dor; *negro* doer.

NDAK- matar. Nold. ant. *ndakie* matar, pret. *ndanke*; *ndagno* morto (como substantivo), cadáver; *ndakro* matança, batalha. Nold. *degi* matar; *daen* cadáver; *dangen* morto, cf. *Hauð i Ndengin*; *dagr, dagor* batalha; *dagro* lutar, batalhar, guerrear. *ndākō guerreiro, soldado: nold. ant. *ndóko*, nold. *daug* usado

A ESTRADA PERDIDA E OUTROS ESCRITOS

principalmente com relação aos Orques, também chamados *Boldog*. [*Boldog* é um capitão-orque na *Balada de Leithian* e em Q §10. O significado aqui é de, além de *daug*, *Boldog* também era usado; ver ÑGWAL.]

NDAM- martelar, bater. Qen. *namba* um martelo, *namba-* martelar. *Nambarauto* martelador de cobre, sexto filho de Fëanor, nold. *Damrod* [RAUTĀ]. Nold. *dam* um martelo, *damna-* martelar (pret. *dammint*).

NDAN- atrás, para trás. (Cf. *Danas*; nold. *Dân*, pl. *Dein*, *Daðrin*). Qen. *NAN-* (prefixo) para trás. Dori. *dôn* parte de trás (substantivo). Cf. qen. *nā*, *nān* mas, pelo contrário, por outro lado, *a-nanta* e ainda assim, mas ainda. [Ver DAN, e comentário a *Lhammas* §7.]

NDER- forma reforçada de *der* homem (ver DER). **ndēro* noivo > eldarin *ndær*, qen. *nér* homem (combinado com *dér*); nold. ant. *ndair*, nold. *doer* noivo. Cf. *Ender* cognome de Tulkas (*Endero*), assim como *Indis* (ver NDIS) o de sua esposa.

NDEW- seguir, vir atrás. Qen. *neuna* (**ndeuna*) segundo; **ndeuro* seguidor, sucessor: qen. *neuro*, cf. dori. *Dior* sucessor (isto é, de Thingol). O radical é confundido com NDŪ "afundar" em nold.

NDIS- Fortalecimento (análogo a NDER de DER) de NIS "mulher", por sua vez elaborado a partir de INI.

NDIS-SĒ/SĀ qen. *nisse* além de *nis* (ver NIS, NĪ) mulher. Nold. ant. *ndissa* mulher jovem, moça (em nold., *dess* foi combinado com *bess*, que é propriamente "esposa"); **ndīse* noiva > nold. ant. *ndîs*, nold. *dîs*. Forma intensificadora **i-ndise* = qen. *Indis* "noiva", nome da deusa Nessa.

NDOL- qen. *nóla* topo redondo, outeiro; nold. *dôl* (nold. ant. *ndolo*) cabeça. Cf. qen. *Andolat* nome de colina, nold. *Dolad*. Nold. *dolt* (pl. *dylt*) saliência arredondada, protuberância. Cf. dori. *Ndolmed*, *Dolmed* = Cabeça Úmida, nome de uma montanha nas Eredlindon.

NDOR- habitar, ficar, repousar, morar. Qen. *nóre* terra, habitação, região onde certo povo vive, como *Vali-nóre* (*Valinor*). A vogal longa em qen. deve-se à confusão com *nóre* clã (NŌ; ONO). Nold. *dor* (**ndorē*); *dortho-* habitar, ficar. Cf. *Endor* = *Endamar* Terra--média. *Doriath*: ver GATH. [Em ÉNED, *Endor* é definida como "centro do mundo". Ver IV. 299–300.]

NDŪ- (ver também NŬ) baixar, afundar, pôr-se (com relação ao Sol, etc). Associado em nold. com DOƷ noite, também com

NDEW. Qen. *númen* oeste (ver MEN), *númenya* ocidental; *núta* pôr-se, baixar (o Sol ou a Lua); *andûne* (*ndûnê*) ocaso, poente. Nold. *dûn* oeste, além de *annûn* usado como oposto de *amrûn* (ver AM); também *dúven* [?meridional].

[Notas rabiscadas nas margens fornecem: "*Númenóre* e *Andúnie=* = Terra de Grandes Homens (após a Última Batalha), NDUR, NUR curvar-se, obedecer, servir; *núro* ocaso, poente; cf. -*dûr* no nome *Isildur*". No QdN I (§2), *Andúnie* também era o nome da terra de Númenor, não (como no QdN II) de sua principal cidade.]

NDUL- Ver DUL. *ndulla*: qen. *nulla* sombrio, escuro, obscuro; nold. *doll*, cf. *Terendul*.

NÉD- Ver ÉNED. meio, centro. Nold. *enedh* âmago, centro; qen. *ende*. Mas o nold. *nedh-* como prefixo = meio-.

NEI- lágrima. Qen. *níre*, *nie* lágrima; cf. *nieninqe* galanto (lit. "lágrima-branca") [NIK-W], *Nienna*. Nold. *nîr lágrima, choro; nírnaeth* lamentação [NAY]; *nîn* (*neinê*) lágrima, *nínim* galanto (*nifredil*). Qen. *níte* (*neiti-*) úmido, orvalhoso; nold. *nîd* úmido, molhado; lacrimoso. *neiniel-*: nold. *niniel* lacrimosa.

NEL- três. **NÉL-ED**- três: qen. *nelde*; nold. *neledh*, posteriormente *neled* (à maneira de *canad* quatro). Prefixo *nel-* tri-. *nelthil* triângulo (*neltildi*) [TIL]. Doriathrin *neldor* faia. Cf. *Neldoreth* nome de uma floresta em Doriath, propriamente o nome de *Hirilorn* a grande faia de Thingol com três troncos = *neld-orn*? [ver ÓR-NI]. O nome nold. é *brethel*, pl. *brethil* (cf. Floresta de Brethil); ver BERÉTH [onde *brethil* é fornecido como o singular]. o nome dori. próprio era *galdbreth* > *galbreth* [GALAD].

NÉL-EK- dente. Qen. *nelet*, *nelki*. Nold. amt. *nele*, *neleki*; nold. *nêl*, *neleg*.

NEN- qen. *nén* (*nen-*) água; nold. *nen* (pl. *nîn*). Qen. *nelle* (*nen-le*) córrego; *nende* lagoa; *nenda* aquoso, molhado. Nold. *nend, nenn* aquoso. Cf. *Ui-nend*, qen. *Uinen* [UY].

NEŃ-WI- nariz. Qen. *nengwe, nengwi; nengwea* nasal. Nold. *nemb, nem*; dori. *nîw*.

NÊR- radical qen. para o quend. prim. *der-* homem, derivado da influência de *ndere* e *nī, nis*: ver NĪ, DER, NDER.

NÉTER- nove. Qen. *nerte*; nold. *neder*.

NETH- jovem. Qen. *Nessa* deusa, também chamada *Indis* (noiva): ver NĪ, NDIS. *nessa* jovem (*neth-rā*); *nése* ou *nesse* juventude; *nessima* juvenil, jovem. Nold. *nîth* juventude (*nēthē*); *neth* jovem (*nethra*); *Neth* ou *Dineth* = Indis Nessa.

ŃGAL- / ŃGALAM- falar alto ou incoerentemente. Qen. *ñalme* clamor; nold. *glamb, glamm* (*ngalámbe*, influenciado por *lambe* [LAB]) fala bárbara; *Glamhoth* = Orques. Ver LAM, GLAM. [O radical foi alterado subsequentemente para ŃGYAL- e o qen. *ñalme* para *yalme*.]

ŃGAN-, ŃGÁNAD- tocar (em instrumento de corda). Qen. *ñande* uma harpa, *ñandelle* pequena harpa; *ñandele* harpejar [substantivo]; *ñanda-* harpejar; *ñandaro* harpista. Nold. *gandel, gannel* uma harpa; *gannado* ou *ganno* tocar uma harpa; *talagant* [> *talagand*] harpista (*tyalañgando*), cf. *Talagant* [> *Talagand*] de Gondolin [TYAL]. Ilk. *gangel, genglin*. [*Talagant* não aparece em nenhuma fonte literária, mas cf. *Salgant* no conto *A Queda de Gondolin*, o covarde, mas não completamente desinteressante, senhor do Povo da Harpa: II. 211, 230, etc.]

ŃGAR(A)M- dori. *garm* lobo; nold. *garaf*; qen. *ñarmo, narmo*.

ŃGAW- uivar. Nold. *gaur* lobisomem; qen. *ñauro*. Nold. *gaul*, qen. *naule* uivo de lobo. Nold. *gaw-* uivar; *gawad* uivo.

ŃGOL- sábio, sabedoria, ser sábio. Qen. *ñolwe* sabedoria, saber secreto; *ñóle* sabedoria; *ñóla* sábio, erudito; †*ingole* saber profundo, magia (nold. †*angol*). Nold. †*golw* saber, *golwen* (*ngolwina*) sábio, versado em artes profundas; *goll* (*ngolda*) sábio; *gollor* mago; *gûl* magia. Dori. *ngol, gôl* sábio, mágico; *(n) golo* magia, saber; *durgul, mor(n)gul* feitiçaria.

ŃGOLOD- alguém da gente sábia, Gnomo. Qen. *ñoldo*; nold. ant. *ngolodo*, nold. *golodh*, pl. *goeloeidh, geleidh* e *golodhrim*; tele. *golodo*, dori. *(n)gold*; dan. *golda*. Qen. *Ingolonde* Terra dos Gnomos (Beleriand, mas antes aplicado a partes de Valinor); nold. *Angolonn* ou *Geleidhien. Golovir (Mîr in Geleidh)* = Silmaril; dor. *Goldamir*; qen. *Noldomíre* [MIR].

ŃGOROTH- horror (cf. GOR; GOS, GOTH). Nold. *Gorgoroth* medo mortal (*gor-ngoroth*), cf. (*Fuin*) *Gorgoroth*, nome posterior de Dorthanion, também chamada *Taur-na-Fuin* ou *Taur-na--Delduath*. Cf. o nome dori. *Nan Dungorthin* (dori. *ngorthin* horrível, *dunn* preto, negro); dori. *ngorth* horror = nold. *goroth, Nan Dongoroth* ou *Nann Orothvor* [ver DUN].

ŃGUR- nold. ant. *nguru, ngurtu*; nold. *gûr* Morte, também *guruth* [ver WAN]. Qen. *nuru, Nuru* (personificada) = Mandos; *Nurufantur = Mandos Gurfannor* [SPAN]. Cf. *Gurtholv* [> *Gurutholf*] "Vara da Morte", nome de espada [GÓLOB].

AS ETIMOLOGIAS

ŊGWAL- atormentar. Qen. *ungwale* tortura; *nwalya*- doer, atormentar; *nwalka* cruel. Nold. *balch* cruel; *baul* tormento, cf. *Bal*- em *Balrog* ou *Bolrog* [RUK], e o nome-órquico *Boldog* = guerreiro-órquico "Matador Atormentador" (cf. NDAK).

ŊGYŌ-, ŊGYON- neto(a), descendente. Qen. *indyo*; tele. *endo*; nold. ant. *ango* (não se encontra em nold.). Cf. YŌ, YON.

NĪ[1]- mulher — relacionado a īni fêmea, mulher, contraparte de 3AN macho, varão. Em qen., *ní* era arcaica e poética, e geralmente substituída por *nis*, pl. *nissi*, ou por *nisse*, pl. *nissi*. Ver NIS, NDIS. Em qen., o quend. prim. *dēr* "homem" tornou-se *nér* (e não *lér*) devido à combinação com *ndēr* "noivo" e à influência de *nī*, *nis* (ver DER, NDER).

Em nold. ant., *nî* "mulher", posteriormente > *dî* através da influência de *dîr* [ver DER]; mas *dî* era apenas rara e poética ("noiva, senhora"): era substituída no sentido de "mulher" por *bess* [ver BES], e no sentido de "noiva" pelo comp. *di-neth* (ver NETH). *Dineth* também é o nome nold. da deusa *Neth* = qen. *Nessa*, e *Indis*.

NĪ[2]- = eu.

NIB- face, fronte, rosto. Nold. *nîf* (**nībe*) fronte, face, rosto. Dori. *nef* face; *nivra*- encarar, enfrentar, ir em frente; *nivon* oeste, *Nivrim* Marca-oeste, *Nivrost* Vales-do-oeste [ROS[2]]. [*Nivrim* "Marca-oeste" ocorre em QS §110, e *Nivrost* "Vale do Oeste" em QS §106.]

NID- recostar-se. **nidwō* apoiar, escorar, amortecer: qen. *nirwa*; nold. ant. *nidwa*, nold. *nedhw*.

NIK-W- qen. *niqe* neve; *ninqe* branco (**ninkwi*); *nieninqe* "lágrima branca" = galanto [NEI]; *ninqita*- brilhar (com cor branca); *ninqitá*- branquear; *ninqisse* brancura, alvura. *Taniqetil(de)* = Alto Chifre Branco = nold. *Nimdil-dor* (**Ninkwitil(de) Tára*). Nold. *nimp* (*nim*) pálido; *nifred* palidez, medo; *nimmid* branquear (pret. *nimmint*); *nifredil* galanto; *nimred* (*nimpred*) palidez.

NIL-, NDIL- amigo. Qen. *nilda* amigável, amável; *nildo* (e *nilmo*), f. *nilde*, amigo; *nilme* amizade. Em nomes -*nil*, -*dil* = inglês antigo *wine*, como *Elendil* (**Eled-nil*) = Ælfwine; *Herendil* = Eadwine [ver KHER].

NIN-DI- frágil, fino. Qen. *ninde* delgado, esbelto; nold. *ninn*.

NIS- Provavelmente uma elaboração de INI, NĪ; contraparte feminina de DER "homem". Qen. *nis*, *nissi* (ver NĪ).

NÕ- (cf. ONO) gerar, originar. Qen. *nóre* país, terra, raça (ver NDOR). Nold. *nûr* raça; *noss* (= qen. *nosse*) clã, família, "casa", como *Nos Finrod* Casa de Finrod. Qen. *onóro* irmão, *onóne* irmã. Nold. ant. *wanúro*, nold. *gwanur* [wǒ].

ÑOL- cheirar (intr.). Qen., lind. *holme* odor. Nold. *ûl* odor (*ñōle); *angol* fedor.

NOROTH- qen. *norsa* um gigante.

NOT- contar, computar. Qen. NOT- contar, computar, *onot*- contar, somar; *nóte* número. Nold. *noedia* contar; *gonod*- contar, computar, somar; cf. *arnoediad, arnediad,* além de *aronoded*, inumerável, incontável, infindável; *gwanod* narração, enumeração [ver wǒ].

NOWO- pensar, forma uma ideia, imaginar. Qen. *noa* e *nó*, pl. *nówi*, concepção; *nause* imaginação (*naupe). Nold. *naw*, pl. *nui*, ideia; *nauth*- pensamento; *nautha*- conceber, imaginar.

NÚ- Cf. NDŪ. Qen. *nún* adv. embaixo, debaixo, abaixo; *no* prep, sob. Nold. *no* sob, com artigo *nui* (*Dagor nuin Giliath*). *nūrā, ou o radical separado NUR; qen. *núra* fundo, profundo; nold. *nûr*. Cf. *Nurqendi* = Gnomos; *Núron*, nome nold. de Ulmo.

NUT- amarrar, atar. Qen. *nutin* eu ato; *núte* laço, nó; *nauta* compelido, obrigado. Nold. *nud*-; *nûd* laço; *naud* compelido.

NYAD- roer. *nyadrō: qen. *nyano* rato; nold. *nâr* (= *naðr*).

NYEL- soar, cantar, emitir um som gracioso. Qen. *nyello* cantor; *nyelle* sino; tele. *Fallinel* (*Fallinelli*) = Teleri [PHAL]. Nold. *nell* sino; *nella*- tocar sinos; *nelladel* repicar de sinos. Qen. *Solonyeldi* = Teleri (ver SOL); na forma telerin, *Soloneldi*.

O

OKTÃ- Ver KOT. Qen. *ohta* guerra. Nold. *auth*. Ilk. *oth*.

ÓLOS- sonhar. Qen. *olor* sonho, *Olofantur* (*s-f* > *f*) = *Lórien*. Nold. [*olt* >] *ôl* (pl. *elei*); *oltha*- sonhar (*olsa-); *Olfannor* (= *Olo(s)--fantur*) [SPAN] = Lórien. [Ver LOS.]

OM- qen. *óma* voz; *óman, amandi* vogal.

ONO- gerar, procriar (ver NŌ). Qen. *onta*- gerar, criar (pret. *óne, ontane*); *onna* criatura; *ontaro* (*ontáro*) progenitor, pai (f. *ontare*); *ontani* pais, progenitores. Nold. *odhron* pai (ou mãe) (*odhril*); (*onrō) *ed-onna* gerar; *ûn* criatura.

ORO- para cima, em cima, acima; levantar, erguer; alto; etc. (cf. RŌ). Qen. *óre* subida, elevação, *anaróre* nascer do sol; *orta*- levantar, erguer, elevar. Nold. *or* prep. acima; prefixo *or*- como em

AS ETIMOLOGIAS

orchall, *orchel* superior, eminente (ver KHAL[2]); nold. ant. *ortie*, *orie* levantar(-se), erguer(-se), *ortóbe* levantar, erguer; nold. *ortho* levantar, erguer (*orthant*); *erio* erguer(-se), levantar(-se) (†*oronte* levantou(-se), ergueu(-se)).

ÓROT- elevação, montanha. Qen. *oron* (pl. *oronti*) montanha; *orto* topo de montanha. Nold. ant. *oro*, pl. *oroti*, além de *oroto*; nold. *orod* (pl. *ereid*, *ered*) montanha; *orodrim* cadeia de montanhas (ver RIM). Dori. *orth*, pl. *orthin*. Cf. *Orodreth*; *Eredwethion*, *Eredlindon*, *Eredlemrin*, *Eredengrin*.

ÓR-NI- árvore alta. Qen. *orne* árvore, árvore alta isolada. Nold., dori. *orn*. Em Doriath usado especialmente para a faia, mas como sufixo em *regorn* etc., usado para qualquer árvore de qualquer tamanho. Em nold. usado para qualquer árvore grande — azevinho, espinheiro etc. eram classificados como *toss* (*tussa*) arbusto [TUS]: assim, *eregdos* = azevinho [ERÉK]. O nold. *orn* possui o pl *yrn*.

ÓROK- *órku* gobelim: qen. *orko*, pl. *orqi*. Nold. ant. *orko*, pl. *orkui*; nold. *orch*, pl. *yrch*. Dori. *urch*, pl. *urchin*. Dan. *urc*, pl. *yrc*.

ORÓM- *Orōmē*: qen. *Orome*; nold. ant. *Oroume*, *Araume* > exílico *Araw*, também chamado *Tauros*. Ver ROM.

OS- em volta, ao redor, acerca. Nold. *o* sobre, acerca, *h* antes de vogal como *o Hedhil* acerca dos Elfos; *os*- prefixo "ao redor", como *esgeri* secionar, amputar (3ª sing. *osgar*). Qen. *osto* cidade, cidade com uma muralha ao redor. Nod. *ost*; *othrond* fortaleza, cidade em cavernas subterrâneas = *ost-rond* (ver ROD). Cf. *Belegost*, *Nargothrond*.

OT- (**OTOS, OTOK**) sete. Qen. *otso*; nold. *odog*. Qen. *Otselen* Sete Estrelas, nold. *Edegil*, = Ursa Maior ou *Valakirka* Foice dos Deuses.

OY- sempre, eterno. Qen. *oi* sempre; *oia* (*oiyā*) sempiterno; *oiale*, *oire* [?era] sempiterna, perpétua; *oira* eterno. *Oiolosse* "Neve sempiterna" = Taniqetil = nold. ant. *Uigolosse*, nold. *Uilos*, *Amon Uilos*; *uir* eternidade; *uireb* eterno. Qen. *Oiakúmi* = *Avakúma*. [Esse verbete substituiu o em GEY, que por sua vez substituiu EY.]

P

PAD- qen. *panda* local cercado. Nold. em *cirban* porto; *pann* pátio.

PAL- vasto, amplo, escancarado. Qen. *palla* amplo, vasto, extenso; *palu-*, *palya-* escancarar, espalhar, expandir, extender; nold. *pelio*

A ESTRADA PERDIDA E OUTROS ESCRITOS

espalhar. Qen. *palme* superfície; nold. *palath* superfície. Qen. *palúre* supefície, âmago, seio da Terra (= inglês antigo *folde*), daí *Palúrien* cognome de Yavanna. [Acréscimo posterior:] *palan-* remoto, distante, vasto, em grande medida; *palantir* uma pedra de visão longínqua.

PALAP- qen. *palpa*- bater. Nold. *blebi* para *plebe; *blâb* agito, bater (de asas, etc.)

PAN- colocar, pôr, fixar no lugar (especialmente madeira). Qen. *panya*- fixar, pôr; nold. *penio*. Qen. *pano* pedaço de madeira moldada. *panō: prancha, tábua fixada, especialmente num assoalho: nold. ant. *pano, panui*, nold. *pân, pein*; *panas* chão, assoalho. Qen. *ampano* construção (especialmente de madeira), salão de madeira.

PAR- compor, reunir, juntar. *parmā: qen. *parma* livro, nold. ant. *parma*, nold. *parf* (*perf*). Qen. *parmalambe* língua dos livros = qenya. Nold. ant. *parthóbi* arranjar, compor.

PÁRAK- qen. *parka* seco; nold. ant. *parkha*, nold. *parch*.

PAT- (cf. PATH) *pantā abrir: qen. *panta*, obsoleto em nold. ant. devido à coalescência com *qanta* repleto, cheio. Qen. *panta-* desfraldar, espalhar, abrir. Nold. *panno* abrir, estender; *pann* (*patnā) amplo, largo, vasto.

PATH- *pathnā: nold. ant. *pattha*, nold. *path*; qen. *pasta* liso. *pathmā: nold. ant. *pathway*, nold. *pathw* espaço plano, gramado.

PEG- boca. Qen. *pē*.

PEL- revolver sobre um ponto fixo. Qen. *pel*- girar, revolver, retornar. *peltakse: qen. *peltas*, pl. *peltaksi* eixo; nold. ant. *pelthaksa*, nold. *pelthaes* eixo (ver TAK).

PEL(ES)- nold. ant. *pele* (pl. *pelesi, peleki*) [inglês antigo] "*tūn*", campo cercado. Nold. *pel*, pl. *peli*. Qen. *peler; opele* casa ou aldeia murada, "vila, povoado"; nold. *gobel*, cf. *Tavrobel* (aldeia de Túrin na floresta de Brethil, e o nome da aldeia em Tol Eressea) [TAM]; *Tindobel* = aldeia iluminada por estrelas [TIN]. [Quanto a essa referência notável a Tavrobel, ver pp. 502–03.]

PEN-, PÉNED- qen. *pende* encosta, declive, ladeira; *ampende* aclive, *penda* inclinado (para baixo). Nold. *pend, penn* declive, ladeira; *ambenn* para cima; *dadbenn* para baixo, inclinado, debruçado [ver AM², DAT]. Nold. *pendrad* ou *pendrath* passagem ladeira acima ou abaixo, escadaria. [Ver nota a DEN.]

PER- dividir no meio, cortar pela metade. Qen. *perya, perina*; nold. *perin*, cf. *Peringol* = meio-Elfo, ou Gnomo. [Cf. *Beringol* e

461

Peringiul "Meio-Elfo" e "Meio-Elfos", respectivamente, comentário ao anal 325 do AB 2; também *Pereldar* "Meio-eldar", Danas, em QS §28. As palavras intrigantes "ou Gnomo" talvez devam ser interpretadas como "meio-Elfo, ou antes meio--Gnomo (*perin + ñgol*)".]

PERES- afetar, perturbar, alterar. Nold. *presto* afetar, incomodar, perturbar; *prestannen* "afetado", com relação a uma vogal [isto é, "modificada", "que sofreu mutação"]; *prestanneth* "afeição" de vogais. Nold. ant. *persōs* afeta, concerne. [Esse verbete encontra--se em um pedaço de papel separado.]

PHAL-, PHÁLAS- espuma. Qen. *falle* espuma; *falma* onda (cristada); *falmar* ou *falmarin* (*falmarindi*) espírito-do-mar, ninfa; *falasse* praia; *Falanyel*, pl. *Falanyeldi* = *Solonel*, nome dos Teleri, também na forma telerin *Fallinel* (ver NYEL). Nold. *falf* espuma, onda que se quebra; *faltho* (nold. ant. *phalsóbe*) espumar; *falas* (pl. *feles*) praia, costa, como nome próprio *i Falas* costa oeste (de Beleriand), daí o adj. *falathren*. A variante SPÁLAS é vista em *espalass* [?queda] espumante; tele. *spalasta-* espumar. [Com *falmarin* "espí-rito-do-mar", cf. *Falmaríni*, espíritos da espuma, nos *Contos Perdidos*, I. 87. *Falmarindi* é usado para os Teleri: p. 492.]

PHAR- atingir, alcançar, ir até o fim, bastar. Qen. *farya-* bastar (pret. *farne*); *fáre* suficiência, plenitude, tudo o que se quer; *farea* bastante, suficiente. Nold. exíl. *farn* bastante; *far* adv. suficientemente, bastante.

PHAS- qen. *fasse* cabelo emaranhado, madeixa desgrenhada; *fasta-* emaranhar. Nold. ant. *phasta* cabelo desgrenhado, nold. exíl. *fast* (cf. *Ulfast* [ÚLUG]).

PHAU- escancarar. Qen. *fauka* de boca aberta, sedento; nold. ant. *phauka* sedento, nold. *faug* sedento; *Dor na Fauglith* (areia sedenta, ver LIT).

PHAY- irradiar, emitir raios de luz. Qen. *faina-* emitir luz; *faire* radiância; nold. ant. *phaire*. Cf. **Phay-anāro* "sol radiante" > qen. *Feanáro*, nold. ant. *Phayanōr*, nold. *Feanoúr*, *Féanor*. Cf. nold. *foen* radiante, branco. [Ver SPAN.]

PHÉLEG- caverna. Tele. *felga* caverna; qen. *felya*; nold. ant. *phelga*, nold. *fela*, pl. *fili*; cf. *Felagund* [KUNDŪ].

PHEN- qen. *fenda* limiar; nold. ant. *phenda*, nold. *fend, fenn*.

PHER-, PHÉREN- faia. Qen. *feren* ou *ferne* (pl. *ferni*) faia; *ferna* bolota, noz de faia; *ferinya* de faia. Tele. *ferne*. Nold. ant. *pheren*

A ESTRADA PERDIDA E OUTROS ESCRITOS

faia; *pherna* bolota; exílico *fer* geralmente era substituído por *brethil* (ver BERÉTH).

PHEW- sentir aversão a, abominar. Qen. *feuya*; nold. ant. *phuióbe*, nold. *fuio*.

PHI- qen. *fion (fioni, fiondi)* [. . . .] Cf. *Fionwe* filho de Manwe [ver WEG]. [Infelizmente não é possível se ler com certeza o significado do qen. *fion*; a interpretação mais provável seria "haste" [pressa], mas "hawk" [gavião] é uma possibilidade.]

PHILIK- pequeno pássaro, passarinho. Qen. *filit*, pl. *filiki*; nold. *filig* pl., singular análogo *fileg* ou *filigod.*

PHIN- agilidade, habilidade. Nold. ant. *phinde* habilidade, *phinya* habilidoso; **Phinde-rauto*, nold. *Finrod* [RAUTĀ]. Cf. qen. *Finwe*, nold. ant. *Phinwe*, nome do principal Gnomo (exílico **Finw* [ver WEG]). *Find-* também ocorre em nomes: *Findabar (*Phind--ambar), Fingon (*Findekāno)* [KAN]; *phinya* ou *-phini* ocorre em *Fingolfin* (= *ngolfine* "habilidade mágica"), *Isfin* [IS], *Curufin* [KUR]; distinguir de SPIN em *Glorfindel.* [Quanto à ausência de *Finw* em noldorin exílico, ver também a passagem ao final de *Lhammas* §11. — O nome *Findabar* aparece no verbete MBAR na forma *Findobar*, como também nas *Genealogias*, p. 491.]

PHIR- qen. *firin* morto (de causa natural), *firima* mortal; *fire* homem mortal (*firi*); *firya* humano; *Firyanor = Hildórien*; *ilfirin* (para **ilpirin*) imortal; *faire* morte natural (como ato). Nold. *feir*, pl. *fir* mortais; *firen* humano; *fern*, pl. *firn* morto (com relação a mortais). *Dor firn i guinar* Terra dos Mortos que Vivem [KUY]. *Firiel* = "donzela mortal", nome posterior de Lúthien.

PHOR- do lado direito, da mão direita. Qen. *forya* direito; *formaite* destro, ágil [MAƷ]. *formen* norte, *formenya* setentrional [MEN]. Nold. *foeir, feir* (mão) direita; *forgam* destro [KAB]; *forven* norte, também *forod*; *forodren* setentrional. Cf. *Forodwaith* Homens--do-Norte, Terra-do-Norte [WEG]; *Forodrim.* **phoroti*: Qen. *forte.* Nold. *forn* lado direito ou norte. (Cf. KHYAR.)

PHUY- qen. *fuine, huine* sombra profunda; *Fui, Hui* Noite. Nold. ant. *phuine* noite, nold. *fuin*; cf. *Taur na Fuin = Taure Huinéva.*

PIK- nold. ant. *pika* pinta, ponto; nold. *peg.* Nold. ant. *pikina* minúsculo, nold. *pigen.*

PÍLIM- qen. *pilin (pilindi)* flecha.

PIS- qen. *pirya* suco, sumo, xarope. Nold. *peich*; *pichen* sumarento, suculento.

463

PIW- cuspir. Qen. *piuta*; nold. ant. *puióbe*, nold. *puio*.

POL-, POLOD- fisicamente forte. Qen. *polda* forte, robusto. Cf. *poldore*, adj. *Poldórea*.

POR- *pori*: qen. *pore* farinha.

POTŌ- pata de animal. Nold. ant. *poto, poti*, nold. *pôd, pŷd*.

POY- *poikā* limpo, puro: qen. *poika*; nold. *puig* limpo, asseado, arrumado.

PUS- parar, deter, pausar. Qen. *pusta*- parar, pôr fim a, e intr. cessar, parar; *pusta* (substantivo) parada, ponto final em pontuação. Nold. *post* pausa, parada, descanso, cessação, repouso. [Um verbete acrescentado fornece PUT-, com qen. *putta* ponto (em pontuação), *pusta*- parar, *punta* uma consoante interrompida; mas o verbete PUS- não foi cancelado ou alterado.]

R

RAB- *rāba* selvagem, indômito: qen. *ráva*, nold. *rhaw* ermo. [qen. *ráva* e nold. *rhaw* com significados completamente diferentes também são derivados do radical RAMBĀ, e o nold. *rhaw* aparece em um terceiro sentido em RAW.]

RAD- voltar, retornar. Dori. *radhon* leste (cf. *nivon* para frente = oeste [NIB]); *Radhrim* Marca-leste (parte de Doriath); *Radhrost* Vale-leste, terra de Cranthir sob as Montanhas Azuis [ROS²]. *randā* ciclo, era (100 Anos Valianos): qen., nold. ant. *randa*; nold. *anrand*.

RAG- *ragnā*: nold. ant. *ragna* torto, nold. *rhaen*.

RAK- estender, estirar. *ranku*: qen. *ranko* braço, pl. *ranqi*; nold. ant. *ranko*, pl. *rankui*; nold. *rhanc*, pl. (arcaico) *rhengy*, geralmente *rhenc*, braço. *rakmē* braça: qen. *rangwe*; nold. *ragme*, nold. *rhaew*.

RAM- *rāmā*: qen. *ráma* asa, ALA, cf. *Earráme* "Ala-do-mar" [AY], nome do navio de Tuor. Nold. *rhenio* (*ramya*-) voar, navegar; vagar, errar (cf. RAN); *rhofal* ALA, grande asa (de águia), pl. *rhofel* (*rāmalê*); *rhafn* asa (chifre), extremidade estendida para um lado, etc. (*ramna*). [Com *rhofal* cf. "Lhandroval de asas largas" no QS (p. 361); quanto ao primeiro elemento, ver LAD.]

RAMBĀ- qen. *ramba* muralha, muro, cf. *Ilurambar*; nold. *rhamb, rham*, cf. *Andram* "Muralhas Longas" [ÁNAD] em Beleriand. Qen. *ráva* margem, especialmente de um rio; nold. *rhaw* [ver RAB, RAW].

A ESTRADA PERDIDA E OUTROS ESCRITOS

RAN- vagar, errar, desviar-se. *Ranā*: qen. *Rana* Lua, nold. *Rhân*. Qen. *ranya*- desviar-se, nold. *rhenio* (cf. RAM); qen. *ráne* desvio, vagueação, *ránen* errante; nold. *rhaun*, [acrescentado posteriormente:] nold. *rhandir* errante, vagante, peregrino.

RAS- sobressair, salientar-se (intr.). Qen. *rasse* chifre (especialmente em um animal vivo, mas também aplicado a montanhas); nold. *rhaes, rhasg*; cf. *Caradras* = Chifre-vermelho [KARÁN]. [Esse verbete foi um acréscimo ao final da lista. As palavras nold. e a referência a *Caradras* foram inseridas num período ainda mais posterior.]

RÁSAT- doze. [Nenhuma outra forma foi fornecida.]

RAT- caminhar. *ratā*: nold. *râd* caminho, trilha; *rado* abrir caminho, encontrar um caminho; *ath-rado* atravessar, percorrer [AT(AT)]; *athrad* travessa, vau, cf. *Sarn Athrad*. *rattǎ*: nold. ant. *rattha* curso, leito fluvial, nold. *rath* (cf. *Rathloriel*) [LÁWAR]. *ostrad* uma rua. [Acrescentado:] *rant* filão, veio; *Celebrant* nome de rio. Ilk. *rant* corrente, curso de rio.

RAUTĀ- metal. Qen., nold. ant. *rauta*; nold. *rhaud*, cf. -*rod* em nomes *Finrod, Angrod, Damrod* (ver PHIN, ANGĀ, NDAM). [O significado original de RAUTĀ foi dado como "cobre", alterado para "metal"; cf. *Nambarauto* (*Damrod*) "martelador de cobre" em NDAM.]

RAW- *rāu*: qen. *rá* (pl. *rávi*) leão; nold. ant. *ró* (pl. *rówi*), nold. *rhaw* (pl. *rhui*). [Cf. I. 313, verbete *Meássë*. — Palavras nold. *rhaw* distintas aparecem em RAB e RAMBĀ.]

RÁYAK- qen. *raika* torto, dobrado, errado; nold. *rhoeg* errado.

RED- (Cf. ERÉD) espalhar, semear. Qen. *rerin* eu semeio, pret. *rende*; nold. *rheði* semear. ?*reddā* "semeado", campo semeado, acre.

REG- borda, fronteira, margem. Qen. *réna*. Nold. *rhein, rhain* fronteira; *edrein*.

REP- curva, volta, *rempa* torto, curvo.

RĪ- qen. *ríma* borda, orla, margem, beira. Dori. *rim* (como em *Nivrim* [NIB], *Radhrim* [RAD]); nold. *rhîf*.

RIG- qen. *rie* coroa (*rīgē*); *rína* coroado (cf. *Tinwerína*); nold. ant. *ríge*, nold. *rhî* coroa. Cf. *Rhian* nome de uma mulher, = "dádiva-coroada", *rīg-anna* [ANA¹]; nold. *rhîn* coroado; *rhîs* rainha. [*Eleirína*, que substituiu *Tinwerína* em uma nota datada de fevereiro de 1938 (p. 237), aparece em um acréscimo marginal ao verbete EL.]

465

AS ETIMOLOGIAS

RIK(H)- solavanco, sacudida, movimento súbito, meneio. Qen. *rihta*- sacudir, fazer um movimento ou giro rápido, contrair-se. **rinki*: qen. *rinke* floreio, agitação rápida. Nold. *rhitho* sacudir, contrair-se, apanhar; *rhinc* contração, solavanco, truque, movimento súbito.

RIL- cintilar (cf. SIL, THIL, GIL). Qen. *rilma* luz cintilante; *rilya* cintilação, brilho. Cf. *Silmarille*, *Silmaril* (pl. *Silmarilli*), nold. *Silevril* (**silimarille*).

RIM- **rimbā*: qen. *rimba* frequente, numeroso; nold. ant. *rimba*, nold. *rhemb*, *rhem*. **rimbē* multidão, hoste; qen., nold. ant. *rimbe*, nold. *rhimb*, *rhim* — com frequência como pl. *-rim* [ver LI].

RIN- qen. *rinde* círculo, *rinda* circular. Nold. *rhind*, *rhinn* círculo; *iðrind*, *iðrin* ano [YEN]; *rhinn* circular; *rhingorn* círculo [KOR].

RINGI- frio. Qen. *ringe*; nold. ant. *ringe*, nold. *rhing*; cf. *Ringil* nome de uma das grandes Lamparinas (sobre pilares de gelo), também da espada de Fingolfin. Qen. *ringe* lagoa ou lago gelado (nas montanhas); dori. *ring*, nold. *rhimb*, *rhim*, como em *Mith-rim*.

RIP- correr com ímpeto, passar com velocidade, precipitar-se. Qen. *rimpa* corredio, veloz; nold. *rhib-*, *rhimp*, *rhimmo* fluir como uma [?torrente]; nome de rio *Rhibdath*, *Rhimdath* "Rio Corredio" [Esse verbete foi um acréscimo escrito apressadamente ao final dos radicais R.]

RIS- cortar, rasgar. Nold. ant. *rista*- despedaçar, rasgar; nold. *risto*. Cf. *Orchrist* nome de espada. [Esse verbete permaneceu inalterado, mas uma segunda forma dele foi acrescentada posteriormente sem referência à primeira:]

RIS- Cf. KIRÍS; cortar, fender. **rista-*: qen. *rista*- cortar; *rista* um corte; nold. *rhisto*, *rhest*; ilk. *rest*, cf. *Eglorest*, grota ou ravina criada pelo rio *Eglor* [ver ELED] em sua foz, nome da uma cidade lá. **risse-*: nold. *rhis*, *rhess* uma ravina, como em *Imladris*.

RŌ- (forma de oro, q.v.) erguer(-se). Qen. *rómen* (ver MEN) leste, *rómenya* oriental; *róna* do leste; compare com NDŪ "para baixo". Nold. ant. *róna* leste, nold. *rhûn*, *amrûn* (cf. *dun*, *annûn*); †*rhufen* leste. Cf. o nome *El-rûn*. [*El-rûn* foi um acréscimo. Ver a nota a BARATH.]

ROD- caverna. Qen. *rondo* caverna; nold. *rhond*, *rhonn*, cf. *Nargothrond*, *othrond* (ver OS). Dori. *roth*, pl. *rodhin*, como em *Meneg-roth*, provavelmente vem de *rōda* > *rōdh* > *rōth*. Cf. nold. ant. *rauda* oco, cavernoso, nold. *rhauð*. Nold. ant. *rostóbe* tornar oco, escavar, nold. *rosto*. Em ilkorin, *rond* = teto abóbado, daí *Elrond* (abóbada do céu) [EL], nome do filho de Eärendel.

ROK- qen. *rokko* cavalo; nold. *roch* cavalo.

ROM- (Cf. ORÓM e *Orome, Araw*) barulho alto, sopro de trompa, etc. Qen. *romba* trompa, trombeta; nold. ant. *romba*, nold. *rhom*. Qen. *róma* som alto, som de trombeta; nold. ant. *rúma*, nold. †*rhû* em *rhomru* som de trompas.

ROS[1]- destilar, gotejar. Qen. *rosse* chuva fina, orvalho. Nold. *rhoss* chuva, cf. o nome *Celebros*, Chuva-de-prata, para uma queda d'água. *Silivros* = qen. *Silmerosse*, nome de Silpion. [Tanto *Silivros* como *Silmerosse* encontram-se na lista dos nomes das Árvores em QS §16. *Celebros* é traduzido como "Chuva de Prata" no anal 299 do AB 2 (anteriormente "Prata-de-espuma", "Espuma de Prata").]

ROS[2]- dori. *rost* planície, terra vasta entre montanhas; cf. *Nivrost* [NIB], *Radhrost* [RAD].

ROY[1]- perseguir. **ronyō* "perseguidor", mastim de caça: qen. *ronyo*, nold. *rhŷn*. Qen. *roita-* perseguir; *raime* caça, caçada; nold. *rhui(w)*.

ROY[2]- (nold. GROJ-) rubro, vermelho, corado. Qen. *roina* rubro, corado; nold. *gruin*. [Esse segundo radical roy foi inserido muito rapidamente ao final dos radicais R e sem qualquer referência ao anterior.]

RUD- **rundā*: qen. *runda* pedaço tosco de madeira; nold. ant. *runda*, nold. *grond* clava; cf. *Grond* nome da maça de Melko, e o nome *Celebrond* "Maça-prateada".

RUK- demônio. Qen. *rauko* demônio, *malarauko* (**ñgwalaraukō*, cf. ÑGWAL); nold. *rhaug, Balrog*.

RUN- palma da mão ou sola do pé. Qen. *runya* rastro, pegada; *tallune* (**talrunya*) sola do pé, nold. *telloein, tellen* [TAL]. Nold. *rhoein, rhein* rastro, vestígio, pegada.

RUS- lampejo, brilho de metal. Qen. *russe* fulgor, †lâmina de espada; nold. ant. *russe* metal polido (nold. †*rhoss* encontrado principalmente em nomes como *Maedhros* [MAD], *Findros*, *Celebros* etc., devido à coalescência com ROS[1]).

RUSKĀ- nold. ant. *ruska*, nold. *rhosc* marrom, castanho.

AS ETIMOLOGIAS

S

S- radical demonstrativo, *sŭ, sŏ* ele (cf. a flexão verbal *-so*); *sĭ, sĕ* ela (cf. a flexão verbal *-se*). Cf. nold. *ho, hon, hono* ele; *he, hen, hene* ela; *ha, hana* ele, ela [ing. *it*]; plurais *huin, hîn, hein*.

SAB- qen. *sáva* suco, sumo; nold. ant. *sóba*, nol. *saw* (pl. *sui*).

SAG- **sagrā*: qen. *sára* amargo; nold. *saer*. **sagmā*: qen. *sangwa* veneno; nold. *saew*.

SALÁK-(WĒ) qen. *salqe* grama, relva; ilk. *salch*. Nold. ant. *salape* erva, planta comestível verde, nold. *salab* (pl. *seleb*) erva.

SÁLAP- lamber. Qen. *salpa-* lamber, sorver, bebericar; nold. ant. *salpha* comida líquida, sopa, caldo; nold. *salf* caldo.

SAM- unir, juntar. *samnar* ditongos. [Acréscimo posterior apressado; ver SUD e SUS.]

SAR- qen. *sar*, pl. *sardi* pedra (pequena); *sarna* de pedra; *sarne* lugar forte. Nold. *sarn* pedra como um material, ou como adj.; cf. *Sarnathrad*.

SAY- saber, compreender, *saira-* sábio; *sairon* mago.

SED- descansar (cf. EZDĒ "descanso", qen. *Este*, nold. ant. *Ezda*, esposa de Lórien). Qen. *sére* descanso, repouso, paz; *senda* de repouso, em paz; *serin* eu descanso. Nold. *sîdh* paz.

SEL-D- filha [ver YEL]. Qen. *selde*. Em nold., *iell* (poética *sell* moça, donzela) com *i* de *iondo* filho [YŌ]; uma mudança auxiliada pela perda do *s* em compostos e patronímicos: cf. *Tinnúviel* (**tindōmiselde*, qen. *Tindómerel*), ver TIN. [O significado "filha" posteriormente foi alterado para "criança", com as formas qen. *seldo, selda* acrescentadas.]

SER- amar, TER afeição por (com relação a gosto, amizade). Sufixo qen. *-ser* amigo; *sermo* amigo (f. *serme*), também *seron*. Cf. o nome *Elesser* (*Eleðser*) = Ælfwine.

SI- isto, aqui, agora. Qen. *sí, sin* agora; *sinya* novo. Nold. *sein* (pl. *sin*) novo; *siniath* notícias, novas; *sinnarn* conto recente [NAR[2]].

SIK- qen. *sikil* adaga, faca; nold. *sigil*.

SIL- variante de THIL; "brilhar com luz prateada". Não é possível distinguir normalmente esses radicais em qen., mas o qen. *Isil* Lua e o nold. †*Ithil* possuem *th*. *s-* aparece em **silimē* "luz de Silpion", †prata, qen. *silme* (cf. *Silmerosse*, nold. *Silivros*), nold. **silif*. **silimā* prateado, de brilho branco (adj.): qen. *silma*, nold. **silef*, cf. *Silevril*, qen. *Silmaril* (ver RIL). No nold. *Belthil*

A ESTRADA PERDIDA E OUTROS ESCRITOS

(ver BAL), *s* ou *th* podem estar presentes. O nome qen. da Árvore Mais Velha é *Silpion* (ver abaixo).

Cf. dori. *istel, istil* luz prateada, aplicado pelos Ilkorins à luz das estrelas, provavelmente uma forma qen. aprendida com Melian. Para **silif*, o nold. possui *silith*, por assimilação ou por influência de †*Ithil*.

SÍLIP está relacionado, daí o qen. *Silpion* (nold. **Silfion*, que não é usado).

SIR- flur, correr. Qen. *sir-*, nold. ant. *sirya-*, nold. *sirio* fluir, correr. Qen., nold. ant. *síre*, nold. *sîr* rio (cf. *Sirion*); qen. *siril* arroio, regato.

SIW- incitar, instigar, urgir. Qen. *siule* incitação; nold. ant. *hyúle*, nold. *húl* grito de encorajamento em batalha.

SKAL[1]- proteger, ocultar (da luz). Qen. *halya-* encobrir, esconder, proteger da luz; *halda* (**skalnā*) escondido, velado, oculto, sombreado, sombrio (em oposição a *helda* despido, desnudo, ver SKEL). Nold. ant. *skhalia-, skhalla*; nold. *hall*; *haltha-* proteger. Ilk. *esgal* proteção, escondedouro, teto de folhas. Dan. *sc(i)ella* anteparo, proteção. Nome derivado *Haldir* "herói oculto" [DER] (filho de Orodreth); também o ilk. *Esgalduin* "Rio sob Véu" (de [?folhas]). [Parece haver um ponto de interrogação antes das palavras entre colchetes ao final do verbete.]

SKAL[2]- pequeno peixe. Qen. *hala*; *halatir(no)* "vigia-dos-peixes", martim-pescador; nold. *heledir*. [Esse radical foi um acréscimo posterior; ver KHAL[1], TIR.]

SKAR- **skarwē*: qen. *harwe* ferida, ferimento; nold. *harw*. Cf. ilk. *esgar*. **skarnā*: qen. *harna* ferido; nold. *harn*; *harno* ferir (qen. *harna-*). Sentido básico: despedaçar, rasgar; cf. **askarā* rasgamento, apressamento: nold. *asgar, ascar* violento, precipitado, impetuoso. Ilk. *ascar* (cf. o nome de rio *Askar*).

SKAT- partir em pedaços. Qen. *hat-*, pret. *hante*; *terhat-* romper, despedaçar.

SKEL- **skelmā*: qen. *helma* pele, couro. Nold. *helf* pelo, *heleth* pelo, pelame. **skelnā* nu, desnudo: qen. *helda*; nold. ant. *skhella*, nold. *hell*. *helta* (*skelta-*) desnudar.

SKWAR- torto. Qen. *hwarin* torto; *hwarma* trave. Dan. *swarn* perverso, obstrutivo, difícil de lidar.

SKYAP- **skyapat-* praia, costa: qen. *hyapat*; nold. ant. *skhapa*, pl. *skhapati*; nold. *habad* praia (pl. *hebeid*).

469

AS ETIMOLOGIAS

SLIG- **slignē*, **slingē*: nold. *thling* aranha, teia de aranha. Qen. *líne* teia de aranha; nold. *thlingril* [*r* incerto] aranha. Qen. *lia* fio fino, filamento de aranha (**ligā*); nold. *thlê*; qen. *liante* aranha. Cf. *Ungoliante* [UÑG], nold. *Deldu-thling* [DO3, DYEL].

SLIN- **slindi* fino, delicado. Qen. *linda* "belo" é combinado com **lindā* de som gracioso [ver LIND]. Nold. *thlinn*, *thlind* fino, esguio; *thlein* (pl. *thlîn*) = **slinyā* esbelto, fino, magro.

SLIW- doente, enfermiço. **slīwē* doença, enfermidade: qen. *líve*, nold. ant. *slíwe*, *thlíwe*, nold. *thliw* posteriormente *fliw*. **slaiwā* doente, enfermiço; qen. *laiwa*, nold. ant. *slaiwa*, *thlaiwa*, nold. *thlaew* [> *thloew*] posteriormente *flaew*.

SLUK- engolir. [Nenhuma forma fornecida.]

SLUS-, **SRUS**- sussurrar. Nold. *thloss* (*floss*) ou *thross* um sussurro ou som farfalhante; qen. *lusse* um som sussurrante, *lussa*- sussurrar.

SMAG- sujar, manchar. Nold. *maw* (**māgā*) sujeita, mancha, *mael* (**magla*) mancha e adj. manchado. [nold. *maw* e *mael* alterados para *hmas* e *hmael*; ver nota a SMAL.]

SMAL- amarelo. **smalinā*: qen., nold. ant. *malina* amarelo, nold. *malen* (pl. *melin*). **smaldā*: qen. *malda* ouro (como metal), nold. ant. *malda*, nold. *malt*; nold. *malthen* (análogo de *mallen*) de ouro. Cf. *Melthinorn*, forma mais antiga *Mellinorn*. **smalu* pólen, pó amarelo: qen. *malo*, nold. ant. *malo* (pl. *malui*), nold. *mâl*, pl. *meil* ou *mely*. **smalwā* fulvo, pálido, claro: qen. *malwa*, nold. *malw*.

*asmalē, **asmalindē* pássaro amarelo, "escrevedeira-amarela": qen. *ammale*, *ambale*; nold. ant. *ammale*, *ammalinde*, nold. *em(m)elin*, *emlin*.

[Apresento esse verbete como se encontrava antes de se tornar confuso devido a alterações na fonologia de *sm-* inicial (o nold. ant. manteve *sm-*, e as palavras nold. possuem *(h)m-*); essas alterações não foram feitas de maneira consistente. — *Melthinorn* "árvore de ouro" encontra-se na lista de nomes das Árvores em QS §16.]

SNAR- amarrar, atar. Qen. *narda* nó; nold. *narð*.

SNAS-, **SNAT**- ? Qen. *nasta* ponta de lança, ponta, gomo, triângulo (cf. NAS); dan. *snæs*. Nold. *naith* (*natsai* pl.?) gomo. [Cf. o Naith de Lothlórien. O ponto de interrogação é seguido pelo desenho de uma ponta de flecha.]

SNEW- enredar. Qen. *neuma* armadilha; nold. ant. *núma*, nold. *nû* armadilha, ardil. [As formas nold. foram alteradas para *sniuma* e *snýma*; *hniof* (pl. *hnyf*) e *hnuif*. Ver nota a SMAL.]

470

A ESTRADA PERDIDA E OUTROS ESCRITOS

SNUR- torcer. Nold. *norn* torcido, nodoso, enrolado, contorcido; *norð* corda, cabo.

SOL- qen. *solor* (*solos) arrebentação, cf. *Solonel*, pl. *Soloneldi* = Teleri. Essa é uma forma telerin, cf. *Fallinel*, e cf. o qen. puro *Solonyeldi* [ver NYEL].

SPAL-, SPALAS- variantes de PHAL, PHALAS, q.v.

SPAN- branco. Qen. *fanya*, *fána* nuvem. Nold. *fein* branco, *faun* nuvem (*spána); tele. *spania*; dan. *spenna*. Cf. *Fanyamar* ar superior; *Spanturo* "senhor de nuvem", qen. *Fantur* cognome de Mandos (*Nurufantur*, nold. *Gurfannor* "senhor da nuvem--da-Morte") e de seu irmão Lórien (*Olofantur*, nold. *Olfannor* "senhor da nuvem-do-Sonho"); pl. nold. *i-Fennyr* ou *Fennir* = Lórien e Mandos [ver ÑGUR, OLOS]. (Confundido em nold. com PHAY, q.v.) [O começo desse verbete foi escrito inicialmente "*fanya* nuvem"; "nuvem" foi riscada e *fána* acrescentada, com os significados "branco" e "nuvem", mas não está claro como devem ser aplicados. — Quanto a *Fanyamar*, ver o *Ambarkanta*, IV. 280 etc. — Não creio que essa associação dos Fanturi com "nuvem" se encontre em algum outro lugar.]

SPÁNAG- *spangā: qen. *fanga*; tele. *spanga*; nold. ant. *sphanga* barba; nold. *fang*, cf. *An(d)fang* [ÁNAD] Barba-longa, uma das tribos dos Anãos (pl. *Enfeng*). Cf. *Tinfang* "Barba-de-estrela", nome de um flautista élfico; *Ulfang* [ÚLUG].

SPAR- caçar, perseguir. Nold. ant. *(s)pharóbe* caça, *(s)pharasse* caçada; nold. exíl. *faras* caçada (cf. *Taur-na-Faras*); *feredir* caçador (pl. *faradrim*); *faro* caçar. *Elfaron* "caçador-de-estrelas", Lua. [Com *Taur-na-Faras* (os Morros dos Caçadores ou Descampado dos Caçadores), cf. *Taur-na-Faroth* em QS §112, e com o nome "Caçador-de-estrelas" para a Lua, cf. QS §76.]

SPAY- desprezar, desdenhar. Qen. *faika* desprezível, vil. Nold. *foeg* medíocre, pobre, ruim.

SPIN- *spindē cacho, trança de cabelo: qen. *finde*, nold. ant. *sphinde* mecha de cabelo; *sphíndele* cabelo (trançado); nold. *findel*, *finnel*, cf. *Glorfindel*. Cf. *spinē* lariço, qen. *fine*.

SRIP- arranhar. Nold. *thribi* arranhar.

STAB- *stabnē, *stambē: qen. *sambe* sala, câmara; *samna* poste de madeira. Nold. ant. *stabne*, *sthamne*; nold. *thafn* poste, pilar de madeira; *tham*, *thamb* salão. Qen. *kaimasan*, pl. *kaimasambi* quarto de dormir [KAY]. Nold. *thambas*, *thamas* grande salão.

471

AS ETIMOLOGIAS

*stabnō, *stabrō carpinteiro, obreiro, construtor: qen. *samno*; nold. ant. sthabro(ndo), nold. *thavron*; ilk. *thavon*.

STAG- pressionar, comprimir. *stangā*: qen. *sanga* multidão, turba, tropel; nold. *thang* compulsão, coação, constrangimento, necessidade, opressão; cf. *Thangorodrim* (as montanhas de coação). Cf. *sangahyando* "fendedora-de-tropel" (nome de espada), nold. *haðathang*, dissimilado em *havathang*, *haðafang* [ver SYAD].

STAK- dividir, fender, inserir. *stankā*, *staknā*: qen. *sanka* fendido, dividido; nold. ant. sthanka, nold. *thanc*, cf. *Lhamthanc* "língua bifurcada", nome de serpente [LAB]. Nold. ant. *nestak-* inserir, enfiar, nold. exíl. *nestegi*, pret. *nestanc*.

STAL- íngreme. Ilk. *thall* (*stalrē*) íngreme, de queda acentuada (com relação a rios); *thalos* torrente (também um nome próprio) [o rio *Thalos* em Ossiriand].

STÁLAG- *stalga* determinado, resoluto, firme: tele. *stalga*; nold. ant. sthalga, nold. *thala*, cf. *thalion* (*stalgondō*) herói, homem destemido (pl. *thelyn*), especialmente como cognome de Húrin *Thalion*.

STAN- fixar, decidir. Cf. qen. *sanda* firme, fiel, duradouro; nold. *thenid*, *thenin*. qen. *sanye* regra, lei; *sanya* regular, obediente à lei, normal.

STAR- rígido, duro. Qen. *sara* grama seca e rígida, descampado; nold. *thâr* grama rígida; *tharas* tamborete, escabelo; *gwa-star* montículo, outeiro [wŏ]. Nold. ant. *stharna* solapado, teso, rígido, mirrado; nold. *tharn*; não se encontra em qen., visto que coalesceria com *sarnā* de pedra, pétreo [SAR].

STARAN- Cf. ilk. *thrôn* teso, duro (*starāna*); cf. *thron-ding* em *Balthronding* nome do arco de Beleg. [Nos verbetes BEL e DING, o nome foi escrito *Bel-*.]

STELEG- nold. *thela* ponta (de lança); *egthel*, *ecthel*, cf. *Ecthelion* (ver EK). [Uma palavra ilegível após *ecthel* pode ser "mesmo", isto é, o mesmo significado de *thela*.]

STINTÃ- curto. Qen. *sinta*; nold. ant. sthinta, nold. *thent*. Nold. *thinnas* "brevidade", nome do acento que indica a qualidade curta de uma vogal.

SUD- base, solo, *sundo* base, raiz, palavra-raiz. [Um acréscimo posterior apressado.]

SÚLUK- qen. *sulka*; nold. ant. sulkha, nold. *solch* raiz (especialmente comestível).

472

A ESTRADA PERDIDA E OUTROS ESCRITOS

SUK- beber. Qen. *sukin* eu bebo. Nold. *sogo*, 3ª sing. *sôg*, pret. *sunc, asogant* (*sogennen*); nold. *sûth* gole, trago, qen. *suhto*; nold. *sautha-* drenar, esvaziar. **sukmā* taça de bebida; qen. *sungwa*; ilk. *saum*.

Variante **SUG**- em **suglu*: qen. *súlo* cálice, nold. *sûl*.

SUS- sibilar, *surya* consoante fricativa. [Acréscimo posterior com SUD e SAM.]

SWAD- **swanda*: qen. *hwan* (*hwandi*) esponja, fungo; nold. *chwand, chwann, hwand.*

SWES- barulho de sopro ou respiração. **swesta-*; qen. *hwesta-* bufar, soprar; *hwesta* sopro, brisa, baforada; nold. ant. *hwesta*, nold. *chwest* sopro, baforada, brisa.

SWIN- rodopiar, girar, redemoinhar. Qen. *hwinya-* rodopiar, redemoinhar, girar; *hwinde* turbilhão, redemoinho. Nold. *chwinio* giro, redemoinho, turbilhão; *chwind, chwinn* adj.; *chwîn* tontura, fraqueza; *chwiniol* rodopiante, vertiginoso, fantástico.

SYAD- abrir caminho, fender. Qen. *hyarin* eu fendo. **syadnō*, **syandō* "cortador", espada; cf. **stangasyandō* = qen. *sangahyando* "fendedora-de-tropel" (nome de espada) (ver STAG). Em nold. perdido devido à coalescência com KHAD [um radical não fornecido nas *Etimologias*], exceto em †*hâð* [. . . .] (**syadā*), cf. *haðafang* (para *haðathang*) = qen. *sangahyando*; *hasto* abrir caminho, de *hast* machadada (**syad-ta*). Cf. qen. *hyatse* fenda, talho (**syadsē > syatsē*), e nold. *hathel* (**syatsĕla*) lâmina de espada larga, ou lâmina de machado. [A palavra ilegível seria mais naturalmente interpretada "tropel", mas esse obviamente não pode ser o caso (ou não pode ter sido essa a intenção.).]

SYAL- **syalmā*: qen. *hyalma* casca, concha, trompa de Ulmo. Nold. *half* concha.

T

TA- radical demonstrativo "esse/essa, isso, aquele/aquela, aquilo". Qen. *ta* esse/essa, isso, aquele/aquela, ele/ela [ing. *it*]; *tana* esse, aquele (anafórico); *tar* para lá (**tad*), nold. ant. *tó*.

TĀ-, TA3- sublime, elevado; nobre. **tārā* elevado: qen. *tára*, nold. ant. *tára* absorvido em nold. por *taur*, do quend. prim. **taurā* (ver TÁWAR, TUR). Em nold. apenas poético ou em títulos antigos *taur*; com frequência encontrado em nomes, como *Tor-, -dor*. Este último foi combinado com *tāro* rei e *turo* mestre: cf. *Fannor* [SPAN].

473

*tāro rei: usado somente para os reis legítimos de tribos inteiras, como Ingwe dos Lindar, Finwe dos Noldor (e posteriormente Fingolfin e Fingon de todos os Gnomos exilados). A palavra usada para um senhor ou rei de uma região específica era *aran* (*âr*), qen. *haran* [ver ƷAR]. Assim, *Fingolfin taur egledhriur* "Rei dos Exilados" [ver LED], mas *Fingolfin aran Chithlum* "Rei de Hithlum". Qen. *tár* (pl. *tári*). Nold. †*taur*, ilk. *tôr*, usado somente para Thingol: *Tor Thingol* = Rei Thingol.

*tārī rainha, esposa de um *tāro: qen. *tári*, mas em qen. usado especialmente para Varda (*Tinwetári* Rainha das Estrelas) — mas em compostos e títulos, a forma comp. assexuada -*tar* era usada: *Tinwetar*, *Tinwerontar* Rainha das Estrelas = Varda; *Sorontar* Rei das Águias (nome de uma grande águia). A palavra sobreviveu em ilk. somente na forma *tóril* = Melian. Em nold., *rhien*, *rhîn* era usado — "senhora coroada": ver RIG.

O radical-base TĀ aparece no qen. *Taniqetil* (ver NIK-W, TIL), que o nold. desloca após o adj.: *Nimdil-dor*. Mas a forma qen. é possivelmente uma redução de *tăn-nig* com o adjetival *tăna* = *ta3na*. Este último é sugerido pelo nold. *taen* elevação, pico de uma montanha alta, especialmente em *Taen-Nimdil*, o salão de Manwe. Cf. também *tarqendi* = Lindar, "Altos-elfos"; *tarqesta* = lindarin, ou qenya "alta-fala". [Quanto a *Tinwetar*, *Tinwe-rontar*, ver TIN e nota.]

TAK- fixar, prender. Qen. *take* ele prende, pret. *tanke*; *tanka* firme, fixo, seguro. Nold. *taetho* prender, atar; *tanc* firme; *tangado* firmar, confirmar, estabelecer. Ilk. *taga* ele fixa, constrói, faz; *tâch* firme, rígido, sólido.

*tankla alfinete, broche: qen. *tankil*; ilk. *tangol*; nold. *tachl*, *tachol*. *taksē prego: qen. *takse*; nold. *taes*; ilk. *tass* alfinete. Cf. qen. *peltas* (*peltaksi*) eixo, nold. *pelthaes* [PEL]. *takmā "objeto para fixar": qen. *tangwa* fecho, colchete; nold. *taew* suporte, cavidade, fecho, colchete, grampo; ilk. *taum*. *atakwē construção, estrutura: qen. *ataqe*; nold. *adab* construção, casa (pl. *edeb*).

TAL- pé. Qen. *tál* (gen. sing. *talen*); nold. *tâl*, pl. *teil*; ilk. *tal*, pl. *tel*. Relacionado a **TALAM** assoalho, base, chão: qen. *talan* (*talami*) assoalho, chão; *talma* base, fundação, raiz (cf. *Martalmar*). Nold. *talaf* chão, assoalho, pl. *teleif*; ilk. *talum*, pl. *telmin*. *tal-* com frequência é usado para "extremidade, extremidade inferior": assim, *Rhamdal* "Fim-da-Muralha", nome de um local em

Beleriand Leste [RAMBĀ]. — qen. *tallune* (*talrunya*) sola do pé; nold. *tellein*, *tellen* (ver RUN). [Quanto a *Martalmar* (também *Talmar Ambaren*), ver o *Ambarkanta*, IV. 286–89.]

TALÁT- inclinar, pender. Qen. *talta*- inclinar; *talta* adj. inclinado, oblíquo; *talta* uma inclinação. Nold. *talad* uma inclinação, declive, *atland* inclinado, oblíquo; *atlant* inclinado, oblíquo; *atlanno* inclinar.

[O verbete foi escrito assim inicialmente. Um primeiro acréscimo a ele foi "Cf. *Atalante* (ver LANT)". Subsequentemente, a referência a LANT foi alterada para DAT (em cujo radical (DAT, DANT) são fornecidas as palavras qen. *lanta* uma queda, *lanta*- cair e *Atalante* a Caída); mas no mesmo período ou posteriormente, o seguinte acréscimo foi feito: "*Atalante* (prefixo *a* = completo) queda, derrocada, especialmente como nome da terra de Númenor". Cf. a afirmação acerca desse assunto na carta de meu pai de julho de 1964, citada na p. 14 (nota de rodapé). — Outros acréscimos a esse verbete ampliaram o significado do qen. *talta*- ("inclinar, deslizar, escorregar para baixo") e inseriram o qen. *atalta* "ruir, desabar" e o nold. *talt* "escorregadio, cadente, inseguro".]

TAM- (cf. NDAM) bater, dar pancada. *tamrō* "pica-pau" (= batedor): qen. *tambaro*; nold. *tafr* (= *tavr*), *tavor*, cf. *Tavr-obel* [PEL(ES)]. Nold. *tamno* bater, dar pancada (*tambā*); qen. *tamin* eu bato (de leve), pret. *tamne*; *tamba*- bater, continuar batendo.

TAN- fazer, moldar, dar feitio. *tanō*: qen. *tano* artífice, artesão; *Martano* ou *Martan*, cognome de Aule (Artesão-da-Terra), nold. *Barthan* [MBAR]. Qen. *tanwe* ofício, objeto feito, artifício, construção. Qen. *kentano* oleiro; nold. *cennan*. [*Certhan* >] *C(e)irdan* armador, construtor de navios. *Tintánie* feitora-das-estrelas = Varda (Elbereth); nold. *Gilthonieth* ou *Gilthoniel*. [A segunda parte desse verbete, a partir do qen. *kentano*, foi um acréscimo. Em KEM foi apresentada uma palavra qen. *kemnaro* "oleiro". A forma *Gilthonieth* aparece no primeiro rascunho do hino a Elbereth no segundo capítulo original (*Três não é Demais*) de *O Senhor dos Anéis*.]

TAP- parar. Qen. *tápe* ele para, bloqueia (pret. *tampe*); *tampa* rolha.

TÁRAG- *targā* árduo, rígido; qen. *tarya*; nold. ant. *targa*, nold. *tara*, *tar*-; ilk. *targ*. Nold. *tarlanc* teimoso, obstinado; *tarias* [*s* incerto] rigidez, dureza, dificuldade. [Deve haver uma ligação entre *tarlanc* "teimoso" (LANK) e *Garganta de Tarlang* (*O Retorno* *do Rei*, V.2), acerca do qual meu pai comentou (*Nomenclature of The Lord of the Rings* [Nomenclatura de *O Senhor dos Anéis*], publicado em Lobdell, *A Tolkien Compass*, p. 193) que era originalmente o nome de uma longa cadeia de rochas, mas que posteriormente foi usado como um nome pessoal.]

TARÁK- chifre (de animais). Qen. *tarka* chifre; nold. *tarag* chifre, também usado para um caminho íngreme de montanha, cf. *Tarag(g)aer* = Ruddihorn [GAY]. [Esse verbete foi adicional à lista principal. Quanto a *Taragaer*, ver p. 415.]

TARAS- nold. ant. *tarsa* incômodo, problema, nold. *tars, tass* labor, tarefa, *trasta-* vexar, incomodar.

TATA- (cf. ATA, ATTA). Nold. *tâd* dois, *tadol* dobro. Qen. *tatya-* dobrar, repetir; *tanta* dobro. [Um verbete mais antigo, riscado, dizia o seguinte: "**TAT**- forma mais antiga AT(AT)? dois. Qen. *atta* de novo, novamente *atta-* de volta, re-". Ver AT(AT).]

TATHAR- **tathar, *tatharē, *tathrē* salgueiro: qen. *tasar, tasare*; nold. *tathor* (= **tathrē*), adj. *tathren* de salgueiro; cf. *Nan-tathren*.

TÁWAR- mata, floresta. **taurē* grande mata, floresta: qen. *taure*; nold. *taur*; ilk. *taur*. Nold. *Tauros* "Pavor-da-Floresta" [GOS], alcunha nold. usual de Orome (nold. Araw). **tawar* madeira (material): qen. *tavar* madeira, *taurina* de madeira; nold. *tawar* com frequência usado = *taur*; *tawaren* de madeira (pl. *tewerin*). Ilk. *taur* mata/madeira (lugar e material). **tawarŏ/ē* dríade, espírito das matas: qen. *tavaro* ou *tavaron*, f. *tavaril* [cf. o antigo nome *Tavari*, I. 86, 322.]

Nota: adj. nold. *taur* magno, vasto, opressivo, imenso, tremendo, é uma mistura de **tārā* (= qen. *tára* elevado), **taurā* imperioso, poderoso (TUR). Isso afetou o sentido de *taur* floresta (usado para florestas imensas).

TAY- estender, alongar. Qen. *taina* alongado, estendido; *taita* prolongar; *taile* alongamento, extensão. Nold. *taen* longo (e fino).

TE3- linha, direção. Qen. *tie* caminho, curso, linha, direção, rumo (**teʒē*), nold. *tê* linha, rumo. Qen. *téra*, nold. *tîr* reto, direito. [Esse radical foi alterado para TEŃ, e a forma posterior do qen. *téra*, nold. *tîr* dada como **teńrā*. Há também um verbete adicional TEŃ escrito de forma muito descuidada (ver abaixo).]

TEK- fazer uma marca, escrever ou desenhar (sinais ou letras). Qen. *teke* escreve; *tehta* uma marca (em escrita), sinal, diacrítico — como *andatehta* "marca logna". **tekla*: qen. *tekil* pena. **tekmē*

A ESTRADA PERDIDA E OUTROS ESCRITOS

letra, símbolo: qen. *tengwa* letra, *tengwanda* alfabeto; *tengwe* escrita, *tengwesta* gramática. Nold. *teitho* escrever; *teith* marca (como *andeith*, nold. ant. *andatektha*); *tîw* letra (*tekmē*); *tegl*, *tegol* pena. Qen. *tenkele* sistema de escrita, grafia; *tekko* traço de pena ou pincel (′) quando não usado como sinal longo.

TEL-, TELU- *telmā*, *-ē* capuz, cobertura. Qen. *telme* (cf. *telmello telmanna* do capuz à base [*sic*], do topo ao pé, cima a baixo); *telta-* cobrir com dossel, toldar, proteger; *telume* domo, abóbada, (especialmente) abóbada celeste. Cf. *Telumehtar* "guerreiro do céu", nome de Órion. Nold. *telu* domo, abóbada, telhado elevado; *daedelu* dossel (ver DAY); *ortheli* telhar, cobrir acima, *orthelian* dossel. [*Telumehtar* reaparece dos *Contos Perdidos* (*Telimektar, Telumehtar*).]

TÉLEK- haste, talo, perna. Qen. *telko* perna, pl. análogo *telqi*; nold. *telch* (pl. *tilch*) talo.

TELEP- prata; ver KYELEP.

TELES- elfo, elfo-do-mar, terceira tribo dos Eldar. Qen. *Teler*, pl. *Teleri*; *telerin* teleriano; pl. geral *Telelli, Telellie* "Gente-Teler". Originalmente o sentido era "último, que se demora"; cf. o qen. *tella* último, *telle* retaguarda (*télesā*); nold. *tele* extremidade, retaguarda, última parte (pl. *telei*); *adel* atrás, na retaguada (de). Algumas formas apresentam combinação com KYEL, q.v. [Quanto ao significado de *Teleri*, ver *Lhammas* §2 e QS §27.]

TEŃ- nold. *tî* linha, fila, fileira (= *tēñe*); *tær* (*tenrā*) reto. Qen. *téma* fileira, série, fila, linha; *tea* linha reta, estrada. [Ver o radical TE3 (alterado para TEŃ), onde as palavras derivadas são formações diferentes.]

TER-, TERES- perfurar, penetrar. *terēwā* penetrante, aguçado: qen. *tereva* fino, agudo; nold. *trîw* fino, esguio; ilk. *trêw*. Cf. qen. *tere, ter* através; nold. *trî* através, e como prefixo *tre-*, *tri*; nold. ant. *tre* prefixo não enfatizado, ver BAT, NAR; prep. *trí*. *terēn(ē)*: qen. *teren* (*terene*) esguio; *Terendul*, nome ("sombrio--delgado") [DUL, NDUL] . [O nome *Terendul* ocorre em *A Estrada Perdida* (p. 76)]

THAR- do outro lado, além. *Thar-gelion; Thar-bad* [?Encruzilhada]. [Verbete adicional rabiscado.]

THĒ- ver, parecer. Nold. *thîr* (*thērē*) olhar, face, expressão, semblante; cf. *Cranthir* Face-corada [KARÁN], *Gostir* mais antigo *Gorsthir* "olhar-de-pavor", nome de dragão [GOS]. Nold. *thio* parecer, *thia* parece.

477

AS ETIMOLOGIAS

THEL-, THELES- irmã (cf. *tor, toron-* irmão [TOR]). Nold. ant. *wathel* irmã, associada, nold. *gwathel*, pl. *gwethil*. Nold. *thêl, thelei* irmã, também *muinthel*, pl. *muinthil* [ver MOY]. Qen. *seler*, pl. *selli* irmã; nold. ant. *thele, thelehi* (*thelesi*); qen. *oselle* [ver wǒ] irmã, associada. Geralmente usado para parentes consanguíneos em qen., como *onóne*, ver NŌ, ONO; cf. o nold. ant. *wanúre* parenta, nold. *gwanur* parente ou parenta [wǒ].

THIL- (variante de **SIL**, q.v.) nold. *Ithil* nome poético da Lua (*Rhân*) = qen. *Isil* "a Brilhante"; *thilio* reluzir. Cf. *Belthil, Galathilion*, nomes da Mais Velha das Duas Árvores — mas esses podem conter a variante SIL.

THIN- (cf. TIN). **thindi* pálido, cinzento, descorado: Qen. *sinde* cinza. *Sindo* nome do irmão de Elwe, na forma teleriana *Findo*, ilk. *Thind*, posteriormente em Doriath chamado *Thingol* (isto é, *Thind* + *gôl* sábio, ver ÑGOL) ou *Torthingol* [TĀ] Rei Thingol, também com o título *Tor Tinduma* "Rei do Crepúsculo" [TIN], nold. *Aran Dinnu*. Nold. *thind, thinn* cinzento, pálido; ilk. *thind*. Qen. *sinye* anoitecer (nold. †*thin*); nold. *thinna*. Qen. *sinta-* desvanecer (*sintane*), nold. ant. *thintha*.

THŌN- ilk. *thôn* pinheiro. O nold. *thaun* pl. *thuin* provavelmente é um empréstimo antigo, com o ilk. *ō* tratado como o nold. ant. *ō* = *ā*. Ilk. *Dor-thonion* "Terra dos Pinheiros", nome da floresta montanhosa ao norte de Doriath e que mais tarde se torna *Taur-na-Fuin*, uma alteração com trocadilho de *Dor-na-Thuin* (tradução noldorin do ilk. *Dor-thonion*).

THOR-, THORON- qen. *soron* (e *sorne*), pl. *sorni* águia; nold. *thôr* e *thoron*, pl. *therein* — *thoron* é propriamente o antigo gen. sing. = nold. ant. *thoronen*, qen. *sornen*, que aparece em nomes como *Cil-thoron*, ou *Cil-thorondor* [KIL]. Ilk. *thorn*, pl. *thurin*. Qen. *Sorontar* (nome do) Rei das Águias, nold. *Thorondor*, ilk. *Thorntor* = *Torthurnion*. [Acrescentado:] Cf. o nome *Elthor(o)n* = águia do céu.

[O seguinte texto foi acrescentado apressadamente acima do verbete THOR, THORON: "**THOR-** = mergulhar das alturas, precipitar-se; cf. *Brilthor*. Adj. *thôr* precipitante, mergulhador; *thórod* torrente". Entendo que essa seja uma indicação do sentido básico de THOR águia.]

THŪ- bufar, soprar. Qen. *súya-* respirar; *súle* respiração, sopro. Cf. *Súlimo* cognome de Manwe (deus-do-vento). Nold. *thuio* respirar; *thûl* respiração, sopro.

478

A ESTRADA PERDIDA E OUTROS ESCRITOS

THUR- cercar, rodear, guardar, proteger, ocultar. Ilk. *thúren* guardado, oculto. Cf. ilk. *Garthurian* Reino Oculto (= Doriath), isto é, *garð-thurian*; noldorinizado como *Arthurien*, de modo mais completo como *Ar(ð)-thoren*: *thoren* (*tháurēnā*) part. pass. de *thoro-* cercar [ver ȝAR]. *Thurin-gwethil* (mulher de) sombra secreta, nome doriathrin (nold. *Dolwethil*) assumido por Tinúviel como uma fata em forma de morcego [WATH]. [Cf. a *Balada de Leithian*, verso 3954, onde uma nota marginal explica *Thuringwethil* como "a da sombra oculta" (III. 348, 356). O presente verbete mantém a história da Balada: foi Lúthien quem chamou a si mesma por esse nome diante de Morgoth (ver III. 358).]

THUS- (relacionado a THŪ?) *thausā: qen. *saura* imundo, malcheiroso, pútrido. Nold. *thaw* deteriorado, podre; *thû* fedor, como nome próprio *Thû* principal serviçal de Morgoth, também chamado *Mor-thu*, qen. *Sauro* ou *Sauron* ou *Súro* = *Thû*. [No rascunho original para o capítulo "Um Punhal no Escuro" em *O Senhor dos Anéis*, Frodo (mas que lá não se chama Frodo) grita *Elbereth! Gilthoniel! Gurth i Morthu!*]

TIK- (cf. PIK) qen. *tikse* pinta, marca minúscula, ponto; *amatikse*, *nuntikse* [indicado no manuscrito que significa pontos colocados acima (*amatikse*) ou abaixo (*nuntikse*) da linha de escrita. Verbete acrescentado.]

TIL- ponta, chifre. Qen. *tilde* ponta, chifre; cf. *Ta-niqe-til* (gen. sing. *tilden*); nodl. *tild, till* chifre. Qen. *Tilion* "o Cornudo", nome do homem da Lua; nold. *Tilion*. Qen. *neltil* (*neltildi*), nold. *nelthil* triângulo (ver NEL). [Cf. QS §75: nota marginal de Ælfwine ao nome *Tilion*: "*hyrned*" (inglês antigo, "cornudo"). É estranho que Tilion seja aqui "o homem da Lua": no QS (como no Q, IV. 116) ele era "um jovem caçador da companhia de Oromë". A implicação é de que em eras posteriores o mito de Tilion tornou-se a história do Homem da Lua? (ver I. 243–44).]

TIN- (variante de (?) e, de qualquer forma, afetado por THIN, q.v.) cintilar, emitir feixes finos (prateados, claros). Qen. *tine* lampeja, *tintina* cintila; *tinmē* centelha, lampejo: qen. *tinwe* centelha (estrela), [riscado: cf. *Tinwetar, Tinwerontar* rainha-das-estrelas, título de Varda;] *TIN-dóme* crepúsculo estrelado (ver DOMO); *tingilya, tingilinde* uma estrela cintilante (ver GIL).

Nold. *tinno* lampejar; *tinw* centelha, pequena estrela; *tint* centelha; *gildin* centelha prateada (ver GIL); *tindumh, tindu, tinnu* crepúsculo, lusco-fusco, início da noite (sem lua). Cf. *Aran Dinnu* Rei do Crepúsculo, nome dados pelos Gnomos a Thingol, chamado pelos Ilkorins de *Tor Tinduma*. Ilk. *tim* centelha, estrela; *tingla-* cintilar; *tindum* luz das estrelas, crepúsculo. Qen. *tinda* lampejante, prateado; *tinde* um lampejo.

Nold. *Tindúmhiell, Tinnúviel, Tinúviel* = "filha do crepúsculo", um kenning para o rouxinol, qen. *Tindómerel* (ver SEL-D: **Tin-dōmiselde*), nome dado por Beren a Lúthien, filha de Thingol. O nome nold. comum do rouxinol é *dúlind, dúlin* [DO3, LIN²]; qen. *lómelinde*; ilk. *mur(i)lind, myr(i)lind* (ver MOR). O nold. *moerilind, merilin* foi noldorinizado do ilk. *murilind*, uma vez que *mori* não = "noite" em nold.

O sentido de "crepúsculo" devia-se em grande parte a THIN, q.v.

[Junto a esse verbete está escrito na margem: "*Tintanie, Tintalle* Inflamadora = Varda; qen. *tinta-* inflamar, acender, faiscar": ver p. 414. Outras notas marginais são: "cf. *Timbreðil*", que, assim, reaparece do Q, IV. 100 (ver BARATH); "*Tindubel* cidade do crepúsculo" (ver PEL(ES)).]

TING-, TANG- onomatopeico (cf. DING). Qen. *tinge, tango,* vibração alta; *tinga-*; nold. *tang* corda de arco.

TINKŌ- metal. Qen. *tinko*; nold. *tinc*.

TIR- vigiar, guardar. Qen. *tirin* eu vigio, pret. *tirne*; nold. *tiri* ou *tirio*, pret. *tiriant*. Qen. *tirion* torre de vigia, torre. Nold. *tirith* vigia, guarda; cf. *Minnas-tirith* [MINI]. Cf. Qen. *halatir* (*tirnen*), prim. quend. **khalatirnŏ* "vigia-dos-peixes", nold. *heledirn* = martim-pescador; *Dalath Dirnen* "Planície Protegida"; *Palantir* "O que vê ao longe". [Quanto à etimologia de "martim-pescador", ver KHAL¹, SKAL². — *Palantir* foi um acréscimo posterior, como também em PAL.]

TIT- qen. *titta* pequeno, minúsculo; nold. *tithen* (pl. *tithin*).

TIW- gordo, grosso. **tiukā*: qen. *tiuka* grosso, gordo; nold. ant. *túka*, nold. *tûg*; ilk. *tiog*. **tiukō* coxa: qen. *tiuko*. Qen. *tiuya-* inchar, engordar; nold. ant. *tuio-*, nold. *tuio* inchar (associado com TUY).

TOL¹-OTH/OT oito. Qen. *tolto*; nold. *toloth*.

TOL²- *tollo* ilha: qen. *tol*, pl. *tolle*; nold. *toll*, pl. *tyll*; cf. *Tol-eressea*, nold. *Toll-ereb*.

TOP- cobrir, telhar. **tōp-*: qen. *tópa* telhado; *tópa-* telhar; *tope* cobre (pret. *tompe*). Nold. *tobo* cobrir, telhar; *tobas* cobertura.

A ESTRADA PERDIDA E OUTROS ESCRITOS

TOR- irmão (cf. THEL- irmã). Nold. ant. *wator* irmão (*wa* = junto), usado especialmente para aqueles que não são irmãos de sangue, mas sim irmãos jurados ou companheiros; nold. *gwador* (*gwedeir*). Nold. ant. *toron* irmão, pl. *toroni*. Nold. †*tôr, terein*; o comp. *muindor* com o pl. análogo *muindyr* (ver MOY, *moina*) era geralmente usado. Qen. *toron, torni* irmão; *otorno* irmão jurado, companheiro [wǒ]; *otornasse* irmandade; mas para o parentesco de sangue era geralmente usado *onóro* (*wa-nōrō* = da mesma família, ver wǒ, NŌ) = nold. ant. *wanúro*, nold. *gwanur* parente.

TOW- qen. *tō* lá; *toa* de lá, lanoso; nold. *taw*.

TUB- *tumbu* vale profundo, abaixo de ou entre colinas: qen. *tumbo*, nold. *tum*. Cf. *Tumladen* "o vale plano" [LAT], o vale de Gondolin. *tubnā* fundo, profundo: qen. *tumna* fundo, baixo; nold. *tofn*; ilk. *tovon*. *Utubnu* nome das câmaras de Melko no Norte: qen. *Utumno*; nold. *Udun*; ilk. *Uduvon*; dan. *Utum*.

TUG- *tūgu*: qen. *tuo*; nold. ant. *túgo*, nold. *tú*; ilk. *tûgh, tû*; músculo, tendão; vigor, força física. Cf. o nome *Tuor* (mais antigo *tūghor* = *tū-gor* "vigor de força", ver GOR). *tungā*: qen. *tunga* teso, esticado (com relação a cordas, ressonante); nold. *tong*; ilk. *tung*.

TUK- atrair, trazer. Qen. *tukin* eu atraio; nold. *tegi* (3ª sing. *tôg*) conduzir, trazir; ilk. *toga* ele traz.

TUL- vir, chegar, aproximar-se, mover-se em direção a (ponto do falante). Qen. *tulin* eu chego, venho; nold. *teli* chegar, vir, *tôl* ele chega, vem. *tultā* fazer chegar: qen. *tulta-* mandar buscar, chamar, mandar vir, convocar; nold. *toltho* mandar vir; ilk. *tolda* ele manda vir.

TULUK- qen. *tulka* firme, forte, imóvel, resoluto; cf. *Tulkas* (*Tulkatho, Tulkassen*). *tulko* (*tulku*) suporte, amparo. Nold. exíl. *tolog* determinado, leal, *tulu* (*tulukmē*, nold. ant. *tulugme*) suporte, amparo. Tulkas também era chamado *Ender* (ver NDER), nold. exíl. *Enner*.

TUMPU- corcunda. Qen. *tumpo*; nold. *tump*.

TUN- *tundu*: qen. *tundo*; nold. *tund, tunn* colina, monte. *tundā*: qen. *tunda* alto; nold. *tond, ton;* ilk. *tund*. *Tŭnǎ*: qen. *Tún, Túna* cidade-élfica em Valinor; nold. ant. *Túna*, nold. *Tûn*. Cf. nold. *mindon* colina isolada (*minitunda*), especialmente uma colina com uma torre de vigia. [Em MINI, o nold. *mindon* deriva de *minitaun*. — Não sei como explicar por que *Tûn* aparece aqui como uma forma qen.: ver QS §39 e comentário a §§39, 45.]

481

TUP- *tupsē*: qen. *tupse* colmo; nold. *taus*; ilk. *tuss*.

TUR- poder, controle, domínio, vitória. *tūrē* domínio, vitória: qen. *túre*; nold. *tûr*. Cf. o nome *Turambar*, nold. *Túramarth* "Mestre do Destino", nome assumido em soberba por *Túrin* (qen. *Turindo*) — que contém o mesmo elemento *tūr* vitória, + *indo* ânimo (ver ID).

tūrō e em palavras comp. *turo*, *tur*, mestre, vencedor, senhor: cf. qen. *Fantur*, nold. *Fannor*. Qen. *turin* eu detenho, controlo, governo, pret. *turne*; nold. *ortheri*, 3ª sing. *orthor* (*ortur*-) dominar, conquistar; *tortho* deter, controlar. *taurā*: qen. *taura* poderoso, magno; nold. *taur* vasto, magno, esmagador, terrível — também elevado, sublime (ver TÁWAR). [Acrescentado:] *Turkil*, cf. *Tarkil* = Númenóreano [KHIL].

TURÚM- *turumā*: qen. *turma* escudo; *turúmbē*: tele. *trumbe* escudo; ilk. *trumb*, *trum*.

TUS- *tussā*: qen. *tussa* arbusto, nold. *toss* árvore baixa (como bordo, espinheiro, abrunheiro, azevinho, etc.): ex., *eregdos* = azevinho. Ver ERÉK, ÓR-NI.

TUY- germinar, brotar (cf. TIW engordar, inchar?). Qen. *tuia* brota, germina; nold. *tuio*. *tuilē*: qen. *tuile* primavera; também usado = rair do dia, início da manhã = *artuile* [AR¹]. Cf. *tuilindo* (de *tuilelindō* "cantor-da-primavera") andorinha, nold. *tuilind*, *tuilin* [LIN²]. *tuimā*: Qen. *tuima* um broto, botão (de flor); nold. *tuiw*, *tui*.

TYAL- jogar. Qen. *tyalie* esporte, brincadeira, jogo; *tyalin* eu jogo. Nold. *telio*, *teilio* (*tyaliā*-) jogar. Cf. *tyalañgandō* = harpista (qen. *tyalangan*): nold. *Talagand*, um dos chefes de Gondolin (ver ÑGAN). Nold. *te(i)lien* esporte, jogo.

TYUL- levantar-se, ficar de pé. *tyulmā* mast: qen. *tyulma*. *tyulussē* álamo: qen. *tyulusse*, nold. *tulus* (pl. *tylys*) [ver LI].

U

UB- abundar. Qen. *úvea* abundante, em quantidade muito grande, muito grande; *úve* abundância, grande quantidade. Nold. *ofr* (*ovr*), *ovor* abundante (*ubrā*); *ovras* multidão, pilha, etc.; *ovro* abundar.

UGU- e **UMU**- radicais de negação: qen. *uin* e *umin* eu não, não sou/estou; pret. *úme*. Qen. prefix *ú* (= *ugu*, ou *gū*) não, in-, des- (geralmente com sentido ruim), como *vanimor* belo povo =

(homens e) elfos, *úvanimor* monstros. Cf. GŪ, MŪ. [Em BAN, os *Vanimor* são os Filhos dos Valar; ver p. 492. — Esse verbete foi escrito primeiramente a lápis, como todos os outros nesta parte do manuscrito, mas depois foi escrito por cima à tinta; ele foi riscado, a lápis, mas isso pode ter sido feito antes de ser escrito por cima. Aparentemente, acréscimos posteriores a lápis são: [qen.] úmea maligno, mau, [nold.] *um* ruim, maligno, mau.]

ULU- verter, fluir, correr. Qen. *ulya-* verter (pret. intr. *ulle*, tr. *ulyane*); *ulunde* inundação; *úlea* vertente, inundante, corrente. *Ulumō nome do Vala de todas as águas: qen. *Ulmo*; nold. *Ulu*, geralmente chamado *Guiar* (ver WAY). Nold. *oeil, eil* está chovendo (*ulyā); *ulda torrente, riacho de montanha, nold. exíl. *old, oll.*

ÚLUG- Tele. *ulga*, ilk. *olg* hediondo, horrível; *ulgundō monstro, criatura deformada e hedionda: qen. *ulundo*; tele. *ulgundo*, ilk. *ulgund, ulgon, ulion*; nold. *ulund, ulun*. Também **ÚLGU**: cf. *Ul-* em *Ulfang, Uldor, Ulfast, Ulwarth*, nomes dos Lestenses. [Esses nomes dos Lestenses obviamente lhes foram dados pelos Elfos (como é especificamente afirmado acerca daqueles com o elemento BOR); mas cf. *Lhammas* §10, onde não se dá dessa maneira.]

UÑG- *uñgwē: qen. *ungwe* treva; *ungo* nuvem, sombra escura. Cf. *Ungweliante, Ungoliante* a Aranha, aliada de Morgoth (cf. SLIG). Ilk. *ungol* escuridão, *ungor* negro, escuro, sombrio. Não é usado em nold., exceto no nome *Ungoliant*, que na verdade vem do qen. O nome da Aranha em nold. é *Delduthling* (ver DYEL, DO3).

UNU- (cf. NŬ, NDŪ). *undu* uma forma paralela em qen. feita para equiparar-se a *ama, amba* acima [AM²]: para baixo, sob, debaixo.

UNUK- qen. *unqe* concavidade; *unka-* tornar oco; *unqa* adj. oco.

UR- ser/estar quente. Qen. *úr* fogo, nold. *ûr*. Qen. *Úrin* nome f. (gen. sing. *Úrinden*) do Sol. Qen. *uruite, úruva* flamejante. Cf. *Dagor Vreged-úr* Batalha do Fogo Repentino [BERÉK]. Qen. *urya-* inflamar. [Esse verbete foi riscado, e ao lado dele o seguinte escrito de forma bastante descuidada:] UR- vasto, amplo, grande. Úrion. Qen. *úra* largo, grande; nold. *ûr* vasto, amplo.

USUK- **us(u)k-wē*: qen. *usqe* fedor; nold. *osp*; ilk. *usc* fumaça.

UY- qen. *uile* planta longa e trepadeira, especialmente alga marinha; *earuile* alga marinha [AY]; *Uinen* (*Uinenden*) esposa de Osse, nold. ant. *Uinenda*, nold. exíl. *Uinend, Uinen* (cf. NEN); [nold.] *uil* alga marinha, *oeruil*.

AS ETIMOLOGIAS

W

[Os radicais em W- formam os verbetes que encerram o manuscrito e, ao contrário daqueles que os precedem, foram escritos cuidadosamente à tinta, com algumas alterações e acréscimos a lápis.]

WĀ-, WAWA-, WAIWA- soprar. Qen. *vaiwa, waiwa* vento; nold. *gwaew*; ilk. *gwau.*

WAȝ- manchar, sujar. **waȝrā:* qen. *vára* manchado, sujo; nold. *gwaur* (nold. ant. *wóra*); ilk. *gôr. *wahtā-* sujar, manchar: qen. *vahta*; nold. *gwatho* (nold. ant. *wattóbe*); ilk. *góda-. *wahtē* uma mancha: nold. ant. *watte*, nold. *gwath* coalescendo com **wath*, q.v. [WATH]; ilk. *gôd* sujeira, imundície. **wahsē:* qen. *vakse* mancha; nold. ant. *wasse*, nold. *gwass.* Cf. *Iarwath* "Mancha-de--sangue" [YAR], cognome de Túrin.

WAN- partir, ir embora, desaparecer. Qen. *vanya-* ir, partir, desaparecer, pret. *vane; vanwa* ido, que partiu, desparecido, perdido, passado; *vanwie* o passado, tempo passado. Esse radical em nold. substituiu KWAL na aplicação à morte (dos elfos por desvanecimento, ou cansaço): assim, *gwanw* (**wanwē*) morte; *gwanath* morte; *gwann* (**wannā*) falecido, morto. Nota: *gwanw, gwanath são o "ato de morrer", não "morte, Morte" como um estado ou algo abstrato: isso é guru* (ver ÑGUR). Nold. *gwanno* (*wanta-*) falecer, morrer. [O radical WAN foi alterado a lápis para VAN.]

WA-N- ganso: qen. *vān, wān* (pl. *vāni*) ganso; nold. *gwaun*, pl. *guin.*

WAR- recuar, ceder, não suportar, desapontar, trair. Nold. ant. *warie* trair, enganar; *awarta* renunciar, abandonar. Nold. exíl. *gwerio* trair; *gwarth* traidor; *awartha* abandonar; *awarth* abandono. Cf. *Ulwarth.* [Esse verbete foi um acréscimo a lápis. Quanto a *Ulwarth*, ver ÚLUG e nota.]

WATH- sombra. Nold. ant. *watha*, nold. *gwath*; ilk. *gwath.* Cf. ilk. *Urthin* (> nold. *Eredwethion*). [Esse verbete foi um acréscimo a lápis. Acima de *Urthin* foi escrito *Gwethion.*]

WAY- envolver. **wāyā* envoltório, especialmente com relação ao Ar ou Mar de Fora que envolve o mundo dentro das Ilurambar ou muralhas-do-mundo: qen. *w- vaia, w- vaiya*; nold. ant. **wōia, uia*, nold. *ui. *Vāyārō* nome de Ulmo, senhor de Vaiya: qen. *Vaiaro*, nold. *Uiar* o nome nold. usual de Ulmo. [O radical WAY foi alterado a lápis para VAY. Em ULU é dito que Ulmo geralmente era chamado de *Guiar* em nold.]

484

WED- atar, ligar. *wedā*: nold. ant. *weda* elo, laço, nold. *gweð*; ilk. *gweð*. Nold. *gwedi*, pret. *gwend*, *gwenn* posteriormente *gweðant*, atar. Nold. *angweð* "elo-de-ferro", corrente. *wēdē* elo, promessa, pacto, juramento: qen. *vēre*; nold. ant. *waide*, nold. *gwaeð*. *wed--tā*: qen. *vesta-* jurar (fazer algo), contratar, fazer um pacto; *vesta* contrato; *vestale* juramento. Nold. *gwest* juramento; *gwesto* jurar; *gowest* contrato, pacto, tratado, qen. *ovesta* [wõ]. [As palavras qen. derivadas de *wed-tā* foram riscadas a lápis, com a nota de que "todas eram classificadas com os derivados de BES". Essas mesmas palavras, com significado diferente, encontram-se em BES: *vesta* matrimônio, *vesta-* casar; *vestale* casamento. A referência no original aqui é a BES (e não, como antes, a BED: ver nota a LEP).]

WEG- vigor (masculino). Qen. *vie* virilidade, vigor (*weʒē*); *vea* adulto, viril, vigoroso; *veaner* homem (adulto) [NĒR]; *veasse* vigor, *veo* (*wegō*) homem. Esse último na forma composta *-wego* é frequente em nomes masculinos, onde assume a forma qen. *-we* (= *weg*). Pode ser distinguido de *-we* (*-wē* sufixo abstrato) ao permanecer *-we* em nold., do nold. ant. *-wega*. O sufixo abstrato ocorre nos nomes *Manwe*, *Fionwe*, *Elwe*, *Ingwe*, *Finwe*. Esses nomes não ocorrem nas formas exílicas *Manw*, *Fionw*, *Elw*, *Finw* — visto que Finwe, por exemplo, permaneceu em Valinor [ver PHIN]. Esses nomes eram usados até mesmo pelos Gnomos nas formas em qenya, auxiliados pela semelhança com *-we* em outros nomes, como *Bronwe*, nold. ant. *Bronwega* (ver BORÓN). Em outras instâncias, em nold. esse radical sobrevive apenas em *gweth* virilidade, também usado = efetivo, tropa de homens fisicamente capazes, hoste, regimento (cf. *Forodweith* Homens-do-Norte). *weg-tē* [Esse verbete, o último em W como o manuscrito foi originalmente escrito, permaneceu inacabado. — Em PHOR, a forma também é claramente *Forodwaith*.]

WEN-, WENED- donzela. Qen. *wende*, *vende*; nold. *gwend*, *gwenn*. Encontrado com frequência em nomes femininos, como *Morwen*, *Eleðwen*: visto que este último não apresenta *-d* mesmo na escrita arcaica, eles provavelmente possuem uma forma *wen-*: cf. ilk. *gwen* menina; qen. *wéne*, *véne* e *venesse* virgindade; nold. *gweneth* virgindade. [Acrescentado:] Alguns nomes, especialmente os de homens, podem conter *gwend* elo, amizade: ver WED. [O substantivo nold. *gwend* não é dado em WED. — Junto a esse verbete foi escrito: "Transferir para GWEN".

AS ETIMOLOGIAS

— Nos textos narrativos (QS §129, AB 2, anal 245), o nome *Eledhwen* foi interpretado como "Brilho-élfico", e essa interpretação sobreviveu muito tempo depois nos *Anais Cinzentos*; por outro lado, em ELED a tradução foi alterada de "Bela-élfica" para "Donzela-élfica".]

WEY- enrolar, tecer. O qen., devido à mudança *wei > wai*, confundia esse radical com WAY; mas cf. *Vaire* (*weire*) "Tecelã", nome da deusa dos fados, esposa de Mandos: nold. *Gwîr*. Nold. *gwî* rede, teia. [O radical WEY foi alterado a lápis para VEY.]

WIG- *wingē*: qen. *winge* espuma, crista de onda, crista. Cf. *wingil* ninfa; *Wingelot, Wingelóte* "flor-de-espuma", barco de Earendel (nold. *Gwingloth*) [LOT(H)]. Nold., ilk. *gwing* respingo, borrifo lançado. [Esse verbete foi um acréscimo a lápis. — Com *wingil*, cf. o nome antigo *Wingildi*, I. 87, 329.]

WIL- voar, flutuar no ar. *wilwā ar, ar inferior, distinto do "superior" das estrelas, ou do "exterior" (ver WAY): qen. *wilwa > vilwa*; nold. *gwelw* ar (como substância); *gwelwen* = qen. *vilwa*; ilk. *gwelu, gwelo*. Qen. *vilin* eu voo, pret. *ville*. Nold. *gwilith* "ar" como uma região = qen. *vilwa*; cf. *gilith* = qen. *ilmen* (ver GIL). Qen. *wilwarin* (pl. *wilwarindi*) borboleta; tele. *vilverin*; nold. *gwilwileth*; ilk. *gwilwering*. [O nome *Wilwa* para o ar inferior também se encontra no resumo preparatório de *A Queda de Númenor* (p. 19), enquanto *Wilwa* no *Ambarkanta* foi alterado em todo o texto para *Vista*, assim como nos diagramas do mundo que o acompanham (IV. 285–91). Por meio de alterações subsequentes a lápis, as formas *wilwā, qen. wilwa foram alteradas para *wilmā, qen. wilma; qen. wilwa > vilwa foi riscada; e a palavra qen. vilin foi alterada para *wilin*. Um novo radical WIS com o derivado qen. *vista* (ver abaixo) foi introduzido, na mesma época ou depois, mas o radical WIL permaneceu como tal.]

WIN-, WIND- *windi cinza-azulado, azul-claro ou cinza-claro: qen. *vinde*, nold. *gwind, gwinn*. *winyā: qen. *winya, vinya* anoitecer, noite; nold. *gwein*, pl. *gwîn*; ilk. *gwini, gwine*. *winta*- esvanecer: qen. *vinta*-, pret. *vinte, vintane*; nold. ant. *wintha* esvanece, advesperascit ["anoitece"], nold. *gwinna*. [Esse verbete foi riscado, e "ver THIN" foi escrito junto a ele. O seguinte acréscimo a lápis pode ter sido feito antes ou depois de o verbete original ser rejeitado, uma vez que ele em si não foi riscado:] *windiā azul-claro: qen. *win(d)ya, vinya*; nold. *gwind*.

486

A ESTRADA PERDIDA E OUTROS ESCRITOS

WIS- qen. *vista* ar como substância. [Ver nota a WIL.]

WŎ- junto. A forma *wŏ*, caso enfatizada, seria > *wa* em eldarin. Em qen., a forma *wō* e a não enfatizada *wŏ* foram combinadas para produzir o prefixo *ŏ*- "junto": como em *o-torno* (ver TOR), *o-selle* (ver THEL), e muitas outras palavras, por ex., *ovesta* (ver WED). Em nold. temos *gwa*- quando enfatizado, como em *gwanur* (= qen. *onóro*) [TOR], *gwastar* (ver STAR), e frequentemente, mas apenas em palavras comp. antigas. A forma em uso era *go*-, que evoluiu de *gwa*- em posições não enfatizadas — em origem principalmente em verbos, mas então se espalhou para derivados verbais como *gowest* (ver WED). Em muitas palavras esse se tornara um elemento fixado. Assim, NOT- contar, *nut*- atar coalesceram no exílico *nod-; mas "contar" era sempre expressado por *gonod*-, a não ser que algum outro prefixo fosse acrescentado, como em *arnediad* [AR²]. Em ilk., devido à coalescência de *gwo*, *ʒo* (em *go*), esse prefixo se perdeu [ver ʒŏ].

Y

[Como já mencionado (p. 416), mudei a representação da "semivogal" *j* para *y*, e, portanto, apresento esses radicais aqui, ao final do alfabeto. No entanto, a seção pertence às partes inteiramente "não reconstruídas" da obra, e consiste, como os radicais I, apenas em notas muito descuidadas e difíceis.]

YA- lá (adiante); atrás (com relação a tempo), enquanto EN lá, além [EN] (com relação a tempo) aponta para o futuro. Qen. *yana* aquele (o precedente, anterior, primeiro); *yá* antigamente, outrora, anteriormente: *yenya* ano passado [YEN]; *yára* antigo, pertecente ou vindo de tempos passados; *yáre* dias passados; *yalúme* épocas/tempos passados [LU]; *yasse, yalúmesse, yáresse* era uma vez; *yárea, yalúmea* antigo, velho. Nold. *iaur* antigo, (mais) velho; *io (ia?)* atrás. "Velho" (no sentido mortal, decrépito) é *ingem* para pessoas, "doente-de-anos"; "velho" (decrépito, gasto) para coisas é *gem* [GENGWĀ]. Ver GYER.

YAB- fruta, fruto. Qen. *yáve* fruto; nold. *iau* cereal. *Yavanna* Provedora-de-frutos (cf. ANA¹), nold. *Ivann*.

YAG- voragem, abertura. *yagu- abismo: nold. *ia*, principalmente em topônimos como *Moria* = Abismo Negro. *yagwē: qen. *yáwe* ravina, fenda, abismo; nold. *iau*. Qen. *yanga*- bocejar, abrir-se.

487

AS ETIMOLOGIAS

YAK- **yakta-*: qen. *yat* (*yaht-*) pescoço; nold. *iaeth*. Qen. *yatta* estreito, istmo.

YAN- Cf. AYAN. Qen. *yána* local sagrado, fano, santuário; nold. *iaun*.

YAR- sangue. Qen. *yár* (*yaren*); nold. *iâr*; *Iarwath* Mancha-do-de-sangue (ver WA3), cognome de Túrin. Ilk. ôr sangue; *arn* vermelho; cf. *Aros* (= nold. *iaros*) nome de um rio com águas avermelhadas.

YAT- unir, juntar. **yantā* jugo, além de **yatmā*: qen. *yanta* jugo; *yanwe* ponte, bridge, junção, istmo. Nold. *iant* jugo; *ianw* ponte (*eilianw* "ponte-do-céu", arco-íris, ver 3EL).

YAY- zombar, escarnecer. Qen. *yaiwe*, nold. ant. *yaiwe*, zombaria, escárnio, desdém; nold. *iaew*.

YEL- filha. Qen. *yelde*; nold. *iell*, *-iel*. [Esse verbete foi removido com a alteração da etimologia do nold. *iell*: ver SEL-D e YŌ, YON. Uma nova formulação do radical YEL foi introduzida, mas foi, por sua vez, rejeitada. O texto dizia:] **YEL-** amigo: qen. *yelda* amigável, querido como amigo; *yelme*; *-iel* em nomes = [inglês antigo] *-wine* (distinguir do nold. *-iel* derivado de *selda*).

YEN- ano. Qen. *yén* (*yen-*); *linyenwa* velho, com muito anos [LI]. Último dia do ano = *qantien*, nold. *penninar* [KWAT]; primeiro ano, primeiro dia *minyen* [MINI]. *Endien* Meio-do-ano [ÉNED] era uma semana fora dos meses, entre o sexto e o sétimo mês, [?dedicada] às Árvores: [também chamada] *Aldalemnar*, ver LEP. Nold. în ano; ínias anais; *iðrin* ano (= *ien-rinde*, ver RIN); *edinar* (*at-yēn-ar*) dia de aniversário; *ennin* = Ano Valiano; *ingem* "doente-de-anos" = velho (mortalmente) [GENG-WĀ]; *ifant* idoso, longevo (= *yen-panta* > *impanta* > *in-fant*) [KWAT]. [A palavra *Inias* "Anais" ocorre nas folhas de rosto apresentadas na p. 239.]

YES- desejar. Qen. *yesta* desejar; nold. *iest* desejo.

YŌ, YON- filho. Qen. *yondo*, *-ion*; nold. *ionn*, *-ion*. [O seguinte trecho foi acrescentado quando o verbete YEL havia sido removido:] feminino *yēn*, *yend* = filha; qen. *yende*, *yen*.

YŪ- dois, ambos. Nold. *ui-* twi-, como *uial* crepúsculo [KAL]. Qen. *yŭyo* ambos.

YUK- empregar, usar. Nold. *iuith* iso, *iuitho* [?desfrutar].

YUL- arder (lentamente). Qen. *yúla* brasa, madeira ardente; *yulme* [?calor] vermelho, calor abrasador; *yulma* tição. Nold. ant. *iolf* tição; *iûl* brasas.

YUR- correr. Nold. ant. *yurine* eu corro, *yura* curso, percurso; nold. *iôr* curso, percurso.

APÊNDICE

I. AS GENEALOGIAS

Esse material tem seu lugar na primeira versão dos *Anais de Beleriand*, mas, embora eu soubesse de sua existência (visto que é mencionado na *Lista de Nomes*), dei-o como perdido, e somente recentemente descobri este pequeno manuscrito, após TER terminado o trabalho no Vol. IV. Ele é composto por tabelas genealógicas dos príncipes élficos, das três casas dos Pais de Homens e das casas dos Homens do Leste. Não há necessidade de reproduzir essas tabelas, mas sim se apenas mencionar certos detalhes que não se encontram em nenhum outro lugar. Na primeira delas há algumas pessoas adicionais:

Elwë, Senhor dos Teleri (que é chamado de "Senhor dos Navios"), tem um filho, *Elulindo*;

Fingon tem um filho, *Findobar* (esse nome, simplesmente como um nome, ocorre nas *Etimologias* nos radicais PHIN (escrito *Findabar*) e MBAR);

Orodreth, além de seu filho Halmir, tem um filho mais novo, *Orodlin*.

As genealogias dos Homens possuem datas de nascimento e falecimento. Essas datas foram extensamente emendadas, alteradas em um ou dois anos, mas no fim são quase exatamente como as presentes na primeira versão do AB 1. Contudo, as datas a seguir não se encontram em nenhuma versão dos *Anais* (caso se encontrassem, naturalmente teriam sido estendidas em dois passos, primeiro por cem anos e então por duzentos anos).

Elboron, filho de Dior, nascido em 192; *Elbereth*, seu irmão, nascido em 195 (assim, tinham catorze e onze anos ao morrerem, AB 2, anal 306);

Húrin, morreu em "?200" (no anal 200 no AB 1, repetido no AB 2, "seu destino não é sabido por ninguém com certeza");

APÊNDICE

Ulfand, o Tisnado, nascido em 100, morreu em 170; *Uldor, o Maldito*, nascido em 125, *Ulfast*, nascido em 128, *Ulwar*, nascido em 130;

Bor, o Fiel, nascido em 120; *Borlas*, nascido em 143; *Boromir*, nascido em 145; *Borthandos*, nascido em 147.

Além das tabelas genealógicas há também uma tabela das divisões dos Qendi que é quase a mesma que aquela apresentada com o *Lhammas* na p. 233, e junto com essa tabela há uma lista dos muitos nomes pelos quais os Lindar, Noldor e Teleri eram conhecidos. Essa lista é a primeira forma daquela em QS §29 (nota ao texto), e todos os nomes que se encontram aqui também se encontram na lista mais longa no QS; mas há aqui também muitos nomes élficos que (à exceção de *Soloneldi*) não se encontram no QS:

Os Lindar também são chamados *Tarqendi* "Altos-elfos", *Vanimor* "os Belos" [> Írimor "os Formosos"] e *Ninqendi* "Elfos-brancos";

Os Noldor também são chamados *Nurqendi* "Elfos-profundos", *Ainimor* [escrito acima: *Istimor*] "os Sábios" e *Kuluqendi* "Elfos-dourados";

Os Teleri também são chamados *Falmarindi* "Ginetes-d'Ondas", *Soloneldi* "Músicos da costa" e *Veaneldar* "Elfos-do-mar".

O nome *Vanimor* é usado no AV 2 para os espíritos menores da raça valarin, entre os quais foram "contados mais tarde" também os *Valarindi*, os Filhos dos Valar (pp. 134–35, 146); estes são os *Vanimor* nas *Etimologias*, radical ban, mas nos radicais de negação ugu e umu o nome é traduzido "belo povo = (homens e) elfos". Alguns desses outros nomes também aparecem nas *Etimologias*: *Tarqendi* (tā), *Nurqendi* (nū), *Istimor* (is), *Falmarindi* (phal) e *Soloneldi* (sol). Com *Irimor*, cf. *Irima ye Númenor* em *A Estrada Perdida* (p. 89), e ver o radical id.

II. A LISTA DE NOMES

Durante a década de 1930, meu pai deu início à tarefa de fazer uma lista alfabética, com definições, de todos os nomes em suas obras acerca das lendas dos Dias Antigos. Uma lista de fontes foi anexada a essa lista, e os verbetes são acompanhados por referências completas a fontes (por números de páginas ou data de anais), mas essas referências se restringem quase que inteiramente aos *Anais de Beleriand* e às *Genealogias*: as únicas outras são umas

A ESTRADA PERDIDA E OUTROS ESCRITOS

poucas às primeiras páginas do *Qenta Noldorinwa* (Q) e duas ao *Mapa*. Na lista de fontes, "Anais de Beleriand" e "Genealogias" estão marcados com um sinal de visto; está claro que meu pai havia indexado esses textos e começado com o Q quando parou de trabalhar na lista.

Tal como a Lista de Nomes foi originalmente escrita, as referências são apenas à primeira versão do AB 1 (mas incluem acréscimos feitos àquele texto subsequentemente e apresentados nas notas em IV. 362–66). Porém, após a lista ser abandonada como uma obra de referência metódica, meu pai fez acréscimos a ela de maneira mais casual, sem referências, e esses acréscimos posteriores mostram o uso da segunda versão do AB 1, assim como alguns nomes que não aparecem em nenhum dos textos; verbetes também foram modificados e ampliados de forma substancial.

A maioria desses verbetes na verdade não acrescenta nada em suas definições ao que está disponível nas fontes, e não há qualquer necessidade de apresentar a obra na íntegra. Segue-se aqui uma pequena seleção do material, restrito aos verbetes ou partes de verbetes que possuem alguma característica específica de interesse (principalmente acerca de nomes ou formas nominais).

Aldaron   O equivalente noldorin é dado como *Galaðon*, que não aparece em outro lugar.

*Balrog*é   dita ser uma palavra-órquica sem um equivalente qenya puro: "empréstimo *Malaroko-*"; compare com as *Etimologias*, radicais ÑGWAL e RUK.

Beleriand   "Originalmente a terra ao redor do Sirion meridional, nome dado pelos Elfos dos Portos devido ao Cabo *Balar* e à Baía de *Balar*, onde o Sirion desaguava; estendido a todas as terras ao sul de Hithlum e Taur-na-Danion, e a oeste das Eredlindon. Suas fronteiras meridionais não são definidas. Por vezes inclui Doriath e Ossiriand." Com essa afirmação acerca da extensão de Beleriand, cf. QS §108; e com a derivação do nome *Beleriand* de Cabo *Balar*, Baía de *Balar*, cf. as *Etimologias*, radical BAL. Essa é a primeira ocorrência de Cabo Balar, que, no entanto, foi marcado no segundo Mapa como desenhado e rotulado originalmente.

Beren   Os cognomes de Beren primeiramente foram dados como *Mablosgen* "O de Mão-vazia" e *Ermabuin* "Uma-Mão"

493

APÊNDICE

(como no anal 232 do AB 2). O primeiro foi alterado para *Mablothren* e depois para *Camlost* (e, em um verbete separado, *Mablosgen > Mablost*); o segundo, para *Erchamui* e depois para *Erchamion* (mais uma vez como no AB 2, nota 22). Pelas *Etimologias* (radicais KAB e MAP), parece que os nomes que contêm o elemento *mab* são nomes ilkorin (doriathrin), enquanto os que contêm *cam, cham* são noldorin.

Cinderion   "Nome gnômico = Terras de Cá". Esse nome não possui referência a uma fonte; não se encontra em nenhum outro lugar, nem qualquer forma semelhante a ele.

Cristhorn   foi emendado primeiro para *Cil-thorn* e depois para *Cil-thor(o)ndor*, com a definição "Fenda-das-Águias de Thorondor, Rei das Águias". As formas *Cilthoron* e *Cilthorondor* encontram-se nas *Etimologias* (radical KIL), assim como *Cristhoron* (kiris).

Dagor Delothrin   "A Última Batalha, 'a Batalha Terrível', na qual Fionwë sobrepujou Morgoth." A referência dada é ao anal 250 do AB 1, onde, porém, não há qualquer nome élfico. Em uma referência cruzada na lista à Última Batalha, ela também é chamada de "a Longa Batalha" (pois durou cinquenta anos).

Dagor Nirnaithé   dado como um nome da Batalha das Lágrimas Inumeráveis.

Elfos-escuros   "Tradução de *Moreldar* (também chamados *Ilkorindi*, aqueles que não chegaram a Kôr), o nome de todos os Elfos que permaneceram vagando pelas Terras de Cá..." O termo *Moreldar* não se encontra em nenhum outro lugar. A nomenclatura aqui obviamente é aquela do Q (§2), onde *Eldar* = "todos os Elfos" e os *Ilkorindi* ou Elfos-escuros são aqueles que se perderam na Grande Marcha.

Dor-deloth, ou *Dor-na-Daideloth*   "'Terra do Terror' ou 'Terra da Sombra do Terror', aquelas regiões a leste das Eredwethion e ao norte de Taur-na-Danion governadas por Morgoth; mas suas fronteiras sempre se ampliavam para o sul, e antigamente incluíam Taur-na-Fuin."

Dorthanion   afirma-se ser um nome doriathrin: *thanion* = "de pinheiros" (*than*). Ver as *Etimologias*, radical THÔN.

Anãos   "Chamados pelos Elfos-escuros (e, assim, pelos Gnomos) de *Nauglar* (singular *Naugla*)." *Nauglar* aparece em um acréscimo ao AB 1 (IV. 364); a forma no QS é *Naugrim*.

Elivorn   "Negro-Lago em Dor Granthir." Esse foi um acréscimo posterior à lista e não possui referência a fontes. *Elivorn* pode bem ter sido a forma apagada e substituída por *Helevorn* em QS §118. *Dor Granthir* encontra-se na mesma passagem no QS.

Eredlindon   "'Montanhas Azuis' (*lind* azul), limites orientais de Beleriand." Ver o comentário a QS §108.

Eredlúmin   "'Montanhas Tenebrosas', montanhas a leste [*leia-se* oeste] de Hithlum, que dão para os Mares." Tal como a lista foi originalmente composta, *Eredlómin* em ambas as ocorrências foi escrito *Ered-lúmin*. Comentei (IV. 222) que tanto o significado do nome como a sua aplicação foram alterados, de modo que *Ered-lómin* "Montanhas Sombrias", a leste e ao sul de Hithlum, como no Q, tornou-se *Ered-lómin* "Montanhas Ressoantes", a cadeia costeira a oeste de Hithlum; e, na mesma época, o significado de *Dor-lómin* mudou de "Terra das Sombras" para "Terra de Ecos". Na Lista de Nomes como originalmente composta, o novo nome para as montanhas a leste e ao sul de Hithlum, *Eredwethion* "Montanhas Sombrias", já aparece (com a etimologia *gwath* "sombra"), e, portanto, há aqui um estágio intermediário, quando *Ered-lómin* (*-lúmin*) havia se tornado o nome da cadeira costeira, mas ainda não possuía o significado "Ressoantes". Sem dúvida há também um estágio etimológico intermediário, que entendo se a explicação da forma *lúmin* (encontrada também em *Dor-lúmin* no segundo Mapa): a fonte agora era o radical LUM, dado nas *Etimologias* como a fonte de *Hith-lum* (e do qen. *Hísilumbe*, alterado para *Hísilóme* pela influência de *lóme* "noite": qen. *lumbe* "treva, sombra"). Daí a tradução aqui "Montanhas Tenebrosas", que não se encontra em nenhum outro lugar. Por fim, surgiu a interpretação "Ressoantes", com a derivação de *-lómin* a partir do radical LAM.

Fingolfin   O marco de Fingolfin é chamado *Samas Fingolfin*.

Fuin Daidelos   "Noite da Sombra do Terror" ou "Sombra Mortal da Noite" é dado como um nome de Taur-na-Fuin.

Gothmog   "= Voz de *Goth* (Morgoth), um nome-órquico." Morgoth é explicado no seu lugar na lista como "formado a partir de seu nome-órquico *Goth* 'Senhor ou Mestre', com *mor* 'sombrio ou negro' prefixado". Esses verbetes na Lista de Nomes foram discutidos em II. 87–8. Nas *Etimologias*, o elemento *goth* é explicado de modo diferente em *Gothmog* (gos, goth) e em

Morgoth (kot, mas com uma sugestão de que o nome "também pode conter goth").

Gurtholfin foi subsequentemente alterado para *Gurtholvin* e depois para *Gurtholf. Gurtholfin* > *Gurtholf* também no AB 2, nota 39; ver as Etimologias, radicais GÓLOB e NGUR.

Hithlum é traduzido "Bruma-e-Crepúsculo"; ver as *Etimologias*, radicais KHIS e LUM.

Kuiviénen O nome noldorin *Nen Echui* é dado; ele se encontra nas *Etimologias*, radical KUY.

Morgoth Ver *Gothmog*.

Orques"Gnômico *orch*, pl. *eirch*, *erch*; qenya *ork*, *orqui* empréstimo do gnômico. Um povo arquitetado e trazido à existência por Morgoth para fazer guerra a Elfos e Homens; às vezes traduzido como 'Gobelins', mas eles eram de estatura quase humana." Ver o verbete órok nas *Etimologias*.

Sarn Athrad é traduzido "Pedra de Travessia".

Sirion A extensão do Sirion é dada como "cerca de 900 milhas" [*c.* 1.448 km] de Eithil Sirion ao Delta. Em QS §107, a extensão do rio do Passo do Sirion ao Delta é de 121 léguas [*c.* 584 km], que se medida em uma linha reta da abertura setentrional do Passo está de acordo com a escala no segundo Mapa de 3,2 cm. = 50 milhas [*c.* 80 km] (ver p. 324). Mas a Lista de Nomes e o desenho original do segundo Mapa estavam associados, e duas das referências apresentadas na lista são feitas ao Mapa, de modo que é difícil justificar a extensão de 900 milhas (300 léguas).

Porto do Sirion:"(*Siriombar*), o assentamento de Tuor e dos remanescentes de Doriath em *Eges-sirion*; também chamado *Sirion*." O nome *Siriombar* ocorre apenas aqui; cf. *Brithombar*.

Fozes do Sirion:"(*Eges-sirion*), os vários braços do Sirion em seu delta, também a região do delta." Acima do segundo *s* de *Eges--sirion* (um nome que não se encontra em nenhum outro lugar) foi escrito um *h*, mostrando a alteração do *s* original para *h* em posição mediana.

Nascente do Sirion:"(*Eithil* ou *Eithil Sirion*), as nascentes do Sirion, e a fortaleza de Fingolfin e Fingon próximo à fonte."

Tol Thû é outro nome para *Tol-na-Gaurhoth*.

Tulkas "O mais jovem e mais forte dos nove Valar." A referência é a Q, IV. 96, mas não é dito lá que Tulkas era o mais jovem dos Valar.

III. O SEGUNDO MAPA DO "SILMARILLION"

O segundo mapa da Terra-média a oeste das Montanhas Azuis nos Dias Antigos também foi o último. Meu pai jamais fez outro; e no decorrer de muitos anos esse mapa acabou completamente coberto por alterações e acréscimos de nomes e elementos, e destes não são poucos os feitos a lápis de maneira tão apressada ou que se encontram quase apagados a ponto de se tornarem mais ou menos obscuros. Esse foi a base para o meu mapa no "Silmarillion" publicado.

Entretanto, é possível perceber facilmente o elemento original no mapa pela pena elegante e cuidadosa (todas as alterações subsequentes foram feias de forma descuidada); e apresento aqui em quatro páginas consecutivas uma reprodução do mapa *como foi originalmente desenhado e rotulado*. Esforcei-me para fazer desta cópia a mais próxima possível do original, embora eu não garanta a correspondência exata de cada árvore.

Está claro que esse segundo mapa, desenvolvido a partir daquele apresentado no Vol. IV, em sua forma original tinha seu lugar nos trabalhos mais antigos da década de 1930: na verdade, tinha estreita associação com a Lista de Nomes — que em dois casos (*Eglor* e *Eredlúmin*, embora *Eredlúmin* não esteja marcado no mapa) cita "Mapa" como a referência-fonte —, como se vê por certas formas nominais comuns a ambos: por exemplo, *Dor-deloth*, *Dor-lúmin*, *Eithil Sirion* e pela ocorrência em ambos de *Cabo Balar* (ver o verbete *Beleriand* na Lista de Nomes). Ademais, a data em "Reino de Nargothrond Além do rio (até 195)" no mapa o associa com os *Anais de Beleriand* originais, onde a queda do reduto ocorreu naquele ano (IV. 357), como também o faz o nome do rio *Rathlorion* (posteriormente *Rathloriel*).

O mapa se encontra em quatro folhas, originalmente coladas umas nas outras, mas que agora estão separadas, nas quais os quadrados do mapa não coincidem inteiramente com elas. Nas minhas reproduções, segui os quadrados em vez das folhas originais. Numerei os quadrados horizontalmente de um lado ao outro do mapa de 1 a 15, e os rotulei verticalmente de A a M, de maneira que cada quadrado possui uma combinação diferente de letra e número para referências subsequentes. Espero mais tarde fornecer um relato de todas as alterações feitas posteriormente no mapa, usando esses desenhos refeitos como base. A escala é de 50 milhas para 3,2 cm (o comprimento dos lados dos quadrados); ver p. 324.

APÊNDICE

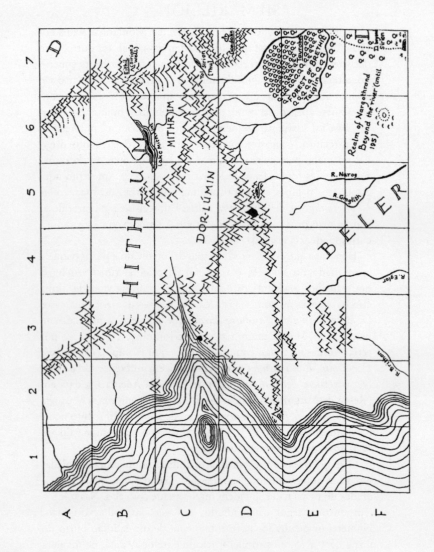

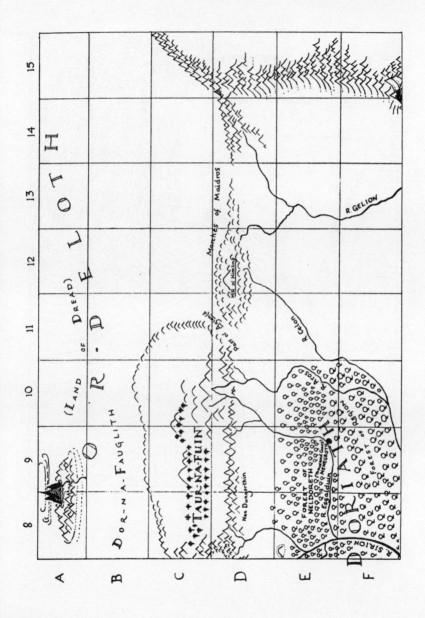

APÊNDICE

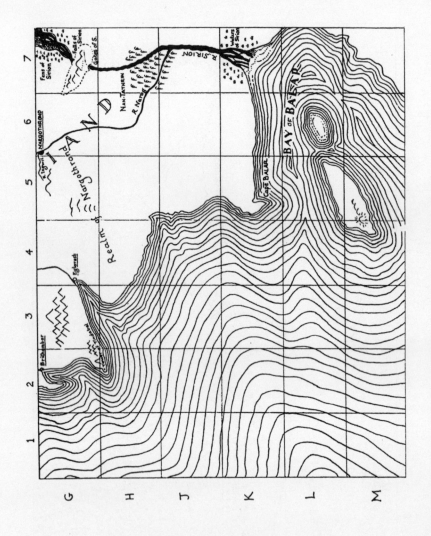

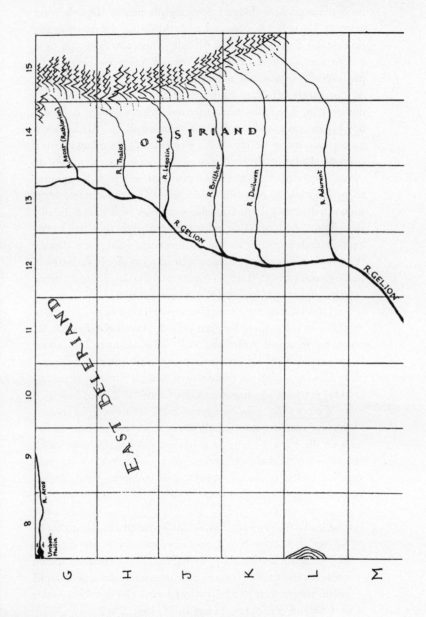

APÊNDICE

Há vários desenvolvimentos nas características físicas das terras desde o primeiro Mapa (como a grade ilha ao largo da costa oeste de Drengist; as Montanhas de Mithrim; o braço tributário oriental do Gelion; a ilha de Balar), mas não farei aqui uma comparação detalhadas dos dois. Ver-se-á que nesse estágio meu pai inseriu pouquíssimos nomes no novo mapa — muito menos do que existia, em claro contraste ao antigo, que menciona por nome Ivrin, Thangorodrim, Angband, Monte Dolm, o Monte dos Espiões, as grandes cadeias de montanhas, etc. Ainda assim, no segundo mapa são mostrados elementos como o Lago Ivrin e o Monte Dolm, e naturalmente alguns nomes acrescentados de forma descuidada num momento posterior bem podem remontar ao período inicial; mas como é impossível se TER certeza, omiti tudo nos desenhos refeitos que não é original. Não sei como explicar a montanha pintada de preto a oeste de Ivrin (quadrado D5), nem o grande morro, se for isso mesmo, entre o Sirion e o Mindeb (E8), tampouco a curiosa baía circular na costa abaixo de Drengist (C3). Quanto à representação muito estranha das Thangorodrim, isoladas em um círculo de picos menores, ver p. 323.

De especial interesse é o surgimento de Tavrobel na Floresta de Brethil. Nos textos literários desse período, Tavrobel é mencionada por nome apenas no preâmbulo ao AV 1 (citado na p. 238), como lar de Pengolod em Tol Eressëa "após o seu retorno para o Oeste", onde Ælfwine (Eriol) viu e traduziu os Anais; a partir desse preâmbulo foi desenvolvido aquele ao QS (p. 240), onde, no entanto, o nome é escrito *Tathrobel*. Por outro lado, nas *Etimologias* (radical PEL(ES)), *Tavrobel* é mencionada como a "aldeia de Túrin na floresta de Brethil, e o nome da aldeia em Tol Eressëa"; o primeiro elemento é o noldorin *tafr*, *tavor*, "pica-pau" (tam), e o segundo significa "aldeia (cercada)" (qenya *opele*, noldorin *gobel*). Assim, surgem as seguintes evidências:

(1) Nas lendas mais antigas, *Tavrobel* (originalmente traduzido "lar da floresta", I. 322) também possuía um duplo significado: era Great Haywood em Staffordshire, na Inglaterra, e possuía, de acordo com concepções complexas e cambiantes à essa altura perdidas há muito tempo, uma relação particular com o lar de mesmo nome de Gilfanon em Tol Eressëa (ver II. 352–54, 374–75).

(2) *Haywood* em inglês antigo era *hæg-wudu* "mata cercada" (II. 396).

502

A ESTRADA PERDIDA E OUTROS ESCRITOS

(3) Posteriormente (no período pós-*Senhor dos Anéis*), as moradas dos Homens de Brethil que Túrin encontrou foram chamadas *Ephel Brandir* "a barreira circundante de Brandir" (*ephel* foi derivado de *et-pel* "cerca externa"), e essa aldeia ficava em uma elevação na floresta chamada *Amon Obel*.

(4) Nas *Etimologias*, *Tavrobel* ainda é o nome dos dois lugares, a aldeia dos Homens-da-floresta em Brethil e uma aldeia em Tol Eressëa, onde (nos preâmbulos a AV 1 e QS) Pengolod (sucessor, como argumentei em IV. 322, de Gilfanon) habitava.

Mas não há qualquer indicação do porquê Tavrobel ainda deveria ser usada duas vezes dessa maneira. É possível se pensar que meu pai não queria abandonar de vez essa antiga e profunda associação com sua juventude; e, portanto, é tentador ver a sua concessão nessa época ao nome *Tavrobel* dessa forma e nesse lugar como um eco de Great Haywood, e talvez não seja exagerado demais nos perguntarmos se ele foi influenciado pela confluência dos dois rios, Taiglin e Sirion, não muito diferente, em seus relativos cursos aqui, daquela do Sow e do Trent em Great Haywood (I. 236).*

---

* A casa de Gilfanon, a Casa das Cem Chaminés, ficava próximo à ponte de Tavrobel (I. 212), onde dois rios, Gruir e Afros, confluíam (II. 341, 345–46). Ressaltei (I. 236, nota 5) a possibilidade de que existia, ou exista, uma casa que deu à de Gilfanon; e o Sr. G.L. Elkin, Diretor Interino Shugborough Estate, que gentilmente me forneceu fotografias e um mapa detalhado, chamou a minha atenção para o fato de que Shugborough Hall, o lar dos Condes de Lichfield e agora propriedade do Fundo Nacional, fica próximo ao final da antiga ponte dos animais de carga (chamada Ponte Essex), que atravessa os rios em sua confluência, e de que as chaminés da mansão são uma característica proeminente. Parece ser muito provável que a visão de meu pai da grande casa através das árvores e de suas chaminés fumegantes ao pisar na ponte esteja, em algum sentido, por trás da Casa das Cem Chaminés na antiga lenda. O Sr. Elkin sugeriu ainda que a Charneca Alta, ou Charneca do Teto-do-Céu, onde a grande batalha foi travada, de modo que se tornou a Charneca Seca (II. 341, 345–46), pode ser Hopton Heath (onde uma batalha da Guerra Civil foi travada em 1643), que fica a algumas milhas ao noroeste.

ÍNDICE REMISSIVO

A vasta gama de formas presentes na Parte III deste livro constitui um problema com relação ao Índice Remissivo. Em primeiro lugar, uma grande quantidade nomes encontrados nas *Etimologias* não ocorrem em outras partes do livro e, em muitos casos, nomes são registrados em formas bastante variadas de acordo com o desenvolvimento fonético diVejagente nas diferentes línguas. Em segundo lugar, a discussão da história dos nomes e do isolamento de seus elementos torna a distinção entre "nome" e "palavra comum" irreal; para os propósitos desde "dicionário etimológico", *Alqualondë* ilustra *alqua* "cisne" e *londë* "entrada de enseada, rotas". Mas seria absurdo listar em ordem alfabética mesmo uma porção dessas "palavras comuns" élficas na Parte III, uma vez que (independentemente das considerações práticas de tamanho) isso significaria reescreVeja o "dicionário" de maneira a ocultar a relação histórica entre palavras, que é o objetivo da obra demonstrar.

De fato, excluí todo o conteúdo das *Etimologias* da representação normal no Índice Remissivo, mas tentei auxiliar as referências a elas dos seguintes modos: (1) Nas referências de páginas a nomes que ocorrem em outras partes do livro, incluí também páginas das *Etimologias* onde esses nomes são explicados — todas essas referências estão impressas em *itálico*. Como regra geral, restrinjo essas referências a ocorrências reais nas *Etimologias* do nome em questão, mas deixei essa regra de lado onde pareceu ser útil fornecer uma referência a um elemento em um nome que apenas aparece nas *Etimologias* como uma "palavra comum" (por exemplo, *nyárë* "conto, saga, história" em *Eldanyárë*). (2) Onde as *Etimologias* fornecem nomes de pessoas, povos ou lugares que são diferentes daqueles encontrados em outras partes do livro, esses nomes são mencionados no Índice Remissivo, mas não recebem Vejabetes separados; por exemplo, os nomes noldorin *Mirion* e *Núron são*

ÍNDICE REMISSIVO

apresentados em Silmarils e Ulmo. Dessa forma, a grande maioria dos nomes nas *Etimologias* está pelo menos indicada no Índice Remissivo. Mas fora isso, as muitas curiosidades da obra — como a estrutura do ano valinoriano e os nomes dos dias na "semana" valinoriana, ou a etimologia de *cram* — surgem somente através do estudo da mesma.

Devido ao grande número de nomes que ocorrem em *A Estrada Perdida* ou associados ao texto, excluí alguns dos mais casuais e insignificantes. Não são feitas referências aos nomes nas tabelas que acompanham o *Lhammas* ou nas reproduções do segundo Mapa.

Assim como antes, adotei uma única forma do uso de maiúsculas e de hifenização para os propósitos do Índice Remissivo.

Abismo de Ilmen Veja *Ilmen*.

Açores 98, 101

adûnaico 91, 178

Adurant, Rio 155, 313, 319–20, 366–67, 420

Ælfwine Ælfwine, o Marinheiro. 14, 30, 50, 57, 68, 70–1, 95–9, 101–05, 107, 120, 127–08, 145, 194, 197, 238, 240, 289, 328, 358, 400, 458, 468, 479, 502; chamado *Widlást* "o Mui Viajado" 57, 71, 240; sua esposa 104; o conto de *Ælfwine da Inglaterra* 104, 128; *Canção de Ælfwine* (poema) 8, 123–25. Outros ingleses chamados *Ælfwine* 58, 70; = Alboin Errol 58; = Alboíno, o Lombardo 58, 70

Aelin-uial "Lagos do Crepúsculo". 312, 319 (também *Lhîn Uial* 453). Veja *Hithliniath, Alagados do Crepúsculo, Umboth Muilin*.

Afros, Rio Em Tol-eressëa, que confluía com o Gruir em Tavrobel. 503

Agaldor Chefe de um povo no Noroeste da Terra-média. 18, 19, 20, 96–7

Aglon, Passo do 154, 174, 315, 337; *Garganta de Aglon* 373, 418

Águas do Despertar Veja *Kuiviénen*.

Águias 78, 92, 95, 107, 193, 299. Veja *Gwaewar, Landroval, Sorontur, Thorondor; Senhores do Oeste*.

Ainimor "Os Sábios" (cf. 199), um nome dos Noldor. 492

Ainur 131, 185–87, 189–96, 245, 294, 421; singular *Ainu* 190. Veja *Música dos Ainur*.

Airandir ("Errante-do-mar"), um dos companheiros de Eärendel em suas viagens. 390

Airin Esposa de Brodda. 379

Akallabêth 13, 14, 16, 21, 29, 30, 41, 88, 91–4

Alagados do Crepúsculo 301, 310–12 Veja *Aelin-uial, Hithliniath, Umboth Muilin*.

Alalminóre "Terra dos Olmos" em Tol-eressëa. 176, (480)

Alboin Errol 92, 128, 217, 240, 289, 435

Alboíno, o Lombardo 49, 69, 70; chamado *Ælfwine* 68

Aldaron Nome de Oromë. 244, 431, 493. Veja *Galaðon*.

Alfredo, Rei 50, 70, 99, 104; seu filho *EtelVeja do [Æthelweard]* 70; seus netos *Elfwine [Ælfwine]* 70, e *Etelwine [Æthelwine]* 70

Alkar "O Radiante", nome de Melko. 80, 84, 89, 90–1, 145

Alkorin = *Ilkorin*. 236, 420

Allen & Unwin 14, 15, 73, 89, 90, 96, 120, 131, 350; *Stanley Unwin* 15, 120, 236

Almáriel Uma garota em Númenor. 76, 430

Alpes 112 (as "Montanhas Galesas").

Alqualondë (incluindo referências à Batalha de Alqualondë e ao Fratricídio) 133, 137, 140, 145, 224, 250, 261–62, 266, 269–70, 280–81, 283, 292, 341, 391, 401, 505 (noldorin *Alfobas, Hobas in Elf* 440). Veja *Portos*.

alta fala do Oeste 224

506

Altos-elfos   Um nome dos Lindar. 258, 474, 492 (veja *Tarqendi*); em sentido tardio, os Elfos do Oeste, 14

Aman   30, 133, 234, 405–06; *Montanhas de Aman* 359

Amandil   Último senhor de Andúnië, pai de Elendil. 14, 72, 88

Amantes das Joias   Um nome dos Noldor. 255

Ambar   "Terra". 18, 450

Ambarkanta   9, 16, 17, 18, 20, 29, 30, 44, 45, 71, 131–32, 147, 186, 195, 216, 245–46, 249, 257, 283, 288–89, 290, 294, 305, 317–18, 321, 324, 351, 363, 401–02, 418

Amigo-dos-Elfos   (= *Ælfwine*, *Alboin*, *Elendil*) 14, 40, 46, 62, 68, 72, 74, 93, 183. *Amigos-dos-Elfos* 26, 39, 50, 229, 327, 335, 403, 425

Amigos-dos-navios   Um nome dos Teleri. 255

Amon Dengin   "O Monte dos Mortos". 377, 386. Veja *Cûm-na-Dengin*, *Hauð-na-Dengin*.

Amon Ereb   "O Monte Solitário" em Beleriand Leste. 51, 71, 171, 182, 312–13, 338; descrito, 321

Amon Gwareth   O monte de Gondolin. 71

Amon Obel   Monte na Floresta de Brethil. 503

Amon Uilos   Nome noldorin de Taniquetil (veja *Oiolossë*). 247, 249, 432, 460 (também *Guilos* 432); forma mais antiga *Amon Uilas* 249

Amroth   Rei de Beleriand após a Queda de Númenor. 19, 20, 27, 33, 42, 97. (Substituído por *Elendil*.)

Anais Cinzentos   A última Vejasão dos *Anais de Beleriand*. 150, 151, 184, 346, 353, 356, 358, 361, 366, 389, 486

Anais de Aman   133

Anãos   (também *Anões*, Veja 176). 13, 34, 156, 162–63, 169, 172, 174, 176–78, 209, 225, 232, 304, 307, 316, 321, 330–33, 363, 367, 376, 419, 423, 471, 494; *anânico* 169, 332, 383. Quanto à origem e natureza dos Anãos, Veja *Aulë*; quanto às suas línguas (*aulianas*, *nauglianas*), Veja 210, 232. Veja *Nauglar*, *Naugrim*.

Anar   O Sol (quenya). 54, 72, 89 (Úr-anar), 285–86, 289, 419 (outros nomes *Aryante*, *Eriant* "O Que Traz o Dia" 419, *Ankalë* 437). *Anor* (noldorin) 211, 387, 406 (*Anar*).

Ancalagon   O Dragão Negro. 172, 395

Andor   "Terra da Dádiva", Númenor. 28, 35, 81

Andram   "A Longa Muralha" que atravessava Beleriand. 312–13, 319, 419, 464

Anduin   O Grande Rio. 46

Andúnië   (I) "Terra do Sol Poente", Númenor. 22, 28, 456. (2) A principal cidade de Númenor 28; *Senhor de Andúnië* 88

Anfauglith   = *Dor-na-Fauglith*. 360

Angainor   A corrente em que Morgoth foi aprisionado. 252, 395

Angband   "Os Infernos de Ferro". 132, 144, 147, 151–55, 157–58, 160, 162–66, 168, 172–73, 176–77, 180, 183, 208, 223, 249, 276, 282–83, 286, 295–98, 300, 301–08, 317, 325, 332, 333–35, 339–41, 343–44, 355–56, 371, 373–74, 383–84, 394–95, 450, 502 (também *Angamanda* em quenya), 450. Veja *Cerco de Angband*.

Angelcynn, *Angolcynn*   (Inglês antigo) O povo inglês. 238, 240–41

Anglos   111, 113; *Anglos do Sul* 105; (inglês antigo) *Engle* 112

Anglo-Saxão(ões)   95–6, 99; idioma 57, 59; *Crônica Anglo-Saxã* 99, 151, 104

Angol   O antigo lar dos ingleses. 108, 111. Cf. *Antiga Ânglia* 113

Angor   Rei de Númenor. 23–4, 38, 91. (Substituído por *Tar-Kalion*.)

Angrim   Pai de Gorlim, o Infeliz. 354

Angrist   Punhal de Curufin. 363

Angrod   Filho de Finrod (1) = Finarfin. 141–42, 145, 154, 159, 174, 178, 265, 268, 278, 281–84, 315, 312, 328, 333, 335, 465

Ano da Lamentação   163. *Anos de Escuridão* 143. Quanto a *Anos do Sol*, *Anos dos Valar*, Veja *Sol*, *valiano*.

Anor   O Sol. Veja *Anar*.

Ar-Adûnakhôr, *Ar-Gimilzôr*   GoVejanantes de Númenor. 91

Archenfield   Em Herefordshire. 99; *Irchenfield* 102, 104; inglês antigo *Ircingafeld* 99

Arda   192–93, 195, 352, 358, 361–62, 406

ÍNDICE REMISSIVO

Ari, o Sábio   Historiador islandês. 100

Arien, Árien   A Donzela-do-Sol. 285–86, 289, 420. (Substituiu *Úrien.*)

Armenelos   Cidade dos Reis em Númenor. 41–2

Arnor   Reino setentrional dos Númenóreanos na Terra-média. 14, 88

Aros, Rio   154–56, 310–11, 315, 330, 488

Arthod   Companheiro de Barahir. 336

Arthur, Rei   117

Arvalin   Região ao sul de Taniquetil. 138, 273, 287, 420

Árvore Branca   de Númenor (*Nimloth*) 250; de Tol-eressëa (*Celeborn*) 250

Ascar, Rio   155–56, 169, 313, 315, 324, 327, 469

Atalantë   Númenor. 18 ("A Cadente"), 18 ("A Ruína"), 22 ("A Decaída"), 35, 426; aparentemente se referindo à principal cidade de Númenor 22, 28; *Atalanteanos* 19. *Atalantië* "Queda" (= *Akallabêth*) 14

Atani   = *Edain.* 405

Atlântico (Oceano)   59

Atlântida   13–4, 17

Audoin Errol   56, 59, 60–1, 63–9, 72–3, 95

Audoíno, o Lombardo   49, 68–9, 70; chamado *Eadwine* 70, 72

Aulë   134–35, 138, 141, 145–48, 177, 190, 192, 195, 209, 225, 242–43, 254, 264, 266, 284, 288, 325, 326, 332, 421, 423–24, 431, 446, 450, 457, 475 (outros nomes: *Gaul, Belegol, Martan(o), Barthan* 431, 450, 475). Veja quanto a Aulë e os AnãosVeja 156, 174, 209, 225.

aulianas   Línguas dos Anãos. 210, 232. Veja *nauglianas.*

Ava-kúma   A Escuridão de Fora, o Vazio. 273, 402 (outros nomes: noldorin *Gaw, Belego* 419–20, 423, *Gast, Belegast* 442, quenya *Oiakúmi* 460). Veja *Escuridão de Fora, Vazio.*

Avallon   Tol-eressëa. 19, 22, 24, 87, 429, 480. *Avallónë,* porto em Tol-eressëa 29, 41

Avari   "Os Que Partem" 199, 214–15, 234, 236, 253, 255, 259, 413; no sentido tardio "Os Indesejosos" 253, 260, 414 (também o noldorin *Efuir, Efyr*).

Azevim   415, (*Regornion* 429)

Baía de Balar   Veja *Balar.*

Baía de Casadelfos   263–65, 275, 288, 389, 400

Baía de Feéria   202

Baía de Terradelfos   273, 275

Balada de Leithian   32, 131, 180, 346–47, 349, 353–56, 359–60, 362–63, 406, 434, 446, 455, 479

Balada dos Filhos de Húrin   178, 304, 378, 406. Veja *i-Chúrinien, Narn i Hîn Húrin.*

Balar   *Baía de* 156, 160, 171, 310, 318; *Cabo* 493, 497; *Ilha de* 156, 160, 171, 177, 179, 182, 262, 267, 316, 343, 422, 502; o nome *Balar* 211, 305, 421

Balrog(s)   139, 142, 148, 151, 164, 165, 170, 172, 176, 182, 252, 256, 276, 282, 296, 304, 334–35, 337–38, 340, 346, 357, 372–73, 376, 394, 403, 458, 467, 493 (também o quenya *Malarauko*), 467. Veja especialmente 170, 304, 403

Ban   Pai de Blodrin. 166

Bansil   Nome gnômico da Árvore Branca de Valinor. 249. (Substituído por *Belthil.*)

Baragund   Pai de Morwen e primo de Beren. 158, 161, 180, 336, 345, 379, 394, 423, 442

Barahir   Chamado "o Audaz"; 157–59, 160–62, 178–79, 180, 293, 327–28, 335–36, 344, 347–49, 354–55, 366, 368, 380, 394, 423

Baranduin, Rio   O Brandevin. 415, 423

Barbas-longas   Veja *Enfeng, Indrafangs; Lombardos.*

Batalha das Lágrimas Inumeráveis   304, 347, 352, 375–77, 387–88, 497; *Lágrimas Inumeráveis* 163, 371. Veja *Dagor Nirnaith, Nirnaith Arnediad, Nirnaith Dirnoth, Quarta Batalha.*

Batalha de Eglorest   172, 183, 403

Batalha do Fogo Repentino   159, 178–79, 306–07, 334–35, 345–47, 355, 424, 483; o *Fogo Repentino* 371. Veja *Dagor Húr-breged, Dagor Vregedúr, Terceira Batalha.*

Batalha dos Deuses   (1) *A Primeira Batalha dos Deuses,* quando Melko foi acorrentado. 252, 257, 262; *Guerra dos Deuses* 136, 308, 322 *A Última Batalha dos Deuses,* ao final dos Dias Antigos.

508

A ESTRADA PERDIDA E OUTROS ESCRITOS

18. Veja *Grande Batalha*, Última Batalha.

Batalha Gloriosa 153, 302. Veja *Dagor Aglareb*, Segunda Batalha.

Batalha-sob-as-Estrelas 142, 284, 296, 303. Veja *Dagor-os-Giliath*, *Primeira Batalha*.

Batalha Terrível Veja *Grande Batalha*.

Bauglir Nome de Morgoth. 206 ("o Opressor") 244, 246, 292, 380, 399, 450

Baynes, Pauline Mapa da Terra-média. 406

Beleg Chamado "o Arqueiro". 304, 326, 330, 332, 336, 342, 345, 347, 350, 363, 369–70, 379, 381, 383–86, 419–20, 423–24, 431, 442, 460, 472

Belegar "O Grande Mar". 22–3, 28, 101, 152; *Belegaer* 28; *Belegoer* 419, 423 (quenya *Alatairë* 419)

Belegost "Grande Fortaleza". 156, 162, 169, 326, 330, 332, 363, 369, 383, 386, 423, 460. Veja *Gabilgathol*.

Belegund Pai de Rian, e primo de Beren. 158, 161, 163, 180, 336, 345, 379

Beleriand Leste, Oriental 155, 157, 159, 165, 311 (sua extensão), 312–13, 315–16, 324–25, 338, 342, 347, 475

Beleriand Oeste 310, 324–25, 420 (sua extensão).

Beleriand Sul 338

Beleriand 27, 32, 40–7, 51, 54–5, 58, 71, 93, 95–6, 131, 134, 136–37, 139, 142–44, 148, 150–61, 163–66, 171–74, 176, 178, 180, 183–84, 199, 201–03, 205–17, 219–20, 222–24, 226–31, 233, 239–41, 250, 254–55, 260–64, 282, 284, 289, 295, 2969–7, 300, 302, 304–05, 307, 309–13, 315–16, 318–19, 321, 324, 325–28, 330–31, 333, 335, 337–38, 341–42, 344–45, 347, 353, 358, 367, 368, 374, 381, 394, 395, 397, 404–05, 411, 414–16, 420–22, 429, 431, 434, 435, 457, 462, 464, 475, 491–93, 495, 497. Veja *Beleriand Oeste, Leste, Sul, Ingolondë*.

beleriândico (idioma) 54–5, 58, 211, 217, 227, 229, 289, 305, 411, 415, 435,

Belos-elfos A Primeira Gente dos Elfos. 258; *o Belo Povo*, um nome dos Lindar, 255. Veja *lrimor, Vanimor*.

Belthil Nome gnômico da Árvore Branca de Valinor (que substituiu *Bansil*); a Árvore Branca de Gondolin. 248–50, 421, 468, 478

Bëor, o Velho 158; chamado "Pai de Homens" 157–58, e "o Vassalo" 157, 327–28, 333; os filhos, casa, povo de Bëor 27, 35, 80, 158–59, 174, 177, 226, 327–29, 342, 345, 347, 357, 372

Beow "Cevada", Veja 116; alterado para *Beowulf* 112–17, 119

Beowulf (o herói) 113–14; (o poema) 115, 121

Beren 44, 155, 158, 161–63, 166, 169, 207, 221, 229, 235, 293, 320, 336, 344–45, 348–54, 356, 358, 360–70, 376, 378, 380, 386, 388, 401, 424, 425, 449–51, 480, 493; o destino de Beren 364–65

Beringol Veja *Peringol*.

Bilbo Bolseiro 34, 351; *Bungo Bolseiro*, seu pai 351

Bladorion A grande planície setentrional. 142, 153, 157, 159, 296, 302–03, 308–09, 314–15, 334; *Bladorion Leste* 154

Blodrin O traidor no bando de Túrin. 166

Bor (posteriormente *Bór*, Veja 175). Lestense, chamado "o Fiel". 175, 342, 347, 369–70, 372, 374, 379, 380, 483

Borlas Filho mais velho de Bor. 162, 342, 372, 425, 431, 492

Boromir (1) Segundo filho de Bor. 162, 180, 342, 372, 425, 492. (2) Pai de Bregor, pai de Barahir. 180

Borthandos Filho mais novo de Bor. 162, 342, 372, 425, 439, 492

Brandão, São "O Navegador". 98, 100–01, 123–24

Brandir, o Coxo 168, 422, 427, 449, 503

Breca dos Brondingas Em *Beowulf*. 112

Bregolas Irmão de Barahir. 157–59, 161, 180, 335–36, 354–55, 424

Bregor Pai de Bregolas e Barahir. 180

Bretanha (continental) 99

(Grã-)Bretanha 112–13, 240

Brethil, Floresta de 180, 310, 329, 343–44, 347–48, 370, 372, 376, 382, 424, 456, 461, 463, 503 (*Brethiliand*), 424; *Homens de Brethil* 372, 376, 503

Brilho-élfico Veja *Eledwen*.

Brilthor, Rio 155, 313, 451, 478

ÍNDICE REMISSIVO

Britãos, Os (celtas) 99; *Ilhas Britânicas* 183

Brithombar O porto setentrional da Falas. 139, 156, 167, 174, 181, 205, 211, 220, 227, 263, 310, 316, 318, 425, 496 (e o rio *Brithon*), 425

Brodda 168, 379, 425

Bronweg Companheiro de Tuor na jornada até Gondolin (quenya *Voronwë*). 168, 425, 485

Brunanburh, Batalha de (38), 70

Burnt Land of the Sun [Terra Queimada do Sol] 45

Cabeça-de-Dragão do Norte 383

Cabo Balar Veja *Balar.*

Calaquendi Veja *Kalaquendi.*

Camelot 117

Camlost "O de Mão-vazia", nome de Beren. 175, 361–62, 436, 448–49, 494; *Gamlost* 361. Veja *Mablosgen, Mablost.*

Canal de Bristol 99

Canção de Ælfwine, A (poema) 123, 240

Caradras "Chifre-Vejamelho", uma das Montanhas de Moria. 415, 426. Veja *Taragaer.*

Caras Galadon Em Lothlórien. 415

Carcharoth O Lobo de Angband. 162, 350–51, 437

Carpenter, Humphrey Biografia. 15, 67, 121

Casa das Cem Chaminés A casa de Gilfanon emTavrobel. 503

Casadelfos 127, 263–65, 273, 275, 280, 288, 389, 400, 429. Veja *Baía de Casadelfos; Eldamar, Eldanor, Elendë; Terradelfos.*

Cavernas dos Esquecidos 38; *Cavernas Esquecidas* 24, 38

Celeborn "Árvore de Prata", um nome da Árvore Branca de Valinor; posteriormente a Árvore de Tol-eressëa. 248, 250

Celebrant, Rio Em Lothlórien. 415, 465

Celebrimbor Filho de Curufin. 360, 415, 443

Celebrindal "Pé-de-Prata". Veja *Idril.*

Celebros "Chuva de Prata", quedas no Taiglin. 168, 182, 467

Celegorm (e posteriormente *Celegorn*, Veja 265). Filho de Fëanor, chamado "o Alvo" (Veja 265, 359). 141–42, 145, 151, 154, 159–60, 162, 163, 170, 173,

175, 179, 268, 345–46, 356, 358–59; inglês antigo *Cynegrim Fægerfeax* 359

Celon, Rio 154, 310–11, 315, 321, 340, 438

Celta(s) 56, 101, 112

Cerco de Angband 295, 300, 302, 304, 306, 307, 235, 332, 343; datas do Cerco 307

César 112; *Augusto César* 118

Charneca Alta Próximo a Tavrobel. 503

Charneca do Teto-do-Céu Próximo a Tavrobel. 503

Charneca Seca 503

Cilthorn, Cilthoron "Fenda das Águias". 170, 441, 494; *Cilthorondor* 441, 494. Veja *Cristhorn.*

Cinderion Terras de Cá. 494

Círculo do Julgamento O local de concílio dos Valar. 248, 272

Círculos do Mundo 365, 396

Clonfert, Abadia de Em Galway. 100

Colar dos Anãos 367; *Colar-anânico* 169. Veja *Nauglamír.*

Coletores-de-pérolas Um nome dos Teleri. 255

Comitiva do Anel 415

Companheiros dos Homens Um nome dos Noldor. 255

Contos Perdidos 95–6, 128, 147, 149, 185–86, 194–96, 214–15, 218–19, 224, 238, 246, 256–58, 268, 275, 288–89, 319, 330, 411, 433, 444, 447, 477; veja especialmente 95–6.

Cornualha 53, 55–6, 104,

Coroa de Ferro 184, 276,363, 395

Cortirion Veja *Kortirion.*

Costa do Oeste 136, 154, 318. Veja *Falas.*

Costas de Feéria, As (poema) 218

Cranthir Filho de Fëanor, chamado "o Moreno". 151, 154, 156, 159, 162, 164, 170, 265, 311, 315–16, 321, 325, 327, 338, 342, 372, 437, 464, 477

Cris(s)aegrim Montanhas ao sul de Gondolin. 346–47, 361

Cristhorn "Fenda das Águias". 170, 494 (*Cristhoron*), 494. Veja *Cilthorn.*

Cristo 69, 102

Cronologia de Beleriand Veja especialmente 151

Cûm-na-Dengin 175, 377. Veja *Amon Dengin, Hauð-na-Dengin, Monte dos Mortos.*

510

A ESTRADA PERDIDA E OUTROS ESCRITOS

Cunimund Rei dos Gépidas. 49, 69

Curufin Filho de Fëanor, chamado "o Matreiro". 141–42, 145, 151, 154, 159, 160, 162–63, 170, 175, 179, 265, 268, 281, 315, 321, 337, 345–46, 356, 360, 363, 369, 376, 442, 463

Dagnir Companheiro de Barahir. 161, 336, 345

Dagor Aglareb 153, 173, 302, 305–07. Veja *Batalha Gloriosa, Segunda Batalha.*

Dagor Delothrin "A Batalha Terrível". 494. Veja *Grande Batalha.*

Dagor Húr-breged 159, 175. Veja *Batalha do Fogo Repentino, Dagor Vregedúr, Terceira Batalha.*

Dagor Nirnaith A Batalha das Lágrimas Inumeráveis. 494

Dagor Vregedúr 175, 424. Veja *Batalha do Fogo Repentino, Dagor Húr-breged, Terceira Batalha.*

Dagor-os-Giliath 142, 145, 151, 173, 304; forma tardia *Dagor-nuin-Giliath* (*-nui-Ngiliath*) 145, 173, 296, 304. Veja *Batalha-sob-as-Estrelas, Primeira Batalha.*

Dairon (e posteriormente *Daeron*) Menestrel de Doriath. 349, 353, 358, 361, 426

Dairuin Companheiro de Barahir. 336

Dalath Dirnen A Planície Protegida de Nargothrond. 358, 480; forma tardia *Talath Dirnen* 358

Damrod Filho de Fëanor, irmão gêmeo de Díriel 151, 155, 159, 171, 265, 268, 311, 315, 321, 338, 445, 465

Dan Líder dos *Danas.* 137, 139, 206, 221 (*Dân*), 254, 465

Danas Os Elfos noldorin (lindarin 227, 229) que abandonaram a Grande Marcha. 254 (e *Nanyar, Danyar*), 222, 232, 254–55, 259–60, 426, 455, 462 (também *Nanar, Danath*), 426; *Dani* 222. Outros nomes dos Danas 215. Veja *Danianos, Elfos-verdes, Leikvir, Pereldar.*

daneses, dinamarqueses 111, 113, 115; *dinamarqueses do norte, dinamarques do oeste* 105; *Daneses de Lança* 113

Danianos = *Danas,* e o adjetivo *daniano*; também *daniano* como nome de seu idioma. 145, 148, 221, 229, 230–32, 236, 313, 320

de Mãos Hábeis, Os Um nome dos Noldor. 255

de Mãos-pesadas, Os Um nome élfico para os Homens. 291

Deldúwath "Sombra Mortal da Noite", Taur-na-Fuin. 175, 336 (também *Taurna-Delduath* 457). Veja *Fuin Daidelos, Gwathfuin-Daidelos.*

Denilos Forma mais antiga de *Denithor, Denethor.* 221

Denithor (e posteriormente *Denethor,* Veja 221). Filho de Dan; líder dos Elfos-verdes. 137, 139, 145, 151, 155, 173, 176–77, 219, 221. Outras formas *Nanisáro, Daintáro, Dainthor* 221

Descampado dos Caçadores 319. Veja *Morros dos Caçadores.*

Despossuídos, Os A Casa de Fëanor. 138, 151, 300

Deuses 9, 18, 20–6, 28–9, 30–3, 34–5, 76, 78, 80, 91, 93, 97, 135, 138, 141, 143, 146, 172, 193, 196, 199, 202–06, 257, 359, 364, 375; inglês antigo *Ese* 430, cf. também *Oswin* 68. *Terra dos Deuses* 24, 28, 30, 35, 199, 202, 212, 243, 255, 263, 266, 421; *Montanhas dos Deuses* 264, 359; *Planície dos Deuses,* Veja 19, 26; *Deus dos Sonhos* 261; *o Deus Sombrio* 244; *Amigos dos Deuses,* um nome dos Lindar, 255. Veja *Batalha dos Deuses; Senhores do Oeste, Poderes, Valar; Filhos dos Valar.*

Devon 101–02

Dias Antigos 26, 40, 44–5, 50, 180, 203, 206, 229, 262, 276, 291, 308, 492, 497; *Antigos Anos* 111–12

Dicuil Monge irlandês do século IX. 99

Dimbar Terra entre o Sirion e o Mindeb. 311, 318, 426.

Dinamarca 117–18

Dior Chamado "o Belo" e "Herdeiro de Thingol" (Veja 401). 163, 169–70, 229, 367, 396, 398, 401, 423, 455, 491

Díriel Filho de Fëanor, irmão gêmeo de Damrod 151, 155, 159, 171, 265, 268, 311, 315, 321, 338, 427, 434

Dolbaran A mais meridional elevação das Montanhas Nevoentas. 415, 423

Dolm, Monte Grande elevação nas Montanhas Azuis. 156, 174, 327, 332, 452, 455, 502; forma tardia *Dolmed* 174, 327, 332, 452, 455

511

ÍNDICE REMISSIVO

Dor Granthir "Terra de Cranthir". 316, 321, 495. Veja *Radhrost, Thargelion*.

Dor-Daideloth (e posteriormente *Dor-Daedeloth*, Veja 256). "Terra da Sombra do Terror", reino de Morgoth. 144–45, 304, 428 (*Daedhelos*); *Dor-na-Daideloth* 494

Dor-deloth "Terra do Terror", reino de Morgoth. 428, 494, 497

Doriath 139, 151–55, 161–62, 165–70, 180, 199, 205–06, 208, 211, 215, 219–24, 227, 229–31, 255, 261, 293, 300–01, 305, 309–16, 319, 325–26, 329–30, 335, 337, 340, 344, 347, 349, 350, 353, 357, 366–70, 374, 380–84, 386–87, 389, 397, 415, 417, 420, 423–24, 428–29, 431, 434, 452, 454–56, 460, 464, 478–79, 493–94, 496 ("Terra da Caverna"), 431(outros nomes *Eglador, Ardholen, Arthoren, Arthurian, Garthurian*, 431, 434–35, 479). *Doriath além do Sirion* 319 (Veja *Nivrim*). Veja *Reino Oculto*.

doriathrin O idioma de Doriath. 208, 229–30, 305, 417, 429. Muitas referências ao idioma de Doriath estão incluídas no Vejabete *Doriath*.

Dor-lómen, Dor-lómin 295, 309, 495 (também *Lómendor, Dorlamren*), 444; *Dor-lúmin* 444. Quanto ao significado cambiante do nome, Veja 444.

Dor-na-Fauglith 159 ("Terra da Sede Sufocante"), 159 ("Terra da Sede"), 159, 334 ("areia sedenta"); *Fauglith* 344, 360, 370–71, 377, 447, 462; *Anfauglith* 360

Dorthonion (e anteriormente *Dorthanion*, Veja 173). "Terra dos Pinheiros". 173, 284, 302, 305, 309–11, 313, 316, 3361 (sua extensão), 314–15, 317, 321, 324–25, 334, 347–48, 356 (também *Dor-na-Thuin*), 478. Veja *Taur-na-Danion*.

Dorwinion 400

Dragões (não incluindo referências a Glómund) 35, 157, 170, 395, 398 (*lóke, lhûg* 447); *dragões alados* 172, 394 (*rámalóke* 447); *Dragão Negro*, Veja *Ancalagon*.

Draugluin 161 ("o Lobisomem"), 162, 180

Drengist, Estreito de 142, 151, 157, 173, 295, 303, 307, 309, 323, 327, 332

Duas Árvores (incluindo referências a Árvores) 152, 199, 247, 254, 255, 269, 274, 290, 399478; nomes das Árvores 249–50; *Anos das Árvores* 143

Duas Gentes Elfos e Homens. 27, 40, 169, 351, 362, 364, 390–92; *estrela das Duas Gentes*, Eärendel, 169

Duil Rewinion Antigo nome dos Morros dos Caçadores. 268. Veja *Taur-na-Faroth*.

Duilwen, Rio 155, 313, 428, 434

Dungorthin, Dungortheb Veja *Nan-dungorthin*.

Durin 13

Dyfed Sul de Gales. 99

Eä O Mundo. 405. Veja *Ilu*.

Eädwine (1) Filho de Ælfwine. 14, 59, 68, 70, 72, 96, 98. (2) Rei dos Lombardos, = *Audoíno*. 49, 68, 70

Eärámë "Asa de Águia", navio de Tuor. 88, 170 "Ala-do-mar".

Eärendel 9, 16, 27, 29, 31, 33, 35, 36, 76, 81, 84, 86–8, 90, 94, 123–24, 170–72, 182, 207, 229, 294, 328, 387–95, 399, 400–03, 467, 487; forma tardia *Eärendil* 126, 260.

Ecthelion da Fonte Um senhor de Gondolin. 170, 296, 428

Edain 226, 405. Veja *Atani*.

Edda (nórdico antigo) 118

Edhil Eldar. 125, 127, 260

Edrahil Chefe dos Elfos de Nargothrond leal a Felagund. 359. (Substituiu *Enedrion*.)

Eduardo, o Velho Rei da Inglaterra. 98–9, 102

Edwin = *Eädwine, Audoin*. 14, 43, 59, 68, 70; "Amigo-da-Bem-aventurança" 13

Eges-sirion Fozes do Sirion. 496

Eglamar "Casadelfos". 218, 429. Veja *Eldamar*.

Eglor, Rio 154–55, 167, 318, 429, 466, 497

Eglorest O Porto meridional da Falas. 139, 154, 156, 167, 172, 174, 181, 183, 205, 211, 220, 227, 263, 267, 310, 312, 316, 318, 403, 429, 466. Veja *Batalha de Eglorest*.

Egnor Filho de Finrod (1) = Finarfin. 141–42, 145, 154, 159, 174, 178, 265, 268, 278, 281–84, 315, 321, 329, 333, 335, 453

A ESTRADA PERDIDA E OUTROS ESCRITOS

Eiglir Engrin As Montanhas de Ferro. 317, (421 *Oeges engrin*). (Substituído por *Ered-engrin*.)

Eilinel Esposa de Gorlim, o Infeliz 355

Eithel Nínui A Fonte de Tinúviel na planície de Gondolin. 361, 438 (*eithel*).

Eithel Sirion Nascente do Sirion. 154, 161, 309, 314, 344, 438 (*eithel*); *Eithil Sirion, Eithil* 496–97. Veja *Sirion*.

Elbereth (1) Filho mais novo de Dior. 170, 176, 423, 428, 475, 479, 491. (Substituído por *Eldûn*.) (2) (Significado tardio) Varda. 475, 479

Elboron Filho mais velho de Dior. 170, 176, 423, 491. (Substituído por *Elrûn*.)

Eldalië O povo dos Elfos. 32, 200–01, 215, 250, 254, 329, 364, 398, 498

Eldamar "Casadelfos". 204, 218, 360; nome da cidade de Tûn (Túna) 204, 218, 259, 264–69, 281, 440–41. Veja *Eledûn*.

Eldanor "Terradelfos" 264, 267. Veja *Elendë*.

Eldanyárë "História dos Elfos". 235–37, 239, 241, 505

Eldar 19, 21–2, 27, 30, 32, 35, 40, 80, 87, 90–1, 97, 136, 144, 148, 194–96, 199, 200, 203–07, 212–5, 217, 220–25, 227–28, 230–31, 233–34, 236, 238, 248, 251–54, 256–60, 262, 269, 271, 279, 281, 285, 288–89, 291, 294, 317, 326–27, 330, 413–14, 417, 419, 429, 431, 434, 445, 455, 477, 487, 492, 494; *Eldain* 79, 89

eldarin (relacionado ao idioma) 91, 200, 207, 212, 215, 217, 220, 223, 228, 230, 417, 429, 434, 455; (povos) 222, 224, 227, 236; como um nome do quenya 233

Eldûn Filho de Dior. 176. (Substituiu *Elbereth*.)

Eledûn Um nome de Tûn (Túna). 264

Eledwen (e posteriormente *Eledhwen*). Nome de Morwen. 131, 133, 140, 147, 276, 282, 356, 398; "Brilho-élfico" 158, 162, 329, 381, 486

Elendë "Terradelfos". 264, 266–67, 429

Elendil 14, 33, 40, 46, 68, 72, 74–9, 80, 86–9, 90, 92, 96, 183, 405, 440, 458

Elentári "Rainha das Estrelas", Varda. 237, 251, 256, 414, 428. (Substituiu *Tinwerontar*.) Veja *Tar-Ellion*.

Elerína "Coroada de Estrelas", Taniquetil. 237, 247, 249, 256, 428, 465. (Substituiu *Tinwerína*.)

élfico (relacionado ao idioma; também referências a *língua-élfica*) 71, 91, 132, 176, 203, 205, 211, 217–18, 228, 245, 250, 411; (com outras referências) 202, 221, 227, 275, 289, 294, 358, 386, 432

Elfos Abençoados Um nome dos Lindar. 255

Elfos Azuis Um nome dos Teleri. 255

Elfos do Ar Lindar. 391. *Elfos da Terra* Noldor. 391. *Elfos dos Sete Reios, das Florestas* Danas. 391

Elfos Ocultos Um nome dos Danas. 255

Elfos Sacros Um nome dos Lindar. 255

Elfos (e *Povo-dos-Elfos, Gente-élfica*) 13–4, 21–4, 26, 30, 36, 40, 46, 50, 62, 68, 89, 127, 131, 138, 153, 164, 169, 178, 191, 193–96, 210–341. Referências ao "(d)esvanecer" dos Elfos (Eldar) e à sua mortalidade, renascimento e destino: 19, 22, 32, 35, 87, 148, 195, 204, 212, 252, 271, 413. No sentido antigo = a Primeira Gente dos Elfos 71, 131

Elfos-brancos Um nome dos Lindar. 492. Veja *Ninqendi*.

Elfos-cinzentos 213, 224; *língua dos Elfos-cinzentos* 358. Veja *Sindar*, *sindarin*.

Elfos-da-espada Um nome dos Noldor. 255

Elfos-da-flecha Um nome dos Teleri. 255

Elfos-da-lança Um nome dos Lindar. 255

Elfos-da-luz (1) A Primeira Gente dos Elfos (Lindar). 171, 233, 258, 394, 397, 400. (2) Os Elfos que foram para Valinor. 233, 394, 397; veja *Kalamor*, *Kalaqendi*.

Elfos-do-mar Os Teleri. 492; *Elfos do Mar* 254. Veja *Veaneldar*.

Elfos-dourados Um nome dos Noldor. 492. Veja *Kuluqendi*.

Elfos-escuros 41, 152–53, 153, 155, 163, 165, 174, 177, 207, 210, 212–13, 226, 233, 285, 292–93, 300, 305, 310, 316, 318, 325, 327–28, 330, 335, 340–41, 368, 370, 373, 379, 385, 395, 420, 494; élfico-escuro 321. Veja *Ilkorindi*, *Moreldar, Morimor, Moriqendi*.

Elfos-profundos Um nome dos Noldor. 492. Veja *Nurqendi*.

513

ÍNDICE REMISSIVO

Elfos-verdes 139, 145, 152, 155, 169, 176, 206–07, 210, 214–15, 220–21, 229, 232, 233, 301, 314, 320, 327, 328, 370, 375, 426. Veja *Danas, Laiqendi*; outros nomes 207

Elivorn "Negro-Lago", forma mais antiga de *Helevorn*. 321, 495

Elmo-de-dragão 350, 363, 377, 379, 384, 387; *o elmo de Gumlin* 382–84;

Elrond Chamado "Meio-Elfo". 27, 33, 35, 41, 47, 171, 176, 182, 260, 294, 398, 404, 428, 435, 467; *Elrond Beringol* 176; Rei de Númenor 37, 41

Elros Irmão gêmeo de Elrond e, com ele, chamado *Peringiul* "Meio-Elfo". 33, 41, 47, 90–1, 182, 260, 295, 398, 404–05

Elrûn Filho de Dior. 176, 423. (Substituiu *Elboron*.)

Elulindo Filho de Elwë de Alqualondë. 491

Elwë (1) Senhor da Terceira Gente dos Elfos, irmão de Thingol; chamado "Senhor dos Navios" 70, 137, 198, 205, 220, 253–54, 257112 (*Rei de Alqualondë*), 266, 280, 401, 435, 478, 485–86, 491; Ellu nos *Contos Perdidos* 258. O Povo de Elwë, um nome dos Teleri, 255. (Substituído por *Olwë*.) (2) *Elwë Singollo* = Thingol, 258

Elwin = *Ælfwine, Alboin*. 14, 43, 68, 70

Elwing Chamada "a Branca" 33, 88, 169, 170, 182, 206–08, 220, 229, 294, 387, 390–93

Emyn Beraid As Colinas das Torres. 42

Enedrion Chefe dos Elfos de Nargothrond leal a Felagund. 359. (Substituído por *Edrahil*).

Enfeng "Barbas-longas", os Anãos de Nogrod. 326, 332, 419, 471. Veja *Indrafangs*.

Engwar "Os Enfermiços", um nome élfico para os Homens. 132, 291, 410

Eöl 163 ("O Elfo-escuro"), 167

Ephel Brandir Moradas dos Homens-da-floresta em Amon Obel. 503

Erchamion "Uma-Mão", nome de Beren. 175, 361 (*Erchamron*), 449; *Erchamui* 175, 436, 494. Veja *Ermabuin*.

Ered Orgoroth As Montanhas de Terror. 356–57, 361; *Ered Orgorath* 356; *Ered Gorgoroth* 356. Veja *Gorgoroth*.

Ered-engrin As Montanhas de Ferro. 308, 317. (Substituiu *Eiglir Engrin*.)

Eredlindon As Montanhas Azuis. 45, 137, 145, 148, 152, 155–57, 184, 205, 210, 213, 221, 232, 310, 313, 321, 325, 327, 330, 333, 373, 395, 404, 422, 460. Quanto ao significado do nome, Veja 318, 433, 447; e Veja *Montanhas Azuis, Ereduin, Luindirien, Lunoronti*.

Eredlómin As Montanhas Ressoantes. 142, 157, 284, 208–09, 222–23, 495; *Eredlúmin* "Montanhas Tenebrosas" 405–07; também *Eredlemrin, Lóminorthin* 432, 444. Quanto ao significado cambiante do nome, Veja 460.

Ereduin As Montanhas Azuis. 318. Veja *Eredlindon*.

Eredwethion As Montanhas Sombrias. 142, 144, 152, 154, 157, 163, 167, 173, 296–97, 308, 314, 322, 334, 359, 373, 377–78, 406, 484, 494; *Erydwethion* 371–72, 377; forma tardia *Ered Wethrin* 359. Veja *Montanhas Sombrias*.

Erellont Um dos companheiros de Eärendel em suas viagens. 390

Eressëa e *Tol-eressëa* 19, 22, 29, 30, 35–6, 38, 41, 44, 46, 54–6, 58, 62, 64, 71–4, 76, 81–3, 85–7, 90, 94–5, 98, 126–28, 137, 176, 194, 197, 202, 209, 211, 216, 224, 228, 238, 240–41, 263, 265, 267, 288, 400, 406, 429, 447–48, 461, 480 (também *Toll-ereb*), 480. A Árvore de Tol-eressëa 250. Veja *Avallon, Ilha Solitária*.

eressëano (idioma) 54–6, 58, 62, 64, 71–2, 76, 82, 83, 85, 91, 217; (com outras referências) 76, 90; *Eressëanos* 76, 82

Erin Irlanda. 127

Erinti Filha de Manwë e Varda nos *Contos Perdidos*. 196. (Substituído por *Ilmarë*).

Eriol 68, 111, 185, 238, 240–41, 400, 429, 502; *Eriol de Leithien* 238, 240; *Ereol* 241

Ermabuin "Uma-Mão", nome de Beren. 158, 175, 493 (*Ermab(r)in*), 449. Veja *Erchamion*.

Errantes, Os Um nome dos Teleri. 255

Eru Ilúvatar. 405

Eruman Região ao norte de Taniquetil. 280, 282, 287, 293, 300–04

Eryn Galen Vejademata, a Grande (Trevamata). 345

Eryn Lasgalen Nome de Trevamata após a Guerra do Anel. 250

Escandinávia, escandinavas 68; inglês antigo *Scedeland* 113, 117

Escuridão de Fora 29, 188, 273, 402; *as Trevas* 333, 402; *a Escuridão* 353, 396; *Escuridão Sempiterna* 234, 330; *Escuridão Antiga* 209. Veja *Ava-kúma, Vazio.*

Esgalduin, Rio 152, 310, 428, 430, 469

esperanto 409

Estë Esposa de Lórien; chamada "a Pálida", 196, 243, 430, 468 (também o noldorin *Idh*), 430

Estreitos do Mundo 318

Estrelas Referências selecionadas. A Feitura das Estrelas, 214; estrelas imóveis 208, 223; poucas estrelas nos céus do Sul 221; meteoros 290

Etelvardo [Æthelweard], o Cronista 112

Exilados (Noldor exilados na Terra-média) 34, 80, 224, 415; *noldorin exílico*, Veja *noldorin.*

Falas As costas de Beleriand. 128, 146, 170, 183, 195, 222, 253, 261, 267, 269–70, 308, 381; *Falassë* 71, 201–02, 205, 216, 424; traduzido "Costa do Oeste" 136, "Costa" 310

falassiano (idioma) 205, 208

Falathar Um dos companheiros de Eärendel em suas viagens. 390

Falmanndi "Ginetes-d'Ondas", um nome dos Teleri. 255, 492. Veja *Ginetes-d'Ondas.*

Fanturi Mandos (*Nurufantur*) e Lórien (*Olofantur*). 145, 243, 246, 446, 471 (também o noldorin *Fannor*, plural *Fennir*); forma tardia *Fëanturi* 246

Fauglith Veja *Dor-na-Fauglith.*

Fëanor Chamado "o Ferreiro" (113). 29, 31, 33, 113–17, 122, 125, 173–74, 177, 193, 202, 223, 225, 227–30, 232–39, 246, 248–49, 253, 255–56, 319, 330, 333, 336, 374, 381; *Casa de Fëanor* 138, 140, 144, 159, 163, 279, 281, 297, 300; *gente de Fëanor* 154, 280, 315, 338, 370; *Fëanáro*

268, 462. Veja *Despossuídos; Filhos de Fëanor.*

Fëanoriano(s) 283–84, 321. Veja *Juramento dos Fëanorianos.*

Felagund "Senhor de Cavernas" 141, 149, 153, 174, 265, 305, etc., cognome de Inglor, Rei de Nargothrond (Veja 316); usado sozinho ou com *Inglor.* 141, 143, 145, 149, 152–53, 174, 265, 268, 278–79, 281–84, 297, 301, 305, 312, 314, 316, 320–21, 335, 338, 345, 349, 360, 345; *Finrod (2) Felagund* 316; fala de seu povo 305. Veja *Inglor.*

Felizes Marinheiros, Os (poema) 128

Festa da Reunião 152, 224, 300. Veja *Mereth Aderthad.*

Fiéis, Os Númenóreanos que não se apartaram dos Valar e dos Eldar. 91

Filho(s) de Fëanor 141, 143, 145, 152, 154, 157, 159, 164, 169–70, 174, 178, 207, 223, 265, 272, 298, 311, 315, 327, 333, 337, 342, 373

Filhos das Estrelas Os Elfos. 136, 144, 214

Filhos de Ilúvatar 187, 190–93, 195–96, 209, 242, 251–52, 256–57, 270, 275, 283, 325, 329; *Elder* 112; *Mais Novos* 139, 209, 265, 287, 291, 298; *Filhos do Criador* 156, 174, 176. *Filhos da Terra* 202, 251, 281. *Filhos do Mundo* 254, 391;

Filhos do Sol Homens. 143, 291

Filhos dos Valar 146, 219, 391, 395, 398, 400, 422, 483, 492; *Filhos dos Deuses* 97, 146, 171, 394, 3961. Veja *Filhos dos Valar, Valarindi.*

Filhos dos Valar 398, 400, 422; *Filhos dos Deuses* 97, 146, 171, 193, 196, 207, 394, 396

Finarfin Nome posterior de Finrod (1), filho de Finwë. 358–59, 401

Findobar Filho de Fingon. 450, 463, 491 (*Findabar*), 463

Finduilas Filha de Orodreth. 166

Fingolfin (incluindo referências aos seus filhos, casa, povo) 138, 140, 143–45, 152–54, 157–59, 170, 173, 177, 207, 223–24, 264–65, 268, 270–72, 278, 285, 289, 297, 299, 300, 309, 314, 316, 318, 321, 327, 329, 333, 338, 463, 463, 474, 495 (seus títulos *Taur Egledhriur* "Rei dos Exilados", *Aran Chithlum* "Rei de Hithlum"), 474;

ÍNDICE REMISSIVO

Alto-rei dos Noldor, Rei de Hithlum e Nivrost, Senhor da Falas, etc. 154, 174, 318, 321, 333. O marco de Fingolfin (*Sarnas Fingolfin*) 170, 495, *monte de Fingolfin* 340

Fingon 152, 154, 157, 160, 163, 265, 268, 278, 282, 298–99, 303, 309, 314, 316, 323, 332, 337, 340, 368, 370–74, 463, 474, 491; *Suserano de todos os Gnomos* 316

Finn = *Finwë*. 227

Finntan Veja 98, 101

Finrod (1) Terceiro filho de Finwë; posteriormente *Finarfin*. 358–59, 401; filho(s), casa, povo de Finrod 45, 138, 141, 143, 149, 151–54, 159, 227, 229–30, 264, 278–79, 281, 283, 297, 314, 328, 335, 339, 359, 401, 459. (2) *Finrod Felagund*, filho de Finarfin (nome posterior de *Inglor Felagund*) 320

finrodiano (fala) = *kornoldorin*. 229

Finwë 137–39, 204, 204, 206, 211, 211, 227, 253, 258, 264, 266, 268–69, 271–72, 275, 275, 298, 359, 392, 463, 473, 485; *Pai dos Noldor* 211, 268, *Rei de Túna* 266. *Seguidores de Finwë*, um nome dos Noldor, 255

Fionwë 21, 26, 27, 34, 171–72, 182–83, 195–96, 207–10, 243–46, 391–92, 394–99, 403, 463, 485; *Fionwë Úrion* 193

Fíriel Filha de Orontor de Númenor. 79, 88, 90, e Veja 463

Fírimor "Os Mortais", um nome élfico para os Homens. 291 (*firimoin*), 79, 89

Floresta da Noite Veja *Taur-na-Fuin*; *Floresta de Pinheiros*, Veja *Taur-na-Danion*.

Floresta-de-ferro 19, 33

Foice dos Deuses A constelação da Grande Ursa, 136, 251, 460 (veja 365 *Valakirka*, e também 460 *Otselen*, *Edegil* "Sete Estrelas")

Forasteiros, Os Um nome élfico para os Homens. 291

Foz(es), delta do Sirion 152, 160, 167, 170, 206, 208, 421, 496 (veja *Eges-Sirion*); *Porto do Sirion* 170, 220, 224, 238, 241 (veja *Siriombar*); *Sirion* usado para *Porto do Sirion* 170, 497

Francos 111

Fratricídio O Primeiro Fratricídio, veja *Alqualondë*. O Segundo Fratricídio (o ataque a Dior), 170. O Terceiro Fratricídio (o ataque aos Portos do Sirion), 171

Freyr Deus da fertilidade na antiga Escandinávia. 118–19

Frísios 111

Fróði Rei lendário da Dinamarca. 119

Fuin Daidelos "Noite da Sombra do Terror", Taur-na-Fuin. 160, 175, 495. Veja *Gwathfuin-Daidelos*.

Gabilgathol Nome anânico de Belegost. 326, 332

Galadlóriel Nome gnômico de Laurelin. 248–50, 431–32 (também *Galagloriel*), 438

Galaðon Nome de Oromë. 493. Veja *Aldaron*.

Galadriel 357

Galathilion Nome gnômico de Silpion. 421, 431, 448, 478 (*Galathilvion*), 431

Galdor Veja 95–7; 430

Gales 99, 112; *sul de Gales* 80. Veja *Wealas*, *Galês*, *galesa*.

Galês, galesa 51, 102, 104; = romano 112; *Montanhas Galesas*, os Alpes, 112

Gamlost Veja *Camlost*.

Gandalf 34, 403, 415. Veja *Mithrandir*.

Gar Lossion Nome gnômico de Alalminórë em Tol Eressëa. 176

Garsecg (inglês antigo) o Oceano. 98, 101

Geatas Povo do sul da Suécia do qual Beowulf se tornou rei; nórdico antigo *Gautar*. 117

Gelion, Rio 154–56, 310–15, 318–19, 321, 324, 338, 434, 447, 502; fozes do 310; vale do 311; os braços do Gelion 315, 338: *Grande Gelion* 313, 319, *Pequeno Gelion* 313, 315, 324

Gelo Pungente 152, 262, 275, 279, 282, 284, 297, 303, 364; *o Gelo* 302. Veja *Helkaraksë*.

Gépidas Povo germânico oriental. 49, 69

Germânico(s), germânica(s) 14, 56, 68–9, 112, 115; *Germânia* 113; a *Germânia* de Tácito 119

Gethron Guardião (com Grithron) de Túrin na jornada para Doriath. 166, 180, 380–83, 386

A ESTRADA PERDIDA E OUTROS ESCRITOS

Gildor Companheiro de Barahir. 161, 336, 345

Gilfanon de Tavrobel 503

Gil-galad Rei-élfico em Beleriand após a Queda de Númenor. 43, 45–7, 95, 405; descendente de Fëanor 43; filho de Felagund 45–6

Ginetes-d'Ondas Um nome dos Teleri. 255, 492. Veja *Falmarindi.*

Ginglith, Rio 181

Glamhoth "Hostes do ódio", Orques. 276, 432, 440, 457

Glaurung 346. Veja *Glómund.*

Glewellin "Canção de ouro", um nome gnômico de Laurelin. 248, 445

Glingal Nome gnômico de Laurelin; a Árvore Dourada de Gondolin. 249–50, 433, 447; forma mais antiga *Glingol* 249

Glómund 157, 159, 164, 167–68, 181, 303, 306–07, 327, 335, 338, 346, 372, 382

Glóredhel Filha de Hador. 376. (Substituiu *Glorwendel.*)

Glorfindel Senhor da casa da Flor Dourada de Gondolin. 170, 432, 445, 471 (também *Glaurfindel*), 432

Glorwendel Filha de Hador. 175, 376; *Glorwendil* 372. (Substituído por *Glóredhel.*)

gnômico (relacionado ao idioma) 176, 250, 305, 445, 451, 494, 496; (com outras referências) 224, 312, 357

Gnomos "Os Sábios" (275; cf. *Ainimor, Istimor).* 21–3, 27, 40–1, 88, 131, 138, 140, 142, 152–53, 156–59, 162–65, 167, 204. *Gnomos-servos* 177, 286, 309; *Canção da Fuga dos Gnomos* 280; *Reino dos Gnomos (Ingolondë)* 300

Gobelins Uma tradução de Orques. 276, 496

Gochressiel As Montanhas Circundantes ao redor de Gondolin. 340, 346–47, 361, 439

Godos 111; *godos do leste* 105

Gondobar 123, 125, 127–28, 433, 450 (também *Gonnobar*), 433

Gondolin 31, 128, 149, 153–56, 159, 163–65, 168–70, 173, 177, 179, 181, 197, 207, 210–11, 220, 223–24, 226–27, 229, 238, 240–41, 248, 250, 265, 296, 301, 305, 314, 320, 325, 327, 331, 340, 343, 347, 361, 369, 373, 375, 377–78, 389, 398, 421 (também *Gondost*; e *Ardholen* 431; *a cidade proibida* 343; idioma de Gondolin 208, 223; as Árvores de Gondolin 250

Gondolindeb, gondolindren, gondólico Nomes do idioma de Gondolin. 208

Gondor 14, 46. Veja *Ondor.*

Gorgoroth As Montanhas de Terror. 182, 321, 356–57 (*Fuin Gorgoroth* = Taur-na-Fuin); *Gorgorath* 356. Veja *Ered Orgoroth.*

Gorlim, o Infeliz Companheiro e traidor de Barahir. 161, 336, 345, 348–49, 354–56

Gorthû Nome gnômico de Sauron. 45, 399, 406

Goth Morgoth. Veja 428.

Gothmog Senhor de Balrogs. 142, 152, 170, 296, 433, 450, 495

Grande Batalha Ao final dos Dias Antigos. 21, 32, 34, 42, 45, 49, 68, 102, 151, 160, 172, 183, 184, 224, 302, 343, 394, 399, 401–04, 503; *Batalha Terrível* 172, 494. Veja *Dagor Delothrin*, Última Batalha, *Longa Batalha*, Guerra da Ira.

Grande Fim 194; *o Fim* 365, 398; *o fim de tudo* 269

Grande Golfo 318

Grande Jornada Veja *Grande Marcha.*

Grande Marcha A grande jornada dos Elfos desde Kuiviénen. 140, 206, 212, 222, 254, 258, 494

Grande(s) Mar(es) 18, 23, 30, 35, 43, 81, 117, 121, 135, 137, 139, 199, 220, 247, 267, 310, 420, 423. Veja *Belegar, Garsecg*, Mar do Oeste.

Grandes Ilhas 33, 183, 295, 397, 404

Grandes Terras 33, 224, 267, 287, 295, 312, 315

Great Haywood Em Staffordshire. 502–03

grego 51, 54, 56, 332

Gregório, o Grande 70

Grendel Em *Beowulf.* 116

Grithnir Nome posterior de *Grithron.* 180

Grithron Guardião (com Gethron) de Túrin na jornada para Doriath. 166, 380, 382, 386. (Substituído por *Grithnir.*)

517

ÍNDICE REMISSIVO

Grond A grande maça de Morgoth, "Martelo do Mundo Ínfero". 339–40, 467

Gruir, Rio Em Tol-eressëa, que confluía com o Afros em Tavrobel. 503

Guerra da Ira 394, 403. Veja *Grande Batalha.*

Guerra do Anel 250

Guerra dos Deuses Veja *Batalha dos Deuses.*

Guilherme de Malmesbury Historiador medieval inglês. 70, 112

Guilin Pai de Gwindor de Nargothrond. 164, 166, 369, 371

Gumlin Chamado "o Alto"; filho de Hador e pai de Húrin e Huor. 81, 157–59, 161–62, 175, 210, 328–29, 337, 343, 381, 394; *o elmo de Gumlin* 382–84 (Veja *Elmo-de-dragão*).

Gundor Filho de Hador e irmão de Gumlin. 157, 159, 175, 328, 337, 345

Gurtholfin "Vara da Morte", espada de Túrin. 167–68, 175, 433, 496; *Gurtholvin* 496; *Gurtholf* 167, 433, 496 (também *Gurtholv, Gurutholf*), 433

Gwaewar Vassalo de Thorondor. 360

Gwaihir Forma tardia de *Gwaewar;* Veja 361

Gwathfuin-Daidelos "Sombra Mortal da Noite", Taur-na-Fuin. 160, 175. Veja *Deldúwath, Fuin Daidelos.*

Gwerth-i-Cuina A Terra dos Mortos que Vivem. 375; *Gwerth-i-Guinar* 375; *Gyrth-i-Guinar* 366, 376; cf. 442, 463 (*Dor Firn i guinar*).

Gwindor de Nargothrond 156, 460, 466

Hador Chamado "o de Cabelos Dourados". (Também *Hádor,* veja 174). 157, 161, 174, 177, 327–28, 337, 345, 439; os filhos, filha, casa, povo de Hador 35, 80–1, 157–59, 161, 163, 165, 175, 178, 180, 210, 223, 328–29, 336, 342–44, 347, 372–74, 376, 379, 392; o povo descrito, 336; sua língua 177–78, 210, 223, 226 (veja *taliska*).

Haldir Filho de Orodreth; veja *Halmir.*

Haleth Chamado "o Caçador". 157, 327 ("último dos Pais de Homens"), 167, 177; filho, casa, povo de Haleth 157, 159–61, 163, 175, 177, 179–80, 327–29, 342–43, 345, 347–48, 372; o

povo descrito, 329, 347; sua língua 210, 226 (veja *taliska*).

Halmir Filho de Orodreth. 166, 175, 491; subsequentemente *Haldir,* 175, 427, 469

Halog Nome anterior do mais jovem dos guardiões de Túrin na jornada para Doriath. 180

Handir Neto de Haleth e pai de Brandir, o Coxo. 158, 167–68, 345, 439

Harmen Sul. 236, 414, 451; forma tardia *hyarmen* 236, 414, 441

Hathaldir Chamado "o Jovem"; companheiro de Barahir. 336

Hauð-na-Dengin 374, 377, 379, 386 (*Hauð i Ndengin*). Veja *Amon Dengin, Cûm-na-Dengin, Monte dos Mortos.*

Healfdene Pai de Hrothgar, rei dos daneses. 115

Helevorn Lago em Thargelion às margens do qual Cranthir habitava. 315, 321, 338, 341, 495. Veja *Elivorn.*

Helkar O Mar Interior. 310, 318

Helkaraksë 141, 143, 152, 279, 308, 322, 324, 437 (também o noldorin *Helcharaes*), (437). Veja *Gelo Pungente.*

Heorot O salão dos reis daneses em *Beowulf.* 119; *Hart* 117

Herefordshire 99

Herendil Filho de Elendil. 15, 63, 65–7, 70, 73–9, 82, 85–90, 92–6, 440, 458

Hildi Os Seguidores, Homens. 291, 294, 440; *Hildor* 294

Hildórien A terra na qual os Homens despertaram pela primeira vez. 145, 291, 294, 327, 440, 463 (outro nome *Firyanor,* 463)

Himring, Monte de "Sempre-frio" (315). 174, 208, 223, 313, 315 (descrito), 319, 321, 337–38, 344, 368, 373; forma mais antiga *Himling* 154, 159, 161, 174, 223, 319, 321; a fala de Himring 208

Hísilómë Hithlum. 317, (448), 495; *Hísilumbë* 448, 495

Hithaeglir As Montanhas Nevoentas. 403

Hithliniath "Lagoas de Bruma". 312, 319, 440, 451. Veja *Aelin-uial, Umboth Muilin.*

Hithlum 27–8, 142, 154, 157–58, 161–68, 174–75, 180–81, 284, 295, 297–99, 303, 308–10, 313–14,

518

A ESTRADA PERDIDA E OUTROS ESCRITOS

316–17, 320–21, 323, 329, 334, 336–38, 340, 342–45, 347–48, 368–74, 376–77, 379–80, 382–87, 394, 425, 440, 448, 474, 493, 495–96; *Homens de Hithlum* 27–8, 383–85; *Rei de Hithlum* (Fingolfin) 154, 174, *Aran Chithlum* 386, 474; limites setentrionais de Hithlum 316–17; origem do nome "Terra da Bruma" 496

Hobbits 120, 236, 350–51

Homens do Oeste 37, 207, 226, 233

Homens dos Bosques O povo de Haleth. 164. Veja *Brethil*, *Homens-da-floresta*.

Homens Fiéis, Homens Infiéis Na Terra-média na Segunda Era. 18

Homens Selvagens 19, 21, 36, 85, 91

Homens Tisnados 161 (descritos), 226 (fala), 341–42, 347. Veja *Lestenses*, Rómenildi.

Homens Referências selecionadas. Despertar 89, 285; natureza, mortalidade e destino 88, 140, 291, 293, 331, 367; idioma 41, 208, 210, 229; em relação aos Elfos 8, 18, 26, 32, 158, 162–64, 169, 171, 369, 394; aos Deuses 20, 32, e a Morgoth 19, 23, 38, 207, 373; nomes dos Homens entre os Elfos 165, 373. Ver *Amigos-dos-Elfos, Pais de Homens; Lestenses, Rómenildi; Homens Selvagens; Brethil, Hithlum.*

Homens-da-floresta (de Brethil) 168, 503. Veja *Brethil.*

Hopton Heath Em Staffordshire. 503

Hóspedes, Os Um nome élfico para os Homens. 82

Hroald Líder viking. 99

Hrothgar Rei dos daneses em *Beowulf.* 115

Huan O Mastim de Valinor. 162, 180, 360, 441

Hundor Filho de Haleth. 157–58, 163, 164, 175, 328, 372, 376, 440

Huor 81, 158, 163, 165–67, 210, 226, 328, 345, 369, 373, 379, 394, 433,440

Húrin Chamado "o Resoluto" (158, 381, 386, isto é, *Thalion*, 472). 41, 158–66, 168, 175, 178–80, 304, 317, 328–29, 343–45, 347–48, 369, 371, 373–75, 377–81, 383–84, 386–87, 394, 399, 406, 435, 440, 472, 491

Hy Bresail Veja 100

I·Chúrinien A Balada dos Filhos de Húrin (q.v.). 380, 386. Veja *Narn i Hîn Húrin.*

Ialassë, Iolossë Formas mais antigas de *Oiolossë.* 247, 249, 430, 460

Idril Esposa de Tuor, mãe de Eärendel. 35, 88, 168–71, 392, 398, 436, 444 (*Idhril*, também *Irildë*); *Idril Celebrindal* "Pé-de-Prata" 168, 398, 443 (também *Gelebrendal; Taltelepsa, Taltelemna*).

Ilha de Balar Veja *Balar; Ilha dos Lobisomens,* veja *Tol-na-Gaurhoth.*

Ilha Solitária 22, 24, 29–30, 35–6, 41, 81, 128, 137, 240, 262–64, 288, 387–89, 393, 397, 400, 406, 422 Veja *Eressëa.*

Ilhas Encantadas 288, 388

Ilhas Ocidentais 398

Ilien Veja *Tar-Ilien.*

Ilinsor Timoneiro da Lua. 289

ilkorin minguante 224–25. *leikviano minguante* 224. *noldorin minguante* 224–25

ilkorin (relacionado ao idioma) 177, 205, 208, 212, 220, 415; *ilkorin minguante* 224–25

Ilkorindi ou *Ilkorins* Elfos que "não eram de Kôr": originalmente "Elfos-escuros" em geral (137, 199), mas o sentido foi especificado para os Elfos telerianos de Beleriand e os Danas (veja 213–14, 254). 137, 148, 199, 203, 205–06, 212, 213–15, 217, 219–20, 222–24, 233–34, 254, 255, 259–60, 494 (também *Alchoron,* plural *Elcheryn*), 444; adj. *ilkorin* 236, 417. Veja *Alkorin* e o verbete seguinte.

Ilma (1) No *Ambarkanta,* forma mais antiga de *Ilmen.* 17, 20, 243, 245.

Ilmarë Filha de Manwë e Varda. 165, 205, 207, 358; forma mais antiga *Ilmar* 193, 196

Ilmen A região das estrelas. 16–20, 26, 96, 245–46, 431; *Abismo de Ilmen* 246, 289, 321–23, 431 (= *Ilmen-assa* 431)

Ilu O Mundo. 72, 79, 89, 436

Ilurambar 363, 436, 464, 484. As *Muralhas do Mundo.*

Ilúvatar 23–4, 35–6, 38–40, 42–4, 60, 79–81, 89–91, 134, 136, 139, 143, 145, 156, 174, 177, 185, 186–96, 209, 212, 242–44, 246, 251–53, 256–57, 270–71, 275, 283, 287, 293,

519

325–26, 329, 351, 362–66, 396, 400, 436; *Senhor de Tudo* 15; *o Uno* 80. Veja *Pai-de-Tudo, Filhos de Ilúvatar, Montanha de Ilúvatar.*

Imladris(t) Valfenda. 46, 415, 466

Imortais, Os Um nome dos Lindar. 264

Imram (poema) 100, 123; *imrama* 100, 124

indo-europeu 332

Indrafangs Os Anãos Barbas-longas de Nogrod. 332. Veja *Enfeng.*

Inescrutáveis, Os Um nome élfico para os Homens. 291

Ing Nas antigas lendas inglesas. 117

Inglaterra 104, 127, 241, 502

inglês antigo 50–1, 68, 71, 99, 104, 112, 115, 115, 145–46, 149, 239, 241, 333, 359, 438, 440, 461, 479, 502; veja também *Anglo-Saxão(ões).*

inglês 64, 68, 95, 99, 104, 118, 240, 333; *ingleses* 50, 70. Veja *Anglo-Saxão(ões), inglês antigo.*

Inglor Filho de Finrod (1) = Finarfin; Rei de Nargothrond; chamado "o Fiel" (265). Used sozinho ou com *Felagund.* 141, 143, 145, 149, 152–53, 174, 265, 268, 278–79, 281–84, 297, 301, 305, 312, 314, 316, 320–21, 335, 338, 345, 349, 360, 435, 445. Veja *Felagund.*

Inglormindon A torre em Tol Sirion. 174, 320 (Substituído por *Minnastirith.*)

Ingolondë Beleriand, "o Reino dos Gnomos". 300, 305, 457 (também o noldorin *Angolonn, Geleidhien*).

Ingwë Rei da Primeira Gente dos Elfos e Alto-rei dos Eldalië (*Inwë* dos *Contos Perdidos*, 200, 215). 137, 172, 196, 200, 202, 204, 215, 217–18, 222, 229, 231, 253–54, 255, 258, 264, 266, 270, 277, 391, 401, 436, 447, 474, 485; casa de, povo de Ingwë 200, 202, 277, 391 (veja *Ingwelindar, Ingwi*); *os Filhos de Ingwë,* um nome dos Lindar, 255; a torre e a lamparina de Ingwë 218, 264, 277–78, 234–35 (veja *Ingwemindon*).

ingwëa O "dialeto nobre" da fala dos Lindar (= *ingwelindarin, ingwiqen(d)ya*). 218, 231

Ingwelindar A casa e o povo de Ingwë. 200, 215, 218 (veja *Ingwi*); *ingwelindarin = ingwëa,* 218, 231

Ingwemindon A torre de Ingwë. 264, 267. Veja *Ingwë.*

Ingwi = *Ingwelindar.* 200, 215

Ingwiel Filho de Ingwë. 172, 391, 401, 403

Ingwil Rio que confluía com o Narog em Nargothrond. 312

Ingwiqen(d)ya Uma língua cujas relações são descritas diferentemente (veja 217). 203, 217–18, 229–31

Inias Valannor ou *Inias Balannor* Os Anais de Valinor. 239–40; *Inias Veleriand* ou *Inias Beleriand,* os Anais de Beleriand, 239–40, 492–93, 497

Inimigo, O Morgoth. 23, 34, 40, 90, 368, 371

Insula Deliciarum 98, 100

Interdição dos Valar 242, 401

Inwë Veja *Ingwë.*

Inwir A casa de Inwë nos *Contos Perdidos.* 215

Írimor "Os Formosos", um nome dos Lindar. 436, 492. Veja *Belos-elfos.*

Irlanda 51, 98–101, 104, 127; veja *Erin. Irlandês, irlandeses* 51, 99–101, 127

Isfin Irmã de Turgon, mãe de Meglin; chamada "a Branca" (265). 163, 167, 181, 265, 436, 463

Isil "A Brilhante", nome da Lua. 54, 72, 89, 285, 288–89, 435, 468, 478. Veja *Ithil, Rana.*

Isildur 88, 456

Islândia, islandês (99), 100

Istar Rainha de Númenor. 23–4, 38. (Substituído por *Tar-ilien.*)

Istimor "Os Sábios" um nome dos Noldor. 436, 492;

Itália 69–70, 111; inglês antigo *on Eatule* 70

Ithil Nome da Lua em noldorin. 54, 72, 289, 435, 468–69, 478 (outro nome *Elfaron* "Caçador-de-estrelas" 471). Veja *Isil, Rana.*

Ivrin 309–10, 324, 502; *Quedas de Ivrin* 310

Ivrineithel Nascente de Ivrin. 166

Juramento dos Fëanorianos 139–40, 142, 159–60, 170–71, 203, 292, 369, 404

Kalakilya O Passo da Luz. 198, 204, 218, 264–65, 288, 437, 441 (também *Cilgalad*). Veja *Kôr.*

A ESTRADA PERDIDA E OUTROS ESCRITOS

Kalamor Elfos-da-luz. 233, 437

Kalaqendi Elfos-da-luz. 233, 437; *Calaquendi* 233

Kay, Guy G. 362

Khazaddûm Nome anânico de Nogrod. 326, 332. (Substituído nesse sentido por *Tumunzahar*.) Em aplicação tardia, Moria, 332, 403

Khuzûd Os Anãos. 326, 332; *Khazad* 332

Kôr 38, 136–37, 139, 197, 199, 204, 207, 211–12, 218, 227, 231, 234, 250, 254, 259–63, 265–66, 272, 277, 288, 290, 293, 390, 441, 494; *em Kôr* 211, 227, 254, 259; *Passo de Kôr* 277, 290 (veja *Kalakilya*).

koreldarin A língua dos Lindar e Noldor antes da partida dos Lindar de Kôr. 228, 231

kornoldorin "Noldorin de Kôr", *korolambë*. 204–05, 229–30, 417; *noldorin antigo* 204, 208, 229, 417

korolambë "Língua de Kôr", = *kornoldorin*. 204–05, 417

Kortirion 185, 238; *Cortirion* 400

Kuiviénen As Águas do Despertar. 198, 213–15, 252, 256, 313, 442, 496. Veja *Nen-Echui*.

Kulullin O caldeirão de luz dourada em Valinor. 290

Kuluqendi "Elfos-dourados", um nome dos Noldor. 492;

Kulúrien Nome de Laurelin. 248–49

Lagoas do Crepúsculo 319, 420. Veja *Aelin-uial*.

Laiqendi Os Elfos-verdes. 207, 221, 445 (também o noldorin *Lhoebenidh*, *Lhoebelidh*); *Laiqi* 221; *Laiqeldar* 221

Lamparinas, As 135, 147, 247, 251

Landroval, Lhandroval "Asa-larga", vassalo de Thorondor. 360–61, 464.

latim 50–1, 53–6, 68, 71, 91, 112, 203, 205, 228,230, 332

latim-élfico 54, 56, 71, 91, 203, 205, 211, 217–18, 228, 230

Laurelin 135, 143, 248–50, 273, 284–87, 290, 432, 445, 447

Lavaralda Uma árvore de Tol-eressëa. 73–4, 87; forma mais antiga *lavarin* 87

Leeds 121

Legolin, Rio 155, 313, 446

leikviano Língua dos Leikvir. 221, 224, 232; *leikviano minguante* 224

Leikvir Elfos danianos que permaneceram a leste das Montanhas Azuis. 221, 232

Leire Na ilha de Zelândia. 119

Leithien *Terra de Leithien* 398; *Eriol de Leithien* 238, 240

Lembi Elfos-escuros. 199–200, 205–07, 210, 212–15, 220, 222, 231, 233–34, 236, 254–55, 259–60, 305, 414, 445. Traduzido "aqueles que restaram" 212, "os Abandonados" 234, "aqueles que se demoraram", "Os Que Se Demoram", 254, 260. Quanto à mudança de aplicação do nome, veja 260.

lembiano e *lemberin* Idiomas dos Lembi. 200, 212, 215, 222–23, 226, 230, 233

Lestenses 342 (descritos), 347, 369–70, 372, 374, 379–80, 483; *Homens do Leste* 347, 491. Veja *Rómenildi, Homens Tisnados*.

Lewis, C.S. 13,17; *Além do Planeta Silencioso* 14

Lhandroval Veja *Landroval*.

Lhasgalen "Verde de Folha", nome gnômico de Laurelin. 248, 250, 445

Lhûn, Rio 45–6; *Golfo de Lhûn* 46

Lindar A Primeira Gente dos Elfos. 71, 131, 136–37, 147, 193, 196, 199–205 ("os formosos"), 199, 210–11, 213, 215–18, 227, 228–31, 233–34, 250, 254–55, 258, 262–64, 266, 270, 400–01, 417, 436, 447, 451, 474; (também *Melimar* 451), 447, 451; idioma dos Lindar 205, 217, 263. Veja *Belos-elfos, Altos-elfos, Elfos-da-luz*; outros nomes 258, 474

lindarin (relacionado à fala e à raça) 203, 205, 216, 218–19, 222, 227–31, 417, 436

Lindon A terra não submersa a oeste das Montanhas Azuis. 44–7, 184, 318, 405 ("região da música"), 318, 320, 447 (também *Lhinnon*).

Lionesse 104

Livres, Os Um nome dos Teleri (cf. 228 e *Mirimor* 452). 255

Livro Dourado 238, 240–41, 331

Lombardos 49, 59, 68–9, 70, 111, 114; *Longas-barbas* 68; inglês antigo *Longbearden* 53, 93; *Longobardos* 87, 91; *Langobardi* 53

Longa Batalha A Grande Batalha. 494

Lórien 134, 136, 145–46, 196, 242–43, 261, 285–86, 421 (também o noldorin

ÍNDICE REMISSIVO

Lhuien); *Deus dos Sonhos* 261. Veja *Olofantur*.

Losgar (1) Nome gnômico de Alalminórë em Tol-eressëa. 151. (2) O lugar onde os navios telerianos foram queimados por Fëanor. 151, 176

Lothland A grande planície ao norte das Marcas de Maidros. 315, 321, 338 (*Lhothland, -lann*), 444 (*Lothlann*).

Lothlórien 415, 470

Lua, A 20, 29, 32, 43–4, 54–5, 74, 80, 85, 89, 122, 124, 133, 135, 143, 149, 152, 199, 201–02, 208, 216, 221, 223, 254, 284–90, 294–95, 297, 300, 357, 391, 397, 399, 401, 435, 456, 465, 471, 478–79; a Lua e os Elfos 89, 202, 285, 287; *Lua Mais Antiga* (a Árvore Branca) 287, 290; *Canção do Sol e da Lua* 295. Veja *Isil, Ithil, Rana*.

Luindirien "Torres Azuis", as Montanhas Azuis. 318, 448 (*Lhúndirien*, também *Lhúnorodrim*).

Lundy Ilha ao largo da costa de Devon. 98, 101

Lunoronti As Montanhas Azuis. 44, 448

Lúthien Filha de Thingol. 36, 44–5, 162–63, 169, 184, 207, 235, 255, 320, 348, 350–54, 356, 358, 360, 362, 364–69, 376, 378, 386, 391–92, 398, 448, 463, 479–80 (também *Lhúthien, Luithien*; outro nome *Firiel* 463); as Escolhas de Lúthien 365; *Amantes de Lúthien*, um nome dos Danas, 255. Veja *Tinúviel*.

O Chalé do Brincar Perdido 176; *A Música dos Ainur* 131, 185–86, 190, 194–96, 245, 252, 275, 294; *O Acorrentamento de Melko* 147; *A Vinda dos Elfos* 250, 267; *Conto do Sol e da Lua* 221, 223; *Conto de Gilfanon* 177, 211, 214; *Conto de Tinúviel* 224, 264; *Conto de Turambar* 378; *A Queda de Gondolin* 226–27, 241, 250; *O Nauglafring* 367

Mablosgen "O de Mão-vazia", nome de Beren. 158, 175, 449, 493–94. Veja *Camlost*.

Mablost = *Mablosgen*. 436, 494.
Mablothren = *Mablosgen*. 448, 494

Mablung 370, 448–49

Maedros, Maedhros Veja *Maidros*.

Maelduin Viajante irlandês. 98, 100

Maglor Filho de Fëanor. 151, 154, 159, 162, 171, 173, 175, 177, 180, 182, 265, 297, 302, 305, 313, 315, 338, 342, 376, 393, 396–98, 404, 449 (também o quenya *Makalaurë*). *Brecha de Maglor* 177, 315; *passos de Maglor* 175

Maiar 146

Maidros Filho mais velho de Fëanor, chamado "o Alto". 142–43, 151–56, 159, 162–64, 170–73, 180, 182, 208, 223, 265, 296 (fala de seu povo), 296–99, 302, 304–05, 310, 313, 315–16, 337–38, 342, 344, 351, 360, 368–70, 372, 376, 377, 393, 395–97, 404, 449; outras grafias *Maedros, Maedhros, Maidhros* 360, 367, 449, 467. *Marcas de Maidros* 154, 315; *morros de Maidros* 310. Veja *União de Maidros*.

Mailgond Nome anterior do mais velho dos guardiões de Túrin na jornada para Doriath. 180

Malaroko Balrog. 493 (*Malarauko*), 467

Maldon, Batalha de 50, 71

Malinalda Nome de Laurelin. 248–49, (525)

Mandos (tanto o Vala como sua morada) 29, 134, 136, 140, 145, 149, 162, 169, 194, 196, 209, 242–45, 253, 264, 269, 272, 280, 293, 295, 296, 304, 362–67, 389, 392, 399, 400, 421, 433, 446, 449–50, 452, 471, 486 (também *Mando, Mandossë; Morimando; Bannos*). Veja especialmente 450, 451, e veja *Sentença de Mandos, Nefantur, Nurufantur*.

Manwë 23, 29, 35, 72, 80–2, 92, 134, 136, 138, 139, 145, 171, 190, 192–96, 242, 246, 252–54, 257, 264, 266, 269–71, 273–75, 278, 284, 285, 287, 291–93, 299, 340, 363–65, 390–92, 398, 401, 421–23, 437, 446, 449–50, 463, 474, 478, 485 (chamado *Kalamando* 437, 449–50). *Montanha de Manwë* (Taniquetil) 266, 273; seu salão *Taen-Nimdil* 474. Veja *Súlimo*.

Mar Circundante Vaiya. 135, 141. Veja *Mar(es) de Fora*.

Mar de Dentro O Grande Mar do Oeste. 310. *Mares de Dentro* (da Terra-média) 36, 192

A ESTRADA PERDIDA E OUTROS ESCRITOS

Mar do Leste 294

Mar do Norte 14, 111

Mar do Oeste (1) O Grande Mar do Oeste. 22, 33, 46, 97, 121, 135, 156, 263, 266, 293, 295, 316, 325, 366, 397, 404, 422; *Oceano do Oeste* 100. Veja *Belegar, Garsecg, Grande Mar.* (2) O Mar de Fora, Vaiya. 295

Mar Mediterrâneo 51

Mar Vanwa Tyaliéva O Chalé do Brincar Perdido. 185

Mar(es) de Fora Vaiya. 247, 266, 286–87, 295, 284; *Oceano de Fora* 192. Veja *Mar Circundante.*

Mar(es) Sombrio(s) 101, 125, 127, 264, 288, 388

Marcas de Maidros Veja Maidros.

Mares Divisores 140, 393

Marinheiros, Os Um nome dos Teleri. 255

Meglin 167–68, 170, 181, 327, 332, 447

Meio-Elfo(s) 33, 47, 171, 404, 461–62. Veja *Peredhil, Pereldar, Peringol.*

Melian 136–38, 152, 155, 166, 169, 198, 205–06, 219–20, 250, 261, 293, 301, 311, 335, 357, 362, 364–65, 369, 381–82, 386, 391, 398, 469, 474, (outro nome *Tóril* 474); *cercas, cinturão, labirintos de Melian* 155, 311, 357

Melko 76, 79, 89–91, 132, 134, 145–48, 173, 176, 187–95, 221, 242, 244, 246–47, 249, 255, 262, 266, 269–70, 277, 283, 285–86, 308, 313, 322, 399, 402, 405–06, 421–22, 451–52, 467, 481 (também *Maeleg, Moeleg*); veja especialmente 189. *Montanhas de Melko* 307, 322; *Inimigos de Melko,* um nome dos *Noldor,* 255. Veja *Alkar, Melkor, Morgoth.*

Melkor Forma tardia de *Melko.* 146, 405

Melthinorn "Árvore de Ouro", um nome gnômico de Laurelin. 248, 470 (também *Mellinorn*).

Menegroth 139, 151, 153, 166, 208, 261, 301, 311, 324, 383, 385 Veja *Mil Cavernas.*

Meneltarma A montanha no meio de Númenor. 42. Veja *Montanha de Ilúvatar.*

Mereth Aderthad 176, 300, 451. Veja *Festa da Reunião.*

Mil Cavernas 139, 169, 220, 261. Veja *Menegroth.*

Mîm, o Anão 169

Mindeb, Rio 155, 318, 502

Minnastirith A torre em Tol Sirion. (174), 174–75, 314, 320, 338, 342, 345; forma tardia *Minastirith* 174, 320. (Substituiu *Inglormindon.*)

Mithrandir "O Peregrino Cinzento", Gandalf. 415 (403)

Mithrim Lago Mithrim 142, 144, 152, 166, 181, 208, 224, 284, 295–99, 303, 309, 344, 452, 502; a terra de Mithrim 142, 166, 181, 309; *Montanhas de Mithrim* 142, 309, 502; fala de Mithrim 208

Montanha de Ilúvatar A montanha no meio de Númenor. 38, 42; *a Montanha* 94; *Montanha de Númenor* 94. Veja *Meneltarma.*

Montanha de Manwë Veja *Manwë.*

Montanhas Azuis 44, 46, 152, 154, 177, 206, 301–03, 307, 310–11, 318, 325, 330, 405, 433, 448, 464, 495, 497. 277, 337, 405, 407, Veja especialmente 330, e Veja *Eredlindon, Eredluin, Luindirien, Lunoronti.*

Montanhas Circundantes (ao redor da planície de Gondolin) 170, 263, 347, 361. Veja *Gochressiel; Montanhas de Valinor.*

Montanhas de Aman Veja *Aman; Montanhas de Melko, de Morgoth, veja Montanhas de Ferro; Montanhas de Mithrim,* veja *Mithrim; Montanhas de Ossiriand,* veja *Ossiriand; Montanhas de Sombra,* veja *Montanhas Sombrias.*

Montanhas de Ferro 151, 298, 302–03, 305–06, 308, 317, 322–23, 326, 334; *Montanhas de Morgoth* 154, *de Melko* 308, 322. Veja *Eiglir Engrin, Ered-engrin.*

Montanhas de Terror Ered Orgoroth. 356

Montanhas de Valinor 246–47, 251, 262–63, 286, 363; (não mencionadas por nome) 177, 303; *Montanhas dos Deuses* 264, 359, *Montanhas do Oeste* 81; *montanhas circundantes* 170, 263, 347; *montanhas de defesa* 286

Montanhas do Vento 294

Montanhas dos Deuses, Montanhas do Oeste Veja *Montanhas de Valinor.*

Montanhas Ressoantes Veja *Eredlómin.*

523

ÍNDICE REMISSIVO

Montanhas Sombrias 144, 152, 309, 337, 340, 381, 495; *Montanhas de Sombra* 297, 317. Veja *Eredwethion*.

Monte dos Espiões A leste de Nargothrond. 502

Monte dos Mortos 175. Veja *Amon Dengin*, *Cûm-na-Dengin, Hauð-na-Dengin.*

Monte Sacro Taniquetil. 278

Mordor 40, 43, 46. Veja *País Negro.*

Moreldar Elfos-escuros. 494

Morgoth 16, 18–23, 26, 34–42 *passim*, 80–2, 84–6, 90–1, 134–44, 147–48, 151–72 *passim*, 178–84, 202, 205–10, 219, 221, 225, 229, 244, 247, 251–53, 255, 270–80, 283, 287, 291–93, 296–306, 346–47, 354–56, 368, 370–75, 393–406 *passim*, 441; o nome *Morgoth* 441, 452, 479; *Montanhas de Morgoth* 154. Chamado *o Forte, o Poder Mais Antigo, o Mestre* 84, *o Deus Sombrio* 244, *Rei do Mundo* 276; e veja *Alkar, Bauglir, o Inimigo, Melko(r), a Sombra.*

Moria 403, 415, 438, 487. Veja *Khazaddûm.*

Morimor Elfos-escuros. 233, 452 (cf. também *Dúrion, Dureðel, Duveledh* "Elfo-escuro", 427, 452)

Moriondë Porto no leste de Númenor. 83,91

Moriqendi Elfos-escuros. 233, 452

Mormael "Espada-negra", nome de Túrin em Nargothrond. 167 (veja 449)

Morros dos Caçadores 319. Veja *Taur-na-Faroth.*

Morwen Mãe de Túrin e Nienor. 158, 161–62, 165–69, 180, 329, 336, 345, 379–84, 386, 485. Veja *Eledwen.*

Mudança do Mundo 239

múlanoldorin Idioma dos Noldor escravizados. 208, 223, 452

Mundo Tornado Redondo 18, 20, 30, 96, 120, 184

Muralhas da Noite As Muralhas do Mundo. 19

Muralhas do Mundo 23, 30, 192, 244, 246, 273, 363, 406, 436. Veja *Ilurambar.*

Muralhas do Sol Cadeira de montanhas no extremo Leste. 363

Música dos Ainur 131, 185–86, 190, 194–96, 245, 252, 275, 294 *Segunda Música dos Ainur* 194, 196

Músicos da Costa Um nome dos Teleri. 255, 492. Veja *Soloneldi.*

Naith de Lothlórien 415, 470

Nan-dungorthin 311, 318 (também *Nan Dongoroth, Nann Orothvor*); *Dungorthin* 357; forma tardia *Dungortheb* 357

Nan-tathren 173, 310, 318, 376, 453; forma mais antiga *Nan-tathrin* 152, 173, 318. Veja *Terra dos Salgueiros.*

Nargothrond 27, 40, 153, 155–56, 160, 162–69, 174–75, 179–81, 208, 223, 301, 305, 310, 312, 314, 316, 319, 324–25, 335–37, 343–45, 349, 360, 369–71, 374, 449, 460, 466, 497; fala de Nargothrond 208

Narn i Hîn Húrin 379, 386; veja especialmente 386, e *i•Chúrinien, Balada dos Filhos de Húrin.*

Narog, Rio 154, 167, 181, 301, 310, 312, 319, 324, 384, 454; *cavernas de Narog* 154, 301; *reino de Narog* 167, (*Narogardh* 454); *Rei de Narog* (Felagund) 154

Nascentes do Sirion 338, 496; *Nascente do Sirion*, veja *Eithel Sirion. Passo do Sirion* 163, 165, 174, 302, 305, 314, 373, 376–77, 496; *Passo Oeste* 338, 342, 369, 377, *passos do oeste* 160. *Vale do Sirion* 152, 157, 159, 170, 309, 343, 372, 381. *Ilha do Sirion* 338. *Quedas do Sirion* 324; *Portões do Sirion* 312, 319

Nascidos-depois, Os Homens. 80

Nauglamír 169, 452, 454 (também *Mír na Nauglin, Nauglavir*)

Nauglar, Nauglath, Nauglir Formas mais antigas do nome élfico dos Anãos. 330, 494. Veja *Naugrim.*

nauglianas Línguas dos Anãos. 210, 232. Veja *aulianas.*

Navios voadores (dos Númenóreanos após a Queda) 20, 32, 93

Necromante, O 34

Nefantur Mandos. 243, 245. (Substituído por *Nurufantur.*)

Neldoreth A floresta que forma a parte setentrional de Doriath. 152, 176, 311, 456

Nellas Elfa de Doriath, amiga de Turin na infância deste. 379

Nen-Echui Águas do Despertar, Kuiviénen. 198, 442

A ESTRADA PERDIDA E OUTROS ESCRITOS

Nen-girith "Água do Estremecer". 168, 432

Neorth Antigo nome de Ulmo. 120

Nerto "Mãe Terra", deusa venerada na antiguidade nas ilhas do Báltico. 120

Nessa Esposa de Tulkas. 134, 244, 421, 435, 455, 456 (também *Neth, Dineth*; Nessa também era chamada *Indis* ("noiva"), 456, 458)

Nevrast Forma tardia de *Nivrost*. 305, 317

Neweg "Mirrados", nome gnômico dos Anãos. 326, 454

Nienna 134, 138, 244, 246–47, 270, 286, 421, 456; *Fui Nienna* 246

Nienor 166 ("a Pesarosa"), 167–68, 380 ("Pranto"), 382–84 (cf. *Nuinoer, Nuinor* como o nome da irmã de Túrin, 454).

Nimloth "Flor pálida", um nome gnômico da Árvore Branca de Valinor; posteriormente a Árvore de Númenor. 248, 250, 421 (448). Veja *Ninquelótë*.

Níniel Nome de Nienor. 140 ("a Lacrimosa"), 376

Ninqendi "Elfos-brancos", um nome dos Lindar. 492;

Ninquelótë Um nome quenya da Árvore Branca de Valinor (noldorin *Nimloth*). 248–49

Niphredil Uma flor branca. 126, 448, 456 (*nifredil* "galanto").

Nirnaith Arnediad A Batalha das Lágrimas Inumeráveis. 175, 347, 350, 352, 367, 371, 375, 377, 388. Veja *Quarta Batalha.*

Nirnaith Dirnoth A Batalha das Lágrimas Inumeráveis, 163, 175. (Substituído por *Nirnaith Arnediad.*)

Nivrim "Marca-oeste", Doriath além do Sirion. 311, 319, 458, 465 (cf. *Radhrim* "Marca-leste" de Doriath, 464). Veja *Doriath.*

Nivrost "Vale do Oeste" (309), a terra a oeste de Dor-lómen e ao sul de Drengist. 173–74, 301, 305, 307, 309–10, 314, 316–17, 320, 323, 458, 467 ("Vales-do-oeste"), 458; forma mais antiga *Nivros* 173, 284, 301, 305, 309–10, 314, 316–17, 320, 323, 458, 468. Veja *Nevrast.*

Njörth (Njörðr) Deus nórdico, pai de Freyr. 120

Nogrod "Mina-anânica". 156, 162, 169, 326, 330, 332, 363, 369, 386, 454. Veja *Khazaddûm.*

Noldoli 88, 131–32, 145, 147, 213, 227. (Substituído por *Noldor*; veja 108, 121.)

noldolindarin Veja 227

Noldor 68, 131–32, 136–42, 146–47 *passim*, 149, 153, 162, 174, 177, 193, 199, 202–11, 213–16, 219–21, 223–31, 233, 235, 238, 240, 254–55, 259, 262–73, 275–81, 284, 287, 289, 291 *passim*, 297–300, 304–05, 307, 316, 323, 328, 333, 340, 342–43, 354, 356–57, 359, 366, 371, 376, 384, 386–88, 391–92, 395, 401, 406, 415–17, 423, 427, 429, 431, 435, 437, 452; *Noldor-servos* 223. Etimologia 417;

noldorin (relacionado ao idioma) 202, 204–06, 208–09, 211, 214, 219, 220, 222–30, 268, 289, 304, 333, 356–57, 386–87, 406, 415–17, 427, 431, 435, 437, 442, 452, 454, 463, 478, 493, 496, 502, 505; *noldorin antigo*, veja *kornoldorin, korolambë*; *noldorin exílico* 204–05, 229–30, 289, 356–57, 386, 416–17, 462; *noldorin minguante* 224–25.

Nóm "Sabedoria", nome dado a Felagund no idioma do povo de Bëor. 332. Veja *Widris.*

Nórdico(s), nórdica(s) 51–2, 95, 98–100, 111, 120

Novas Terras No Mundo Tornado Redondo. 24; *Novo Mundo* 26, 39

Nuaran Númen(ór)en "Senhor do Oeste", "Senhor de Oriente (Númenor)". 77, 88

Nuin Elfo-escuro, chamado "Pai da Fala". 177

Númar (1) Númenor. 18. (2) A principal cidade de Númenor. 22, 28. Veja *Númenos.*

Númenor 13–97 *passim*; 178, 182–84, 404, 431, 435, 440, 448, 456, 475, 482, 486, 492; *Númenórë* 22, 456. *Queda de Númenor* 13, 16–7, 21, 27, 33–4, 40, 43–7, 72, 92, 97, 131–32, 178, 182–84, 241, 256, 346, 404, 448; Árvore Branca de Númenor 250. Veja *Andor, Andúnië, Atalantë, Vinya, Ociente.*

Númenóreano(a) 14–5, 33, 43, 45, 72–3, 88, 91, 94, 482 (idioma) 14–5, 91. *Númenóreanos* 19–36 *passim*; 71–2, 87–8, 91, 93, 97, 178, 183; *Lie-númen*

525

ÍNDICE REMISSIVO

19, *Númenórië* 19–20, 28; idioma 40, 149; estatura 83; envelhecimento 96

Númenos (1) Númenor. 11.(2) A principal cidade de Númenor. 21, 28, 35. (3) O lugar elevado do rei. 25, 35, 41–2, 404. Veja *Númar*.

Nurqendi "Elfos-profundos", um nome dos Noldor. 459, 492. Veja *Elfos-profundos*.

Nurufantur Mandos. 245, 457, 471 (também o noldorin *Gurfannor*). (Substituiu *Nefantur*.)

Nyarna Valinóren Os Anais de Valinor. 239 (veja *Yénië Valinóren*); *Nyarna Valarianden*, os Anais de Beleriand, 239; 497

Ociente Númenor. 22, 28, 35, 46

Ohtor Líder viking. 99

Oiolossë "Brancura Sempiterna", Taniquetil. 247, 249, 430, 460. Veja *Amon Uilos, Ialassë*.

Olofantur Lórien. 243, 459, 471 (também o noldorin *Olfannor*).

Olwë Nome posterior de Elwë (1), irmão de Thingol. 258

Ondor Nome anterior de Gondor. 46–7

Orgof Elfo de Doriath, morto por Túrin. 166, 379, 385. (Substituído por *Saeros*.)

Orodlin Filho de Orodreth. 491

Orodreth Filho de Finrod (1) = Finarfin. 141, 142, 145, 154, 159–60, 162, 164, 166–67, 174–75, 178–79, 265, 268, 278, 281, 283–84, 315, 320, 337–38, 345, 349, 369, 460, 491; veja

Oromë 134–36, 138, 145–46, 148, 199, 206, 211, 213–15, 219, 228, 242–46, 251–54, 256, 258–61, 265–66, 273–74, 285, 421–22, 446, 460, 467, 476, 479 (também o noldorin *Araw*); *Senhor das Florestas* 199, 244. Veja especialmente 134, 145, e veja *Aldaron, Galaðon, Tauros*.

oromianas Línguas derivadas dos ensinamentos de Oromë aos Elfos (= *quendianas*). 199, 209, 229

Orontor Númenóreano. 79, 88

Orques 139, 142, 148, 151, 153, 161, 163–67, 170, 172, 176, 180, 192, 209–10, 251, 256, 276, 282–83, 295, 297, 302–03, 306–07, 313, 315–16, 320, 326–27, 330, 332, 336–38, 340, 342, 344, 346–47, 349, 351, 368, 371–74, 377, 384, 394, 398, 427, 432. Origem dos Orques 40, 139, 142, 144, 148, 160, 164–68, 209; números 198; idioma 209, 427, 432; etimologia 427, 432. Veja *Glamhoth, Gobelins*.

orquino, orquiano Idioma dos Orques. 209

Ossë 18, 22, 35, 134, 145–46, 192, 219, 242, 263, 267, 283, 422, 433, (também o noldorin *Oeros*).

Ossiriand 44, 47, 183–84, 206, 211, 223, 229, 300, 310, 313–14, 320, 335, 376, 397, 420; *Terra dos Sete Rios* 155, 162, 255, 301, 313, 366, 368; *Elfos dos Sete Rios* e *Povo Perdido de Ossiriand*, os Danas, 255; *Montanhas de Ossiriand*, Eredlindon, 318

ossiriandeb Idioma de Ossiriand. 224, 417; *ossiriândico* 211, 230, 417

Oswin Errol 48, 68–9, 71

Oxford 54, 67, 114, 185

Pai(s) de Homens 18, 21, 26, 80, 90, 152, 156, 163, 177, 291, 334, 345, 394, 403, 491

Pai-de-Tudo 134, 186–87, 191, 242, 278; o *Pai* 67, 79, 89. Veja *llúvatar*.

País Negro, O Mordor. 40, 43, 46

Palantír (i) 42, 415, 461, 480

Palisor Terra onde os primeiros Homens despertaram (posteriormente chamada *Hildórien*). 212, 214

Palúrien Nome de Yavanna. 242, 244, 248, 399, 461; *Seio da Terra* 173, 397, 461, *Senhora da Vasta Terra* 243, 245

Papar Eremitas irlandeses na Islândia. 100; *Papey, Papafjörðr* 100

parmalambë "Língua dos livros", quenya. 71, 203, 217, 461

Passo da Luz Veja *Kalakilya*.

Passo Oeste Veja *Sirion*.

Paulo, o Diácono Historiador dos Lombardos. 68–9.

Pelmar "A Morada Cercada", Terra-média. 45

Pengolod de Gondolin Chamado "o Sábio". 197, 238, 240, 274, 331–32; *Pengoloð* 197. Veja especialmente 331–32

Pennas (1) *Pennas in Geleidh, Pennas na-Ngoelaidh* = *Qenta Noldorinwa*. 238, 240, 443 492. (2) *Pennas Hilevril, Pennas Silevril* = *Qenta Silmarillion*. 239

526

A ESTRADA PERDIDA E OUTROS ESCRITOS

Peredhil Os Meio-Elfos (Elros e Elrond). 260. Veja *Pereldar, Peringol.*

Pereldar "Meio-eldar", Danas. 236, 254, 258, 260, 262

Peringol, Peringiul Os Meio-Elfos (Elros e Elrond). 182, 260, 461–62; *Elrond Beringol* 176, 182

Pérola Poema medieval inglês. 121

Poço do Rivil 356

Poderes, Os Os Valar. 80, 89, 91, 120, 134–37, 138, 146, 149, 151, 156, 244, 292, 396, 399; *prole dos Poderes* 83

Poldor Númenóreano. 87

Poldórëa "O Valente", nome de Tulkas. 243, 464

Porlock Em Somerset. 99; inglês antigo *Portloca* 98

Porta da Noite 29, 392, 398–99, 401–02

Porto-cisne Veja *Alqualondë, Portos.*

Portões da Manhã 22, 29, 36

Portos Ocidentais Veja *Portos.*

Portos Portos Ocidentais e outras referências aos Portos da Falas (Brithombar e Eglorest) 139, 156, 167, 174, 205, 220, 227, 267, 310, 316, 318. *Porto dos Cisnes* 266, 280, 287, *Porto-cisne* 137, 391, *o Porto* 266 (veja *Alqualondë). Portos no Golfo de Lhûn* (os Portos Cinzentos) 46. Veja *Sirion.*

Primeira Batalha de Beleriand A Batalha-sob-as-Estrelas. 142, 284, 296. Veja *Dagor-os-Giliath.*

Primeira Gente (1) Os Elfos. 22. (2) A Primeira Gente dos Elfos (Veja *Lindar, Qendi, Vanyar*) 71, 131, 234, 492

Primeira(s) Era(s) do Mundo 33

Primogênitos, Os Os Elfos. 36, 40, 80–2, 85, 89, 90, 392, 430; cf. *Estanessë* "os Primogênitos" 430

Profecia do Norte 133, 227, 281, 283. Veja *Sentença de Mandos.*

Qendi, Quendi (1) A Primeira Gente dos Elfos (substituído por *Lindar*). 144, 147–48, 198, 202, 211 (2) Todos os Elfos. 147–48, 211, 213, 215, 228, 233, 254, 259–60, 267, 394 (também *Qendië*, noldorin *Penedhrim*), 492

Qenta, Quenta (Referências nos próprios textos) 131, 134, 151, 198, 211, 216–17, 225, 235, 238, 239–40, 274, 331, 493. Veja *Pennas.*

qenya, quenya "A língua élfica". 205–06, 217, 227–28, 230, 242, 414–15, 435–36, 446, 474, 493, 496; *qendya* 205. Veja *latim-élfico, parmalambë, tarquesta.*

Quarta Batalha de Beleriand A Batalha das Lágrimas Inumeráveis (posteriormente a Quinta Batalha, 366). 375–77, 387, 494. Veja *Nirnaith Arnediad, Nirnaith Dirnoth.*

Que se Amaldiçoaram, Os Um nome élfico para os Homens. 291

quendianas Línguas derivadas de Oromë (= *oromianas*). 199, 209, 222, 229, 445; *raça quendiana* 209

Radhrost "Vale Leste", nome élfico-escuro de Thargelion. 311, 316, 319, 321, 464, 467

Radhruin Companheiro de Barahir. 175, 336; *Radruin* 175, 345. (Substituiu *Radros.*)

Radros Companheiro de Barahir. 161, 175, 345. (Substituído por *Rad(h)ruin.*)

Ragnor Companheiro de Barahir. 336

Ramdal "Fim da Muralha" em Beleriand Leste. 312–13, 319; *Rhamdal* 338, 474

Rana "A Inconstante", a Lua. 56, 240, 243, 383 (também o noldorin *Rhân*). Veja *Isil, Ithil.*

Rathloriel, Rio "Leito de Ouro". 169, 313,445, 465, 497; forma mais antiga *Rathlorion* 497

Region A floresta que forma a parte meridional de Doriath. 152, 176, 311, 429 (também *Eregion, Taur-nan-Erig*)

Rei Oculto (1) Turgon. 163. (2) Thingol. 316

Reino Oculto Doriath. 381, 391, 479

Reino(s) Abençoado(s) 36, 41, 71, 80–1, 90, 136, 178, 264, 269, 276, 280–82, 360, 365, 390; *Reino Ditoso* 393; *Zênite do* 136, 269

Rerir, Monte Contraforte das Eredlindon, sobre o qual ficava uma fortaleza dos Noldor. 313, 319, 338, 346

[*Rhibdath, Rhimdath* Rio Corredio. 466. Esse nome só aparece nas *Etimologias*, mas devia ter sido mencionado lá que o Corredio é o rio que fluía das Montanhas Nevoentas para se juntar ao Anduin ao norte da Carrocha.]

ÍNDICE REMISSIVO

Rian Mãe de Tuor. 158, 165, 180–81, 336, 345, 379, 465 (*Rhian*); *Rían* 379

Ringil (1) O Mar de Ringil, formaddo pela queda da Lamparina Ringil. 45, 466. (2) Espada de Fingolfin. 466

Roma 70; *romano(s)* 51, 112; inglês antigo English *Walas*, *Rūm-walas* 112

Rómenildi Lestenses. 342, 347 (440)

Rómenna Porto no leste de Númenor. 90

Rosamunda Esposa de Alboíno, o Lombardo. 49, 69

Rota Reta, A 25, 32, 39, 57, 61, 72, 93, 95, 101, 106, 120, 127; *Caminho Reto* 20, 26, 30, 96

Rúmil 137, 139, 141, 148–49, 185–86, 194, 197, 209, 225, 227, 240, 241, 331–32, chamado *o sábio de Kôr, de Tûn* 197, *o Sábio-élfico de Valinor* 149, 240

Sábios, Os Os Noldor. 255, 328

Saeros Elfo de Doriath, morto por Túrin. 221, 379. (Substituiu *Orgof.*)

Salmar Companheiro de Ulmo. 192, 195

Sári Nome do Sol nos *Contos Perdidos.* 289

Sarn Athrad O Vau Pedregoso sobre o Gelion. 156, 327, 465, 496 ("Pedra de Travessia")

Sarnas Fingolfin O marco de Fingolfin. 495

Sauron 14, 16, 37, 42, 72, 77, 81, 83–6, 94, 338, 346, 354, 355, 358, 360, 399, 406, 479 (também *Sauro*, *Súro*); chamado *o mago* 479. Veja *Sûr, Thû, Gorthû.*

Saxões 69, 99

Scyldingas (Inglês antigo) casa real dinamarquesa ("Shieldings"). 115; *Casa do Escudo* 177. Veja *Shield.*

Seafarer, The [O Navegante] Poema em inglês antigo. 104

Segunda Batalha de Beleriand A Batalha Gloriosa. 153, 302. Veja *Dagor Aglareb.*

Segunda Era 15, 20, 33

Segunda Gente Homens. 21

Segunda Profecia de Mandos 389

Senhor dos Anéis, O 46, 47, 121, 123, 129, 134, 144, 173, 178, 217, 235, 236, 250, 260, 318, 332, 348, 351, 353, 357, 388–89, 406, 414–15, 423, 475, 479

Senhores do Oeste OS Valar; também *os Senhores.* 24, 29, 34, 82, 88, 90, 96;

Senhores do Mundo 80. *Senhor do Oeste* 50, 61 (*herunūmen*), 77, 78, 81, 92, 95–6 veja especialmente 92, e veja *Nuaran Númen(ór)en.* Águias do Senhor do Oeste 50, 61, 78.

Sentença de Mandos 140, 149, 209, 293, 296. Veja *Profecia do Norte.*

Sepultamento naval 117

Serech, Pântano de 356

Severn, Rio 99; *mar de Severn* 102

Sheaf, Sheave [Feixe] (e inglês antigo *Sceaf, Scef Sceafa*) 14, 114; *Sheafing, Scefing* 113, 115–16; *o moinho de Feixe* 106, 118; *Senhores-de-feixe* 105, 118; *Rei Feixe* (poema) 96, 104

Sheppey, Ilha de 104; inglês antigo *Sceapig* 104

Shield [Escudo] (e inglês antigo *Scyld*, latinizado *Sceldius*, nórdico *Skjöldr*) Ancestral lendário da casa real dinamarquesa (inglês antigo *Scyldingas*). 14, 114–15. Veja *Scyldingas.*

Shugborough Hall Em Staffordshire. 503

Sil Nome da Lua nos *Contos Perdidos.* 289

Silivros "Chuva Reluzente", um nome gnômico da Árvore Branca de Valinor. 248, 250, 467. Veja *Silmerossë.*

Silma Nome anterior de *Ilma, Ilmen.* 17, 20

Silmaril(s) 140, 162, 169, 278, 293, 296, 349, 363, 367, 369, 389, 392, 397, 401, 457, 466 (também o noldorin *Silevril*, veja *Pennas*); (outros nomes *Ilumírë* 436, *Noldómírë, Mirion, Mír in Geleidh, Goldamir, Golo(ð)vir*, 452, 457)

Silmerossë Um nome quenya da Árvore Branca de Valinor (gnômico *Silivros*). 248–49, 467–68

Silpion A Árvore Branca de Valinor. 135, 143, 248, 250, 284, 286, 467–68

Sindar 181, 190, 198; *sindarin* 224, 260, 415–16. Veja *Elfos-cinzentos.*

Sindingul Thingol. 220. (Substituído por *Tindingol.*)

Sindo "O Cinzento", Thingol. 144, 220, 255, 259, 478 (também o teleriano *Findo*, ilkorin *Thind*)

Singoldo Nome "élfico" de Thingol nos *Contos Perdidos.* 220

Singollo "Manto-gris"; *Elwë Singollo*, Thingol, 258

528

A ESTRADA PERDIDA E OUTROS ESCRITOS

Siriombar   Porto do Sirion. 496. Veja
Sirion.

Sirion   32, 154, 160, 167, 171–72, 262,
300, 305, 309–10, 324, 338, 340, 342,
344, 346, 372, 378, 403, 493, 496

Snorri Sturluson   Historiador islandês,
autor da *Edda em Prosa.* 118

Sol, O   20, 29, 72, 74, 79, 80, 85, 97,
125, 133, 135, 143, 149, 151, 199,
201, 208, 216, 221, 265, 288, 290,
295, 297, 300, 305, 307, 327, 391,
397, 401, 420, 437; o Sol e os Homens
80, 89, 285; *Sol Mais Antigo, Sol Mágico*
(a Árvore Dourada) 290; *Canção do Sol
e da Lua* 284; *Anos-do-Sol, Anos do Sol*
207, 224, 229, 265, 300, 305, 327.
Veja *Anar, Anor, Ûr, Úrin.*

Soloneldi   Um nome dos Teleri. 254, 459,
471, 492 (quenya *Solonyeldi*), 459, 471;
"Músicos da Costa" 255

Sombra, A   (de Morgoth) 38, 72, 74; *a
sombra do Leste* (em *Rei Feixe*) 106

Somerset   98–9

Sorontur   Rei das Águias. 92, 478, 494
(*Sorontar*). Veja *Thorondor.*

Sow, Rio   Em Staffordshire. 503

Steepholme   Ilha na foz do rio Severn. 99

Suábios, suabos   Tribo germânica. 111;
inglês antigo *Swæfe*, latim *Suevi*, 112

Suecos   111, 119; *Suécia* 118

Súlimo   Nome de Manwë. 192, 478

Sûr   Sauron. 23, 38, 42, 91

Tácito   119

Taiglin, Rio   155, 157, 161, 167, 310–11,
384, 446, 503

Talath Dirnen   Veja *Dalath Dirnen.*

taliska   Idioma original dos Pais de
Homens. 210, 226, 232, 333; *taliskano*
230, 232

Taniquetil   23, 25, 38, 140, 193, 247,
266, 273–75, 278, 299, 390, 428, 432
(também o noldorin *Nimdildor*). Veja
*Amon Uilos, Elerína, Ialassë, Oiolossë,
Tinwerína; Monte Sacro, Manwë.*

Taragaer   Nome anterior de Caradras.
415, 476

Taras, Monte   309, 317

Tar-Atanamir, Tar-Ciryatan   GoVejanantes
de Númenor. 31, 94

Tar-Ellion   "Rainha das Estrelas", Varda (=
Elentári). 237

Tar-Ilien   Esposa de Tar-Kalion. 37; *Ilien*
37. (Substituiu *Istar*.)

Tar-Kalion   GoVejanante de Númenor;
chamado "o Dourado". 37–9, 43, 72,
93. (Substituiu *Angor*.)

Tarn Aeluin   Lago em Dorthonion onde
Barahir fez seu esconderijo. 356

Tarqendi   "Altos-elfos", um nome dos
Lindar. 389, 474, 492. Veja *Altos-elfos.*

tarquesta   "Alta-fala", quenya. 71, 203, 217

Tathrobel   Veja *Tavrobel.*

Taur-na-Danion   "Floresta de Pinheiros".
153, 155, 157–60, 173, 173, 178–80,
493–94; *Taur-na-Thanion, -Thonion,
-Donion* 174. Veja *Dorthonion.*

Taur-na-Faroth   Os Morros dos Caçadores.
312, 319, 358, 471 (*Taur-na-Faras*);
forma tardia *Taur-en-Faroth* 358

Taur-na-Fuin   "Floresta da Noite".
160–62, 164, 166, 478, 494, 495
(traduzida "Trevamata"), 336, 345
(também o quenya *Taurë Huinéva*),
463; com referência a Verdemata, a
Grande 345; forma tardia *Taur-nu-Fuin*
345, 359. Veja *Deldúwath, Fuin
Daidelos, Gwathfuin-Daidelos.*

Tauros   Nome de Oromë. 244, 460, 476

Tavrobel   238, 241, 461, 502; *Tathrobel*
240, 502

Tecelã-de-Treva   273. Veja *Ungoliantë.*

Telchar   Ferreiro Anão de Belegost, ou
de Nogrod. 363, 383, 386–87. [A
afirmação no Índice Remissivo do Vol.
IV de que Telchar era "originalmente de
Nogrod" é um erro; Veja IV. 208.]

Teleri   136–37, 140–41, 145, 148, 171,
192, 196, 198, 202, 204, 209, 213–14,
219–20, 228, 233, 236, 255, 262–63,
279, 288, 316, 391, 398, 418, 422,
435, 440, 440, 452 (também *Mirimor*
452, *Fallinelli, Falanyeldi* 459, 462),
459; idioma dos Teleri 205, 211, 216;
significado do nome 199, 215, 305,
401; no sentido antigo, a Primeira
Gente, 211, 214

teleriano   (relacionado ao idioma) 205,
212, 220, 229; (com outras referências)
151, 176, 206, 213–14, 220

telerin   Idioma dos Teleri. 203, 223, 228,
230–31, 414, 462, 471; adjetivo de
Teleri 459

Telperion   Um nome da Árvore Branca de
Valinor. 249, 290

529

ÍNDICE REMISSIVO

Tementes-à-noite, Os Um nome élfico para os Homens. 291

Tempo Veja 59, 91, 135, 186, 191, 195

Terceira Batalha de Beleriand A Batalha do Fogo Repentino. 159, 178. Veja *Dagor Húrbreged, Dagor Vregedúr.*

Terceira Gente (dos Elfos) 258; *Terceira Hoste* 258. Veja *Teleri.*

Terendul "Delgado e moreno", nome escarnecedor dado a Herendil, filho de Elendil. 76, 87, 428, 456

Terra do Oeste Valinor (com Eruman e Arvalin). 287; *Mundo-do-Oeste* 141

Terra do Terror Veja *Dor-Daideloth, Dor-deloth.*

Terra dos Mortos que Vivem 320, 366, 368, 442–43. Veja *Gwerth-i-Cuina.*

Terra dos Salgueiros 300, 310; *Vale dos Salgueiros* 152. Veja *Nan-tathren.*

Terra dos Sete Rios Veja *Ossiriand.*

Terra Estéril, A 43–5

Terra Sem Nome, A (poema) 100, 120–24

Terra Sem-Morte 30. Cf. *Terras Imortais.*

Terra Sombria 45

Terra(s) Vazia(s) 45

Terradelfos 264, 266, 273, 275, 277. Veja *Baía de Terradelfos, Casadelfos.*

Terra-média (no QS até §61 e ocasionalmente depois, e em outros lugares, *a Terra-média*). 16, 18–22 *passim*, 80–1, 83, 88, 90, 91, 93, 109, 120, 127, 129, 135–36, 139–41, 143–44, 147–48, 151–52, 172, 176, 182–83, 190, 195, 198–99, 205, 209–10, 216–17, 223–24, 228–29, 244, 246, 251–52, 254–56, 264–66, 271, 279, 282–85, 287–88, 291–92, 294, 296–97, 299–301, 304, 308, 310, 320, 325–26, 335, 346, 357, 360, 364, 366, 389, 395, 398, 403, 410, 414, 148, 420, 423, 429, 450, 497; (nomes élficos *Entar, Entarda* 429, *Endamar* 429, 450, *Ambarenya, Emmerein, Emerin* 450, *Endor* 429, 455). Veja *Terras de Cá, Terras Interiores, Terras de Fora.*

Terras de Cá Terra-média. 143–44, 152, 199, 201, 207–09, 216, 261, 262, 391, 398, 400, 494. Veja *Cinderion.*

Terras de Fora (1) Terra-média. 31, 392; também *Mundo Exterior* 393. (2) *Terra de Fora*, a terra ocidental, além do Grande Mar, 221

Terras Imortais 29. Cf. *Terra Sem-Morte.*

Terras Interiores Terra-média 291

Thalos, Rio 155, 313, 472

Thangorodrim 143–44, 151–52, 159, 165, 172, 296–98, 302, 305–06, 308, 314, 317, 323, 333–34, 337, 347, 395, 403, 472

Thargelion A terra de Cranthir, "Além do Gelion". 319, 321, 325, 330, 338; forma mais antiga *Targelion* 319. Veja *Dor Granthir, Radhrost.*

Thingol 137, 139, 144, 151–53, 162–63, 166, 169–70, 176, 198, 205–07, 212, 219–20, 223–24, 229, 250, 255, 257–58, 261, 267, 301, 311, 313–14, 316, 335, 342, 349, 353, 356–58, 370, 379, 391, 398, 435, 437, 455 (também *Tor Thingol; Tor Tinduma* "Rei do Crepúsculo", noldorin *Aran Dinnu*); *o rei oculto* 316; *Herdeiro de Thingol,* Veja *Dior.*

Thorondor Rei das Águias. 173, 299, 304, 340, 343, 346, 357, 360, 364, 395, 403, 441, 478 (também *Thorntor, Torthurnion*), 478; forma mais antiga *Thorndor* 152, 160, 170, 173, 304, 346–47, 364. Veja *Sorontur.*

Thû 19, 23, 26, 32, 40, 45, 57, 97, 115, 117, 160, 162, 399, 406, 431 (também *Morthu*); chamado *o Mago* 160; *Tol Thû* 496. Veja *Gorthû, Sauron, Sûr.*

Tidwald Em *O Regresso de Beorhtnoth.* 71

Tilion Timoneiro da Lua. 285–87, 289, 479

Tindbrenting Nome de Taniquetil em inglês antigo. 247

Tindingol Thingol. 137, 144, 220. (Substituiu *Sindingul,* substituído por *Sindo*.)

Tindobel, Torre de No cabo a oeste de Eglorest. 156, 316, 321, 461; *Tindabel* 321

Tintallë "Inflamadora-das-estrelas", Varda. 237, 251, 256, 414, 480

Tintanië "Feitora-das-estrelas", Varda. 414, 475, 480

Tinúviel 162, 220, 348–49, 361, 364, 367, 388, 479 (também *Tindúmhiell, Tindómerel*); *a Fonte de Tinúviel,* Veja *Eithel Nínui.*

Tinwelint Nome de Thingol nos *Contos Perdidos.* 257; *Tinwë Linto* 219

A ESTRADA PERDIDA E OUTROS ESCRITOS

Tinwenairin "Coroada de Estrelas", Taniquetil. 249. (Substituído por *Tinweerína*.)

Tinwerína "Coroada de Estrelas", Taniquetil. 237, 249, 256, 465. (Substituído por *Elerína*.)

Tinwerontar "Rainha das Estrelas", Varda. 237, 256, 414, 474, 479. (Substituído por *Elentári*.)

Tinwetar "Rainha das Estrelas", Varda. 474, 479 (também *Tinwetári*), 474

Tirion Cidade dos Elfos em Valinor. 218; a Árvore de Tirion 250

Tir-nan-Og "Terra da Juventude" nas lendas irlandesas. 95, 100, 121, 123

Tol Sirion 179, 321, 346, 350; *Ilha do Sirion* 314

Tol Thû = *Tol-na-Gaurhoth.* 496

Tol-eressëa Veja *Eressëa.*

Tol-galen "A Ilhota Verde" no rio Adurant. 367, 375, 420

Tolkien, J.R.R. *O Hobbit* 33, 236, 330, 406, 427; *O Regresso de Beorhtnoth* 71; *As Baladas de Beleriand* 9, 319; *Cartas de J.R.R. Tolkien* 13, 34, 236, 403, 409, 450; *The Monsters and the Critics and Other Essays* [Os Monstros e os Críticos e Outros Ensaios] 409; *Os Documentos do Clube Notion* 105, 112; *Contos Inacabados* 28, 31, 87, 91, 94, 178, 180, 221, 345, 379, 386–87, 389. *O Senhor dos Anéis* e *O Livro dos Contos Perdidos* possuem verbetes separados, e não há referências a *O Silmarillion.*

Tol-na-Gaurhoth "Ilha dos Lobisomens". 160, 162, 338, 359, 496; forma tardia *Tol-in-Gaurhoth* 359

Torhthelm Em *O Regresso de Beorhtnoth.* 71

Torre Branca (de Elwing) 402. *Torres Brancas* (nas Emyn Beraid) 42

Trent, Rio 503

Três Casas (dos Pais de Homens ou dos Amigos-dos-Elfos). 27, 34–5, 80–1, 152, 158, 226, 300, 329, 341, 372, 394, 403–04, 491

Três Gentes (dos Elfos) 136, 199, 201, 212, 215, 233, 253, 258, 269

Trevamata 33–4, 112, 250, 336, 345; com referência a Taur-na-Fuin 336, 345, 359, 372; inglês antigo *Myrcwudu* 111–12 (com referência aos Alpes Orientais).

Tuatha-de-Danaan Um povo nas lendas irlandesas. 95–6

Tulkas 134, 138, 145–46, 148, 242–46, 252, 270, 272, 274, 277, 287, 399, 421, 446, 455, 481 (chamado *Ender, Enner* ("noivo") 455, 481). Veja *Poldórëa.*

Tum-halad Local da batalha (entre o Narog e o Taiglin) antes do saque de Nargothrond. 167, 181

Tumladin O vale de Gondolin. 170, 343

Tumunzahar Nome anânico de Nogrod. 332. (Substituiu *Khazaddûm* nesse sentido.)

Tûn 138, 140, 144, 186, 197, 204, 218, 227–31, 259, 264, 267, 268, 271–73, 277–79, 297, 300, 314, 390, 441, 452, 461, 481. Veja *Eldamar, Eledûn.*

Túna 144, 204, 218, 259, 264, 266–69, 441; "a Cidade-do-monte" 264. Quanto a *Tûn* além de *Túna*, Veja 204.

Tuor 76, 81, 87–8, 158, 165–71, 181, 210, 226, 328, 373, 379, 389, 392, 394, 420, 426, 433, 464, 481, 496

Turamarth Forma noldorin = quenya *Turambar.* 351, 386, 450, 482; forma mais antiga *Turumarth* 386

Turambar "Mestre do Destino". 168, 378, 379, 450, 482

Turgon 31, 81, 153, 155, 159–60, 163–65, 167–68, 170, 173, 177, 179, 208, 248, 250, 265, 268, 282, 301–02, 305–07, 309, 320, 340, 343–44, 348, 361, 369–75, 377, 437; *o Rei oculto* 163

Túrin 151, 158, 162, 165–68, 181, 221, 304, 328–29, 350–52, 377–89, 400, 435, 449, 454, 461, 482, 484 (também o quenya *Turindo*), 482; na Segunda Profecia de Mandos 389

Turisindo Rei dos Lombardos. 49, 68–9

Turismodo Filho de Turisindo. 49, 68

Uinen Senhora do Mar. 134, 192, 243, 246, 280, 283, 421, 456, 483

Uldor, o Maldito Filho mais velho de Ulfang. 162, 164, 210, 351, 370, 372, 376, 483

Ulfang Lestense; chamado "o Negro". 175, 227, 342, 347, 369–70, 372, 483. Forma mais antiga *Ulfand* ("o Tisnado") 162–65, 175, 492

Ulfast Segundo filho de Ulfang. 162, 164, 342, 373, 376, 462

ÍNDICE REMISSIVO

Ulmo Senhor das Águas. 29, 120, 134, 137, 139, 148, 153, 160, 167, 190, 192, 195, 205, 220, 242, 262, 286, 290, 301, 305, 311, 314, 338, 343, 391, 394, 421, 446, 459, 473, 483 (noldorin *Ulu*; também *Núron* 505, *Guiar, Uiar* 484, quenya *Vaiaro* 484); as conchas de Ulmo 192, 195 (*hyalma*, 473)

Última Aliança 8, 20, 33, 43, 45, 47, 405

Última Batalha (1) A Grande Batalha (q.v.). 18, 172, 494. (2) A batalha derradeira do mundo, declarada em profecia. 24, 399, 456

Ulwarth Terceiro filho de Ulfang. 175, 342, 347, 373, 483–84. Forma mais antiga *Ulwar* 162, 164, 175, 342, 347, 373, 376, 483

Úmanyar Elfos que "não eram de Aman". 234

Umboth Muilin 155, 312, 319, 440, 451, 453128, 262, 268, 372, 374. Veja *Aelin-uial, Hithliniath, Alagados do Crepúsculo.*

Ungoliantë 138, 176, 182, 273–76, 287, 346, 357, 390, 428, 470 (também *Ungweliantë*); *Ungoliant* 138; *Ungweliant* 221; "Tecelá-de-Treva" 273. (O nome noldorin era *Delduthling*, 428, 483.)

União de Maidros 163, 368, 376

Uppsala 119

Úr Nome do Sol. 289; Úr-anar 89. Veja Úrin.

Úrien Nome da Donzela-do-Sol. 289. (Substituído por *Arien*.)

Úrin "O Flamante", nome do Sol. 72, 285, 289, 483

Úrion Veja *Fionwë*.

Urthel Companheiro de Barahir. 336

Urze Ardente A constelação da Ursa Maior. 136, 251

Usurpadores, Os Um nome élfico para os Homens. 291

Utumno 45, 247, 249, 252, 276, 308, 481 (também *Udun, Uduvon, Utum*). Forma mais antiga *Utumna* 132, 135, 147, 249, 282

Úvanimor Criaturas de Morgoth. 256, 433, 483

Vairë "A Tecelã", esposa de Mandos. 134, 243, 421, 486 (também o noldorin *Gwîr*).

Vaiya 18, 195, 246, 286, 295, 402, 432, 484 (também o noldorin *Gui, Uî*). Veja *Mar Circundante, Mar(es) de Fora.*

Valandil (1) Pai de Elendil. 46, 68, 76, 86, 88; "Amigo-dos-Deuses" 76. (2) Irmão de Elendil. 88

Valaquenta 245

Valar 14, 30, 35, 42, 80, 89, 120, 128, 134–43, 145–47, 149, 151, 186, 192–96, 198–99, 202, 210, 218, 228, 231, 242, 243, 247, 252, 257, 391, 393, 401 (também o noldorin *Balan*, plural *Belein, Belen*), 421. *Terra dos Valar* 151, 286, 290. Veja *Interdição dos Valar; Deuses, Senhores do Oeste, Poderes; Filhos dos Valar.*

valarin A fala dos Valar. 135, 146, 205, 212, 218, 220, 492. Veja *valiano, valya.*

Valarindi 135, 146–47, 219 (idioma dos), 492; Veja especialmente 219, e Veja *Filhos dos Valar.*

Vale dos Salgueiros Veja *Terra dos Salgueiros.*

Valentes, Os Um nome dos Noldor. 255

valiano (1) Língua valiana. 217–18. (2) *Anos Valianos, Ano(s) dos Valar.* 135, 137, 149, 201, 207, 222, 228 (*anos de Valinor*); (*ennin*, um Ano Valiano, 133, *randa, anrand*, cem Anos Valianos, 464).

Valinor 20–3, 29, 30, 35, 38, 71, 81, 93, 120, 131, 133, 134 (também o noldorin *Balannor*); *Terra dos Deuses, dos Valar* nos verbetes *Deuses, Valar. Obscurecer de Valinor* 143, 207, 269, 275; *Ocultação de Valinor* 31, 139, 284. Veja *Montanhas de Valinor.*

Valinórelúmien Os Anais de Valinor. 239.

valinoriano (idioma) 228, 231

Valmar Cidade dos Deuses, chamada "a Abençoada". 135, 142, 228, 244, 247–48, 252–53, 257, 261, 265, 270, 272–75, 280, 390

valya A fala dos Valar. 205, 212, 218, 421. Veja *valarin, valiano.*

Vana 244, 285, 421–22 (também o noldorin *Banwen*).

Vanimor "Os Belos" (Veja 146). 131, 256, 422, 483, 492. Também como um nome dos Lindar, 436 (Veja *Irimor*).

Vanyar A Primeira Gente dos Elfos. 234. (Substituiu *Lindar*.)

A ESTRADA PERDIDA E OUTROS ESCRITOS

Varda 134, 136, 147, 193, 243, 247, 251, 254, 256, 274, 286, 396, 414, 421–23, 428, 432 (também *Breðil, Berethil, Elbereth*). Veja *Elbereth, Elentári, Tar-Ellion, Tintallë, Tintanië, Tinwerontar, Tinwetar.*

Vazio, O 35, 80, 90, 187–89, 242, 247, 363, 399, 401, 420, 431, 442; *os vazios* 393, *o Vazio Atemporal* 398. Veja *Ava-kúma, Escuridão de Fora.*

Veaneldar "Elfos-do-mar", um nome dos Teleri. 492. Veja *Elfos-do-mar.*

Vefántur Nome de Mandos nos *Contos Perdidos.* 246. (Posteriormente *Nefantur, Nurufantur.*)

Velho Mundo (após o Cataclismo) 19, 24–6, 31, 40

Verdadeiro Oeste, O 24–5, 28, 35, 44–5

Verdemata, a Grande 345. Veja *Eryn Galen, Eryn Lasgalen.*

Verona 69

Vikings 98–9, 104

Vingelot Navio de Eärendel. 390, 392–93, 395, 405; *Wingelot* 31, 171, 401, 448, 486 (também o noldorin *Gwing(e)loth*); "Flor da Espuma" 171

Vinlândia Nome nórdico antigo [*Vinland*] da América. 95

Vinya "A Jovem", "a Nova Terra", Númenor. 28, 35, 81, 87–8

Vista O ar interior ou inferior. 20, 96, 195, 486. Veja *Wilwa.*

Watchet Em Somerset. 99; inglês antigo *Wæced* 98

Wealas, Walas (Inglês antigo) Os celtas da Grã-Bretanha. 98–9; os romanos 112

Wendelin Nome de Melian nos *Contos Perdidos.* 219

Wessex 99, 102

Widlást "O Mui Viajado"; Veja *Ælfwine.*

Widris Palavra que significa "Sabedoria" (Gnomo) na fala do Povo de Bëor. 328, 332

Widsith Poema em inglês antigo. 70, 112

Wilwa O ar interior ou inferior. 19, 96, 486; "o(s) ar(es) pesado(s)" 24, 26, 31. Veja *Vista.*

Wingelot Veja *Vingelot.*

Yavanna 28, 35, 134–36, 145, 147, 243–44, 247–48, 251, 261, 284, 292, 399, 421, 424 (também o noldorin *Ivann*). Veja *Palúrien.*

Yénië Valinóren Os Anais de Valinor. 239. Veja *Nyarna Valinóren.*

Zelândia 119

Zirak, o Velho O mestre de Telchar, o Ferreiro. 383, 387

Poemas Originais

3. A Estrada Perdida

[A] pp. 107–11:

In days of yore out of deep Ocean
to the Longobards, in the land dwelling
that of old they held amid the isles of the North,
a ship came sailing, shining-timbered
without oar and mast, eastward floating.
The sun behind it sinking westward
with flame kindled the fallow water.
Wind was wakened.   Over the world's margin
clouds grey helmed climbed slowly up

10   *wings unfolding wide and looming,*
as mighty eagles moving onward
to eastern Earth omen bearing.
Men there marvelled, in the mist standing
of the dark islands in the deeps of time:
laughter they knew NOT, light nor wisdom;
shadow was upon them, and sheer mountains
stalked behind them stern and lifeless,
evilhaunted.   The East was dark.

The ship came shining to the shore driven

20   *and strode upon the strand, till its stem rested*
on sand and shingle.   The sun went down.
The clouds overcame the cold heavens.
In fear and wonder to the fallow water
sadhearted men swiftly hastened
to the broken beaches the boat seeking,
gleaming-timbered in the grey twilight.
They looked within, and there laid sleeping
a boy they saw breathing softly:
his face was fair, his form lovely,

30   *his limbs were white, his locks raven*
golden-braided.   Gilt and carven
with wondrous work was the wood about him.
In golden vessel gleaming water

POEMAS ORIGINAIS

stood beside him; strung with silver
a harp of gold neath his hand rested;
his sleeping head was soft pillowed
on a sheaf of corn shimmering palely
as the fallow gold doth from far countries
west of Angol.   Wonder filled them.

40
The boat they hauled and on the beach moored it
high above the breakers; then with hands lifted
from the bosom its burden. The boy slumbered.
On his bed they bore him to their bleak dwellings
darkwalled and drear in a dim region
between waste and sea.   There of wood builded
high above the houses was a hall standing
forlorn and empty.   Long had it stood so,
no noise knowing, night nor morning,
no light seeing.   They laid him there,

50
under lock left him lonely sleeping so
in the hollow darkness.   They held the doors.
Night wore away.   New awakened
as ever on earth early morning;
day came dimly.   Doors were opened.
Men strode within, then amazed halted;
fear and wonder filled the watchmen.
The house was bare, hall deserted;
no form found they on the floor lying,
but by bed forsaken the bright vessel

60
dry and empty in the dust standing.

The guest was gone.   Grief o'ercame them.
In sorrow they sought him, till the sun rising
over the hills of heaven to the homes of men
light came bearing.   They looked upward
and high upon a hill hoar and treeless
the guest beheld they: gold was shining
in his hair, in hand the harp he bore;
at his feet they saw the fallow-golden
cornsheaf lying.   Then clear his voice

70
a song began, sweet, unearthly,
words in music woven strangely,
in tongue unknown.   Trees stood silent
and men unmoving marvelling hearkened.

Middle-earth had known for many ages
neither song nor singer; no sight so fair
had eyes of mortal, since the earth was young,
seen when waking in that sad country

A ESTRADA PERDIDA E OUTROS ESCRITOS

> *long forsaken.   No lord they had,*
> *no king nor counsel, but the cold terror*
> 80   *that dwelt in the desert, the dark shadow*
> *that haunted the hills and the hoar forest.*
> *Dread was their master.   Dark and silent,*
> *long years forlorn, lonely waited*
> *the hall of kings, house forsaken*
> *without fire or food.*
>
>   *Forth men hastened*
> *from their dim houses.   Doors were opened*
> *and gates unbarred.   Gladness wakened.*
> *To the hill they thronged, and their heads lifting*
> 90   *on the guest they gazed.   Greybearded men*
> *bowed before him and blessed his coming*
> *their years to heal; youths and maidens,*
> *wives and children welcome gave him.*
> *His song was ended.   Silent standing*
> *he looked upon them.   Lord they called him;*
> *king they made him, crowned with golden*
> *wheaten garland, white his raiment,*
> *his harp his sceptre.   In his house was fire,*
> *food and wisdom; there fear came* NOT.
> 100   *To manhood he grew, might and wisdom.*
>
> *Sheave they called him, whom the ship brought them,*
> *a name renowned in the North countries*
> *ever since in song.   For a secret hidden*
> *his true name was, in tongue unknown*
> *of far countries where the falling seas*
> *wash western shores beyond the ways of men*
> *since the world worsened.   The word is forgotten*
> *and the name perished.*
>
>   *Their need he healed,*
> 110   *and laws renewed long forsaken.*
> *Words he taught them wise and lovely –*
> *their tongue ripened in the time of Sheave*
> *to song and music.   Secrets he opened*
> *runes revealing.   Riches he gave them,*
> *reward of labour, wealth and comfort*
> *from the earth calling, acres ploughing,*
> *sowing in season seed of plenty,*
> *hoarding in garner golden harvest*
> *for the help of men.   The hoar forests*
> 120   *in his days drew back to the dark mountains;*
> *the shadow receded, and shining corn,*

white ears of wheat, whispered in the breezes
where waste had been.   The woods trembled.

Halls and houses hewn of timber,
strong towers of stone steep and lofty,
golden-gabled, in his guarded city
they raised and roofed.   In his royal dwelling
of wood well-carven the walls were wrought;
fair-hued figures filled with silver,

130 *gold and scarlet, gleaming hung there,*
stories boding of strange countries,
were one wise in wit the woven legends
to thread with thought.   At his throne men found
counsel and comfort and care's healing,
justice in judgement.   Generous-handed
his gifts he gave.   Glory was uplifted.
Far sprang his fame over fallow water,
through Northern lands the renown echoed
of the shining king, Sheave the mighty.

140 *Seven sons he begat, sires of princes,*
men great in mind, mighty-handed
and high-hearted.   From his house cometh
the seeds of kings, as songs tell us,
fathers of the fathers, who before the change
in the Elder Years the earth governed,
Northern kingdoms named and founded,
shields of their peoples: Sheave begat them:
Sea-danes and Goths, Swedes and Northmen,
Franks and Frisians, folk of the islands,

150 *Swordmen and Saxons, Swabes and English,*
and the Langobards who long ago
beyond Myrcwudu a mighty realm
and wealth won them in the Welsh countries
where Ælfwine Eadwine's heir
in Italy was king.   All that has passed.

[B] pp. 121–23:   THE NAMELESS LAND

There lingering lights do golden lie
        On grass more green than in gardens here,
On trees more tall that touch the sky
        With silver leaves a-swinging clear:
By magic clewed they may NOT *die*
        Where fades nor falls the endless year,
Where ageless afternoon goes by
        O'er mead and mound and silent mere.

A ESTRADA PERDIDA E OUTROS ESCRITOS

There draws no dusk of evening near,
*   Where voices move in veiled choir,*
Or shrill in sudden singing sheer.
*   And the woods are filled with wandering fire.*

The wandering fires the woodland fill,
*   In glades for ever green they glow,*
In dells that immortal dews distill
*   And fragrance of all flowers that grow.*
There melodies of music spill,
*   And falling fountains plash and flow,*
And a water white leaps down the hill
*   To seek the sea no sail doth know.*
Its voices fill the valleys low,
*   Where breathing keen on bent and briar*
The winds beyond the world's edge blow
*   And wake to flame a wandering fire.*

That wandering fire hath tongues of flame
*   Whose quenchless colours quiver clear*
On leaf and land without a name
*   No heart may hope to anchor near.*
A dreamless dark no stars proclaim,
*   A moonless night its marches drear,*
A water wide no feet may tame,
*   A sea with shores encircled sheer.*
*   A thousand leagues it lies from here,*
*   And the foam doth flower upon the sea*
Neath cliffs of crystal carven clear
*   On shining beaches blowing free.*

There blowing free unbraided hair
*   Is meshed with light of moon and sun,*
And tangled with those tresses fair
*   A gold and silver sheen is spun.*
There feet do beat and white and bare
*   Do lissom limbs in dances run,*
Their robes the wind, their raiment air –
*   Such loveliness to look upon*
*   Nor Bran nor Brendan ever won,*
*   Who foam beyond the furthest sea*
Did dare, and dipped behind the sun
*   On winds unearthly wafted free.*

Than Tir-NAN-Og more fair and free,
*   Than Paradise more faint and far,*

POEMAS ORIGINAIS

> *O! shore beyond the Shadowy Sea,*
> > *O! land forlorn where lost things are,*
> *O! mountains where no man may be!*
> > *The solemn surges on the bar*
> *Beyond the world's edge waft to me;*
> > *I dream I see a wayward star,*
> > *Than beacon towers in Gondobar*
> > > *More fair, where faint upon the sky*
> > *On hills imagineless and far*
> > > *The lights of longing flare and die.*

[C] p. 123:

> *The Tree then shook, and flying free*
> > *from its limbs the leaves in air*
> *as white birds rose in wheeling flight,*
> > *and the lifting boughs were bare.*

[D] pp. 124–25: THE SONG OF IELFWINE
(on seeing the uprising of Eiirendel)

> *There lingering lights still golden lie*
> > *on grass more green than in gardens here,*
> *On trees more tall that touch the sky*
> > *with swinging leaves of silver clear.*
> *While world endures they will* NOT *die,*
> > *nor fade nor fall their timeless year,*
> *As morn unmeasured passes by*
> > *O'er mead and mound and shining mere.*
> *When endless eve undimmed is near,*
> > *O'er harp and chant in hidden choir*
> *A sudden voice upsoaring sheer*
> > *in the wood awakes the Wandering Fire.*

> *The Wandering Fire the woodland fills:*
> > *in glades for ever green it glows,*
> *In dells where immortal dew distils*
> > *the Flower that in secret fragrance grows.*
> *There murmuring the music spills,*
> > *as falling fountain plashing flows,*
> *And water white leaps down the hills*
> > *to seek the Sea that no sail knows.*
> *Through gleaming vales it singing goes,*
> > *where breathing keen on bent and briar*
> *The wind beyond the world's end blows*
> > *to living flame the Wandering Fire.*

> *The Wandering Fire with tongues of flame*
> > *with light there kindles quick and clear*

540

A ESTRADA PERDIDA E OUTROS ESCRITOS

The land of long-forgotten name:
no man may ever anchor near;
No steering star his hope may aim,
for nether Night its marches drear,
And waters wide no sail may tame,
with shores encircled dark and sheer.
Uncounted leagues it lies from here,
and foam there flowers upon the Sea
By cliffs of crystal carven clear
on shining beaches blowing free.

There blowing free unbraided hair
is meshed with beams of Moon and Sun,
And twined within those tresses fair
a gold and silver sheen is spun,
As fleet and white the feet go bare,
and lissom limbs in dances run,
Shimmering in the shining air:
such loveliness to look upon
No mortal man hath ever won,
though foam upon the furthest sea
He dared, or sought behind the Sun
for winds unearthly flowing free.

O! Shore beyond the Shadowy Sea!
O! Land where still the Edhil are!
O! Haven where my heart would be!
the waves that beat upon thy bar
For ever echo endlessly,
when longing leads my thought afar,
And rising west of West I see
beyond the world the wayward Star,
Than beacons bright in Gondobar
more clear and keen, more fair and high:
O! Star that shadow may NOT mar,
nor ever darkness doom to die!

[E] pp. 126–27: THE SONG OF IELFWINE
on seeing the uprising of Earendil

Eressëa! Eressëa!

There elven-lights still gleaming lie
On grass more green than in gardens here,
On trees more tall that touch the sky
With swinging leaves of silver clear.

POEMAS ORIGINAIS

While world endures they will NOT *die,*
    Nor fade nor fall their timeless year,
As morn unmeasured passes by
    O'er mead and mount and shining mere.
When endless eve undimmed is near,
    O'er harp and chant in hidden choir
A sudden voice up-soaring sheer
    In the wood awakes the wandering fire.

With wandering fire the woodlands fill:
    In glades for ever green it glows;
In a dell there dreaming niphredil
    As star awakened gleaming grows,
And ever-murmuring musics spill,
    For there the fount immortal flows:
Its water white leaps down the hill,
    By silver stairs it singing goes
To the field of the unfading rose,
    Where breathing on the glowing briar
The wind beyond the world's end blows
    To living flame the wandering fire.

The wandering fire with quickening flame
    Of living light illumines clear
That land unknown by mortal name
    Beyond the shadow dark and drear
And waters wild no ship may tame.
    No man may ever anchor near,
To haven none his hope may aim
    Through starless night his way to steer.
Uncounted leagues it lies from here:
    In wind on beaches blowing free
Neath cliffs of carven crystal sheer
    The foam there flowers upon the Sea.

O Shore beyond the Shadowy Sea!
    O Land where still the Edhil are!
O Haven where my heart would be!
    The waves still beat upon thy bar,
The white birds wheel; there flowers the Tree!
    Again I glimpse them long afar
When rising west of West I see
    Beyond the world the wayward Star,
Than beacons bright in Gondobar
    More fair and keen, more clear and high.
O Star that shadow may NOT *mar,*
    Nor ever darkness doom to die.

542

Este livro foi impresso em 2023, pela Leograf, para a HarperCollins Brasil.
O papel do miolo é pólen natural 70 g/m² e o da capa é couchê 150 g/m².

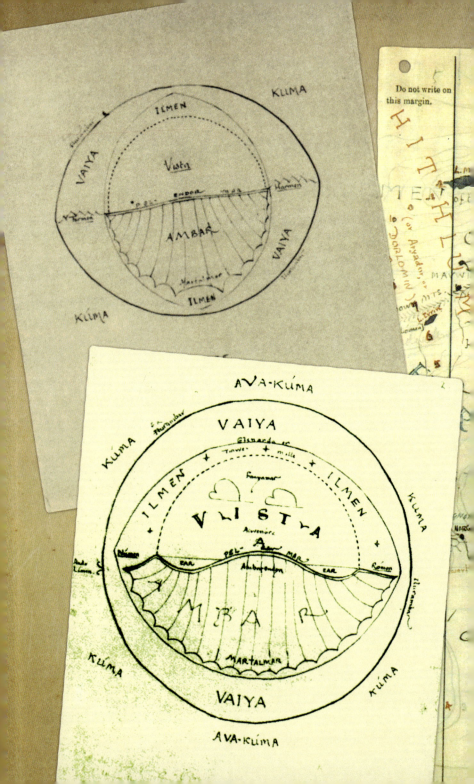